# De koningsmaffia

# De koningsmaffia

## Andreas Eschbach

Karakter Uitgevers B.V.

Oorspronkelijke titel: Ein König für Deutschland
© 2009 by Andreas Eschbach und Bastei Lübbe GmbH & Co. KG, Köln
Vertaling: Harry Naus
© 2010 Karakter Uitgevers B.V., Uithoorn
Opmaak binnenwerk: ZetSpiegel, Best
Omslagontwerp en artwork: Björn Goud

ISBN 978 90 6112 578 5
NUR 332

*Niet de kiezers hebben de macht,*
*maar zij die de stemmen tellen.*

        – Stalin

# Deel I

Het programma

# Hoofdstuk 1

'Dit is een waarschuwing die er niet om liegt,' zei de rechter. Hij keek Vincent strak aan. 'Een ernstige waarschuwing die aan duidelijkheid niets te wensen overlaat. Hebt u dat begrepen, meneer Merrit?'

'Ja, edelachtbare,' zei Vincent meteen. Hij knikte heftig. Als hij me maar laat gaan, dacht hij. Voor de rest kan het me geen donder schelen wat hij me verwijt!

'Goed, want u verdwijnt voor een lange periode achter de tralies als we u nogmaals in de kraag grijpen wegens illegale praktijken in de computerbusiness, meneer Merrit.' Rechter Alfred J. Straw hield zitting in de Philadelphia Municipal Court. Hij sprak luid en duidelijk. Zijn woorden weergalmden door gerechtszaal 2 met het rijk geornamenteerde plafond. 'Om u een voorproefje te geven van wat u dan mogelijk te wachten staat, veroordeel ik u met onmiddellijke ingang tot één week celstraf in het Oak Tree Detention Center.'

De hamerslag maakte het vonnis definitief.

Vincent vond die week in de nor inderdaad zeer indrukwekkend. Vooral toen op een avond een groep tot levenslang veroordeelde medegevangenen hem in de douche probeerde te verkrachten. De bewakers konden hem op de valreep redden en plaatsten hem in een ander cellenblok. Daar had hij veel tijd om over zijn leven na te denken. Hij kwam tot de conclusie dat hij in Philadelphia, en zelfs in de staat Pennsylvania, niets meer te zoeken had. Hij wilde naar Florida. Daar had hij altijd al heen gewild. Zon, strand en mooie meisjes. Als hij het rechte pad wilde bewandelen, kon hij dat net zo goed in een warme streek doen.

Toen hij weer op vrije voeten was, kwam hij erachter dat zijn vriendin hem verlaten had. De relatie was toch al niet meer je van het, dus verbaasde het hem niks dat ze vertrokken was. Hij vond het prima dat ze vrijwel alle meubels had meegenomen. Ook het meubilair dat niet van haar was. De rest kon nu met gemak in zijn roestige Ford combi.

Dus stak Vincent Wayne Merrit voor het eerst een staatsgrens over. Hij was toen eenentwintig. Toch was hij al zo vaak verhuisd dat hij zich een ervaringsdeskundige mocht noemen. Onder de vleugels van zijn moeder Lila Merrit – zij ongehuwd en hij enig kind – was hij op zijn achttiende al negentien keer verhuisd. Maar altijd binnen Pennsylvania. Doorgaans verlieten ze Philadelphia of ze reisden ernaar terug. Telkens was een of andere liefdesrelatie van zijn moeder er de oorzaak van dat ze hun biezen pakten. Ook toen hij nog klein was, zei ze zo nu en dan: 'Je bent een rare snuiter, maar ach... je moeder is minstens zo vreemd.' Over zijn vader vertelde ze hem nooit wat. Hij moest de code van het dagboekslotje kraken om erachter te komen hoe hij heette.

Haar dagboeken stonden naast haar bed op een groot schap. Voor elk jaar een apart dagboek. De jaartallen had ze op de boekruggen genoteerd. Bovendien waren alle dagboeken voorzien van een cijferslot met drie getande radertjes. Toen Vincent tien was, begreep hij dat de code dus uit drie cijfers moest bestaan. Als hij alle cijfercombinaties tussen 000 en 999 uitprobeerde, zou hij hoe dan ook uiteindelijk de code kraken. Op een namiddag was zijn moeder niet thuis en sloop hij haar slaapkamer binnen, pakte het dagboek van zijn geboortejaar en doorliep de cijfercombinaties 000 tot en met 010. Hij had daar twintig seconden voor nodig. Daarna vermenigvuldigde hij het aantal seconden met honderd. Het resultaat was verbluffend. In dit tempo kon hij de code in iets meer dan een halfuur kraken. Dat overtrof zijn stoutste verwachtingen.

In minder dan tien minuten had hij de cijfercombinatie ontdekt. Het getal 216 was bovendien zijn geboortedatum: 16 februari 1977. Aldus leerde hij het een en ander over de manier waarop mensen wachtwoorden en codes kiezen. Later zou hij daar vaak zijn voordeel mee doen.

Hij kraakte meteen ook maar de code van het dagboek van het jaar ervoor. Ditmaal probeerde hij het eerst met de geboortedatum van zijn moeder. Bingo. Met een eigenaardig soort opwinding, omdat hij verboden territorium was binnengedrongen, las hij wat ze over zijn vader had geschreven, hoe ze elkaar hadden leren kennen en hoe ze hem verleid had. Veel van wat hij las, begreep hij jaren later pas. Hij kwam erachter hoe zijn vader heette en ontdekte zijn woonadres in Duitsland. Daarna pakte hij een landkaart om te kijken waar die plaats lag. Nadat hij een tijdje gepiekerd had, schreef hij zijn vader stiekem een brief. Hij realiseerde zich echter niet dat zijn vader daardoor in een scheiding verwikkeld raakte.

In mei 1998 arriveerde Vincent in Florida. Hij reed eerst zomaar wat rond, belandde uiteindelijk in Daytona Beach en bracht enkele weken door in een klein huis tussen palmbomen, niet ver van het strand. In die periode werd hij zich ervan bewust dat hij het niks vond om elke dag op het strand te liggen. Verder kwam hij erachter dat in dit zonnige oord het daglicht een zeer storende invloed had op zijn beeldscherm. In het nogal druilerige, donkere Pennsylvania had hij daar minder last van. Ook realiseerde hij zich weer eens dat het erg lang duurde voordat je wat geld gespaard had en dat dat kapitaaltje erg snel slonk als je ervan probeerde te leven.

Hij moest dus werk vinden.

Vincent was computerprogrammeur, een autodidact. En een kei in zijn vak. Hij was de beste, vond hij zelf. Zijn vorige werkgevers dachten daar iets genuanceerder over, maar waren in principe tevreden met zijn werk. Sterker nog, Vincent zou nooit in de problemen zijn geraakt als hij in zijn vrije tijd achter de meisjes aan zat, aan honkbal deed of graag op de bank tv-keek, om maar wat te noemen. Vincent hield echter niet van sport, had een hekel aan televisiekijken en vond dat de meisjes, hoe aantrekkelijk ze ook waren, hem alleen maar van zijn werk af hielden. Het liefst zat hij achter de computer, ook in zijn vrije tijd.

Ook voor mensen als Vincent waren er in Florida genoeg banen te vinden. De bedrijven waar hij solliciteerde, namen hem echter niet in dienst. Ongetwijfeld had dat te maken met het feit dat hij veroordeeld was en in de gevangenis had gezeten. Op de een of andere manier waren ze erachter gekomen hoe de vork in de steel zat. Ook in dat opzicht hadden computers beslist een doorslaggevende rol gespeeld. De weken verstreken en zijn gespaarde kapitaaltje slonk verontrustend snel, temeer omdat hij steeds verder moest rijden om te solliciteren.

In Oviedo, een plaatsje bij Orlando, vond hij uiteindelijk een bedrijf dat zich niet stoorde aan zijn verleden. Consuela Margarita Sanchez was een kleine, gezette bannelinge uit Cuba en eigenaresse van softwarebedrijf SIT, ofwel Sanchez Information Technology. Zij was buitengewoon geïnteresseerd in de technische details van zijn wandaden. 'Een Trojaans paard?' herhaalde ze oprecht gefascineerd. 'Heb je daarmee vijftigduizend creditcardnummers gestolen?'

Vincent schudde heftig zijn hoofd. 'Dat heeft iemand anders gedaan. Hij zit nog in de nor.' Huiverend vroeg hij zich af hoe het met zijn voormalige collega ging. 'Ik heb alleen het programma geschreven en wist niet wat hij daarmee van plan was.'

Dat was de waarheid. Maar de rechter geloofde hem niet en dacht dat Vincent heel goed wist wat Craig met dat Trojaanse paard van plan was. Vincent wist alleen dat hij er iets mee in zijn schild voerde. Hij had zichzelf wijsgemaakt dat Craig iemand die bij de bank werkte – een vervelende klant – een hak wilde zetten. Meer niet. Eigenlijk kon Vincent destijds de verleiding niet weerstaan om hem te laten zien wie de beste programmeur was.

'Hoe zijn ze jou op het spoor gekomen?'

Vincent verschoof in zijn stoel. 'Ik had er mijn signatuur in verstopt. Een gewoonte van mij.'

Het Trojaanse paard had zich in de computers van de creditcardafdeling genesteld, zich aan de medewerkers getoond als een regulier inlogvenster en alle wachtwoorden naar Craig gesluisd. Hij kreeg toegang tot het systeem, vroeg duizenden geldige creditcardnummers op en verkocht ze op internet.

Hij was echter vergeten om het Trojaanse paard te verwijderen.

Een brede glimlach verscheen op haar gezicht, van haar ene grote, rode oorbel tot de andere. 'Zal ik je eens wat vertellen, Vincent? Je bent een boef, maar ik mag jou wel.' Ze stak haar hand uit over de tafel. 'Welkom in ons team.'

In de daaropvolgende periode stelde Vincent vast dat Consuela bijzonder graag geflipte figuren om zich heen verzamelde. Onder de programmeurs van SIT wemelde het van de illegalen, ex-gedetineerden, failliete ondernemers, bankroete gokkers en drugsverslaafden, van wie sommigen er zelfs erg slecht aan toe waren. Wat ze met elkaar gemeen hadden was hun véél sterkere, koortsachtige verlangen om te programmeren en de computer te beheersen; ze hunkerden naar het beeldscherm, het toetsenbord en rekenprestaties. Ze geloofden allemaal tot in het diepst van hun ziel, ongeacht wat ze in het leven versjteerd hadden, dat ze met computeren iets zouden presteren wat ervoor zorgde dat de rest van de wereld vol ontzag en verslagen het hoofd boog.

Een echte uitdaging voor Vincent.

Het salaris was niet geweldig. Maar als de zaken goed gingen, trakteerde Consuela iedereen die na zeven uur 's avonds nog aanwezig was op pizza of iets van de Mexicaan, de Indiër of de Chinees, afhankelijk van de weekdag. Dus bleef iedereen doorwerken en zorgde ervoor dat de business goed liep, omdat ze dan thuis niet hoefden te koken. Voor een muziekbibliotheek ontwikkelden ze een uitleensysteem met laserscan en diefstalbeveiliging. En ze bedachten een administratiesysteem voor een grote vastgoedfirma die voortdurend aanklopte met speciale wensen en alleen maar afpingelde. Ook ontwikkelden ze software voor een zwembadreinigingsrobot met te weinig geheugencapaciteit. In het voorjaar van 2000 had Vincent het eindelijk voor elkaar gekregen: Consuela promoveerde hem tot chef-programmeur.

Viel er nog iets aan te merken op zijn leven? Ach, in de supermarkt vroeg men hem nog steeds waarom hij zo bleek zag. Ze dachten dat hij nog niet lang in Florida woonde.

Zijn nieuwe functie hield ook in dat hij elke dag met Consuela Margarita Sanchez vergaderde. Vaak waren daar klanten, geïnteresseerden en adviseurs bij aanwezig. Wat er besproken en afgesproken werd, moest Vincent hapklaar 'toedienen' aan de andere programmeurs. Dat was makkelijker gezegd dan gedaan. Huck nam principieel niet aan vergaderingen deel. Fernando wilde per se alles met de hand doorgenummerd op papier hebben, met duidelijke aanwijzingen. In het gunstigste geval accepteerde Alvin de voorstellen, maar hij kwam toch altijd met zijn eigen, belabberde ideeën aanzetten. Xuan zei altijd: 'Ja hoor, geen probleem.' Vervolgens ging hij zijn eigen gang. Ramesh had een stok achter de deur nodig, omdat hij anders dagenlang aan één coderegel knutselde. Claudio was precies het tegenovergestelde. Hij maakte typefouten en rende voortdurend naar het toilet zodra het woord 'deadline' viel. Steve stelde steevast voor dat ze om de tafel moesten gaan zitten om het concept volledig te herzien. Als je hem zijn gang liet gaan, leidde dat ertoe dat hij om te beginnen het binaire systeem in twijfel trok.

Na verloop van tijd kreeg Vincent inzicht in de bedrijfsvoering en in de problemen, zorgen en gebreken waar Consuela als eigenaar van het bedrijf mee te maken had. Hij kwam erachter dat SIT zeer gebrand was op het binnenhalen van staatsopdrachten. 'Je zit gebakken als je bij die jongens je plekje veroverd hebt,' zei Consuela enthousiast. 'Dat zorgt voor regelmatige inkomsten en dan hoeven we ons geen zorgen meer te maken of we de salarissen wel op tijd kunnen uitbetalen.' Consuela was een zorgelijk type.

Tijdens een van die besprekingen, eind augustus 2000, stelde Consuela hem voor aan de zéér dynamische en ongehoord knappe Frank Hill. Hill was een afgevaardigde van de Republikeinse Partij en een vertrouweling van Jeb Bush, de gouverneur van Florida. Enkele jaren daarvoor was Hill kandidaat geweest voor het vicegouverneurschap. Consuela was een vurig aanhanger van de Republikeinen. Volgens haar vormden ze de enige politieke macht die vastbesloten was om Castro het hoofd te bieden en dus de enige hoop op vrijheid in haar geboorteland.

Tijdens die vergadering ging het echter niet over politiek maar werden er zaken gedaan. De afgevaardigde was gekomen om verschillende IT-staatsprojecten door te praten. De vraag was welke klussen geschikt waren voor SIT. Vincent nam als technisch adviseur deel aan die gesprekken. Hij moest de haalbaarheid van de opdrachten beoordelen en hoeveel mensuren erin gingen zitten.

In de daaropvolgende weken vonden er tientallen van die besprekingen plaats, gevolgd door enkele zeer lucratieve opdrachten. Vincent begreep dat Hill een soort dubbelrol vervulde. Zolang ze met z'n drieën bij elkaar zaten, was Frank Hill de opdrachtgever die de eisen stelde en de deadlines bepaalde. Wanneer Consuela en Frank daarna samen de vergadering voortzetten, was Hill de adviseur die haar hielp bij het opstellen van de offerte zodat zij de opdracht in de wacht kon slepen.

Het duurde een tijdje voordat Vincent in de gaten kreeg dat Frank Hill zich voor zijn diensten als adviseur en lobbyist liet betalen.

Voor SIT vormden deze staatsopdrachten de broodnodige steun in de rug na de turbulente internetcrisis. Bovendien floreerde het bedrijf als nooit tevoren sinds Vincent erbij was gekomen. Alle programmeurs kregen comfortabeler bureaustoelen en op het mededelingenbord hingen bestelformulieren van chique leveranciers. Consuela dacht inmiddels na over meer werkruimte, een luxere ingang en een zwembad voor alle medewerkers.

Tijdens de bespreking van eind september 2000, zes weken voor de presidentsverkiezingen, wilde Frank Hill weten of SIT software voor stemcomputers kon ontwikkelen. Software waarmee je het eindresultaat van de verkiezingen kon manipuleren zonder dat iemand dat in de gaten kreeg. Een proefversie was voldoende.

# Hoofdstuk 2

De afgevaardigde kwam met zeer concrete voorstellen over de benodigde software. Hij telde ze op de zorgvuldig gemanicuurde vingers van zijn hand af. 'Ten eerste moet de software geschikt zijn voor touchscreenapparaten. Ten tweede moet een ingewijde gebruiker zonder hulpmiddelen in staat zijn de telling te beïnvloeden. Ten derde moet de software zodanig zijn vormgegeven dat interventiemogelijkheden verborgen blijven, zelfs als de broncode gecontroleerd wordt.'

Op dat moment vouwde Frank Hill zijn keurig verzorgde handen en keek hij Vincent met een trouwhartig-vriendelijke oogopslag aan, zoals hij ook op zijn verkiezingsposters was afgebeeld en waarmee hij in het verleden ongetwijfeld veel stemmen van oudere vrouwelijke kiezers had gewonnen. 'Krijg je dat voor elkaar, Vincent?'

Vincent dacht dat hij droomde. Alsof hij dadelijk wakker zou worden en in bed lag.

Maar even later merkte hij dat hij nog steeds in de vergaderruimte aan de grote tafel van nepteakhout zat. Een tafel waaromheen tien stoelen stonden. Tegenover hem zat Consuela, die op haar elfde samen met haar tante Cuba was ontvlucht en de dood in de ogen had gekeken, en de afgevaardigde die nog nooit in levensgevaar had verkeerd.

Frank Hill keek hem nog steeds trouwhartig aan. Toch maakte zijn vriendelijke uitstraling langzaam plaats voor een zekere mate van ongeduld.

Vincent schraapte zijn keel omdat hij niet wist wat hij moest zeggen. Moest hij software schrijven voor een stemcomputer? De vraag was of hij dat wel kon. Hield die kerel hem voor de gek? Mag het ook wat gemakkelijkers zijn? Zoals een programma voor drankenautomaten. *Druk op toets 1. Als het geldbedrag voldoende is, werpt de machine een flesje cola uit.*

*Druk op toets 2. Als het geldbedrag voldoende is, werpt de machine een flesje 7up uit.* En ga zo maar door. 'Het spijt me, meneer, maar ik snap niet waartoe dat moet dienen. De leverancier levert alle apparaten toch met de geschikte software?'

'Frank en... anderen maken zich zorgen dat de Democraten de verkiezingen in Florida willen manipuleren,' zei Consuela. Het klonk alsof ze het nog geloofde ook. 'Ze vragen zich af of ze met zo'n programma verkiezingsfraude op het spoor kunnen komen en verhinderen.'

De afgevaardigde knikte instemmend. 'Precies. Dat vergat ik te vermelden.' Lachend haalde hij zijn schouders op. 'Ik heb dat al zo vaak uitgelegd dat ik de indruk krijg dat de hele wereld inmiddels weet waar het om gaat.'

Het klonk zo betrouwbaar, oprecht en openhartig dat Vincent er geen woord van geloofde.

Maar hij besefte ook dat zijn bazin hem het vuur na aan de schenen zou leggen zodra hij er een morele discussie van maakte. De klant was nu eenmaal koning.

'In principe zijn de eerste twee elementen van de opdracht geen probleem,' begon Vincent.

De afgevaardigde trok zijn wenkbrauwen op. 'Wil je daarmee zeggen dat het derde element ons wel parten kan gaan spelen?'

'Als iemand die verstand heeft van programmeren de broncode kan bekijken, wordt het praktisch onmogelijk om de toepassing te verbergen waarmee je de stemgegevens verandert,' legde Vincent uit. 'Dat voorkom je echter als je de code compileert voordat iemand die te zien krijgt. In dat geval is het vrijwel onmogelijk om erachter te komen of er gemanipuleerd is.'

Frank Hill keek hem aan met een blik die op niet mis te verstane wijze duidelijk maakte dat hij geen flauw benul had van programmeren.

'Dat moet je me uitleggen.'

'Oké.' Vincent schraapte zijn keel. Het was lang geleden dat hij iemand iets had moeten verduidelijken. 'De broncode van een programma is de leesbare versie. Een programma is in een bepaalde programmeertaal geschreven, die uit verschillende instructies of commando's bestaat. Als je een programma compileert, maak je de versie leesbaar voor de computer. We noemen dat de computercode, ofwel binaire code. Een lange reeks bits van uitsluitend nog nullen en enen. Die code is voor ons onleesbaar. Aan een gecompileerd programma kun je dus niet zien of er een wasmachine of een intercontinentale raket mee aangestuurd wordt.'

De politicus liet die informatie bezinken en vroeg: 'Tenzij je de versie waarover jij het hebt... de computerversie... weer compileert, hè?'

'Nee, compileren is een proces waarbij informatie verloren gaat.' Weer die glazige blik. Vincent moest zich eenvoudiger uitdrukken. 'U moet dat zien als eenrichtingsverkeer van de broncode naar het gecompileerde programma.'

'Oké...' zei Frank Hill. Hij knikte langzaam. 'Hoe gaat die compilatie in zijn werk?'

'Dat gebeurt met een ander programma, de zogenaamde compiler. Die leest de broncode en maakt er een computercode van.'

En zo ging dat nog enkele minuten door, tot Consuela zich ermee bemoeide en alles nog een keer uitlegde tot de afgevaardigde begreep waar het om ging. Hij zei: 'Een stemcomputer die met een gecompileerd programma is uitgerust, kan de ingevoerde stemmen naar willekeur manipuleren, nietwaar?' zei hij.

'Precies,' zei Vincent.

Frank Hill knikte instemmend, leunde achterover in zijn stoel en wreef met een hand over zijn kin en hals, alsof hij zijn huid glad wilde strijken. 'Goed, schrijf zo'n programma maar.'

'Een proefversie?' vroeg Consuela meteen.

'Inderdaad.'

'Een programma dat u kunt inzien en testen, en waarmee u de verantwoordelijken toont wat mogelijk is.'

'Helemaal juist,' zei de afgevaardigde.

Consuela glimlachte breed. 'Komt voor elkaar.'

'Wanneer kun je leveren?' vroeg Frank Hill.

Vincent pakte zijn agenda. Kennelijk werd de afgevaardigde daar wantrouwig van. 'Kijk aan. En ik maar denken dat je helemaal up-to-date was.' Frank Hill haalde zijn digitale organizer tevoorschijn. Een van de nieuwste, die in je handpalm paste, met een tft-kleurenschermpje.

Vincent staarde naar de volgekrabbelde bladzijden van zijn agenda, die hem maar drie dollar had gekost. Hij kende een programmeur die een digitale organizer gebruikte. Men noemde het ook wel managertamagotchi's: speelgoed voor opscheppers.

'Belangrijke zaken zet ik het liefst op papier.' Vincent bladerde door de weken om een overzicht te krijgen. Ze kwamen overeen dat Hill een stemcomputer ter beschikking stelde. Vincent kreeg daarna veertien dagen de tijd om een proefversie te ontwikkelen.

De afgevaardigde was enkele minuten lang druk met zijn minicomputer om alles gerubriceerd te krijgen. 'Gloednieuw,' zei hij. 'Ik moet er nog aan wennen.'

Een paar dagen later vond Vincent een stemcomputer met een touchscreen op zijn bureau. Hij ging er meteen mee aan de slag.

De meegeleverde software van de fabrikant was natuurlijk in de binaire code gezet. Vincent had de afgevaardigde verteld dat die code ontoegankelijk was. Maar dat verhaal klopte niet helemaal. In principe had je de mogelijkheid om een binaire code in elk geval zodanig te decoderen dat je erachter kwam wat de software aanstuurde. Dat werd decompileren of disassembleren genoemd. Een zeer moeilijke, technisch hoogwaardige en foutgevoelige procedure die sowieso maanden in beslag nam. Het was eenvoudiger om gewoon een nieuw programma te schrijven dat er precies hetzelfde uit zou zien als de meegeleverde software. Vincent koos voor de tweede mogelijkheid.

In een stemcomputer stonden de namen van de kandidaten op wie de stemgerechtigden konden stemmen. Dat moest eerst gebeuren. Vincent schreef een toepassing die er op het scherm precies hetzelfde uitzag als het origineel en zette de namen van de geregistreerde kandidaten in een databank, waarbij elke invoer gekoppeld was aan een nummer. Als hij bij wijze van test 'Tarzan' en 'Cheetah' als kandidaten invoerde, kwam 'Tarzan' programmatisch overeen met nummer 1 en 'Cheetah' met nummer 2. De namen van de kandidaten stonden in die volgorde als het apparaat in de stemmodus was gezet.

De stemcomputer was zo ingesteld dat een lid van het stembureau op een knop moest drukken om het apparaat op stand-by te zetten. De kiezer stapte daarna het stemhokje binnen, drukte op de toets met de naam van de kandidaat en daarna op 'Akkoord'. De kandidatenlijst op het beeldscherm maakte vervolgens plaats voor de melding 'U hebt gestemd', en de computer gaf de betreffende kandidaat één stem erbij. Daarna was de stemcomputer opnieuw geblokkeerd en moest hij weer op stand-by worden gezet.

Aan het einde van de stemming kon je de computer terugzetten in de beheermodus en de ingevoerde stemmen uitprinten. Klaar was de telling.

Die software was makkelijk te schrijven. Binnen enkele dagen zou zijn programma zodanig op het origineel lijken dat hij de versies niet meer van elkaar kon onderscheiden. Maar dat was natuurlijk niet waar het om ging. Het doel was om een programma te schrijven dat méér kon dan het origineel.

Vincent legde onzichtbare pictogrammen vast in de hoeken van het beeldscherm. Een ingewijde hoefde die maar in een bepaalde volgorde aan te klikken om bij de extra toepassing te komen. Hij legde de volgende code vast: klik een keer linksboven, twee keer rechtsboven, een keer linksonder en nog een keer rechtsboven. Als je daarna op de tiptoets van een kandidaat drukte, werd het aantal ingevoerde stemmen vergeleken met het totale aantal uitgebrachte stemmen. Als de betreffende kandidaat de meeste stemmen had gehaald, gebeurde er niets. Als echter een andere kandidaat aan de leiding was, werd in een fractie van een seconde het vastgelegde aantal stemmen zodanig veranderd dat de eerstgenoemde kandidaat minstens 51 procent van de stemmen kreeg. De overige kandidaten moesten het doen met 49 procent van de resterende stemmen in min of meer de verhouding die vóór de verandering het geval was.

Op die manier zou niemand erachter komen dat de software was vervangen. Zodra het programma van Vincent op de stemcomputer was geïnstalleerd, zou voorafgaande aan de verkiezingen geen enkel testprogramma, ongeacht hoe grondig er gecontroleerd werd, in staat zijn een onregelmatigheid te ontdekken in de software. De uitslag veranderde pas als een ingewijde ingreep. Maar ook dat zou onontdekt blijven, omdat de gegevens zodanig gewijzigd waren dat de interne samenhang intact bleef. Om vast te stellen dat niet de originele software was gebruikt, moest het bitpatroon vergeleken worden met het programma van Vincent. Dat was echter onmogelijk, omdat de fabrikant zijn software als een bedrijfsgeheim beschouwde en daarover dus geen informatie gaf.

Consuela had een voorbespreking belegd. De volgende dag zou dan de vergadering met de afgevaardigde plaatsvinden. Vincent had twee cd's meegenomen. Op de ene stond het programma en op de andere de uitleg over de werking van de software. Hij vertelde hoe hij zich die bespreking voorstelde. 'We plaatsen de stemcomputer in de vergaderkamer. Hill, jij en ik kiezen alle drie voor Tarzan. Daarna maken we een uitdraai van de telling. We zien dan dat er drie keer op Tarzan is gestemd en niemand voor Cheetah heeft gekozen. Aansluitend voer ik de geheime instructie in, printen we de uitslag opnieuw uit en zien we dat Cheetah twee van de drie stemmen heeft gekregen.'

Aansluitend zou hij aan de hand van de broncode uitleggen hoe hij die toepassing gemaakt had en hoe je de manipulatie kon blootleggen. Je moest dan wel de broncode hebben.

Consuela pakte de cd. 'Je begrijpt het niet, Vincent,' morde ze. 'De manipulatie moet in de broncode verborgen blijven. Anders krijgen we geen regeringsopdrachten meer. Het programma wordt gebruikt om de verkiezingen in Florida te sturen.'

Vincent kreeg er plotseling maagpijn van. Wat bedoelde ze daarmee? Hij wilde haar vragen hoe ze zich dat voorstelde. Hij stokte echter, want de manier waarop ze keek sprak boekdelen. In plaats daarvan zei hij: 'Je weet dat dat onmogelijk is. Wie de broncode heeft, kan ook zien dat er gemanipuleerd is.'

Consuela Sanchez stond op. 'Ik geef Frank gewoon deze cd mee. Einde discussie.'

Ze verliet de vergaderruimte.

Als verlamd bleef Vincent nog even zitten. Hij kon niet geloven wat ze gezegd had.

Dat rare gevoel in zijn buik was angst. Hij werd bang terwijl de vermanende stem van de achtenswaardige rechter Alfred J. Straw door zijn hoofd spookte. De stinkende, vochtige doucheruimte was hij evenmin vergeten.

Klopte zijn voorgevoel? Wilden de Republikeinen verkiezingsfraude plegen?

Vincent was van geen enkele partij lid. Politiek interesseerde hem geen snars. Zoals de meeste Amerikanen was hij niet ingenomen met het vooruitzicht dat de houterige, schoolmeesterachtige Al Gore president werd. Maar net als het overgrote deel van de Amerikanen was ook hij ervan overtuigd dat Al Gore de Republikeinse kandidaat met een ruime voorsprong zou verslaan. Niemand die goed bij zijn hoofd was zou die Republikein kiezen. Die vent kon alleen maar pronken met het feit dat hij de zoon van een voormalige president was en praktisch dezelfde naam droeg.

# Hoofdstuk 3

In de namiddag van 7 november 2000 ging Vincent naar het stembureau om zijn stem uit te brengen. Hij had daar geen prettig gevoel bij. In de afgelopen weken had hij immers alles in het werk gesteld om ervoor te zorgen dat er met die verkiezingen gefraudeerd kon worden. Gelukkig stond in het stemhokje niet de stemcomputer waarvoor hij de software had gemaakt.

Niettemin betrof het eveneens een computer met een touchscreen. Het apparaat zag er iets anders uit en functioneerde bovendien op een iets andere manier. Maar dat maakte niet uit, want hij zag de programmacodes, de toepassingsinstructies en de gegevensstructuren nog steeds voor zich. Software herschrijven ging een stuk makkelijker en sneller.

Vincent stemde op Ralph Nader, een onafhankelijke kandidaat. Hij deed dat niet omdat hij deze beroemde consumentenverdediger zo sympathiek vond, maar omdat hij het niet over zijn hart kon verkrijgen om voor Al Gore te kiezen, die sowieso met ruime voorsprong zou winnen. En George W. Bush kon hem gestolen worden.

Het apparaat piepte een keer nadat hij op de betreffende toets had gedrukt. Op het beeldscherm verscheen de tekst: *U stemt op: Ralph Nader. Druk op 'Akkoord' als u uw stem wilt bevestigen. Druk op 'Annuleren' om opnieuw te stemmen.*

Vincent drukte op 'Akkoord'. Op het display verscheen de tekst: *U hebt gestemd. U mag het stemhokje verlaten.*

Was zijn stem werkelijk geteld? Hoe kon hij dat zeker weten? Stel dat het apparaat was voorzien van zijn software? Dan maakte het later niet uit hoe hij gestemd had. Wat hij zag was niet het programma dat hij geschreven had. Maar je kon de beeldschermteksten in een middag aanpassen

Ontdaan verliet hij het stemhokje en hij staarde naar de lange rij kiesgerechtigden. Goedgehumeurde, chagrijnige, verveelde mannen en vrouwen. Jong en oud, blank en zwart. Zo te zien maakte niemand zich zorgen dat er met de uitgebrachte stemmen mogelijk gefraudeerd werd.

Vanwaar dat vertrouwen? De meeste mensen geloofden toch geen woord van wat de politici zeiden? Velen wantrouwden van alles – de elektriciteitsrekening, de belastingaanslag, de landing op de maan.

Kennelijk had iedereen het volste vertrouwen in de stemcomputer.

Vincent wist dat gewone mensen geen flauw idee hadden hoe een computer werkte. Zodra je op een pictogram klikte, deed het apparaat precies wat je wilde. Daar was iedereen inmiddels aan gewend geraakt. Als je bij een drankenautomaat op de knop drukte waar '7up' op stond, dan viel er gegarandeerd een ijskoud blikje 7up in het vak. Als je je telefoon pakte en een bepaald nummer intoetste, kreeg je gegarandeerd de persoon die dat nummer had. Als je zestig dollar uit de muur wilde halen en je drukte op het icoontje, kreeg je gegarandeerd het juiste bedrag uitbetaald. Niet meer en niet minder.

Niemand leek zich ervan bewust te zijn dat alles naar behoren functioneerde omdat er geen andere belangen in het spel waren. Waarom zou je iemand die een blikje 7up wilde drinken een blikje cola willen verkopen? Dat zou alleen maar ellende opleveren.

Maar in moderne apparaten bestond niet per definitie een koppeling tussen de knop en datgene wat die knop bewerkstelligde. Als je bij een bankautomaat op het '60 dollar'-icoontje van het touchscreen drukte, leverde de beeldschermdriver de twee coördinaten van het punt dat je op het beeldscherm met je vinger aanraakte. Een andere softwarelaag berekende uit die coördinaten het betreffende veld en gaf dan eventueel een impuls aan een ander proces dat met een luidsprekertje was verbonden. Het geluid klonk alsof je op een toets drukte, of je hoorde slechts een piep, afhankelijk van de programmering.

Om tot uitbetaling over te gaan, controleerde de computer vervolgens eerst of je voldoende geld op je rekening had. Daarna werd het bedrag machinaal uit het reservoir gehaald en door de gleuf van de bankautomaat gestoken. Je kreeg dat geld omdat de bank er geen belang bij had om een groter of kleiner bedrag dan gewenst uit te betalen.

Dan nu de stemcomputer. Een totaal ander verhaal. Velen hadden immers belang bij een bepaalde uitslag. Uiteindelijk ging het erom hoe er gestemd werd.

Een dikke vrouw in een groengeblokte jas stapte na hem het stemhokje in. Even later kwam ze weer tevoorschijn, zichtbaar blij dat ze zich van die vervelende plicht gekweten had. Hij stond alleen maar in de weg, vond hij. Dus volgde hij haar naar buiten.

Bij de deur liep iemand met een klembord in de hand op hem af die wilde weten hoe oud Vincent was en op wie hij gestemd had.

'Al Gore,' loog Vincent. Wat ging hem dat aan?

Op de terugweg maakte Vincent zichzelf wijs dat dat ongemakkelijke gevoel te wijten was aan wat hij voor afgevaardigde Frank Hill had gedaan. De tijd heelt alle wonden, prentte hij zichzelf in.

Die avond ging Vincent vroeger dan gewoonlijk naar huis. Hij veegde de chipskruimels van de bank en ging met een blikje bier voor de tv zitten om de verkiezingsuitslag te volgen.

De eerste resultaten kwamen binnen. De verschillen waren kleiner dan verwacht, het zou een nek-aan-nekrace worden. De zuidelijke staten hadden op Bush gestemd. Dat gold ook voor Ohio, Indiana, de meeste staten in het Midden-Westen en de Rocky Mountains. Gore had het hele Noordoosten – met uitzondering van New Hampshire, waar Bush met een kleine meerderheid had gewonnen – achter zich weten te scharen, en de meeste staten rondom de Grote Meren en de gebieden aan de Westkust. De prognose op basis van de eerste gegevens duidde erop dat zowel Al Gore als George W. Bush 48 procent van de stemmen had gekregen. De verdeling van de overige vier procent zou de doorslag geven.

Uiteindelijk moesten alleen nog de uitslagen van een handvol staten binnenkomen. Wisconsin, Iowa, New Mexico en Oregon kwamen met voorlopige uitslagen.

Iedereen wachtte op Florida. De staat met vijfentwintig kiesmansstemmen. Vijfentwintig stemmen die, zoals het er nu voor stond, doorslaggevend zouden zijn. Degene die in Florida de verkiezingen won, werd gegarandeerd de volgende president van de Verenigde Staten.

Om twaalf minuten voor acht maakte NBC bekend dat op basis van de voorlopige uitslagen en stembusuitslagen Al Gore de verkiezingen had gewonnen in Florida. Twee minuten en elf seconden later bevestigde CBS deze prognose. Anderhalve minuut later riep ook de *Voter News Service* Gore uit tot winnaar in die staat. Hij zou de volgende president van de Verenigde Staten worden.

In een interview was George W. Bush niet onder de indruk. Volgens hem waren de prognoses van de nieuwszenders 'zeer voorbarig'.

Dat bleken profetische woorden. Om halftien zag alles er inderdaad heel anders uit. Een voor een stelden de nieuwszenders hun prognoses bij. In Florida was het gevecht tussen de presidentskandidaten Gore en Bush opnieuw onbeslist.

Dat beloofde een lange nacht te worden. Vincent schoof een diepgevroren pizza in de magnetron en pakte nog een blikje bier.

Pas na middernacht werd het echt spannend. Kort na tweeën riepen de nieuwszenders Bush uit tot winnaar in Florida. Volgens de prognoses had hij een voorsprong van ruim vijftigduizend stemmen.

Om halfdrie belde Al Gore – volgens goed gebruik – zijn rivaal om hem te feliciteren met de verkiezingsoverwinning. Op dat moment bevond hij zich in Nashville, Tennessee. Gore stond op het punt om in het openbaar zijn aanhangers te bedanken voor hun steun. Maar nog voordat hij het podium bereikte, kwam het bericht binnen dat het verschil in Florida slechts ongeveer duizend stemmen bedroeg. Hij zegde de openbare dankbetuiging af, keerde terug naar zijn hotel en belde Bush om hem duidelijk te maken dat hij zich nog niet gewonnen gaf.

Later werd gezegd dat Bush daarop geantwoord had: 'Oké, meneer de vicepresident, doe wat u niet laten kunt.'

Waarop Gore gezegd zou hebben: 'Het past u niet om daarover chagrijnig te worden.'

Kort na vieren stelden de nieuwszenders hun prognoses dat Bush in Florida gewonnen had opnieuw bij. De strijd lag weer open. Vincent was echter zo moe dat hij naar bed ging.

De volgende ochtend zette hij eerst zijn computer aan. Hij ging op internet en was benieuwd naar de verkiezingsuitslag.

Al Gore had in totaal 48.976.148 stemmen gekregen. George W. Bush slechts 48.783.510 stemmen.

Bush had in 29 staten gewonnen en zich verzekerd van 246 kiesmanstemmen.

Gore had 18 staten en het district Columbia voor zich weten te winnen. Dat kwam overeen met 260 kiesmanstemmen.

Voor het presidentschap waren echter minstens 270 kiesmanstemmen vereist. Florida moest dus de doorslag geven.

De definitieve verkiezingsuitslag in Florida was:

2.909.135 stemmen voor Bush.

2.907.351 stemmen voor Gore. Dat waren er 1.784 te weinig.

De andere kandidaten kregen 139.616 stemmen.

Dat was dus kantje boord. Bovendien kwamen er talloze meldingen binnen van storingen, defecten en onregelmatigheden tijdens het verloop van de verkiezingen. Vooral in het kiesdistrict Palm Beach, waar de stemgerechtigden zich beklaagden over de verwarrende vormgeving van de stembiljetten.

De kieswet in Florida schreef een volledige hertelling van alle uitgebrachte stemmen voor als de voorsprong van de winnaar een half procent of minder bedroeg. Daartoe werd dan ook besloten.

Jeb Bush, de gouverneur van Florida en de broer van de presidentskandidaat, verklaarde officieel dat hij zich teruggetrokken had uit het verdere verloop van de verkiezingen, aangezien Katherine Harris, de minister van Binnenlandse Zaken, verantwoordelijk was voor de afwikkeling ervan.

Katherine Harris? Die naam deed bij Vincent een belletje rinkelen. Hij haalde Google op het scherm en wist tien seconden later dat Katherine Harris ook plaatsvervangend campagneleider was geweest voor George W. Bush in Florida[1].

[1] cbs News, 8 augustus 2001 – htttp://www.cbsnews.com/stories/2001/08/08/politics/main305435.shtml

# Hoofdstuk 4

In de daaropvolgende dagen en weken hield Vincent het televisienieuws scherp in de gaten. Steeds opnieuw dezelfde beelden: regeringsambtenaren die ponskaarten tegen het licht hielden en geflankeerd werden door juristen van de twee presidentskandidaten; in felle kleuren uitgedoste Bush-aanhangers die protesteerden; persconferenties van een opzichtig opgemaakte minister van Binnenlandse Zaken.

Op de avond van 9 november waren de machinale hertellingen in 64 van de 67 kiesdistricten van Florida afgesloten. Volgens een officieuze prognose van Associated Press had Bush nog maar een voorsprong van 362 stemmen. De advocaten van Al Gore eisten een handmatige hertelling in vier kiesdistricten waar nogal wat onregelmatigheden waren geconstateerd bij het stansen van de stembiljetten: Palm Beach, Broward, Miami-Dade en Volusia. De minister van Binnenlandse Zaken verklaarde dat er voor 14 november geen officiële uitslagen van de hertelling bekend zouden worden gemaakt[1].

---

[1] Daarna ging het als volgt: de volgende dag moest Gore New Mexico opnieuw prijsgeven; ook in die staat waren hertellingen gedaan. Het was inmiddels zeker dat hij in Oregon gewonnen had.

Op 11 november eiste het Bush-team een federale beschikking om het handmatig hertellen stop te zetten vanwege verschillende staatsrechtelijke bedenkingen.

Op 12 november kondigde Palm Beach County aan dat het handmatig hertellen van de stemmen, aanvankelijk alleen in bepaalde rayons, uitgebreid zou worden (alle rayons). Volusia County begon ruim 184.000 stemmen te hertellen.

Op 13 november verklaarde minister van Binnenlandse Zaken Katherine Harris dat ze de termijn waarbinnen het handmatig hertellen afgesloten moest zijn – 14 november 2000 om 17.00 uur – niet zou verlengen. Volusia County diende daarop een klacht in: men wilde de gelegenheid krijgen de hertelling te voltooien. Rechter Donald Middlebrooks wees de rechtsvordering van het Bush-team om het handmatig hertellen stop te zetten af.

Die avond besloot Broward County het handmatig hertellen stop te zetten. De volgende ochtend namen autoriteiten van Palm Beach het besluit het handmatig hertellen te onderbreken tot vaststond of

26

Op de avond van 14 november maakte minister van Binnenlandse Zaken Katherine Harris uiteindelijk bekend dat Bush met een voorsprong van 300 stemmen had gewonnen in Florida[2]. Op dat moment waren de Verenigde Staten wereldwijd allang het mikpunt van spot geworden.

Vincent was net als iedereen inmiddels de tel kwijt. Hij wist niet meer welke gerechtshoven welke regels opstelden aan de hand waarvan stembiljetten geldig of ongeldig werden verklaard, of er wel handmatig mocht worden herteld, of onvolledig gestanste stembiljetten al dan niet telden, toegestaan of verboden waren, welke stemmen van welke kiesdistricten handmatig geteld werden en waar die handmatige telling inmiddels was voltooid, onderbroken of hervat, en zo ja in welke kiesdistricten, en of de minister van Binnenlandse Zaken die uitslagen in de telling diende op te nemen of niet, en soms bleef het onduidelijk of ze überhaupt commentaar mocht geven.

Op 22 november werd bekendgemaakt dat de gedoodverfde vicepresident Dick Cheney met een lichte hartaanval was opgenomen in het ziekenhuis. Dat kon iedereen goed begrijpen. De Hoge Raad, het hoogste rechtscollege, was zich inmiddels met de juridische disputen gaan bemoeien en had voor 1 december een hoorzitting belegd. Desondanks – en ongeacht het feit dat nog niet alle hertellingen waren voltooid – riep Katherine Harris op 26 november George W. Bush uit tot winnaar in Flo-

---

een hertelling rechtmatig was. In Miami-Dade viel echter eenduidig het besluit de uitgebrachte stemmen van drie kiesdistricten handmatig te hertellen, conform de eis van de advocaten van Gore.

Een halfuur voor afloop van de vastgestelde termijn (17.00 uur) besloten de autoriteiten van Palm Beach het handmatig hertellen de volgende dag voort te zetten. Dit druiste in tegen het tussentijds arrest van rechter Terry Lewis, die oordeelde dat de gestelde termijn bindend was en dat men de resultaten daarna kon aanbieden maar dat ze, al naargelang de omstandigheden, niet meegenomen hoefden te worden in de algemene berekening.

[2] De districten stopten desondanks niet met hertellen. Ook Broward County, waar de autoriteiten inmiddels weer van gedachten waren veranderd, was met een hertelling bezig. De minister van Binnenlandse Zaken diende daarop een klacht in bij het Florida Supreme Court. De klacht werd nog dezelfde avond afgewezen. Daarop verklaarde Harris dat ze de resultaten van de betreffende county's gewoon niet meer liet meetellen.

Op 16 november tekenden de advocaten van Bush hoger beroep aan bij het hooggerechtshof in Atlanta om het handmatig hertellen te stoppen. Hiertegen dienden de advocaten van Gore een klacht in. Ondertussen kwam het Supreme Court in Florida met de uitspraak dat het handmatig hertellen in het kiesdistrict Palm Beach door mocht gaan.

Op 17 november deden twee rechters twee verschillende uitspraken. Het vonnis van de ene rechter hield in dat minister van Binnenlandse Zaken Harris het recht had om te laat ingediende uitslagen (van hertellingen) te negeren. Het andere vonnis verbood haar om nog langer uitspraken te doen over wie van de twee presidentskandidaten in Florida gewonnen had. Ondertussen besloot Miami-Dade het handmatig hertellen uit te breiden tot alle districten. Het hooggerechtshof seponeerde de klacht (hoger beroep) van het Bush-team, dat het handmatig hertellen wilde stoppen vanwege staatsrechtelijke bedenkingen.

Inmiddels was het tellen van de schriftelijke stemmen afgesloten. De afgesproken einddatum was 17 november. Hierdoor vergrootte Bush zijn voorsprong met 930 stemmen.

rida. Hij zou inmiddels een voorsprong van 537 stemmen hebben. Zijn broer Jeb, de gouverneur van Florida, ondertekende vervolgens de voorgeschreven documenten, waardoor de verkiezingen voorlopig rechtsgeldig waren[3].

Op 12 december om tien minuten over twaalf kwam de Hoge Raad met een oordeel dat het met vijf tegen vier stemmen gehaald had en inhoudelijk zeer ingewikkeld was. De Raad ging uitvoerig in op de constitutionele aspecten, herriep de beslissing van het hooggerechtshof van Florida en liep vooruit op de einduitslag dat Bush in de staat Florida had gewonnen en dus de 43ste president van de Verenigde Staten zou worden.

De volgende dag verklaarde Al Gore dat hij zich neerlegde bij die beslissing.

Op 18 december 2000 kwam de kiesmannencommissie bijeen. George W. Bush kreeg 271 stemmen – 1 meer dan nodig was – en werd op 20 januari 2001 beëdigd.

In de hele voorgaande periode hadden alleen de ponskaarten in het middelpunt van de belangstelling gestaan. Niet de stemcomputers.

Kort na de beëdiging van George W. Bush verzamelde Vincent moed. Hij vroeg zonder omwegen aan zijn bazin of zijn software een rol had gespeeld in de uitslag van de verkiezingen[4].

'Nou en?' snauwde Consuela. 'Had je liever die arrogante Democraat als president gehad?'

Haar ogen bliksemden. Vincent concludeerde daaruit dat zij zich niets gelegen liet liggen aan zijn ergste vermoedens. Hij had dom genoeg – uit gewoonte, om zijn reputatie als programmeur eer aan te doen, en vooral uit trots – in die software vastgelegd dat hij de geestelijk vader van het programma was. Als het programmeurschap tijdens deze verkiezingen aan de orde was gekomen en iemand erachter kwam wat hij gedaan had, zou dat hem onder bepaalde omstandigheden de das om kunnen doen.

In de daaropvolgende weken sliep hij zo slecht dat hij naar de huisarts ging, die hem een slaapmiddel voorschreef. In de apotheek waar hij zijn

---

[3] In de daaropvolgende dagen was er sprake van dat niet 1000, niet 4700 maar 14.000 stembiljetten buiten beschouwing waren gebleven, afhankelijk van degene die zich daarover meldde. Rechter N. Sanders Saul verordende dat alle 450.000 stembiljetten van het district Palm Beach en de aangewende stemcomputers ter controle naar het gerechtshof in Tallahassee gebracht dienden te worden. Enkele dagen later sprak hij zich echter uit tegen Gore. Inmiddels zag de gewone burger door de bomen het bos niet meer, zo veel aanklachten, tegeneisen, verzoekschriften en tegenvoorstellen waren bij talloze gerechtshoven ingediend over hertellingen, hernieuwde hertellingen of over de vraag of schriftelijke stemmen die niet voorzien waren van de door de kieswet van Florida vereiste poststempel toch toegelaten mochten worden.

[4] http://www.buzzflash.com/alerts/04/12/images/CC_Affidavit_120604.pdf

medicijnen moest halen, stond aan de andere kant van de balie een meisje dat er adembenemend mooi uitzag. Bovendien klikte het meteen. Toen hij haar vroeg of ze zin had om met hem naar de film te gaan, zei ze: 'Oké.' Vincent grapte toen: 'Dan heb ik die pillen misschien niet nodig.'

Hij maakte de verpakking niet eens open.

Ze heette Rosie. Dankzij haar vergat hij zijn zorgen en kreeg hij zelfs een beetje kleur omdat ze graag naar het strand ging. Hij ook, mits zij met hem meeging.

SIT kreeg nog meer regeringsopdrachten van de staat Florida. Een deel van het staatsarchief moest omgevormd worden tot een modern databanksysteem. Aangezien het archief zich in Tallahassee bevond, ongeveer vierhonderd kilometer van Oviedo, stuurde Consuela er in de zomer van 2001 een driekoppig team heen omdat het project zich in de 'kritieke fase' bevond. Dat betekende dat de gegevensbestanden veiliggesteld, geconverteerd en in nieuwe tabellen gezet moesten worden, natuurlijk zonder fouten. Vincent kreeg de opdracht om er één keer per week heen te rijden – een autorit van vier uur – en een oogje in het zeil te houden.

Het stelde niet veel voor. Drie mannen in een kleine kelder die volgestouwd was met computers, kabels en stekkerdozen. Toen Vincent zich meldde, keken ze nauwelijks op. Het leek of Ramesh het toetsenbord aan gruzelementen wilde tikken. Met zijn starre blik boorde Fernando gaten in het beeldscherm terwijl hij op zijn onderlip kauwde, omdat hij als de meest secure werknemer van het bedrijf de taak had gekregen om de databestanden te converteren. Alleen Steve nam de trap naar boven om met Vincent een kop koffie te drinken. Hij vertelde hoe het ging en stelde bij herhaling vast dat, nu ze toch bezig waren, het beter was geweest als ze het hele systeem opnieuw ontwikkeld hadden.

Vincent neusde rond in het archief. Eigenlijk alleen om de tijd door te komen voordat hij weer terugreed. Hij keek in de archiefkasten met historische luchtopnames van Florida, kwam getypte lijsten tegen met de opbrengsten van de citrusvruchtenoogsten tussen 1940 en 1949, verslagen over de procedure voor het verkrijgen van een vergunning voor de bouw van luchthavens, persoonlijke notities van Bob Graham, de 38ste gouverneur van Florida, notulen, kostenramingen en rekeningen die betrekking hadden op het John F. Kennedy Space Center in Cape Canaveral.

Hij zag ook originele documenten over de presidentsverkiezingen van 2000: de volledige correspondentie omtrent de termijnverlenging inzake de hertelling – geprinte e-mails, faxberichten, brieven, uitdraaien van telefoongesprekken, memo's en door toezichthouders gemelde en beëdigde verkiezingsuitslagen uit de verschillende districten en rayons. En verslagen over onregelmatigheden, zoals storingen tijdens de verkiezingsdag, beschadigingen, ruzies.

En berichten over defecten aan de stemcomputers.

Wie alleen het nieuws gevolgd had, dacht ongetwijfeld dat er in Florida uitsluitend met ponskaarten was gestemd. Als Vincent niet beter wist, zou hij dat zelf ook geloofd hebben.

Er waren inderdaad verschillende stembiljetten in omloop geweest. Kartonnen stembiljetten waarmee je naast de kandidaat van je keuze een gat moest ponsen, en papieren biljetten waarop je met potlood een kruisje diende te zetten.

En stemcomputers met touchscreens.

In Volusia County vertoonden de stemcomputers van de firma Diebold technische gebreken op de avond van de verkiezingen. De centrale computer had berekend dat de presidentskandidaat van een socialistische partij ruim negenduizend stemmen had gekregen. De Democratische kandidaat Al Gore had er daarentegen *min zestienduizend*[5]. Degenen die verantwoordelijk waren voor het verloop van de verkiezingen hadden het apparaat opnieuw opgestart. De computer kwam vervolgens met een nieuwe berekening: 97.063 stemmen voor Bush en 82.214 voor Gore[6]. Dat resultaat zag er redelijk uit en werd officieel als uitslag gemeld.

Het zweet brak hem uit terwijl hij tussen de ijzeren rekken stond en het rapport las. Oké, dat kon een foutje in de software van de fabrikant zijn. Waarschijnlijk.

Maar hoe waarschijnlijk was het dat een fabrikant van stemcomputers zijn software zo slecht beveiligde dat het mogelijk was dat de computer bij het tellen van de stemmen een negatieve waarde berekende?

Vincent had niet aan dat risico gedacht. Om die reden was zijn programma niet voorzien van een testmogelijkheid. Daar stond tegenover dat hij alleen een proefversie moest maken. Eigenlijk had hij die software min of meer op goed geluk in die computer geknutseld.

Hij legde de map terug en ademde diep door in de stoffige lucht.

Dat interesseert niemand meer, dacht hij.

[5] *Frankfurter Allgemeine Zeitung*, 7-11-2006 – http://www.faz.net/s/RubCF3AEB154CE64960822 FA5429A182360/Doc~EAB3FEE92FF03488CB358520AE699D5BD~ATpl~Ecommon~Scontent.html

[6] http://www.motherjones.com/commentary/columns/2004/03/03_200.html

Rosie en hij konden het goed met elkaar vinden. Maar op een dinsdagmorgen in september veranderde dat. Ze zaten naast elkaar op de rand van het bad, staarden naar de ovale uitsparing van de plastic houder van een zwangerschapstest en zagen dat er geleidelijk twee lilakleurige strepen verschenen.

Gedachteloos zei Vincent: 'O jee.' Op dat moment ging het mis.

'Wat bedoel je?' vroeg ze met een iel stemmetje.

Dat wist Vincent eigenlijk ook niet. Voorzichtig zei hij dat hij zich afvroeg of hij wel volwassen genoeg was voor zoiets verantwoordelijks als het ouderschap en alles wat daarmee samenhing. Rosie barstte in tranen uit.

Zijn poging om datgene wat hij had gezegd af te zwakken, anders uit te leggen of terug te nemen, maakte de ellende alleen maar groter. Plotseling krijste ze, kwam ze met gemene verwijten en slingerde ze hem van alles naar het hoofd. Hij kon wel door de grond zakken. Gebeurde er maar iets wat het tij zou keren.

Hij werd op zijn wenken bediend: twee volgetankte lijnvliegtuigen boorden zich in de wolkenkrabbers van het World Trade Center. Een ander toestel verwoestte het Pentagon. De moeder van Rosie belde hen, schreeuwde dat ze de tv moesten aanzetten en dat het allemaal zo verschrikkelijk was. Ze zetten de tv aan en zagen de beelden van de aanslag telkens opnieuw. De rest van de dag brachten ze door in een soort roes der verschrikking. De ruzie had voorlopig geen prioriteit meer.

De volgende dag ging Rosie naar de huisarts, die vaststelde dat ze niet zwanger was. Dat soort missers kwam wel vaker voor bij zwangerschapstests die je in de winkel kon kopen. Desondanks, of juist daarom, zou het nooit meer worden zoals voorheen.

In de kerstperiode verscherpte de crisis zich omdat Vincent weigerde de ouders van Rosie te bezoeken. In het voorjaar leerde ze iemand anders kennen. Een uroloog, met wie ze naar New York verhuisde.

Vincent was verdrietig en opgelucht tegelijk. Hij vond het jammer dat het wéér mis was gegaan. Waarschijnlijk zou daar pas verandering in komen als hij een vrouw ontmoette die net als hij computersystemen kraakte. Maar die meiden moest je met een vergrootglas zoeken. Zijn opluchting had alles te maken met het feit dat er een eind was gekomen aan de voortdurende ruzies van de afgelopen tijd.

'Je moet ermee leren leven,' zei zijn moeder toen hij haar aan de telefoon vertelde wat er was gebeurd. 'De appel valt niet ver van de boom.' Ze zuchtte. 'Met Bert is het trouwens ook uit. Ik verhuis volgende week weer naar Philadelphia.'

'Bert?' vroeg Vincent verbaasd. 'Hij heet toch Jeremiah?'

'Dat was in de periode vóór Bert,' zei ze met een nogal berispende ondertoon.

'Die beurshandelaar?'

'Nee, dat was Richard. Jeremiah was een paardenfokker. Om hem ben ik toch naar Longwood verhuisd?'

'O,' zei Vincent, die het helemaal gehad had met liefdesavontuurtjes. In zijn adresboek streepte hij de naam van Rosie door en hij wijdde zich weer aan zijn werk.

In de zomer van 2002 liet afgevaardigde Frank Hill zich niet meer zien bij SIT. Wegens zijn verdiensten voor de staat Florida – gouverneur Jeb Bush prees hem de hemel in – had het parlement hem als woordvoerder naar het Huis van Afgevaardigden gestuurd. Hij was inmiddels naar Washington verhuisd.

In dat jaar was Irak het thema dat de gemoederen bezighield. Had Saddam Hoessein massavernietigingswapens of wilde hij ze aanschaffen? De inspecteurs van de Verenigde Naties vonden geen aanwijzingen daaromtrent, maar de Amerikaanse regering beweerde dat ze zich door Saddam om de tuin lieten leiden. In oktober 2002 kreeg president George W. Bush toestemming van het Congres[7] om, mocht dat nodig zijn, de dreiging die van Irak uitging met geweld te smoren. Vincent hoefde de tv maar aan te zetten of het ging over Irak en de vraag of het tot een oorlog zou komen.

In dezelfde maand[8] werd de 'Help America Vote Act'[9] aangenomen, ditmaal zonder dat de emoties hoog oplaaiden. Deze wet moest toekomstige verkiezingen beter doen verlopen. Het was een reactie op de negatieve ervaringen tijdens de problematische presidentsverkiezingen van 2000. Op het eerste gezicht leek dat een verstandige keuze: de ponskaarten werden afgeschaft en in alle staten was de identificatieplicht van de kiesgerechtigden vanaf dat moment uniform geregeld. Bovendien bestond sindsdien de mogelijkheid dat een kiesgerechtigde een voorlopige stem kon uitbrengen als hij per abuis niet in het kiezersbestand was ingevoerd.

---

[7] De officiële benaming luidt: 'Authorization for Use of Military Force Against Iraq Resolution of 2002'. De wet werd op 10 oktober 2002 met 296 tegen 133 stemmen aangenomen in het Huis van Afgevaardigden, passeerde de volgende dag de Senaat met 77 tegen 23 stemmen en werd op 16 oktober als Public Law Nr. 107-243 door de president ondertekend.

[8] Op 29 oktober, als Public Law 107-252.

[9] Afgekort HAVA; de wettekst is te vinden op http://frwebgate.access.gpo.gov/cgi-bin/getdoc.cgi?dbname=107_cong_public_laws&docid=f:publ252.107

Het belangrijkste was echter dat er drie miljard dollar werd vrijgemaakt voor de aanschaf van nieuwe stemcomputers.

De modernste apparaten met touchscreens.

Vincent was in een groter appartement gaan wonen en had een nieuwe auto gekocht, gewoon omdat hij zich dat nu financieel kon veroorloven. Hij las het artikel en werd daar niet blij van. Hij was bang dat hij op een dag plotseling gearresteerd werd en weer naar het Oak Tree Detention Center zou worden gebracht. Die angst was na verloop van tijd minder geworden, maar deze kwestie rakelde het verleden weer op. Hij deed wat onderzoek, niet diepgravend, alleen wat er zoal op internet te vinden was. Hij kwam vreemde dingen tegen.

Er waren maar weinig fabrikanten van stemcomputers. Twee firma's domineerden die markt: Election Systems & Software (ES&S) en Diebold. Bij de volgende presidentsverkiezingen zou tachtig procent van de uitgebrachte stemmen met de stemcomputers van deze bedrijven geteld worden.

De firma ES&S uit Omaha, Nebraska, was een verontrustend groot bedrijf. De internationaal grootste producent van stemcomputers had wereldwijd meer dan 170.000 apparaten verkocht, die jaarlijks bij ruim drieduizend verkiezingen gebruikt werden en gemiddeld tachtig miljard stemmen telden[10].

Bovendien was ES&S een particulier bedrijf. Geen enkele federale instantie hield toezicht op wat daar gebeurde, noch op de manier waarop die machines gebouwd werden.

De voorzitter van de raad van bestuur van ES&S en de vicepresident van Diebold waren broers[11].

Verder was de voorzitter van de raad van bestuur van Diebold lid van de Republikeinse Partij. Hij had grote bedragen gedoneerd aan de campagnecommissie voor de herverkiezing van George W. Bush[12].

---

[10] Volgens eigen gegevens, zie http://www.essvote.com/HTML/about/dyk.html.

[11] http://www.onlinejournal.com/evoting/042804Landes/042804landes.html
http://www.americanfreepress.net/html/private_company.html

[12] cbs News, 28 juli 2004 – http://www.cbsnews.com/stories/2004/07/28/sunday/main632436.shtml

# Hoofdstuk 5

In maart 2003 brak de Irak-oorlog uit. In mei van hetzelfde jaar werd de overwinning geclaimd. In oktober kozen de Californiërs Arnold Schwarzenegger tot gouverneur. En in december draaide in de bioscopen het laatste deel van *The Lord of the Rings*.

Vincent ging een paar keer met Fernando naar een footballwedstrijd en een keer vissen met Xuan en Steve. Hij wilde weten of zij ook het gevoel hadden dat hun leven zo... nou ja, zo voorgeprogrammeerd was. Hadden zij ook de indruk dat er geen verrassingen meer in het vat zaten?

Als je als computerprogrammeur dat gevoel hebt, is er sprake van een beroepsdeformatie, vond Fernando.

Xuan haalde zijn schouders op. 'Het ligt eraan wat voor programma het is.'

'Droom je er niet van dat er op een dag iets gebeurt waar je helemaal van uit je dak gaat?' vroeg Vincent.

'Noem eens een voorbeeld?'

'Geen idee... Je weet dat je voor de keuze staat: doorgaan zoals altijd of een pad inslaan dat naar een avontuurlijker leven leidt, naar het onbekende...'

'Volgens mij moet je je eens afvragen wat je van het leven verwacht,' bracht Steve te berde.

Daar moest Vincent hem gelijk in geven. Uiteindelijk hadden ze het toch weer hoofdzakelijk over computers en hun werk. Vincent had niet veel met sport of vissen. Dus vond hij dat dit experiment niet voor herhaling vatbaar was.

Omdat Alvin die dag ziek was, nam Vincent voor de tweede keer het systeemonderhoud van de muziekbibliotheek voor zijn rekening. Hij raakte aan de praat met een van de bibliothecaressen. Ze was mooi en glimlachte vertederend. Met haar zou het wat kunnen worden. Ze dronken samen een kop koffie en hadden het over van alles en nog wat. Hoewel het klikte tussen hen, realiseerde Vincent zich dat die kwestie met Rosie nog steeds door zijn hoofd spookte. In elk geval vond hij het beter om het bij deze ontmoeting te laten.

Begin 2004 verhuisde SIT naar een gloednieuw pand aan de rand van Oviedo. Toen de lente plaatsmaakte voor de zomer werd het tienjarig bedrijfsjubileum gevierd. Tijdens het officiële gedeelte van het feest in het nieuwe pand kwam Consuela bijna een uur te laat. Ze droeg een adembenemend mooie japon en was verontrustend goedgehumeurd.

'Ze is aan het trippen,' zei Alvin meteen. Hij kon het weten. 'Volgens mij ecstasy.' Met een minachtend gebaar maakte hij duidelijk dat die pillen voor iemand met zijn drugservaring niks voorstelden.

'Misschien verkoopt ze het bedrijf en gaat ze stil leven,' zei Claudio somber. 'Waarschijnlijk heeft ze net het koopcontract ondertekend dat haar stinkend rijk maakt en werken wij straks voor Redmond, Armonk of nog erger.' Hij keek nog zwartgalliger dan gewoonlijk. 'Of we worden op straat gezet.'

Later bleek dat Consuela gewoon verliefd was.

Wekenlang deden de wildste geruchten de ronde. Iedereen vroeg zich af hoe deze man het voor elkaar had gekregen om die trotse en onafhankelijke Cubaanse – zo werd ze althans beschouwd – voor zich te winnen. Een macho? Een superman?

Op een dag leidde Consuela hem rond door het bedrijf. Een uitgemergeld figuur met een knokig gezicht, zwart glanzend en achterovergekamd haar, haviksogen en lange, smalle handen. Zijn kostuum zag er peperduur uit, maar het zat hem te ruim en was een tikje te modieus, waardoor je dat bijna als smakeloos kon betitelen.

'Zantini,' zei hij met zwaar accent terwijl hij tegenover Vincent stond en Consuela haar chef-programmeur aan hem voorstelde. 'Benito Zantini.' Hij stak zijn hand uit.

'Aangenaam,' zei Vincent. Hij schudde zijn hand.

Zantini liet zijn hand echter niet meer los en staarde hem aan terwijl hij steeds grotere ogen opzette. 'Wat is er met je oor gebeurd, jongeman?' fluisterde hij uiteindelijk bezorgd.

Verbouwereerd greep Vincent naar zijn rechteroor, en daarna naar zijn linker. Hij voelde niets bijzonders. 'Wat bedoelt u? Wat is er mis met mijn oren?'

Er was iets niet in orde, want inmiddels keek ook Consuela hem met grote ogen aan.

Zantini liet zijn hand los en reikte naar het rechteroor van Vincent. Prompt voelde hij dat er iets kouds tegenaan werd gedrukt. Een rond voorwerp. Het bleek een kippenei te zijn. Verbaasd hield Zantini het ei voor het gezicht van Vincent. 'Kijk maar. Dat is toch niet normaal?'

Consuela kon haar lach niet inhouden en schaterde het uit. 'Benito is goochelaar!'

'Illusionist,' verbeterde Zantini haar met een zuinig mondje. Hij stak het ei nonchalant in zijn zak.

Niet lang daarna gaf Zantini een voorstelling voor het personeel van SIT. Het zou de enige goochelshow zijn die Vincent van hem te zien kreeg. Hij was echter zéér onder de indruk.

Op de avond voor Memorial Day hadden ze de feestzaal van restaurant El Rancho afgehuurd. Consuela at daar voorheen alleen met belangrijke klanten. Er was gegrild vlees zoveel je wilde, salades en Mexicaans bereide groenten, natuurlijk met de erbij passende drankjes. Drie van de jongste secretaresses hadden het plan opgevat om Huck – het gerucht ging dat hij nog nooit iets met een vrouw, of een man, had gehad en dat zijn seksleven zich beperkte tot de gratis porno op internet – dronken te voeren en hem over te halen een van hen te kussen. Alvin en Steve hielden een wedstrijdje wie de meeste spareribs op kon. Op zeker moment riepen ze elkaar alleen nog maar toe hoeveel ze er inmiddels ophadden. 'Twintig!' 'Drieëntwintig!' Of ze zwaaiden met mes en vork terwijl ze zich beklaagden dat bepaalde spareribs niet voor een hele telden.

De stemming bereikte een eerste hoogtepunt toen iedereen uiteindelijk het bestek teruglegde en achterovergeleund bleef zitten. Aan het buffet was niet te zien dat er veel gegeten was. Alsof er voor vijfduizend gasten was gekookt in plaats van vijftig. Nee, zo veel personeel zou SIT waarschijnlijk nooit krijgen.

Uit verborgen luidsprekers klonk trompetgeschal. Het licht in de zaal ging uit. Twee spotjes verlichtten de podiumgordijnen. Toen ze openschoven stond Benito Zantini in rokkostuum en met cilinderhoed op het podium. Er werd spontaan geapplaudisseerd terwijl hij een buiging maakte.

Het werd een grandioze voorstelling. Zantini liet balletjes uit het niets opduiken. Ze vermeerderden zich tussen zijn vingers en verdwenen plotseling weer. Hij knipte koorden door die later weer één geheel vormden, verbrandde bankbiljetten – het publiek kreunde – die hij later ongeschonden tevoorschijn haalde. Ook goot hij wijn in een gevouwen krant, die daarna niet nat bleek te zijn. Hij haalde doeken uit het niets tevoorschijn, toverde duiven uit zijn hoge hoed en boeketten uit de hemdszakken van mannelijke toeschouwers, onder wie Huck. Toen Zantini hem het boeket overhandigde, gaf Huck de ruiker spontaan aan Sue-Ellen, die naast hem zat. Zij op haar beurt gaf Huck een kusje terwijl de andere meisjes instemmend juichten.

Op zeker moment kwam Zantini met een goocheltruc die alle voorgaande trucjes deed verbleken. Dat vond Vincent althans. Geblinddoekt ontdekte hij de magische vingerhoed die in zijn afwezigheid door het publiek in de zaal was verstopt. Waarschijnlijk was Vincent zo onder de indruk omdat hij opdracht had gekregen Zantini zodanig af te leiden dat hij niet kon zien wat er in de zaal gebeurde. Vincent had hem buiten geblinddoekt, hem oordopjes in gedaan en er verder op alle mogelijke manieren voor gezorgd dat de goochelaar niet kon weten waar het publiek de vingerhoed had verborgen.

Het duurde lang voordat iemand naar buiten liep om te zeggen dat ze naar binnen mochten. Zantini was de hele tijd zwijgend blijven staan, de armen voor de borst gekruist. Zoals afgesproken verwijderde Vincent de oordopjes, maar hij leidde hem geblinddoekt terug de zaal in.

'Ik wil graag dat degene die de vingerhoed voor het laatst heeft aangeraakt nu naar voren komt,' riep Zantini boven het nerveuze geroezemoes uit.

Ramesh stond op en liep naar het podium. Hij grijnsde en knipoogde naar Vincent. Alsof hij daarmee wilde zeggen dat die goochelaar niets uit hem zou krijgen.

'Ga met je rug naar mij toe staan, zodat ik een hand op je schouder kan leggen,' zei de goochelaar.

'Oké,' zei Ramesh, die zich meteen omdraaide. Er verscheen een nog bredere grijns op zijn gezicht. Zantini stak zijn hand naar hem uit. Pas na de tweede poging lukte het hem om die op de schouder van de programmeur te leggen.

'Absolute stilte graag,' zei Zantini met zware stem tegen het publiek. 'Iedereen moet zich nu ontspannen en zich concentreren. Denk alleen aan de plaats waar de vingerhoed verstopt is.'

Het werd muisstil in de zaal. Zo stil dat je alleen de airco hoorde zoemen. In de keuken werd gewerkt, dat kon je horen. In het restaurant aan de voorzijde van het pand viel een lepel of mes op de stenen vloer. Zantini had alleen als voorwaarde gesteld dat de vingerhoed op een vaste ondergrond geplaatst moest worden. Je mocht het voorwerp dus niet in je zak steken. In deze grote zaal, die plaats bood aan meer dan tweehonderd personen, waren er mogelijkheden te over.

'Loop nu langzaam door de zaal zodat ik de vibraties kan opvangen,' zei Zantini.

Ramesh deed wat hem was opgedragen en liep langzaam tussen de tafels door.

'Komen we in de buurt?' vroeg Zantini. 'Nee,' antwoordde hij meteen op zijn eigen vraag. 'We verwijderen ons nu van de vingerhoed. Loop alsjeblieft in de tegenovergestelde richting.'

Het leek of Ramesh schrok. Hij volgde de aanwijzing echter meteen op.

'Meer naar links,' beval Zantini. 'Nee, iets meer naar rechts. Nog verder... stop!' Zantini zweeg en draaide zijn hoofd naar links en rechts, alsof hij het voorwerp gewaar werd. 'Verder, meer naar links. Nu naar rechts.'

Vincent had geen idee waar zijn collega's de vingerhoed hadden verstopt. Hij hield Consuela in de gaten. Als een ongekroonde avondkoningin zat ze tussen het gewoel en gedrang. Ze straalde van trots en welwillendheid. Consuela was de enige in de zaal van wie hij dacht dat ze wel eens met Zantini zou kunnen samenwerken. Ze observeerde haar geliefde echter net zo gefascineerd en sprakeloos als de rest. Het zag er beslist niet naar uit dat ze heimelijk tekens gaf, nog afgezien van het feit dat Zantini niets kon zien. Kennelijk was Consuela net als iedereen stomverbaasd dat die man zichzelf geblinddoekt in staat achtte om in deze grote zaal zo'n klein voorwerp te vinden.

Uiteindelijk droeg Zantini Ramesh op om zijn pas in te houden. Ze stonden voor een tafel. 'Wat ligt er op de tafel?' vroeg hij.

'Ik zie twee koffiekopjes,' zei Ramesh. Degenen die aan de tafel zaten, keken hem met grote ogen aan. 'En een bord met half opgegeten gebak, drie wijnglazen, een verfrommeld servet en een vaas met bloemen...'

'Haal het servet weg,' zei Zantini.

Ramesh deed dat. Onder het servet lag de vingerhoed!

'Hoe hebt u dat gedaan?' vroeg Vincent toen na de voorstelling het daverend applaus geluwd was en ze weer aan de tafel bij Consuela zaten. 'Hoe wist u dat de vingerhoed op die tafel onder het servet lag?'

Zantini glimlachte minzaam. 'Jongeman, een illusionist verraadt nooit zijn trucs, laat dat duidelijk zijn,' zei hij. 'Die erecode mag niemand breken.'

'Maar...' begon Vincent. Hij zag in de ogen van Zantini dat het zinloos was om te proberen hem op andere gedachten te brengen. Uiteindelijk gaf hij het op.

Op de researchafdeling werd nog dagenlang nagepraat over die truc. De meesten dachten dat Zantini met iemand onder één hoedje speelde. Ook de theorie dat de vingerhoed voorzien was van een peilzender kende heel wat aanhangers. Vincent was er echter van overtuigd dat Zantini geen technische snufjes had gebruikt.

Bovendien zag hij de 'magische vingerhoed' niet lang daarna op het bureau van Consuela liggen. Waarschijnlijk had Zantini haar die geschonken. In een onbewaakt ogenblik bekeek Vincent hem van dichtbij. Een gewone vingerhoed van rode kunststof. Geen bijzondere kenmerken.

Vreemd.

Het gerucht ging daarna dat Benito Zantini een Italiaan was die met een variétégezelschap door de Verenigde Staten was getrokken en elke avond optrad in kleine en grote zalen, al naargelang de versie die je wilde geloven. Op een dag was de manager er met de kas en de paspoorten vandoor gegaan, zo luidde het verhaal, waardoor de artiesten gestrand achterbleven. Dat was ruim een jaar geleden in Miami gebeurd. Sindsdien ging de goochelaar als zakkenroller, oplichter en bon vivant door het leven.

Consuela waardeerde iemand als Zantini. Dat soort lui had ze graag om zich heen: een illegaal die zich met verboden dingen bezighield. Ze was kortom aan hem overgeleverd.

De secretaresses wilden per se dat Vincent haar vroeg of ze ging trouwen en vooral wanneer, hoe en of het personeel was uitgenodigd op de bruiloft. Vincent weigerde zijn bazin uit te horen over persoonlijke zaken. Ze moesten het zelf maar aan haar vragen. De secretaresses gingen hem toen chanteren. Ze zouden zijn telefoontjes niet meer doorschakelen en zeggen dat hij op staande voet ontslagen was.

'Dat kunnen jullie niet maken,' zei Vincent.

'O nee?'

Toen Vincent rare e-mails kreeg, het leken wel condoleances, en zijn moeder hem thuis opbelde waarom hij ontslagen was, gooide hij de handdoek in de ring. Hij vroeg Consuela naar haar trouwplannen en benadrukte dat hij gechanteerd was.

De bannelinge uit Cuba lachte slecht. 'Benito wil natuurlijk graag dat ik met hem trouw. Maar waarom zou ik? Wat schiet ik daarmee op? Hij is illegaal in het land. Zolang dat het geval is, kan ik met hem doen en laten wat ik wil.' Ze keek Vincent met een veelzeggende oogopslag aan. 'Je weet toch dat ik mannen graag bij de ballen heb?'

De vraag was natuurlijk hoe het werkelijk zat. In elk geval kwam Consuela steeds minder vaak op kantoor sinds ze wat met die magere goochelaar had. De dagelijkse vergaderingen vonden nu om de twee of drie dagen plaats. Toen de deadline naderde van het lucratieve databankproject in het staatsarchief kreeg Vincent opdracht om de oplevering af te handelen, terwijl ze dat soort zaken voorheen altijd zelf deed.

Dus reed hij nog één keer naar Tallahassee voor het eindgesprek met ene Herb Phillips, die de klant vertegenwoordigde. Hij wilde om die reden niet te laat komen en was dus ruim op tijd vertrokken. Natuurlijk was het uitgerekend op die dag rustig op de weg, waardoor hij veel te vroeg arriveerde. De secretaresse zei dat meneer Phillips nog in een bespreking zat en stelde voor dat hij in de cafetaria een kop koffie ging drinken. Dat vond Vincent een goed idee.

In de cafetaria zat een man met een grijze baard. Tevens de enige gast. Hij roerde onophoudelijk in zijn koffie terwijl hij het bovenste blad van een stapel papieren aan het lezen was.

'Dadelijk zit er een gat in,' zei Vincent terwijl hij met zijn eigen koffie aan een van de tafeltjes plaatsnam.

Geschrokken keek de man op. 'Pardon?'

Vincent wees naar de plastic beker. 'De bodem slijt ervan.'

De man keek alsof de beker uit het niets tevoorschijn was gekomen. 'O,' zei hij. 'Inderdaad, u hebt gelijk. Het is nooit verstandig om twee dingen tegelijk te doen. Dat is sowieso minder efficiënt dan je denkt.'

'Zal wel spannend leesvoer zijn.' Vincent ging aan de tafel ernaast zitten.

'Het is maar hoe je het bekijkt.' Hij pakte enkele dichtbedrukte bladen vol tabellen. 'Stembusuitslagen, onderverdeeld volgens alle mogelijke criteria. Louter getallen. Je moet je hoofd er wel bij houden. Ik ben verkiezingsonderzoeker,' voegde hij eraan toe.

Vincent schrok zich rot. Uitgerekend zo iemand! Hij kwam in de verleiding om het gesprekje met iets onbenulligs af te breken en een wandelingetje te maken tot hij Herb Phillips te spreken kreeg. Vervolgens daagde het besef dat doorzetten de beste optie was. Jezelf confronteren met de fobie en aldus je angst overwinnen.

Hij bleef zitten en zei: 'Verkiezingsonderzoeker? Is dat een vak?'

De man trok zijn wenkbrauwen op. Ze waren net zo borstelig als zijn baard. 'Ik ben statisticus, om precies te zijn. Ik werk voor een particulier onderzoeksbureau dat zich met exitpolls bezighoudt, ofwel opiniepeilingen onder kiezers die net hun stem hebben uitgebracht, ook wel stembuspeilingen genoemd.'

'Klinkt interessant,' zei Vincent. Hij was trots dat hij op eigen houtje zijn angst overwonnen had. 'En wat houdt dat in?'

'We vragen aan kiezers die net hun stem hebben uitgebracht op wie ze gestemd hebben. Met die resultaten proberen we een prognose te maken die de feitelijke uitslag zo dicht mogelijk benadert.' Hij maakte een fladderend gebaar met een hand. 'Doorgaans in opdracht van nieuwszenders en kranten. In die business is best wat te verdienen. Maar omdat het zo eenvoudig lijkt, is er nogal wat concurrentie en moet je je uitsloven om klanten te houden, zoals je tegenwoordig overal ziet.'

Vincent knikte begrijpend. 'Het is dus zaak om een prognose te maken die het dichtst bij de feitelijke uitslag ligt. Hoe beter dat lukt, hoe meer het onderzoeksbureau in de belangstelling staat.'

'Zoiets.'

'U zegt dat dat eenvoudig lijkt. Wat is er dan zo moeilijk aan?'

'O, er spelen allerlei factoren een rol,' zei de man. Hij streek met een hand over zijn baard. 'Allereerst zijn er de statistische normen. Je moet ervoor zorgen dat de steekproef omvangrijk genoeg en bovendien representatief is. Het is bijvoorbeeld algemeen bekend dat veel zwarte Amerikanen op de Democraten stemmen, en rijke lui op de Republikeinen, en ga zo maar door. Daar moet je rekening mee houden tijdens het onderzoek. De resultaten dien je af te stemmen op die gegevens, anders zit je er gigantisch naast.'

Vincent knikte enthousiast. 'Ik begrijp het.'

'Verder weigeren veel mensen antwoord te geven op je vraag. Dat is hun goed recht. Maar het aandeel "weigeraars" heeft ook te maken met hun politieke voorkeur. Je moet correctiefactoren in aanmerking nemen met betrekking tot de uitslagen in een kiesdistrict in vergelijking met de prognose van de exitpolls die daar worden gehouden.'

Vincent knikte nu iets minder enthousiast. 'Eh, ja.'

'Een andere onzekerheidsfactor is dat de ondervraagden niet altijd de waarheid zeggen. Sommigen stemmen uit protest op een extreme partij en vinden dat dat de opiniepeiler niets aangaat. Dat vertroebelt natuurlijk ook, waarbij het effect ervan moeilijk te peilen is.'

Vincent zweeg. Hij knikte alleen nog maar.

'Maar er is nog een ander fenomeen. De verschillende bevolkingsgroepen stemmen niet allemaal op hetzelfde tijdstip. De oudere kiesgerechtigden en moeders met kleine kinderen komen meestal vroeg. Aangezien onze klanten liefst meteen na het sluiten van de stembureaus de primeur van de eerste prognoses willen hebben, zijn die groepen oververtegenwoordigd, terwijl we de gegevens van kiezers die in de laatste minuut komen opdraven niet meer mee kunnen nemen in het resultaat.'

'Het is inderdaad ingewikkelder dan je op het eerste gezicht zou zeggen,' zei Vincent. Misschien had hij toch dat wandelingetje moeten maken. 'Maar...' de man met de baard stak zijn wijsvinger op, '... eigenlijk is het helemaal niet belangrijk dat een nieuwszender de mogelijkheid krijgt om twee minuten eerder dan zijn concurrent met de eerste prognoses te komen. Stel dat een prognose op basis van zorgvuldig opinieonderzoek significant afwijkt van de officiële uitslag. Dat kan erop duiden dat er sprake is van verkiezingsfraude...'

Op dat moment verscheen een vrouw bij de deur van de cafetaria. 'Dr. Underwood? U kunt nu het archief in.'

De man met de baard sprong zo haastig op dat hij bijna zijn koffie omstootte. Hij had er nog niet van gedronken. Haastig graaide hij zijn papieren bij elkaar, boog zich onhandig naar Vincent om hem een hand te geven en zei: 'Ze zijn het archief opnieuw aan het digitaliseren. Alles staat dan op zijn kop. Nu is de conciërge zelfs de sleutel kwijt.' Hij kuchte. 'Nog een prettige dag verder.'

Al met al was dit toch goed verlopen, dacht Vincent terwijl hij eindelijk in alle rust van zijn koffie kon genieten. Het zou tijd worden. Hij was die rare angst spuugzat.

Het eindgesprek verliep probleemloos. Herb Phillips, die bij aanvang van het project over van alles en nog wat zat te vitten, ondertekende het formulier niet alleen meteen, hij was ook vol lof en gaf bovendien te kennen dat SIT op een vervolgopdracht mocht rekenen. Hij begeleidde Vincent naar de hoofdingang, waar hij afscheid van hem nam. In een opperbest humeur reed Vincent terug. Het leven was geweldig.

Tegen vijf uur reed hij de bedrijfsparkeerplaats op, stapte als een dynamische manager uit en liep met verende tred naar de ingang. De map met het ondertekende opleveringsformulier hield hij losjes onder zijn arm. Het leven was nog steeds geweldig. En achter de receptiebalie zat ditmaal Katleen, die iedereen een glimlach schonk.

Maar vandaag glimlachte ze niet. Dat had hem argwanend moeten maken. 'Je moet je meteen melden bij Consuela.' Ze keek als een verschrikt muisje.

'Was ik toch al van plan,' zei Vincent stralend. Hij hield de map veelzeggend omhoog en liep snel naar haar kantoor.

Daar stonden twee mannen in goedkope pakken. Een kleerkast met overgewicht en een korzelige kleine man. Het waren politieambtenaren.

Ze lieten hun legitimatiebewijs zien en legden uit dat er weer sprake was van diefstal van creditcardnummers. Op grote schaal. Daarbij was het programma gebruikt dat Vincent indertijd geschreven had en als gevolg waarvan hij op staatskosten een gedenkwaardige week in de gevangenis had doorgebracht. Wat had hij daarop te zeggen?

# Hoofdstuk 6

'Ik wilde je bellen om je te waarschuwen,' zei Consuela nijdig. 'Maar zij staken daar een stokje voor.'

Vincent knikte slechts. Opeens wist hij hoe het voelde om getroffen te worden door een vliegend aambeeld. Hij opende zijn mond, wilde iets zeggen, de zaak ophelderen, schoon schip maken, het misverstand uit de weg ruimen, maar hij kreeg geen woord over zijn lippen. Dus hield hij zijn kaken stijf op elkaar terwijl hij de mannen slechts aankeek en zich het verhaal over het konijntje en de slang voor de geest probeerde te halen. Om een of andere vreemde reden had hij het gevoel dat hij zowel het konijn als de slang was.

Een van de mannen trok een stoel bij en zei tegen hem dat hij plaats moest nemen. Vincent deed wat er van hem gevraagd werd.

'Ik weet van niets,' zei hij uiteindelijk. 'Ik heb daar in elk geval part noch deel aan.'

De andere man noemde namen waar Vincent nog nooit van gehoord had. 'Ik ken ze niet,' zei hij. En terwijl hij dat steeds herhaalde, zag hij dat Consuela met een woedende blik opstond en het kantoor verliet. Hij was nu alleen met de twee politiemannen.

'Hoe hebben ze uw computerprogramma in handen gekregen?' vroeg de kleerkast.

'Geen idee,' antwoordde Vincent. 'Ik heb het ze in elk geval niet gegeven.'

'Iemand moet het ze toch gegeven hebben.'

Vincent boog zijn hoofd. Hij was plotseling doodmoe, op sterven na dood van uitputting. Ze zaten niet alleen onterecht achter hem aan, ze hadden bovendien geen idee. 'Programma's kun je kopiëren,' zei hij futloos. 'En gekopieerde programma's kun je opnieuw kopiëren, tot in het oneindige toe. Aldus verspreiden ze zich over de wereld, tot er eventueel miljarden kopieën van zijn.'

'Het is ongetwijfeld uw programma,' voegde de andere man, de dwerg, eraan toe. 'Het bevat uw signatuur.'

Vincent keek op. 'Denkt u dat ik zo stom ben om mijn signatuur erin te laten als ik iets met die zaak te maken heb?'

De chagrijnige dwerg had kauwgom in zijn mond gestopt. Hij kauwde er provocerend op. 'Ja,' zei hij uiteindelijk. 'Dat denk ik zeker.'

Nu had Vincent iets om over te piekeren. Het leidde enigszins af van het grenzeloze afgrijzen dat hij tot in het diepst van zijn ziel ervoer. Inderdaad, in elk programma van zijn hand had hij iets achtergelaten wat ernaar verwees dat hij de geestelijk vader was van die software. Ook al waren die aanwijzingen goed verstopt en vrijwel onmogelijk op te sporen. Hij deed dat omdat hij trots was op zijn werk. En omdat hij vond dat de meeste software die hij schreef nagenoeg geniaal was. Maar hij deed dat ook omdat hij altijd de mogelijkheid wilde hebben om te bewijzen dat hij het programma had geschreven als hij het ergens tegenkwam.

Stel dat hij een programma met een Trojaans paard had geschreven. Zou hij in die software ook zijn signatuur achterlaten? Ja. In dat opzicht had die chagrijnige dwerg gelijk. Ook zo'n programma zou hij van zijn signatuur voorzien. Hij zou die alleen beter verstoppen.

'We begeleiden u nu naar uw woning, zodat u wat spullen kunt pakken,' zei de kleerkast op een vijandige toon. 'Daarna gaat u met ons mee naar Philadelphia.'

Op dat moment zwaaide de deur open. 'Dan zou ik wel eerst graag uw papieren willen inzien, heren,' zei iemand met een zware stem.

Vincent en de twee politiemannen draaiden zich om. In de deuropening stond een gezette man met een sik. Hij had een duur driedelig kostuum aan. Achter hem bevond zich Consuela, die zelfverzekerd glimlachte.

'Leonard Stanton,' zei de man. 'Ik ben de advocaat van meneer Merrit.'

Hij liet zich de legitimatiebewijzen van de agenten overhandigen. Kalm noteerde hij de gegevens, waarna hij naar hun opdracht vroeg en dus ook naar het arrestatiebevel, de gerechtelijke verordeningen, de dossiergegevens en zo meer. Ze konden Stanton niet eens de helft ervan overleggen. Dat hield in dat ze niet het recht hadden om met Vincent om te gaan zoals ze deden.

In nog geen halfuur had hij de twee agenten tuk. De kleerkast was veranderd in een dikke, zwetende kerel. De dwerg gedroeg zich niet korzelig meer en kwam over als iemand die het liefst weer buiten stond.

Uiteindelijk pakte Consuela Vincent bij de arm, trok hem haar kantoor uit, deed de deur dicht en zei: 'Maak je geen zorgen. Als Leonard ze door de mangel heeft gehaald, komen ze nooit meer terug.'

'Denk je?' Vincent voelde zich niet op zijn gemak.

'Je bent in mijn bedrijf niet de eerste.' Veelzeggend trok ze haar wenkbrauwen op. 'Hoe ging het in Tallahassee? Is alles geregeld?'

Vincent kreeg het gevoel dat ze over iets uit een vorig leven begon. Met veel moeite kon hij zich herinneren waar hij de map met het ondertekende document had gelaten. 'Ja, geen probleem. De map ligt op je bureau. Phillips zei iets over een mogelijke vervolgopdracht,' voegde hij er even later nog aan toe.

Consuela glimlachte breed. Alles was dus oké. Niks aan de hand. 'Zie je wel? Dat dacht ik al...' Ze keek Vincent aan, die zich belabberd voelde. 'Ga naar huis en bestel een pizza op mijn kosten. Dat heb je verdiend.'

'Maar...' begon Vincent. 'En die politieagenten dan?'

'Die koekenbakkers in mijn kantoor?' Ze wuifde zijn opmerking weg. 'Maak je niet druk. Je zult nooit meer iets van ze horen.'

En zo gebeurde het. Vincent reed naar huis, bestelde een grote pizza en sliep onrustig. Hij werd getergd door nachtmerries waar hij de pizza slechts gedeeltelijk de schuld van kon geven. De volgende dag was op zijn werk alles zoals vanouds. De politiemannen waren vertrokken en kwamen niet meer terug. Niemand had het meer over het voorval. De meesten hadden er sowieso niets van meegekregen.

Vincent vroeg zich toen af hoeveel van dit soort voorvallen hier inmiddels hadden plaatsgevonden zonder dat hij er iets van gemerkt had.

Zantini was de enige die de zaak niet liet rusten.

Ongeveer twee weken na het bezoek van de politieagenten zat Vincent op een dag een hele tijd op het toilet. Toen hij zijn kantoor binnen liep, zag hij dat Zantini het zich gemakkelijk maakte in de bezoekersstoel en kalm de gespreide vingers van zijn twee handen telkens zachtjes tegen elkaar aan drukte. 'Ik hoor interessante dingen over jou,' zei hij.

'Wat dan?' vroeg Vincent. Hij voelde zich niet op zijn gemak. Wat had die kerel in zijn kantoor te zoeken?

'Dat jij de man bent die bepaalt wie de volgende president van de Verenigde Staten wordt.'

Het leek wel een mokerslag.

Vincent slikte. Het was duidelijk van wie Zantini dat wist. Ongetwijfeld had Consuela hem verteld hoe de vork in de steel zat.

Hij liep om de magere man heen, ging in zijn bureaustoel zitten, legde zijn handen op het toetsenbord, alsof hij het wilde beschermen, en zei: 'Wat een onzin.'

Zantini keek hem over zijn vingertoppen aan. Zijn ogen flonkerden geamuseerd. 'Dat geloof ik niet. Ik denk dat je stiekem trots bent. Dat je in je vuistje lacht als je op tv ziet hoe George Bush en John Kerry door het land trekken, speeches houden en handen schudden om maar gekozen te worden. Jij denkt dan aan jouw software die in de stemcomputers zit, en dat de president die verkiezingsstrijd eigenlijk helemaal niet hoeft aan te gaan. Jouw programma zal er in elk geval voor zorgen dat hij wint, nietwaar?'

'Dat ziet u helemaal verkeerd.' Zeer zelfverzekerd schudde Vincent zijn hoofd. 'Ik weet waar u op aanstuurt. Het programma dat ik destijds voor afgevaardigde Frank Hill geschreven heb...'

'Voor de Republikeinse afgevaardigde Frank Hill,' vulde Zantini aan. 'Een goede vriend van de gouverneur van Florida, die de broer van president Bush is.' Hij trok zijn wenkbrauwen op. Dat zag er bij hem altijd zeer indrukwekkend uit. 'Degene die daar iets achter zoekt, is een schoft, hè? Ja, dan ben ik maar een schoft.'

'Dat was in 2000. Jaren geleden. En in de computerindustrie is sindsdien ontzettend veel veranderd, zo eigen aan die sector. Intussen zijn er nieuwe versies van de toenmalige stemcomputers op de markt gekomen. Natuurlijk ook nieuwe software voor die apparaten...' Hij schudde zijn hoofd weer. Nee, de gedachte was absurd. Volkomen absurd. 'Bovendien staan in elk kiesdistrict andere stemcomputers, van verschillende fabrikanten en...'

'Je bent goed op de hoogte.'

Vincent slikte. 'Nou ja, ik lees wel eens wat.'

'Dan heb je zeker ook gelezen dat in feite twee bedrijven die markt domineren. ES&S en Diebold.'

'Er zijn er meer.'

Zantini knikte gewichtig. Vervolgens leunde hij achterover, haalde een dobbelsteen uit zijn zak, alsof hij het over iets anders wilde hebben, en gaf die aan Vincent. 'Wat valt jou op aan deze dobbelsteen?'

Vincent vroeg zich af wat Zantini nu weer van plan was. Hij nam de dobbelsteen aan. Een heel gewone dobbelsteen, zoals er zo veel van waren. Wit met zwarte ogen. Voor zover hij dat kon beoordelen, waren de ogen ook op de juiste manier verdeeld over de vlakken.

Daar stond tegenover dat je ervan uit kon gaan dat de dobbelsteen die je van een goochelaar overhandigd kreeg altijd geprepareerd of gemerkt was. In elk geval was er iets mee geflikt.

'Hm,' zei Vincent. Hij schoof het toetsenbord weg en begon te dobbelen. Eerst de twee. Daarna de drie. Vervolgens de zes. Nog eens de twee. En de een.

'Ik zie of merk er niets bijzonders aan,' zei hij. 'Een gewone dobbelsteen.'

Zantini stak zijn hand uit. Hij wilde de dobbelsteen terug hebben. 'Precies. Je hoort er ook niets opvallends aan te zien.' Toen Vincent hem de dobbelsteen teruggaf, nam Zantini het voorwerp tussen zijn broodmagere duim en wijsvinger en zei: 'Toch is deze dobbelsteen geprepareerd. In zeer lichte mate. Het vlak met de vijf ogen is iets zwaarder, waardoor je vaker de twee gooit. Je zult echter veel moeten dobbelen en de score nauwkeurig moeten bijhouden om er iets van te merken.'

Hij stak de dobbelsteen weer in zijn zak en zei quasiterloops: 'Weet je wat ik zo knap vind aan jouw programma? Niet dat ik verstand heb van programmeren. Ik weet er geen snars van,' zei hij snel. 'Ik heb alleen de handleiding gelezen die jij destijds gemaakt hebt. Mij viel op hoe geniaal jouw idee is om een van de kandidaten met een zeer geringe voorsprong te laten winnen. Eenenvijftig procent. Niemand wordt dan wantrouwig. Tachtig, negentig, achtennegentig procent. Dat waren de percentages waarvan de vroegere dictators zich bedienden als ze verkiezingsfraude pleegden waar de honden geen brood van lustten. Dat zou tegenwoordig alleen maar onnodig argwaan wekken. Het is ook niet nodig om met een grote voorsprong te winnen. Sterker nog, als tijdens de presidentsverkiezingen vijfhonderd stemmen doorslaggevend zijn, vindt iedereen de democratie geweldig en denkt men dat elke stem inderdaad belangrijk is en onder bepaalde omstandigheden beslissend. Dat maakt de mensen enthousiast en minder sceptisch. Als eenenvijftig procent van de stemmen naar de winnaar gaat, kan zijn rivaal hoogstens negenenveertig procent krijgen. Waarschijnlijk iets minder omdat er meer kandidaten zijn die ook stemmen vergaren, al is hun aandeel marginaal. Het is niet eens nodig dat het programma overal gebruikt wordt. Er zijn immers kiesdistricten waar bij voorbaat vaststaat wie er gaat winnen. Voor de schijn is het bovendien goed dat in enkele kiesdistricten de rivaal wint.' Zantini knikte goedkeurend. 'Geniaal zoals je daarover nagedacht hebt.'

Vincent voelde zich plotseling zwak en beroerd. Indien iemand die alleen maar geholpen had om wat creditcardnummers te stelen al bij verkrachters in de nor werd gestopt, welke straf zou iemand dan krijgen als hij mede aan de basis stond van fraude tijdens de presidentsverkiezingen?

'Ik heb daar destijds helemaal niet over nagedacht,' zei hij. 'Ik heb alleen maar gedaan wat mij werd opgedragen. Het programma was een snel in elkaar geflanste proefversie, meer niet. Gewoon om te laten zien hoe zoiets kan werken. De software barstte van de fouten en moest nog door de testfase heen. Ik kan me niet voorstellen dat dat programma nog gebruikt wordt. Waarschijnlijk is de software niet eens compatibel met de apparaten van tegenwoordig.'

Zantini keek hem een tijdje nadenkend aan, waarna hij zei: 'Heb ik dat nou niet goed meegekregen? Onlangs kreeg je hoog bezoek over een programma dat je in 1997 hebt geschreven, nietwaar? Of heb ik het toch verkeerd begrepen?'

Vincent knikte met tegenzin. 'Ja, in 1997.'

'Hoelang heb je daaraan gewerkt? Maanden? Weken? Dagen?'

'Een middag. Misschien vier uurtjes.'

Zantini masseerde vol overgave zijn neus. 'Van programmeren heb ik geen kaas gegeten, zoals ik al zei. Maar in de loop der jaren heb ik mensen leren kennen die daar wel verstand van hebben. Een van hen heeft me ooit verteld dat in de computerbusiness juist de software die snel in elkaar wordt geflanst vaak zogezegd het eeuwige leven krijgt. Vreemd dat dat ene programma tot op de dag van vandaag gebruikt wordt, terwijl niemand het meer heeft over de dure software die volgens de regels van de kunst uiterst nauwkeurig en zorgzaam ontwikkeld werd.' Hij liet zijn neus los en keek Vincent met een spottend lachje aan. 'Ken je dat fenomeen?'

Vincent had hem graag tegengesproken. Hij wist echter precies wat Zantini bedoelde. In de eerste weken dat hij voor SIT werkte, had hij voor een van de secretaresses een programmaatje geschreven dat niets anders deed dan het aanduiden van de tijdzones in de Verenigde Staten. Een eenvoudig stukje software dat hij in nog geen uur in elkaar had geknutseld en dat te veel rekenvermogen in beslag nam omdat hij de software gecompileerd had met een voor dat doel veel te krachtige runtime-library die toevallig voor het grijpen lag.

Maar de secretaresses gebruikten dat verdomde ding tot op de dag van vandaag.

'Waar stuurt u op aan, meneer Zantini?' vroeg hij botweg.

De goochelaar stak quasiradeloos zijn handen omhoog. 'Waar ik op aanstuur? Geen idee. Althans voorlopig niet. Ik laat je alleen weten dat ik enthousiast ben, gefascineerd zelfs, vanaf het moment dat mij dit ter ore

49

kwam...' Hij vouwde zijn handen weer en boog zich met een ruk naar voren, als een roofvogel die zich op zijn prooi stort. 'Vertel eens, Vincent... ben je nooit op de gedachte gekomen om eraan te verdienen?'

'Eraan verdienen? Hoe dan? Stel dat ik die Frank Hill wil chanteren. Dan zal ik toch eerst bewijzen moeten hebben. Maar die heb ik niet. Misschien heb ik me alles gewoon ingebeeld. Dat zou best kunnen. Zoals de vlag er nu bij staat, heb ik meer te vrezen dan hij als ik ermee in de openbaarheid treed.'

Zantini schudde afkeurend zijn hoofd. 'Chantage! Wat een akelig woord, vind je niet? En wat een fantasieloos idee, met alle respect.' Hij leunde weer achterover in zijn stoel. 'Nee, ik denk aan de toekomst. Aan een artikel dat ik een paar dagen geleden in de krant heb gelezen over de enorme bedragen die men uitgeeft voor de presidentsverkiezingen van 2004. En hoeveel de kandidaten aan donaties hebben binnengehaald. Astronomische bedragen. Naar verluidt gaan de verkiezingen ruim zeshonderd miljoen dollar kosten.' Hij drukte de vingertoppen weer tegen elkaar aan. Ook die geamuseerde flonkering in zijn ogen was terug. 'Om maar te zwijgen van het feit dat de Democratische kandidaat met de erfgename van dat ketchupimperium is getrouwd. Hoe heet dat merk ook alweer? O ja... Heinz! Alleen al die vrouw is bijna een miljard dollar waard. Dan is het toch niet vreemd om eens goed te bedenken hoe je wat van dat geld in je zak kunt steken, hè?'

Vincent begreep nog steeds niet waar de goochelaar op aanstuurde. 'Hoe stelt u zich dat voor?'

'Ik verkoop de verkiezingsoverwinning aan de kandidaat die het meeste biedt,' legde Zantini uit. Hij stond op. 'Wel moet ik goed nadenken over hoe ik dat aanpak.'

Die man was niet goed wijs. Vincent leunde achterover. 'Ja, denk daar nog maar eens goed over na,' zei hij prompt. 'Want zo eenvoudig is het niet. In elk geval is het schrijven van een stukje software niet voldoende.'

'Daar heb je gelijk in.' Zantini stond bij de deur en hield de klink vast. 'Het grootste probleem is dat ook de regering de boel inmiddels aan het manipuleren is. Een sterke concurrent.'

Hij glimlachte opnieuw zelfverzekerd, alsof het een kwestie van tijd was voordat hem iets inviel. Daarna liep hij weg.


Vincent probeerde het gedoe rondom de komende verkiezingen aan zich voorbij te laten gaan. Dat was echter onmogelijk. Posters, folders, televisie- en radiospotjes. De mensen werden ermee overspoeld. Daaraan werd het geld uitgegeven waar Zantini zo gefascineerd op aasde. Toen in oktober de gebruikelijke televisiedebatten tussen de kandidaten werden uitgezonden, kon ook Vincent de verleiding niet weerstaan om te kijken.

Hij vond Kerry een verrassende presidentskandidaat. Door wat hij tot nu toe over de Democratische kandidaat had gehoord – je vernam het gewoon, of je het wilde of niet – had hij een saaie weifelaar verwacht die met veel woorden weinig zei. In plaats daarvan zag hij een man die uitgesproken presidentieel overkwam in vergelijking met de gespannen, grijnzende George W. Bush. Met korte, heldere statements counterde John Kerry elke bewering van de zittende president. Datgene wat hij zei was precies in de roos, waardoor zelfs Vincent voor de tv soms onwillekeurig bevestigend reageerde. Natuurlijk was de Irak-oorlog een gigantische misstap. Iedereen dacht er zo over. Natuurlijk waren de terroristen tegenwoordig beter georganiseerd dan ooit, terwijl de Verenigde Staten wereldwijd steeds meer aan aanzien inboetten. Natuurlijk was het onrechtvaardig dat de rijken belastingverlaging kregen. Natuurlijk was het een schandaal dat het begrotingstekort tot recordhoogte opliep. Kerry bleef onverstoorbaar kalm terwijl Bush grimaste, verlegen grijnsde, naar woorden zocht en zelfs een keer op pijnlijke wijze afwezig leek.

Bush zat al in het zadel. In feite was dat zijn enige troef, vond Vincent.

Maar wel een zeer sterke troef. 'De Amerikanen kiezen geen andere president als het land in oorlog is,' zei Claudio de volgende ochtend tijdens de koffiepauze. De anderen knikten instemmend, ook de illegalen, die niet eens mochten stemmen. Vervolgens liepen de meningen uiteen. Alvin legde uitvoerig uit wat hij fundamenteel anders zou doen als hij de volgende president werd. En Steve begon breedsprakig te oreren dat hij het Amerikaanse kiesstelsel volledig zou hervormen.

Naarmate 2 november dichterbij kwam, waren de prognoses van de opiniepeilingen met elkaar en soms ook met zichzelf in tegenspraak. Volgens een onderzoeksbureau had Bush een voorsprong van twee procent, terwijl een andere opiniepeiling uitwees dat Kerry een procent meer stemmen zou krijgen. De volgende dag kwamen ze echter met totaal andere prognoses.

Het werd een nieuwe volkssport om prognoses te baseren op de meest absurde dingen. In de Halloween-periode liepen de mensen rond met rubbermaskers waarop de gezichten van zowel George W. Bush als John Kerry waren afgebeeld. Bush was in dat opzicht goed voor 53 procent van de detailomzet. Volgens die 'opiniepeilers', de initiatiefnemers aan de basis, betekende dat een zege voor de zittende president. De cafetariaketen California Tortilla had de klanten vier weken lang de gelegenheid gegeven om met hun tong te stemmen: de Kerry-burrito – met kip, Heinz-ketchup, gesneden tomaat en salade – verkocht ongeveer 3,6 procent beter dan de 'Bush-burrito' – met knoflook-aardappelpuree, zwarte bonen, gegrilde kip en salade. Daaruit leidde de bedrijfsleider af dat Kerry de verkiezingen zou winnen.

Dat was natuurlijk allemaal onzin, liet Vincent zich door Fernando uitvoerig uitleggen. Het enige echte, veelzeggende omen was dat de Washington Redskins hun laatste thuiswedstrijd vóór de verkiezingen hadden verloren. 'Sinds 1937 heeft na zo'n nederlaag geen zittende president de verkiezingen gewonnen,' legde de uit Zuid-Amerika afkomstige man met het getekende gezicht uit. Niemand had hem nog kunnen overhalen om te vertellen uit welk land hij precies kwam.

De verkiezingsdag brak aan. De zittende president won overtuigend. George W. Bush kreeg 286 en Kerry 252 kiesmanstemmen. In tegenstelling tot de omstreden verkiezingen in 2000 mocht hij bovendien de meerderheid van de uitgebrachte stemmen op zijn naam schrijven.

Precies 50,73 procent.

Met groeiend onbehagen besefte Vincent dat dat percentage verdacht dicht bij de 51 procent van zijn proefversie lag.

Toeval, vond hij. Dat is gewoon toeval. Tegenwoordig worden verkiezingen niet meer met een ruime meerderheid gewonnen.

Hij begreep echter niet waarom dat zo was, hoe diep hij er ook over nadacht.

Hij nam het besluit om zich niet meer met dat onderwerp bezig te houden. Geen krant, geen tv. Althans zolang er nog over de verkiezingsuitslag gediscussieerd werd.

Maar enkele dagen later zette hij toch de tv aan. Het ontbijtnieuws. Daar had hij voor het laatst naar gekeken toen de Irak-oorlog was uitgebroken.

Uiteindelijk zapte hij naar een zender die een gesprek uitzond met een tengere, voornaam geklede man.

Onder aan het beeld verscheen een naam.

*Howard Burkes – genealoog (live uit Londen)*
*Bestrijdt de rechtmatigheid van de presidentsverkiezingen 2004*

In het stijve Engels van de Engelse high society zei hij: 'George W. Bush kan aantonen dat hij een verre bloedverwant is van koningin Elisabeth II van Groot-Brittannië, maar ook van koning Hendrik III en Charles II van Engeland. Het is dus niet verwonderlijk dat hij ondanks alle verwachtingen vicepresident Al Gore tijdens de verkiezingen van 2000 heeft verslagen.'

Vincent legde de afstandsbediening neer en luisterde aandachtig.

'John Kerry is daarentegen een ander verhaal[1]. Dankzij zijn moeder Rosemary Forbes is hij een verre nazaat van de Britse koningen Hendrik III en II. Maar hij is ook een verre bloedverwant van Richard Leeuwenhart, die in 1189 het bevel voerde tijdens de Derde Kruistocht. Ook is hij een nazaat van de Franse koning Hendrik I en via zijn gemalin Anna Jaroslavna, de jongste dochter van de grootvorst van Kiev en Ingegard van Zweden, is hij ook verre familie van de Zweedse, Noorse en Deense koningshuizen, alsook van de Rurikidische vorsten en het Huis Roes met Fjodor I, die als laatste de tsarentroon besteeg. Andere afstammingslijnen voeren naar tsaar Ivan IV, een Byzantijnse keizer en de sjah van Perzië...'

'Dat klinkt zeer indrukwekkend,' onderbrak de presentator hem. 'Maar wat heeft dat volgens u te betekenen?'

'Wel, u moet weten dat tijdens ons genealogische onderzoek naar voren is gekomen dat bij alle vroegere presidentsverkiezingen telkens de kandidaat werd gekozen met de meeste koninklijke genen en chromosomen,' zei Burkes. 'Let wel, ik heb het nu over alle presidentsverkiezingen, geen enkele uitgezonderd, tot aan de verkiezing van George Washington. Als u nu bedenkt dat John Kerry een presidentskandidaat was die in genealogisch opzicht langs elke afzonderlijke bloedlijn van zijn moeders kant koninklijker is dan alle voorgaande Amerikaanse presidenten...' De Brit bracht zijn hand omhoog; een gebaar van machteloosheid. 'Ik ben van mening dat zijn nederlaag op verkiezingsfraude duidt. Ik heb er geen andere verklaring voor.'

De presentator had zichtbaar moeite om ernstig te blijven kijken. 'Dat zijn stevige woorden, meneer Burkes. Maar de Verenigde Staten vormen een republiek. Adellijke afstamming staat niet garant voor privileges. Dat is nog nooit het geval geweest.'

Burkes tuitte zijn lippen. 'Ik kan alleen maar herhalen dat tijdens alle voorgaande presidentsverkiezingen steevast de kandidaat werd gekozen met de hoogste afstamming. Ik kan geen andere oorzaak bedenken waarom dat nu plotseling niet meer het geval is.'

De verbinding met Londen werd verbroken. De presentator keek met een geamuseerde grijns naar de camera en zei: 'Tot zover deze, eh, ongewone verklaring uit het Verenigd Koninkrijk over de presidentsverkiezin-

---

[1] Kate Kelland, 'John Kerry's family traced back to royalty', Reuters, 16 augustus 2004.

gen.' Hij las nu van papier. 'Hoewel Bush niet in alle staten gewonnen heeft, mag duidelijk zijn dat hij met uitzondering van South Dakota en Vermont in alle staten meer stemmen heeft gekregen dan in 2000. Alle prognoses en opiniepeilingen ten spijt. Hoe is dat te verklaren? Hierna volgt een studiodebat over dit thema tussen enkele belangrijke politiek deskundigen.'

# Hoofdstuk 7

Inderdaad, hoe was dat te verklaren? Dat was de grote vraag waarover Vincent bleef piekeren. Ook toen hij de tv had uitgezet en naar zijn werk reed. De kwestie liet hem niet meer los.

Hij bestudeerde het projectplan voor december terwijl hij zich de naam probeerde te herinneren van de verkiezingsstatisticus die hij in het staatsarchief in Tallahassee had ontmoet. De man met die lange, grijze baard en de borstelige wenkbrauwen. Hij had toch beweerd dat de stembuspeilingen erop duidden dat er mogelijk sprake was van verkiezingsfraude?

Hadden ze zich aan elkaar voorgesteld? Hij kon het zich niet herinneren. Maar een personeelslid noemde hem dr. Underwood!

Vincent legde het projectplan terzijde en zocht op internet. Wat had Underwood ook alweer gezegd? Werkte hij voor een particulier onderzoeksbureau?

Twintig minuten later had hij het enige bedrijf gevonden dat ene dr. Clay Underwood in dienst had. Volgens de website werkte hij op de afdeling Statistiek. Bingo. Vincent pakte de telefoon.

'Jesper Opinion Research, goedemiddag. Waarmee kan ik u van dienst zijn?' vroeg een geroutineerde telefoniste.

Vincent zei dat hij dr. Underwood wilde spreken. 'Ik heb toch zijn nummer ingetoetst?'

'Ja, maar dr. Underwood is niet meer bij ons in dienst,' zei de vrouw.

'O, op uw website staat van wel,' zei Vincent.

'De medewerker die de bedrijfswebsite onderhoudt, is er vandaag niet. Ik denk dat hij er morgen werk van zal maken.'

Vincent staarde naar de baardige man op het beeldscherm. Hij begreep wat ze hem impliciet duidelijk had gemaakt. Dr. Underwood had nog geen dag geleden op staande voet ontslag genomen of gekregen. Dat had Vincent niet verwacht.

'Kunt u mij zijn privénummer geven?' vroeg hij.

'Het spijt me, maar we geven in principe geen privégegevens door aan derden. Ook niet van personeelsleden die hier niet meer werken.'

'Natuurlijk, dat is logisch.' Tijdens dat gesprekje was Vincent gaan zoeken op internet. Hij had het telefoonnummer van dr. Clay Underwood inmiddels op zijn beeldscherm. Het adres was 450 Old Vine Street, Lexington, Kentucky. Hij bedankte haar, hing op en toetste opnieuw een nummer in.

'Met Underwood.' Ja, dat was de stem die Vincent zich herinnerde. Hij hoorde zelfs bijna het plastic lepeltje waarmee hij onophoudelijk in zijn koffiebeker had geroerd.

'Hallo, dr. Underwood. Met Vincent Merrit. We hebben elkaar in Tallahassee ontmoet en...'

'Ah, meneer Maverick. Inderdaad!' viel Underwood hem in de rede. 'Van de *Florida Daily*, hè? Natuurlijk herinner ik me u nog. Leuk dat u belt. Eerlijk gezegd vroeg ik me al af waarom niemand reageert op mijn persverklaring.'

Was het verstandig om die persoonsverwisseling recht te zetten? Vincent vond van niet en stelde zich behoedzaam op. 'Ja, eh... natuurlijk, uw persverklaring, zeer interessant... Kunt u me daar wat meer over vertellen?'

'Wat ik u hier en nu kan zeggen is dat het onderzoeksbureau mij op straat heeft gezet omdat ik per se de waarheid aan het licht wilde brengen,' zei Underwood boos. 'Zet dat in elk geval maar in de krant! Nu vraag ik u, is het gepast iemand te ontslaan die alleen maar gebruikmaakt van zijn grondwettelijk recht op vrije meningsuiting? En dan heb ik het nog niet over de manier waarop ik werd behandeld. Goeie genade! Gisteravond pakte ik mijn spulletjes om naar huis te gaan. Mijn chef liep toen met een faxbericht naar me toe, een kopie van mijn persbericht. Iemand moet hem dat verstuurd hebben. "Underwood," zei hij, "je kunt meteen de rest ook inpakken. Je bent ontslagen." Hij beweerde dat ik het aanzien van het onderzoeksbureau geschaad had met mijn rondzendbrief, zoals hij dat noemde. Ik had het bedrijf niet eens vermeld, dat kunt u zo zien. Nee, het laatste woord is daar nog niet over gezegd. Ik heb al met mijn advocaat gesproken.'

Vincent schraapte zijn keel en wist even niet wat hij moest zeggen. 'Hm, dat is niet mis,' zei hij. 'Toch wil het graag nog even met u hebben over de inhoud van uw persbericht.'

'Daar sta ik nog steeds voor de volle honderd procent achter.'
Geweldig.
'Ik vrees alleen dat ik nog niet helemaal begrijp wat u precies bedoelt,' probeerde Vincent nogmaals. Hij tastte in het duister.
'O?' zei Underwood geërgerd. 'Aha. Ik moet toegeven dat ik me mogelijk nogal vakspecifiek heb uitgedrukt. Te ingewikkeld. Dat heb ik altijd als ik schrijf. Zou het kunnen dat daarom niemand gereageerd heeft?'
'Daar kan ik geen oordeel over geven,' zei Vincent.
'In wezen gaat het om een zeer eenvoudige maar in mijn ogen ook zeer verontrustende observatie. Op de verkiezingsdag hebben we in talrijke staten – natuurlijk vooral in de *swing states*, maar ook in andere staten – aan de kiezers die het stembureau uit liepen gevraagd op wie ze gestemd hebben. Aan de hand van hun informatie, in zoverre die gegeven werd, hebben we met behulp van onze in het afgelopen decennium ontwikkelde methodieken een prognose berekend. Een prognose die tamelijk dicht bij de feitelijke verkiezingsuitslag lag. De uitzondering is dat praktisch overal waar elektronisch gestemd werd, president Bush meer stemmen kreeg dan hij volgens onze berekeningen had moeten krijgen[1].'
Vincent kreeg het er warm van. 'Weet u dat zeker?'
'Zeker? Een statisticus is nooit zeker van zijn zaak,' sprak Underwood hem belerend toe. Het klonk alsof Vincent vloekte in de kerk. 'We hebben het over statistische significantie. Dat is een waarde die je kunt berekenen. In dit geval is het zo dat we afwijkingen aantroffen die met een significantie van 99,9 procent niet toevallig zijn.'
'Zegt u met zoveel woorden dat de stemcomputers gemanipuleerd zijn?'
'Ik wil alleen maar duidelijk maken dat de statistieken zodanig uitvallen dat een grondig onderzoek gerechtvaardigd is,' antwoordde Underwood. 'Het zal u niet ontgaan zijn dat we op grond van onze stembuspeilingen een duidelijke overwinning van John Kerry voorspeld hebben. Zoals iedereen weet, zaten we ernaast. Ik heb alleen maar de peilingen naast de officiële verkiezingsuitslagen gelegd en ze per stembureau vergeleken. Op dat niveau zijn er natuurlijk altijd afwijkingen als je alles naast het eindresultaat legt. Toeval speelt een grote rol. Net als de regio's en wat al niet meer. Maar die afwijkingen zijn afwisselend in het voordeel van de ene of de andere kandidaat. In het eindresultaat heffen die verschillen elkaar op. Maar als je de tabellen van de stembureaus die een stemcomputer hebben

---

[1] 'Evaluation of Edison/Mitofsky Election System 2004', Edison Media Research and Mitofsky International for the National Election Pool (NEP), 19 januari 2005, blz. 3.

gebruikt filtert, zie je vrijwel uitsluitend afwijkingen die in het voordeel van maar één kandidaat zijn. En dat is, zoals gezegd, niet te verklaren door statistische effecten.'

Vincent was blij dat hij op een stoel zat. 'Maar dat is verschrikkelijk.'

'U moet dit in de juiste proporties zien,' zei Underwood. 'Tijdens elke presidentsverkiezing zijn er onregelmatigheden. Dat is nu eenmaal zo. Het gaat echter niet om één verkiezing. Ook niet om vijftig verkiezingen. Zoals het Amerikaanse kiesstelsel is vormgegeven, zijn er bijna dertienduizend vrijwel onafhankelijke verkiezingen in de verschillende county's en steden. Die afzonderlijke resultaten worden in verschillende fasen bij elkaar opgeteld tot er een einduitslag is. Maar bij de presidentsverkiezingen van 2004 zult u vaststellen dat die anomalieën uitsluitend ten laste van Kerry en ten gunste van Bush uitvielen.'

'Is het mogelijk dat u zich op de een of andere manier misrekend hebt?'

Underwood snoof verontwaardigd. 'Uitgesloten. Laat ik u een voorbeeld geven... Ohio. Zoals bekend de staat die ditmaal de doorslag heeft gegeven. Het betreft negenenveertig kiesdistricten. In tweeëntwintig ervan hebben we flinke afwijkingen geconstateerd tussen de prognoses op basis van stembuspeilingen. In slechts twee kiesdistricten – twee! – heeft Kerry gewonnen. De sterkste afwijking vonden we in een kiesdistrict waar Kerry volgens de prognoses 67 procent van de stemmen had moeten krijgen, terwijl het officiële eindresultaat 38 procent was. De statistische waarschijnlijkheid van zo'n variantie is één op de drie miljard[2]. Volgens de prognose had Kerry in Ohio met een voorsprong van 4,2 procent moeten winnen. Maar de officiële uitslag wijst uit dat president Bush met 2,5 procent de leiding had[3].'

'Zou het kunnen dat er iets fundamenteel niet klopt met de prognoseberekening?'

'Meneer Maverick!' protesteerde Underwood fel. 'Het berekenen van prognoses aan de hand van stembuspeilingen kun je tegenwoordig een exacte wetenschap noemen. Vorig jaar hebben we in de republiek Georgië discrepanties ontdekt tussen de genoemde prognoses en de officiële einduitslag. Op die manier kwam verkiezingsfraude aan het licht en moest de regering van Edvard Sjevardnadze opstappen[4]. Anders dan de prognoses

---

[2] U.S. Count Votes, National Election Data Archive, 23 januari 2006; zie http://uscountvotes.org/ucv-Analysis/OH/Ohio-Exit-Polls-2004-pdf

[3] Steve Freeman en Joel Bleifuss, 'Was the 2004 Presidential Election Stolen? Exit Polls, Election Fraud, and the Official Count', *Seven Stories Press*, juli 2006, blz. 101-102.

[4] Martin Plissner, 'Exit Polls to Protect the Vote', *The New York Times*, 17 oktober 2004.

die gebaseerd zijn op de vraag hoe mensen zullen stemmen, komen wij met de vraag hoe ze gestemd hebben. De factor dat mensen in het stemhokje anders besluiten, is dus niet aan de orde. In Duitsland hebben prognoses op basis van stembuspeilingen er nooit meer dan 0,3 procent naast gezeten[5]. Vergelijkt u dat eens met de avond van twee november. Het verschil tussen de prognoses en de officiële uitslag bedroeg ongeveer 9,5 procent.'

'Dat is veel,' zei Vincent.

'Gaat u dat in uw artikel zetten, meneer Maverick?'

'Natuurlijk,' loog Vincent. Hij voelde zich niet op zijn gemak.

'U mag ook een fotograaf sturen.'

'Komt voor elkaar. Ik, eh... ik moet dat wel intern nog afstemmen en dan meld ik me weer.' Vincent hing snel op.

Hij kon zijn gedachten niet meer bij het projectplan van december houden, ook al wilde Consuela morgen alles over de planning weten. Hij kon alleen maar aan Ohio denken.

Hij zocht op internet informatie over Ohio en de verkiezingen.

Het stemde hem niet vrolijk. Kenneth Blackwell was verantwoordelijk voor de organisatie van de verkiezingen in Ohio. Hij had het laatste woord over de stemregels, de registratie, wie wel of niet kiesgerechtigd was en welke apparatuur er werd ingezet. Blackwell was lid van de Republikeinse Partij en plaatsvervangend voorzitter van de 'Commissie voor de herverkiezing van president Bush'[6].

Maar er was meer aan de hand. In 2000 was Kenneth Blackwell in Florida om in opdracht van de verkiezingsteams van George Bush de hertelling van de stemmen te superviseren.

Hij was kortom de *principal electoral system adviser*, ofwel de hoofdadviseur van de kiessystemen.

Vincent sloot de browser af. Plotseling wilde hij niets meer weten over Ohio en de verkiezingen.

Nog geen twee weken later werd er aangebeld. Vincent was net thuisgekomen. Het was Zantini. Hij veegde zijn voeten en vroeg: 'Mag ik binnenkomen?'

Toen Vincent aarzelde, voegde hij eraan toe: 'Het is belangrijk.'

---

[5] Met betrekking tot de Duitse Bondsdagverkiezingen van 1994, 1998 en 2002, citaat van Steven F. Freeman.

[6] John McCarthy, 'Nearly a Month Later, Ohio Fight Goes On', Associated Press Online, 30 november 2004.

Vincent wist niet wat hij daarop moest zeggen. Hij liet hem binnen.

In de woonkamer maakte Zantini het zich gemakkelijk in een stoel. Vincent gaf hem een glas ijsgekoelde cola. Zantini bedankte hem en zei: 'Heb je de verkiezingen ook op de voet gevolgd?'

Vincent had zijn antwoord al klaar. 'Nee,' zei hij. 'Ik heb niet eens gestemd.'

De goochelaar lachte. Hij vond dat wel grappig. 'Kijk aan!' zei hij. 'Maar je hebt wel dr. Clay Underwood gebeld. De man die de huidige discussie over de verkiezingen in Ohio heeft aangezwengeld. Wat toevallig.'

Vincent kneep zijn ogen half dicht. 'U hebt de telefoonlijsten nageplozen.'

'Nee, ik weet dat omdat hij heeft teruggebeld. Hij was verbaasd dat hij niet de redactie van de *Florida Daily* aan de lijn had,' legde Zantini uit. Hij stak zijn armen uit. 'Nou dan, in elk geval weet je waar het over gaat. Het team van de zittende president heeft de verkiezingsuitslag proberen te versjteren. Amateurs, als je het mij vraagt. Niet in de laatste plaats om die reden wil ik er nu in stappen.' Hij wees met twee vingers naar Vincent. 'Met jouw gewaardeerde hulp. Je zult er je voordeel mee doen.'

'Er staat vijfhonderd dollar boete, een jaar gevangenisstraf en het verlies van stemrecht op als je onder een valse naam stemt. Het is al strafbaar als je een poging daartoe doet,' zei Vincent. Hij had daar onderzoek naar gedaan. 'Maar door wat u van plan bent, zullen we jarenlang de zon niet meer zien.'

'Ja, ja.' Zantini maakte een afwijzend gebaar. 'Ik heb me uitgesloofd om iemand te vinden die wegens verkiezingsfraude in de nor zit of heeft gezeten. Laat ik je vertellen dat me dat niet gelukt is, terwijl dit toch een erg groot land is, waar de regering meer burgers achter de tralies zet dan waar ook.'

'Dat stelt me absoluut niet gerust.'

'Dat zou echter wel moeten.' Daarmee beschouwde Zantini de tegenwerpingen van Vincent kennelijk als afgehandeld. Hij legde zijn armen over elkaar en zei: 'Ik heb mijn voelhoorns al uitgestoken. ES&S en Diebold, de twee grote bedrijven, zorgen ervoor dat we eind deze maand, zeker niet later, hun modernste apparatuur in huis hebben. Ik denk dat het verstandig is dat je buiten SIT om aan het programma gaat werken. Dat voorkomt dat sommigen misschien domme dingen gaan doen...'

'Wat een onzin!' riep Vincent uit. Hij sprong op en begon door de kamer te ijsberen. 'Dat programma schrijven is een peulenschil. Iedereen kan dat. In elk geval ben ik niet de enige. De vraag is hoe je de software in de stemcomputers krijgt. Er zijn immers duizenden stembureaus, verspreid over het land. In elke computer moet het originele programma vervangen worden, nog wel zonder dat iemand dat ziet! Hoe wilt u dat doen?'

'Heb jij een idee?'

'Ik?' Vincent schudde zijn hoofd. 'Nee. Ik zou het echt niet weten. Ik snap niet eens hoe de Republikeinen dat geflikt hebben. Als ze dat al gedaan hebben. Misschien is het allemaal maar inbeelding. Want hoe moet je het voor elkaar krijgen om in elk stembureau bij alle computers de software te verwisselen zonder dat iemand daarna de boel verlinkt? Ik heb geen flauw idee hoe je zoiets voor elkaar krijgt. Volgens mij is het onmogelijk.'

Zantini vouwde zijn handen. Daardoor kwam hij zeer blasé over. 'Goed, dan denken we daar gewoon heel verschillend over. Wat ik als een probleem ervaar, het schrijven van software die precies doet wat ik ervan verwacht, is voor jou een peulenschil. En ik vind de ellende die jij op je af ziet komen onzin.'

Vincent staarde de broodmagere Italiaan geërgerd aan. 'Dat moet u me uitleggen.'

'Een goochelaar verstaat de kunst van de illusie.' Zantini haalde een spel kaarten uit zijn jaszak. 'Misleiding en illusie worden niet als zodanig herkend. Het zijn twee basiselementen van het menselijk zijn, alleen zijn de meesten zich daar niet van bewust. Heeft een president macht? Onzin, pure illusie. Hij heeft macht omdat anderen vinden dat hij die heeft. Zodra ze de illusie herkennen, verdwijnt ook de macht.' Hij schudde de kaarten en maakte er een waaier van. 'Trek een kaart.'

'Waarom?'

'Een demonstratie om je wat meer vertrouwen te geven in mijn vaardigheden.'

Vincent aarzelde. Hij trok echter een kaart – hartenzeven – in het besef dat hij zich tot niets verplichtte.

'Harten. Alleen de kleur is belangrijk,' legde Zantini uit. Hij schoof de kaart terug in het stapeltje en schudde de kaarten opnieuw. 'Ook de macht van het volk is een illusie. Beslissend is niet of de stemmen correct geteld worden, maar of iedereen denkt dat dat zo is.'

Hij maakte van de kaarten een stapeltje en legde er een hand op, waarna hij met zijn andere hand op de handrug sloeg. Het leek of plotseling een gedeelte van het stapeltje verdwenen was.

'Zie je wel?' zei Zantini. Daarna maakte hij van de kaarten opnieuw een open waaier. 'Alle harten zijn verdwenen.'

Vincent staarde naar de kaarten. Het was inderdaad geen volledig spel meer. Hij zag alleen schoppen, klaveren en ruiten.

Hé, verbaas je vooral niet, schoot het door hem heen. Zantini is een goochelaar. Het is een trucje, meer niet.

'Oké,' zei Vincent. 'En nu?'

Zantini keek rond in de kamer. 'Kijk maar eens wat er onder de tv ligt.'

'Onder de tv?' Vincent stond op, liep naar het toestel en voelde wat eronder lag.

Hartenvrouw.

'En kijk nu eens op de boekenplank,' zei Zantini.

Vincent tastte met een hand en vond hartentien.

'En onder de magnetron.'

Vincent haastte zich naar de keuken en tilde de magnetron op. Daaronder lag hartenaas.

'In het hangende keukenkastje, tweede schap van links,' riep Zantini vanuit de woonkamer. 'Onder het kastpapier.'

Hartendrie.

En zo liep Vincent alle kamers af. De laatste hartenkaart, de negen, lag voor de deur onder de mat. Vincent was stomverbaasd.

'Hoe hebt u dat geflikt?' vroeg hij verbijsterd. 'Ongelofelijk. Onmogelijk.' Hoe was het ook alweer gegaan? Hij had een kaart getrokken. Een willekeurige kaart. Zantini had de kaart daarna teruggeschoven in het stapeltje en de kaarten opnieuw geschud. En toen...

Nu wist hij het niet meer. Hij was in verwarring gebracht.

Zantini haalde de hartenkaarten uit zijn hand en stopte ze terug in het stapeltje. 'Een illusionist verraadt zijn trucs nooit, dat heb ik je al een keer duidelijk proberen te maken.' Met een lange, dunne wijsvinger wees hij naar het gezicht van Vincent. 'Je moet eindelijk eens ophouden met piekeren hoe ik alles voor elkaar krijg. Als je doet wat jij het beste kunt en ik me met mijn zaken bezighoud, komt alles goed.'

Vincent slikte, waarna hij zijn hoofd schudde. 'Hier doe ik niet aan mee. Ik heb geen zin om weer voor de rechter gesleept te worden.'

'Dat zal ook niet gebeuren.'

'Zoek maar iemand anders.'

Zantini vond het niet leuk dat hij werd tegengesproken. Het straalde van zijn gezicht. Zijn jovialiteit en olijke manier van doen, zo eigen aan entertainers, maakten plotseling plaats voor onvervalste, ongeveinsde ernst en dreiging. 'Nou moet je eens goed naar me luisteren, jongeman. Het zal je niet ontgaan zijn dat ik een zekere invloed heb op je bazin. Je hebt een lekker baantje, dat weet je heel goed. Als je je job wilt houden, kun je maar beter doen wat ik zeg.'

'Bent u me nu aan het chanteren?'

'Chanteren! Wat een akelig woord!' Zantini was weer helemaal de geamuseerde bon vivant. 'In dit land zeg je dat toch veel eleganter?' Met duim en wijsvinger streek hij over zijn smalle Clark Gable-snorretje en glimlachte flauwtjes. 'Ik doe je een aanbod dat je niet kunt weigeren, zo is het toch?'

Vincent was sprakeloos. Hij zou weigeren. Hij wist alleen niet hoe hij Zantini duidelijk moest maken dat hij het serieus meende.

Maar hij wilde zijn baan niet verliezen. Speelde Consuela onder één hoedje met die boef?

Natuurlijk deed ze dat. Even stelde Vincent zich voor wat die twee zoal bekokstoofden. Wat speelde er tussen de kleine vrouw met het temperament van een lading dynamiet en die snob van een goochelaar?

Zantini beschouwde de plotselinge ergernis van Vincent als een serieuze afweging en kreeg er een goed humeur van. Welwillend klopte hij op zijn schouder en zei: 'Denk er maar eens goed over na. Over een paar dagen nemen we de details door.'

Daarna vertrok hij.


De kaartentruc van Zantini spookte door zijn hoofd. Vincent bleef zich afvragen hoe de illusionist dat voor elkaar had gekregen. Hij was er meer van onder de indruk dan hem lief was. Het leek of Zantini inderdaad over vaardigheden beschikte waar je bang voor moest zijn.

Opeens kreeg hij een idee. Op internet was van alles over goocheltrucs te vinden.

Een halfuurtje later zag hij door de bomen het bos niet meer. Hij wist nu hoe dat voelde. Er waren hobbysites over goocheltrucs voor kinderfeestjes en partijen. En websites van postorderbedrijven die professionele trucs verkochten, compleet met het benodigde materiaal en een handleiding. Bepaalde websites onthulden de trucs van David Copperfield en andere prominente illusionisten. Als je las hoe ze het publiek op het verkeerde been zetten, dacht je: zo eenvoudig is het dus!

Hij vond een forum over goochelen, meldde zich onder een valse naam aan, las wat er zoal geschreven werd en omschreef in de rubriek 'Kaartentrucs' zo gedetailleerd mogelijk wat Zantini – 'een bekende van mij' – had gedaan. *Ik wil graag weten hoe hij dat geflikt heeft,* sloot hij af. *Ik ben heel benieuwd wat jullie ervan vinden.*

Nog geen twee uur later kreeg hij antwoord. *Heel eenvoudig. Toen jij niet thuis was, is die kennis of vriend naar binnen gegaan – aan een slot pielen is geen kunst! – en heeft hij alle hartenkaarten van het kaartspel zodanig verstopt dat je er zelf naar zou moeten zoeken. Als er die avond iets tussen was gekomen, waardoor hij zijn trucje niet kon doen, zou hij de volgende dag de kaarten hebben opgehaald. Natuurlijk als jij nog op kantoor was.*

Vincent knikte onwillekeurig toen hij dat las. Natuurlijk lagen de kaarten niet op een opvallende plaats voordat Zantini aanbelde, zoals midden op de keukentafel. Als puntje bij paaltje kwam, zou dat natuurlijk veel indrukwekkender zijn geweest.

*Daarna is hij vertrokken en heeft hij gewacht tot jij thuiskwam. Vervolgens belde hij aan alsof er niets aan de hand was.*

Inderdaad. Hij had zijn voeten geveegd. Zantini wekte de indruk dat hij voor het eerst de trap op ging.

*Hij had twee kaartspellen bij zich. Het eerste spel bestond alleen uit hartenkaarten. Daaruit moest jij een kaart trekken. Je kon dus alleen maar harten kiezen. Tijdens het schudden liet hij het eerste kaartspel onopvallend plaatsmaken voor het kaartspel waarvan hij de hartenkaarten al in je huis had verstopt. Met bepaalde hand- en klopbewegingen deed hij voorkomen dat het kaartspel aanvankelijk compleet was en het stapeltje opeens kleiner was geworden.*

*De rest was show – de kunst van het goochelen.*

Vincent las het antwoord nog eens door, dacht na over wat hij had meegemaakt en schoot opeens in de lach. Ja, zo had die magere Italiaan dat gedaan. Zo eenvoudig was het dus. En hij was erin getrapt.

Hij riep in zijn herinnering wat Zantini over macht en illusie had gezegd. *Hij heeft macht omdat anderen vinden dat hij die heeft.*

Zodra de illusie verdween, was het ook gedaan met de macht.

Precies.

Vincent zat nog een tijdje op internet en realiseerde zich dat hij voortdurend gniffelde. In plaats van dat hij naar huis ging, reed hij naar een wijk van Orlando waar hij nog nooit geweest was en zocht een telefooncel. In het tijdperk van de mobiele telefoons was dat het moeilijkste gedeelte van zijn zelf uitgedachte goocheltruc waarmee hij iemand die hij steeds lastiger begon te vinden uit zijn wereld wilde laten verdwijnen.

Hij toetste het nummer in dat hij op de website van de US Citizenship and Immigrations Service[8] had gevonden. 'Immigratiedienst.' De fluwe-

---

[8] http//www.uscis.gov

lige stem van een vrouw. 'Met het kantoor van de inspecteur-generaal. Waarmee kan ik u van dienst zijn?'

'Ik ken iemand die illegaal in de Verenigde Staten verblijft en de kost verdient met zakkenrollen en oplichting,' zei Vincent. 'Kan ik deze verklaring anoniem afleggen?'

'Natuurlijk,' zei de vrouw met de fluwelige stem.

# Hoofdstuk 8

De volgende dag schreeuwde Consuela tegen iedereen, smeet telkens de hoorn op de haak en schopte tegen de niet al te stevige muren van haar kantoor.

'Hill!' hoorde Vincent haar roepen op het moment dat hij haar kantoor passeerde. Ze had iemand aan de lijn. 'Frank Hill! De volksvertegenwoordiger van Florida in het Huis van Afgevaardigden! Natuurlijk wil ik hem spreken, verdomme! Waarom zou ik hem anders bellen?'

Vincent deed of hij het kopieerapparaat dat op de gang stond aan het nakijken was.

'Hoezo is hij er niet? Waar is hij anders voor ingehuurd? Ach, hij kan me wat! Ja, zeg dat maar tegen hem!' Voor de zoveelste keer smeet ze de hoorn zo hard op de haak dat het leek of die stuk moest. 'Politici! Tuig!'

Later zag Vincent de auto van advocaat Leonard Stanton voorrijden. Een tijdje bleef het stil. Vervolgens hoorde hij Consuela weer krijsen, brullen en schreeuwen. Hij voelde het bureaublad onder zijn handen trillen. Kort daarna holde Stanton terug naar zijn auto alsof zijn leven ervan afhing.

De volgende dag was van hetzelfde laken een pak, alleen verliep die iets minder rumoerig.

Op de derde dag, het was vrijdag, kwam een technicus van de telefoonmaatschappij in het kantoor van Consuela een nieuw apparaat installeren. De advocaat liet zich niet zien.

Op maandag, na het weekend, liet Consuela de hele dag verstek gaan.

Op dinsdag was ze er plotseling weer. Ze deed of er niks aan de hand was. De dagen verstreken. De projectvergaderingen, die nog maar één keer per week werden belegd, gebruikte Consuela eigenlijk alleen maar om voorstellen domweg goed te keuren, voornemens met een wuivend gebaar te stimuleren en antwoorden op moeilijke vragen uit de weg te gaan. Opeens vonden die besprekingen weer dagelijks plaats.

'Politici zijn allemaal gangsters,' vertrouwde ze Vincent tijdens een van de bijeenkomsten toe.

'Altijd al gedacht,' zei hij.

'En advocaten kunnen alleen maar astronomisch hoge rekeningen uitschrijven, het enige waar ze echt goed in zijn,' voegde ze eraan toe.

'Wat je zegt.'

'Misschien had ik met hem moeten trouwen,' zei ze opeens. Ontmoedigd liet ze haar hoofd in haar handen rusten. 'Dan hadden ze hem in elk geval niet zo makkelijk terug kunnen sturen naar Europa.'

'Ik weet zeker dat je jezelf geen verwijten hoeft te maken,' zei Vincent zeer overtuigend. Hij sprak dan ook de waarheid.

Consuela zuchtte. 'Je hebt gelijk. Wat zou ik zonder jou toch moeten beginnen.' Ze probeerde zich op het projectplan van januari 2005 te concentreren. Daar had ze echter zichtbaar moeite mee.

Ondanks alles was Vincent zeer ingenomen met zichzelf. Hoewel het hem nogal speet dat hij zo cru in het liefdesleven van Consuela had ingegrepen, had hij over het geheel genomen geen last van gewetenswroeging. Integendeel, het werd hoog tijd om het heft in eigen handen te nemen!

Eerlijk gezegd was hij stiekem in zijn sas dat hij dit zo keurig had afgehandeld.

Het was geen slecht idee om voor de verandering zichzelf eens wat vaker in het zonnetje te zetten, vond hij. De daaropvolgende avonden wijdde hij aan een zeer persoonlijk project. Het betrof een grote vastgoedmakelaar die indertijd veel speciale wensen had, zich krenterig opstelde als het om de betaling ging, zich vervolgens tijdelijk tot een ander softwarebedrijf had gewend, maar intussen met hangende pootjes terug was gekomen en zich bereid toonde om zich tegen een zeer hoog uurloon intensief door SIT te laten begeleiden. Vincent had een 'achterdeurtje' in het softwareprogramma gemaakt, natuurlijk op kosten van de klant. Het betrof een toepassing die het aanbod dat aan bepaalde criteria voldeed eruit pikte en hem daar exclusief per e-mail van in kennis stelde. De zoekcriteria kon hij natuurlijk moeiteloos aanpassen.

Na een update bekeek hij elke avond een of twee interessante huizen. Enkele weken later had hij een koopje op het oog.

Geen groot huis, maar de locatie – aan Lake Charm – was fantastisch.

Half verscholen tussen struiken, bomen en agaven. De eigenaresse wilde er vanaf en nam elk bod serieus.

'Ik had meer kijkers verwacht,' zei ze toen Vincent bij haar aanklopte.

'Misschien ligt het aan het seizoen,' antwoordde Vincent.

Het pand was van haar vader. 'Ouwe Dep' kon het niet laten drugs te smokkelen. Nu was hij overleden. Doodgeschoten door huurmoordenaars van een kartel in wiens vaarwater hij was gekomen. Ze wilde het verleden achter zich laten en kon dus nauwelijks wachten om iemand de sleutel van het pand in handen te drukken en een heel eind uit de buurt van deze onheilsplaats te gaan wonen.

'Als we het eens worden over de prijs kunt u voor mijn part vandaag al vertrekken,' zei Vincent.

Ze kwamen een prijs overeen, waarna Vincent de huur van zijn appartement opzegde. Hij renoveerde het huis in de avonden en weekenden.

Een onverwacht voordeel was dat de vorige eigenaar het huis voorzien had van talloze bergplaatsen, verborgen luiken, schachten en nissen. Dat vergemakkelijkte de bekabeling van een slim uitgedacht ethernetsysteem[1] enorm. Bovendien had hij de beschikking over een grote airconditioned ruimte zonder ramen. Hij vroeg zich af wat die drugssmokkelaar daar indertijd mee moest. Voor een computerfreak was die kamer echter ideaal, gelet op het zonnige klimaat in Florida. Hier borg hij zijn materiaal op, installeerde hij een DSL-verbinding en plaatste er zijn server en een van zijn pc's. De andere computers die hij in de loop der jaren vergaard had, verspreidde hij over de verschillende kamers.

Dit paradijsje bij uitstek was nu van hem. Met de volgende betaalde update verwijderde hij het achterdeurtje uit de software van de makelaar.

Eigenlijk heel cool, vond Vincent op een avond terwijl hij in zijn koele, donkere computerkamer zat. Hij voelde zich als Blofeld of hoe die boef uit de oude James Bond-films ook heette. Een schurk die altijd in het wit gekleed was en een witte kat streelde terwijl hij gemene instructies gaf aan zijn ondergeschikten. Hij kon niet op de naam van die crimineel komen. Maakte ook niet uit. In elk geval was het cool om je voor te stellen dat je van achter je eigen bureau invloed kon uitoefenen op de wereldpolitiek en dat je met zeer nauwkeurige speldenprikken een andere wending aan de dingen kon geven.

Stel dat het waar was wat Zantini beweerde. Was hij daadwerkelijk de

---

[1] Het ethernet is een kabelnetwerk voor lokaal dataverkeer (LAN) tussen computers, printers en andere apparaten.

man die presidenten in het zadel hielp? Vincent vouwde de handen achter zijn hoofd, leunde achterover in zijn stoel en probeerde dat gevoel te doorgronden.

Wel lekker, vond hij. Hij moest zelfs uitkijken dat hij niet naast zijn schoenen ging lopen.

Hij staarde naar de kale muren achter de beeldschermen, waarvan hij er inmiddels drie had aangesloten. Misschien moest hij daar een grote wereldkaart ophangen waarop hij een aantal led-lampjes aanbracht. Het doel ervan ontging hem vooralsnog.

Hij pakte een blikje cola uit de koelkast.

Een witte kat kon hij binnenkort wel aanschaffen.

De rest wees zich vanzelf. De stemcomputer kon in elk geval de basis gaan vormen van zijn activiteiten.

Eerst maar eens kijken wat er op internet te vinden was.

Hij vond ontelbare websites, verenigingen, stromingen, forums en wat al niet meer. Het gebruik van stemcomputers vormde het centrale thema. En dan vooral de risico's ervan.

Interessant. Vincent meldde zich aan bij een forum waarvan de leden een zeer competente indruk maakten. Hij mengde zich in de discussies om zich een beeld te vormen van wat een stiekeme wereldheerser met een witte kat zoal kon bereiken op dat gebied.

Het forum bestond uit een internationaal gezelschap. In Nederland werd inmiddels negentig procent van de stemmen met stemcomputers geteld. De beweging 'Wij vertrouwen stemcomputers niet'[2] was daar zeer actief. Op het forum meldden zich hoofdzakelijk computerspecialisten die onlangs een NEDAP[3] ES3B in handen hadden weten te krijgen; in Nederland werd vrijwel uitsluitend dat type gebruikt. Forumlid Hackinator schreef regelmatig over de voortgang die ze boekten. Ze hadden de stemcomputer gedemonteerd en probeerden de technisch zwakke kanten ervan op te sporen. Natuurlijk keken ze ook of en hoe je de boel kon hacken. 'Zes tot acht weken vóór de parlementsverkiezingen, in november, laten we een persbericht uitgaan dat we de zooi gehackt hebben en tonen we aan dat je met een computer de uitgebrachte stemmen naar willekeur kunt manipuleren.'

Tijdens de daaropvolgende soms zeer technische discussie meldde zich een Duitse met de schuilnaam Sirona. Een systeemspecialiste bij een grote

---

[2] http//www.wijvertrouwenstemcomputersniet.nl

[3] Fabrikant: N.V. Nederlandsche Apparatenfabriek.

Duitse firma die vroeger computers maakte en tegenwoordig geheugen-chips en mobiele telefoons produceerde. Dat schreef ze althans. Die vrouw was zo goed thuis in de assemblageprogrammering en cryptografie dat niet alleen Hackinator maar ook Vincent nog wat van haar kon leren. Vincent vond dat verbazingwekkend. Hij wisselde met haar van gedachten – ze schreven enkele pb's[4] naar elkaar – en kwam te weten dat ze een eigen groep probeerde op te richten om te ageren tegen de inzet van stemcomputers in Duitsland.

Einde verhaal. Dat had het in elk geval kunnen zijn. Maar een paar dagen later kreeg hij een pb van haar waarin ze schreef: *Je kwam in mijn droom voor. Ik zag je in een onderaardse bunker zitten terwijl je een sneeuw-witte kat streelde. Bovendien had ik het gevoel dat ik je daaruit moest halen. Dat ik je moest redden. Vreemd hè?*

'Wauw,' zei Vincent toen hij dat las.

Als dat geen teken aan de wand was.

*Je weet niet eens hoe ik eruitzie,* schreef hij terug.

*Dat is zo,* antwoordde ze.

Hij mailde een foto van zichzelf. Zijn voorbeeld vond echter geen navolging. *Misschien komen we elkaar ooit tegen,* schreef ze. *Het is dan voldoende dat ik jou herken.*

De mails werden steeds langer en persoonlijker. Toen de afdeling waar ze werkte afgeslankt werd en naar het buitenland verhuisde, werd Sirona ontslagen. Tegenwoordig werkte ze bij een bedrijf dat biometrische her-kenningssystemen ontwikkelde. *De onderneming gaat binnenkort failliet,* schreef ze. *Biometrie werkt gewoon niet.* Ze hadden het over van alles en nog wat. En natuurlijk over computers.

*Ik ben dol op computers. Raar, hè,* schreef ze op de vraag waarom ze zo geëngageerd stelling nam tegen stemcomputers. *Ik erger me als mensen dat niet begrijpen. Kijk eens om je heen naar de mannen. Ze houden van auto's, motoren en wat al niet meer... en van computers. Maar als je als vrouw iets in die richting zegt, word je aangekeken of je van een andere planeet komt.*

*Klinkt sympathiek, maar je beantwoordt mijn vraag niet,* schreef Vincent terug. *Als je zo van computers houdt, moet je het toch fijn vinden dat je die ook in het stemhokje mag gebruiken?*

Dat had een vloedgolf van mails tot gevolg. *Juist omdat ik zo van computers hou, erger ik me omdat sommigen denken dat ze de democratie met be-hulp van die apparaten naar hun hand kunnen zetten. Het maakt me witheet*

---

[4] Een pb (persoonlijk bericht) is een soort e-mail binnen een forum.

*van woede. We hebben al zo weinig te vertellen. Om de vier jaar stemmen we, dat is alles. Maar die stem moet dan ook tellen!*

Ook verklaarde ze uitvoeriger dan Vincent lief was dat ze het Zwitserse model van de directe democratie aanhing. Volgens haar was dankzij dat model Zwitserland een van de rijkste landen van de wereld en was het nog nooit in een oorlog verwikkeld geweest.

Er waren ook dingen waarover ze het eens waren. Bijvoorbeeld dat op een goede pizza salami hoorde, maar niet te dik gesneden. En dat *Underworld* de beste film ooit was. Beiden hadden de filmmuziek van *Lord of the Rings,* de complete set. Ze luisterden er graag naar tijdens het programmeren. Vincent nam haar in vertrouwen en vertelde dat zijn vader van Duitse afkomst was, maar dat hij hem nog nooit had ontmoet.

Hij zei echter niet dat hij het jammer vond dat ze zo ver weg woonde.

De media hadden amper belangstelling voor degenen die zich geëngageerd tegen stemcomputers keerden. Het probleem leefde niet. Iedere zwangere Hollywoodster kreeg meer media-aandacht dan ongeacht welke demonstratie over hoe je een stemcomputer kon manipuleren.

'Volgens de fabrikanten is de stemcomputer veilig. Daar nemen degenen die de verkiezingen organiseren genoegen mee,' schreef iemand met de schuilnaam Alligator. Volgens het ledenprofiel was hij systeembeheerder bij een dagblad in New York. 'Als ik me op mijn werk kritisch uitlaat over de stemcomputer kijkt iedereen me met grote ogen aan. Laatst zei iemand dat ik misschien een ander vak had moeten kiezen als ik er zo over denk. Toen hield ik mijn mond maar.'

'We hebben een veiligheidsstudie gepubliceerd en een persconferentie voorgesteld,' zei Tim. Hij was lid van een Duitse groep die zich 'Chaos Computer Club'[5] noemde. 'Die studie is in feite bijna een handleiding voor hoe je verkiezingsfraude kunt plegen. En wat zeggen de journalisten? Dat zoiets niet voorkomt tijdens echte verkiezingen. Om gek van te worden. Alles is al gezegd en gedemonstreerd.'

Vincent glimlachte toen hij dat las. Tja, dat was nu eenmaal het verschil. In tegenstelling tot de andere forumleden beschikte hij wel over de mogelijkheid om zaken te beïnvloeden.

Hij was immers de man die presidenten in het zadel hielp, nietwaar? Hij had het programma geschreven waarmee George W. Bush mogelijk in het Witte Huis was gekomen.

---

[5] https://www.ccc.de

71

Het leuke eraan was dat hij, zoals het een machtige manipulator betaamt, niet eens veel hoefde te doen om de zaak aan het rollen te brengen. Iemand zou het van hem overnemen. Iemand die er veel meer belang aan hoorde te hechten om de achtergronden op te helderen en die over veel meer mogelijkheden beschikte.

Iemand van de Democratische Partij.

Misschien moest hij toch eindelijk een witte kat aanschaffen.

In de daaropvolgende dagen bestudeerde Vincent eerst de websites van de belangrijkste afgevaardigden en senatoren van de Democratische Partij. Uiteindelijk vond hij iemand die eruitzag of hij begreep waar het om ging. Een afgevaardigde uit Chicago, Illinois. Aangezien die man nog jong was, verkeerde hij ongetwijfeld ook in de wereld van de computers, internet en aanverwante zaken. Aansluitend schreef Vincent een e-mail, een concept, over de gebeurtenissen tijdens de presidentsverkiezingen van 2000. Hij lette er zorgvuldig op dat niets in de tekst naar SIT of hem persoonlijk verwees. Bij yahoo.com maakte hij onder een valse naam een mailaccount aan. Daarna zocht hij een bibliotheek met pc's, waarop je een cd-rom kon afspelen en waarmee je zonder je te identificeren op het internet kon.

Hij vond er een in het zuidelijke stadsdeel van Orlando. In de bibliotheek haalde hij de cd met de gegevens uit zijn jaszak en legde het notitieboekje met het e-mailadres naast zich op de tafel. Opeens zag hij bij de pc een boek liggen waar hij prompt achterdochtig van werd. Aan de titel te zien ging dat werk over de NSA, de National Security Agency. Plotseling dook een meisje op – kauwgom in de mond – en pakte het boek, zei 'sorry' en liep weg. Vincent beschouwde dit als een slecht teken. Het gerucht ging toch dat deze instantie zonder uitzondering alle e-mails controleerde die via het internet verstuurd werden[6]?

Hij bleef een tijdje roerloos zitten en staarde naar de pc. Uiteindelijk stond hij op en vertrok.

Op de terugweg liep hij een winkel met kantoorartikelen binnen en kocht vier dikke verzendenveloppen; ze werden niet per stuk verkocht. Thuis deed hij de brief, de beschrijving van het programma dat hij indertijd geschreven had – uiteraard zonder het SIT-logo – en de cd met de software in de envelop, die hij vervolgens op de post deed. De gewone post. Snailmail. Het was lang geleden dat hij dat voor het laatst gedaan had.

Voordat hij de envelop in de brievenbus liet glijden, genoot hij even van

---

[6] http//de.wikipedia.org/wiki/National_Security_Agency

72

het gevoel dat hij de wereld regeerde. Dit was een zeer explosieve brief. Een tijdbom. Nu was het gewoon afwachten tot die bom afging.

De dagen en weken verstreken zonder dat er iets gebeurde. Geen senator die in Washington voor de camera zei dat hij bewijzen had of een aanklacht indiende. Een maand later was het nog steeds stil. Was de bom een blindganger?

Misschien was de envelop niet aangekomen. De Amerikaanse post stond er immers om bekend snel noch betrouwbaar te zijn.

Hij koos een andere afgevaardigde van de Democratische Partij en stuurde een dikke envelop naar hem.

Weer geen reactie.

Werden anonieme brieven aan afgevaardigden voor de zekerheid meteen vernietigd?

Hij probeerde het opnieuw. Ditmaal met een verzonnen afzender. Bovendien deed hij de envelop ergens anders op de post. Je kon immers niet weten of het daaraan lag.

Vergeefse moeite. Het leek of alles wat er in Florida op de post werd gedaan naar de verbrandingsoven ging.

Teleurgesteld gaf Vincent het op. Misschien had hij de belangstelling die de politiek voor deze zaak had overschat. Het zou ook kunnen dat de Democraten niet de mogelijkheden hadden om deze kwestie op te helderen.

Maar goed dat hij nog geen witte kat had aangeschaft.

Niet lang daarna kreeg hij via het forum contact met enkele personen die voor het project 'Ongeschonden stembiljetten'[7] werkten en een opwindende ontdekking hadden gedaan. Ze hadden zich toegang verschaft tot de kiezersdatabank van de stad Chicago met de persoonlijke gegevens van ruim 1,3 miljoen kiesgerechtigde burgers: namen, adressen, geboortedata en belastingnummers. Je kon er zo bij als je op een bepaalde internetsite een banale, makkelijk te omzeilen controle was gepasseerd.

*We hebben de verantwoordelijken daar al weken geleden op attent gemaakt,* schreef een van hen onder de naam Ban_hava in het forum. *Er gebeurt gewoon niks.*

Vincent vond dat kleine project een geschikt oefenmiddel om ervaring op te doen als je wereldheerser wilde worden. Hij schreef: *Probeer de databank te hacken. Als de burgemeester op 7 november niet mag stemmen omdat jullie zijn burgergegevens veranderd hebben, komt de boel gegarandeerd in beweging.*

---

[7] www.ballotintegrity.org

*Zouden we graag doen,* antwoordde Ban_hava. *Maar we weten niet hoe dat moet.*

Vincent glimlachte terwijl hij tikte: *Als dat het enige probleem is... :-)*

De rest verliep per e-mail en telefoon. Al snel stelde Vincent vast dat het veiligheidsdefect dat Ban_hava en zijn kornuiten ontdekt hadden, groter was dan aanvankelijk gedacht. Dankzij enkele uitstekende tips van Sirona kreeg hij in de databank toegang tot de editfunctie en had hij inderdaad de burgergegevens van kiesgerechtigden zodanig kunnen veranderen dat ze op verkiezingsdag niet mochten stemmen. Hij had hen aan andere kiesdistricten of stembureaus kunnen koppelen, kilometers ver van hun woonplaats. Hij zou zelfs in staat zijn geweest de hele databank te wissen.

Deze zaak haalde uiteindelijk de krant[8]. De Chicago Election Board stond voor een dilemma. De groep werd uitgenodigd en toonde het defect aan. Vincent was daar niet bij aanwezig. Als toekomstig wereldheerser gaf hij er de voorkeur aan om niet onnodig in de publiciteit te verschijnen. Maar hij instrueerde Ban_hava en zijn vrienden zorgvuldig en liet ze zien wat er mis was met de software. Zoals het nu ging, leek alles zoals gepland te verlopen.

De verantwoordelijken probeerden de zaak te bagatelliseren[9]. Het zou maar een programmeerfoutje zijn geweest. De verkiezingen zouden er niet door beïnvloed worden.

De kranten brachten dat als een feit.

En er gebeurde weer niets.

In november waren de opiniepeilers het oneens met elkaar. Velen hielden het voor mogelijk dat de Republikeinen de meerderheid, die ze tot dan toe in het Huis van Afgevaardigden hadden, konden verliezen. Het was echter onwaarschijnlijk dat de Democraten een meerderheid in de Senaat kregen.

De zittende president was echter vol vertrouwen. 'We winnen,' zei hij telkens tijdens zijn verkiezingstour door Missouri, Nevada en Iowa. Zijn chef-verkiezingsstrateeg Karl Rove voegde eraan toe: 'Ik ken de cijfers.' Het klonk of de verkiezingsuitslag al vaststond.

De dag van de verkiezingen brak aan. De Democraten wonnen. 'Zeer overtuigend,' noemden de commentatoren die uitslag. 'Een aardverschuiving.' Zowel in het Congres als in de Senaat hadden de Democraten de komende twee jaar de meerderheid.

---

[8] *Chicago Tribune,* zie http://www.chicagotribune.com/news/custom/newsroom/chi061023hacking, 1,2790710.story

[9] http://abcnews.go.com/Politics/story?id=2601085&page=1

74

Zo zagen de cijfers eruit:

Tijdens de parlementsverkiezingen hadden ze 52 procent van de stemmen gekregen.

Tijdens de senaatsverkiezingen wonnen ze met 53,91 procent.

Vincent vond die cijfers zeer verhelderend. Hij had zijn oude programma op cd gebrand en naar de afgevaardigden verstuurd. Maar voordat hij dat deed, had hij er een kleine wijziging in aangebracht. Zomaar. Als zegelmerk. Een geurvlag.

De ingeprogrammeerde voorsprong van 51 procent was veranderd in 53 procent.

Vincent liet de krant zakken en vroeg de United States Postal Service in gedachten om vergeving. De post was namelijk niet onbetrouwbaar. De enveloppen waren aangekomen. Daar zag het althans naar uit. De politici hadden de brief gelezen maar er geen aanleiding in gezien om een schandaal te onthullen. Met deze handleiding hadden ze precies hetzelfde gedaan als de Republikeinen destijds.

Maar wat er ook gebeurd was – of te veel mensen zich ermee bemoeid hadden of dat er gewoon sprake was van de gebruikelijke slordigheid – in technisch opzicht waren de Amerikaanse Senaats- en Congresverkiezingen in november 2006 een ramp. 86 procent van de kiesgerechtigden moest gebruikmaken van de stemcomputer in plaats van het stembriefje. En die stemcomputers hadden op desastreuze wijze gefaald.

Er was sprake van stroomuitval. Toetsen en scanners deden het niet. Of de apparaten startten gewoon niet op. In duizenden gevallen reageerden de touchscreens niet of verkeerd. In Lebanon County, Pennsylvania, was in elk van de 55 stembureaus minstens één stemcomputer te vinden met verkeerde namen van de kandidaten. In een stembureau in Ohio functioneerde geen enkele van de in totaal elf stemcomputers, waardoor men razendsnel terugviel op gefotokopieerde stembriefjes. In het kiesdistrict Delaware, Indiana, waren technische problemen. De rij wachtenden werd zo lang dat de rechter eraan te pas moest komen om ervoor te zorgen dat de in totaal 75 stembureaus later dichtgingen.

In Waldenburg, Arkansas, stelde een kandidaat vast dat de stemcomputer hem geen enkele stem 'gegeven' had. Hij wist echter zeker dat hij op zichzelf gestemd had[10] en hij dus minstens één stem moest hebben. In talloze gevallen hadden de stemcomputers meer stemmen opgeslagen dan er kiesgerechtigden waren die in het stemhokje hun stem hadden uitge-

---

[10] CNN 11 november 2006: 'Candidate gets no votes – but voted for himself'.

75

bracht. Of minder. Of de computers kwamen bij elke opvraging met andere uitslagen.

Het debacle bleef niet zonder gevolgen. Een daarvan was dat het parlement in de staat Florida op 3 mei 2007 een nieuwe kieswet aannam. Bij toekomstige verkiezingen mocht uitsluitend met potlood worden gestemd. Alle 118 afgevaardigden stemden voor. Er waren geen onthoudingen.

Vincent had bijna een fles champagne opengemaakt. Hij liet dat echter achterwege omdat hij champagne niet lekker vond.

Eigenlijk vond hij het best wel jammer dat de strijd beslecht was. Met weemoed dacht hij terug aan het gevoel een wereldheerser te zijn.

Maar het leven ging door.

Op een avond werd er aangebeld. Vincent had een pizza besteld en deed open, een briefje van twintig in zijn hand.

Het was niet de pizzakoerier van Howie's Hungry Pizzas die voor de deur stond, maar Benito Zantini.

Achter hem hielden zich twee sinistere gestalten op.

# Hoofdstuk 9

'Goedenavond.' Zantini maakte een buiging alsof hij op het podium stond. Hij zag dat Vincent vreemd opkeek, en zei glimlachend: 'Verbaasd?'

Vincent was even van zijn stuk gebracht. 'Ja,' gaf hij toe. 'Ik dacht dat u...'

'O ja? Nare zaak. Heel vreemd ook.' Het leek of Zantini dwars door hem heen keek. Vincent voelde zich niet op zijn gemak. Vermoedde hij wat? Wist hij iets? Was dit een afrekening?

Hoe was hij na die uitzetting de Verenigde Staten binnengekomen? Hij was toch uitgewezen? Hij mocht de komende jaren Amerika toch niet in?

'Nu vraag je je natuurlijk af hoe het kan dat ik weer hier ben, hè?' zei Zantini prompt. Tjeses, kon die vent gedachten lezen? 'Vergeet niet dat ik een illusionist ben.'

'Ik begrijp het,' zei Vincent, hoewel dit boven zijn pet ging. Hij stond daar met het briefje van twintig in zijn hand en voelde zich als... Ja, hoe voelde hij zich eigenlijk? Hij wist het niet. Alsof een flatgebouw voor zijn ogen ineenstortte en het tot hem doordrong dat het van louter speelkaarten was gemaakt.

'Ik wil je graag voorstellen aan mijn metgezellen,' zei Zantini. 'Twee trouwe, eh... "vrienden" is niet het juiste woord. In elk geval weet ik me verzekerd van hun loyaliteit, nietwaar?' Hij grijnsde naar het tweetal. De twee personen knikten heftig.

'Dat is Furry,' zei Zantini. Hij wees naar degene die rechts van hem stond. Een gedrongen, breedgeschouderde vrouw met uitgesproken vrouwelijke contouren. Haar bewegingen waren sluipend zinnelijk. Toen ze bij de voordeur in het licht stond, zag hij dat ze behaard was op een manier zoals hij dat nog nooit gezien had. Niet bij een man en al helemaal

77

niet bij een vrouw. Waar haar lichaam niet met kleding bedekt was, zag hij dicht, zwart kroeshaar. Haar armen waren voorzien van een soort vacht tot aan haar handen. Zelfs haar vingers waren behaard tot aan de vingernagels.

Hij huiverde.

'En dat is Pictures,' zei Zantini. Hij wendde zich tot de man die links van hem stond.

Pictures glimlachte, alsof hij zich gevleid voelde. Waarschijnlijk was dat ook zo. Hij was een kop groter dan de illusionist en schaars gekleed, à la Florida. Misschien zelfs minder dan gepast was. In elk geval kon je nu goed zien dat elke vierkante centimeter van zijn lichaam getatoeëerd was.

Waar had Zantini hen in hemelsnaam ontmoet? In een curiositeitenkabinet?

Plotseling herinnerde Vincent zich dat Zantini indertijd met zijn variétégezelschap in de Verenigde Staten was gestrand. Ongetwijfeld hadden ze bij die groep gehoord.

'Mag ik binnenkomen?' Zantini boog zijn hoofd. 'Mijn vrienden blijven buiten... geen probleem. Zij zorgen ervoor dat we ongestoord kunnen praten.'

'Oké,' zei Vincent. Het kwam er bijna fluisterend uit, nog voordat hij kon nadenken of hij wel wilde dat de man binnenkwam. Als vanzelf ging hij opzij om de illusionist door te laten. Hij wilde niet wachten tot hij daartoe gesommeerd werd.

Had die vent macht over hem? Vincent voelde zich op een eigenaardige manier in de hoek gedreven omdat hij Zantini op achterbakse wijze aan de autoriteiten had uitgeleverd. Hij had hem zogezegd met een muisklik uit zijn leven verbannen. Alsof hij nu alles moest doen – een drang die steeds sterker werd, overweldigend zelfs – om er maar voor te zorgen dat de illusionist niet uit zijn hum raakte.

Zantini liep door de kamers en keek om zich heen. 'Leuk huis,' zei hij. 'Verdienen jullie inmiddels zo goed bij Consuela? Prima! Dan zal ze haar toch al nauwe contacten met de regerende partij ongetwijfeld geïntensiveerd hebben.'

Consuela wist dus niet dat Zantini weer in het land was.

'Ik heb me een tijdje niet geheel vrijwillig in het buitenland opgehouden. In Europa. Jij hebt dat natuurlijk meegekregen,' vervolgde hij. 'Uiteraard heb ik de vinger aan de pols gehouden. Tegenwoordig is dat geen probleem. In elk geval ben ik dankzij die onaangename zaken weer in het bezit van een geldig paspoort. Dat maakt het leven een stuk gemakkelijker.' Hij nam plaats in dezelfde stoel als waar hij de laatste keer dat hij bij Vincent op bezoek was in gezeten had. 'Tja, heel vervelend allemaal... voorlopig kunnen we geen zaken doen in de Verenigde Staten. Je weet toch waarover ik het heb?'

'De handel in verkiezingsoverwinningen,' zei Vincent.

Hij lachte. 'Leuk geformuleerd. Die moet ik onthouden. Uitstekend te gebruiken voor marketingdoeleinden, als je daar niets op tegen hebt. Maar waarom zou je ook? Jij verdient daar immers ook aan. Je zult vaststellen dat ik een nogal vreemde partner ben. Maar in geldzaken ben ik zo eerlijk als een priester.' Hij haalde een zilveren etui uit zijn binnenzak en viste er een sigaartje uit dat er duur uitzag. Hij wierp Vincent een vragende blik toe. 'Mag ik?'

Vincent knikte onwillekeurig. Eigenlijk had hij daar wel degelijk iets op tegen.

'Mijn familie komt van Sicilië,' zei Zantini. Een zilverwit rooksliertje kringelde naar het plafond. In de kamer begon het naar smeulende tabak te stinken. 'Je weet hoe men over Sicilië denkt. Uit de lucht gegrepen vooroordelen, nietwaar? De maffia en zo. Toch is het daar precies zoals men er hier over denkt. Mijn vader was iemand van de *famiglia*. Mijn opa ook. Alleen ik heb me daarvan los weten te maken. Dat heb ik te danken aan bijzondere omstandigheden. Hoe dan ook, iemand met mijn achtergrond is zich ervan bewust dat je één ding nooit mag flikken: je zakenpartners bedriegen. Die fout kun je maar één keer maken, als je begrijpt wat ik bedoel.'

Vincent slikte. Hij knikte slechts en had zo'n droge keel dat hij geen woord over zijn lippen kreeg.

'Goed. Waar waren we gebleven? O ja, de handel in verkiezingsoverwinningen. Precies. Oké.' Hij schudde zorgelijk zijn hoofd. 'Je landgenoten hebben het helemaal versjteerd. Als ik zie hoe jullie de dingen aanpakken; tjonge, het zal altijd wel in nevelen gehuld blijven hoe jullie het voor elkaar hebben gekregen om het in de wereld voor het zeggen te krijgen. Hoe dan ook, ik heb nieuwe markten proberen aan te boren. En daar ben ik gelukkig in geslaagd. Dat is uiteraard de reden waarom ik hier ben. Ik wil onze prachtige, veelbelovende, maar zo ruw onderbroken samenwerking nieuw leven inblazen.' Bezorgd staarde hij naar het uiteinde van zijn sigaartje; de as viel er bijna af. Uiteindelijk tikte hij de as in de pot van een kwijnende kamerplant. Vincent had de plant, overgenomen van de vorige eigenaar, steeds vergeten water te geven. 'Maak je maar geen zorgen, sigarenas is een uitstekende meststof,' zei Zantini met een knipoog.

Hij boog zich naar voren en zei: 'Om een lang verhaal kort te houden... we verhuizen naar Duitsland.'

Vincent ging op de bank zitten. 'Duitsland? Niet Italië? Zojuist had u het toch over Sicilië...?'

'Italië? In Italië stemmen ze nog niet met computers. Jammer. Berlusconi zou ongetwijfeld een uitstekende klant zijn, in elk geval een zeer kredietwaardige. Ik vrees echter dat om hem weer aan de macht te krijgen iets anders verzonnen moet worden.' Zantini nam een flinke trek van zijn sigaar en blies een indrukwekkende rookkringel door de kamer. 'Mijn familie komt dus uit Sicilië, maar ik ben in Duitsland geboren. In Gelsenkirchen. Dat zegt je niets, hè? Maakt ook niet uit, want ik ben opgegroeid in Wiesbaden, bij Frankfurt. Mijn vader was een zeer bezige man die over de hele wereld reisde.'

Op dat moment werd er aangebeld.

'Je verwacht bezoek, hè?' zei Zantini. 'Toen je opendeed, had je geld in je hand. Ben jij die typische, fanatieke computerprogrammeur die zichzelf 's avonds een pizza gunt?'

Vincent voelde zich betrapt. De illusionist kon vlijmscherp observeren, dat moest je hem nageven.

Zantini schoot in de lach. 'Ach, ik ben dol op clichés. Het leuke ervan is dat ze allemaal kloppen.' Hij stond op. 'Ik loop meteen met je mee.'

De koerier van Howie's Hungry Pizzas stond aan de deur, geflankeerd door Furry en Pictures. De jongen voelde zich niet op zijn gemak. 'Uw, eh... Howie's Special met sesamzaad. Dat is dan twaalf dollar, meneer.'

Vincent gaf hem een flinke fooi tegen de schrik.

'Nou dan, smakelijk eten.' De illusionist klopte Vincent amicaal op de schouder. 'Geniet van je pizza. Morgen bespreken we de rest. En om ervoor te zorgen dat je je vanavond niet verveelt...' hij gaf Pictures een teken, '... heb ik een klein geschenk voor je meegebracht. Hoewel, zo klein is dat cadeautje nou ook weer niet.'

Pictures kwam met een lichtgrijze, metalen koffer aanzetten.

'Wat is dat?' vroeg Vincent. Hij hield nog steeds met twee handen de pizzadoos vast.

'Je zult er vannacht niet van kunnen slapen,' voorspelde Zantini. 'Het is een stemcomputer. Een NEDAP ESDI[1]. Dit type wordt in Europa gebruikt.' Hij wees naar de koffer. Furry had die bij de deur neergezet. 'Je kunt dat

---

[1] Dezelfde computer als het in Nederland gebruikte type ES3B. Alleen de kleur van de stemtoets is anders en het aantal knoppen aan het controleapparaat. De enige stemcomputer die qua bouw in Duitsland is toegelaten.

ding gewoon op een tafel zetten en openklappen. Alsof je in een stemhokje zit. Ziet er nogal olijk uit, maar het is wel degelijk een computer. Een kolfje naar jouw hand, hè?' Hij klopte Vincent weer op de schouder. 'Kijk eens wat je ervan vindt. Ik denk dat dit apparaat jouw goedkeuring wel kan wegdragen. Tja, en wat de komende dagen betreft... je hoeft niet naar je werk. Ik regel dat wel. Furry en Pictures blijven hier. Ze doen de boodschappen en verder alles om ervoor te zorgen dat je ongestoord kunt werken. Jij bestudeert deze computer en schrijft een programma waarmee we de verkiezingsoverwinning kunnen kopen.'

Daarna stapte Zantini in een sportwagen en stoof weg. Furry en Pictures bleven achter en keken hem in het halfduister grijnzend aan. Nu pas zag Vincent de caravan die dwars op de oprit was geparkeerd.

Tjeses, hoe snel alles kon veranderen. Er was zoveel op hem af gekomen dat hij niet wist wat hij moest doen. Eerst een hapje eten, dat leek hem het beste. En die stemcomputer naar binnen dragen.

Toen hij zich in de woonkamer bevond, ging prompt de telefoon. Goeie genade, wat was er toch aan de hand? Vincent nam op.

'Ach, wat ik vergeten ben te zeggen...' zei Zantini aan de andere kant van de lijn. 'We zijn zo vrij geweest om je telefoon af te snijden. Zo technisch zijn we wel. Dit zal je laatste telefoongesprek zijn. Hierna zet Pictures de knop om en heb je rust.'

Vincent wist niet meer hoe hij het had. 'Maar...'

'Het heeft geen zin om je mobiele telefoon te zoeken,' vervolgde de illusionist. 'Die heb ik namelijk meegenomen.'

Onwillekeurig stak Vincent een hand in zijn zak. Zijn mobieltje was inderdaad weg!

'Geen internet, geen telefoon, niets meer. Alleen jij en de stemcomputer. Net een droom, hè?' Zantini schoot in de lach. 'Tot morgen.'

De verbinding werd verbroken. Meteen daarna was de lijn dood.

Vincent ging aan de keukentafel zitten. Hij at van zijn pizza, dronk ijsgekoelde cola en staarde naar de lichtgrijze, metalen koffer, die hij voorlopig even op het fornuis had gezet. Een stemcomputer. Vrijwel hetzelfde apparaat waar Hackinator zich over ontfermd had. Interessant om zo'n ding eens van dichtbij te bekijken.

Uit het keukenraam zag hij de caravan staan waar die twee circusgasten woonden. Af en toe liep een van hen naar buiten, slenterde wat rond of was met iets bezig. Vincent zag niet wat ze aan het doen waren. Het kon hem ook niet schelen. Doodvallen konden ze.

Hij nam een hap van de pizza. Natuurlijk weigerde hij mee te werken aan de plannen van Zantini. Die magere goochelaar had hem overdonderd, dat moest hij toegeven. Maar nu hij alles rustig liet bezinken, realiseerde hij zich dat Zantini hem nergens toe kon dwingen. Natuurlijk, de goochelaar deed of hij de chef was. Zijn optreden dwong respect af. Maar Zantini kende de showwereld op zijn duimpje. Hij wist hoe hij dat moest aanpakken. Als Vincent zei dat hij die stemcomputer niet kon kraken, hield gewoon alles op en had hij hem in een oogwenk van zich af geschud.

Een makkie. Zijn eigen goocheltrucje.

Vincent nam weer een hap. Zantini had hem van het internet af gehaald! Wat een brutaliteit! Dat zou hij hem betaald zetten. Hij verzon wel iets.

Kauwend staarde hij naar de lichtgrijze koffer. Het was Hackinator en zijn kornuiten gelukt dat ding te kraken.

Het was kortom mogelijk.

Terwijl hij een grote hap nam, dacht hij terug aan die forumdiscussie. Aan de lastige kwesties. De problemen waar ze voor waren komen te staan.

Natuurlijk kon ook hij die computer kraken. Maar dat hoefde Zantini niet te weten.

De pizza smaakte hem niet. Maar zijn honger ging er wel van over. Hij legde de rest van de pizza bij de andere helft, klapte het deksel van de doos dicht en veegde zijn handen af aan een vaatdoek.

Het kon geen kwaad om de stemcomputer eens van dichtbij te bekijken. Gewoon om te weten welke technische vooruitgang er in de afgelopen tien jaar geboekt was.

Het apparaat demonteren was inderdaad heel eenvoudig. Je klapte de zijkanten omhoog en daarna... tja, hoe noemde je zoiets? Een soort lessenaar die je omhoog klapte en waarop je een stembriefje kon bevestigen. Er was een voorbeeld bijgevoegd met wazige gezichten en namen – ze klonken stuk voor stuk of ze verzonnen waren – van kandidaten van fictieve politieke partijen. Als je het blad op de juiste manier vastklemde, zag je naast de namen de toetsen.

Alleen al daarmee kon je de boel frauderen. Als je een stembriefje erin legde en twee namen verwisselde, kreeg de ene kandidaat de stemmen van de andere en omgekeerd.

Vincent droeg het apparaat naar zijn werkkamer. Hij zag het knipperende ledlampje van zijn server. Als hij internet had, zou dat lampje gewoon aanstaan. Een beklagenswaardige aanblik. Je zou bijna geloven dat de computer jammerlijk zou piepen als je er een luidspreker op aansloot.

Met zijn ellebogen schoof Vincent enkele stapels papieren weg die op zijn werktafel lagen. Hij zette de stemcomputer neer. Eigenlijk had hij zijn tafel eerst grondig moeten opruimen. Nu vond hij het voldoende om alles min of meer willekeurig in de laden en op schappen te leggen. Vervolgens demonteerde hij de computerkast.

Toen de computer open en bloot voor hem stond, trok hij zijn werklamp bij om nauwkeurig te kunnen zien wat het apparaat aan boord had. Het hoofdbestanddeel was een 68.000-processor[2]. Niet bepaald het laatste snufje. 68.000-processors waren in de eerste Apple-MacIntosh-computers gezet. En in de Commodore Amiga, de Atari ST en in de Sega Mega Drive, een spelcomputer waar Vincent zich in zijn jeugd goed mee geamuseerd had.

Deze processor was met andere woorden een oudje, dat echter véél meer kon dan simpelweg stemmen opslaan en tellen.

De processor kon bijvoorbeeld net doen of hij stemmen telde en verwerkte, maar op hetzelfde moment ook allerlei andere dingen doen.

Vooropgesteld dat iemand de geschikte software schreef.

Maar dat hoefde Zantini niet te weten.

Vincent leunde achterover in zijn stoel. Over de volgende stap moest hij goed nadenken. Zantini was niet gekomen omdat hij vond dat Vincent de beste programmeur van de wereld was, hoewel Vincent dacht dat hij dat wel was, ook al zou hij dat niet toegeven, ook niet tegenover zichzelf. Nee, Zantini kende simpelweg geen andere programmeur. Maar je hoefde niet de beste programmeur te zijn om software te schrijven waarmee die illusionist een hoop geld dacht te kunnen verdienen. Integendeel, miljoenen mensen konden dat.

Maar als Vincent deze klus niet aannam, zou Benito Zantini gewoon een andere computerfreak zoeken. Die goochelaar zou dat niet eens als een groot probleem ervaren. Vincent dacht aan die twee types in de woonwagen en besefte meteen dat Zantini veel ervaring had met allerlei soorten freaks.

Vincent kreeg dan echter niet meer mee wat er gebeurde. Alles ging dan buiten hem om. Waarschijnlijk kwam hij niet eens meer te weten of het Zantini gelukt was of dat hij gefaald had.

Dat was geen benijdenswaardige positie voor een wereldheerser die presidenten in het zadel hielp.

Hij liep terug naar de keuken, pakte nog een blikje cola uit de koelkast,

---

[2] En: 256 kilobyte EPROM, 8 kilobyte EEPROM, 16 kilobyte RAM, twee 6850-seriële aansluitingen en een printerpoort.

dronk het in enkele slokken leeg en stond bij de gootsteen terwijl hij uit het raam staarde naar de caravan die op zijn oprit stond. Het was beter om het spel nog even mee te spelen. Het zou grappig zijn om de forumleden die zich tegen de stemcomputer hadden gekeerd erbij te hebben. Maar dat ging natuurlijk niet. Hij zou bij nader inzien wel wat feedback kunnen gebruiken. Nu moest hij alles alleen uitdenken.

Hij kneep het lege blikje in elkaar en gooide het in de vuilnisemmer. Dat moest dan maar. Geen probleem.

# Hoofdstuk 10

De volgende ochtend verscheen Zantini in alle vroegte met een zak donuts en een kan versgezette koffie. Vincent had een paar uurtjes geslapen.

Toen hij uit de badkamer kwam, zat Zantini nog steeds in de keuken. Het was al tien uur. Bij nader inzien niet echt vroeg meer.

'Terwijl jij je aan het douchen was, heb ik de vrijheid genomen om even rond te neuzen in je werkkamer,' zei de illusionist. Hij had die ochtend een veel te ruim, wit overhemd aan, waardoor hij er nog magerder uitzag dan hij al was. 'Zo te zien ben je wel geïnteresseerd in dat apparaat.'

Vincent ging zitten, schonk zichzelf een kop koffie in en pakte een donut. Hij wist wat Zantini bedoelde. Hij had de NEDAP tot in de kleinste onderdelen gedemonteerd en was inmiddels begonnen met het in kaart brengen van de bekabeling. 'Niet bepaald de modernste techniek,' zei hij.

'Dat hoeft ook niet. De democratische gedachte is inmiddels een paar duizend jaar oud en dus eveneens ouderwets.'

'Bedoelt u dat het tijd wordt om de democratie ten grave te dragen?' De donuts waren lekker. Hij zou straks vragen waar Zantini die gehaald had.

De illusionist trok geamuseerd zijn wenkbrauwen op. 'Kijk aan. Hoor ik nu iemand met gewetenswroeging? We gaan gewoon terug naar de wortels van de samenleving. Wist je dat in het begin alleen de rijke burgers iets te vertellen hadden? Het algemeen kiesrecht voor iedereen, van de Nobelprijswinnaar tot de landloper, bestaat nog niet zo lang. Misschien is het een doodlopende weg, wie zal het zeggen.' Zantini vouwde zijn handen spinachtig, zoals alleen hij dat kon, en zei glimlachend: 'Vergeet niet dat macht een illusie is. En ik verdien de kost met illusies. Ieder zijn vak.'

Vincent at van zijn donut en was blij dat hij wat omhanden had. Zodra die broodmagere kerel met dat flinterdunne snorretje tegenover hem zat, had hij het gevoel dat hij willoos werd. Het leek wel tovenarij. Alsof zijn gezond verstand, slimme tegenwerpingen en geraffineerd uitgedachte strategieën er niet meer toe deden.

In feite was er nog steeds sprake van een tweestrijd. Eigenlijk wilde hij niks meer te maken hebben met wat Zantini van plan was en hem recht voor zijn raap zeggen dat hij niet in staat was de NEDAP te kraken. Daar stond tegenover dat hij nog steeds dicht bij het vuur wilde zitten om alles onder controle te kunnen houden. Op het juiste moment de juiste beslissing nemen en daarna met een gewaagde intrige een einde maken aan de praktijken van Zantini.

Waren zijn motieven werkelijk zo edel? Of maakte hij zichzelf wat wijs? En dan was er ook nog de uitdaging om dat apparaat klein te krijgen. Een uitdaging die hem enorm fascineerde. Hij wilde gewoon weten of hij het kon, of hij kon leveren. Dit ging immers niet om een proefversie. Dit was een echt programma, dat werkte als een computervirus. De software werd niet in een of ander apparaat gezet om er allerlei onzin mee uit te voeren. Nee, dit programma was bestemd voor computers waarmee wereldleiders werden gekozen.

Hij wist nog steeds niet zeker of hij met datgene wat hij over de manipulatie van de laatste presidentsverkiezingen dacht te weten niet slechts het slachtoffer was geworden van een collectieve hypnose. Bevond Vincent Wayne Merrit zich echt in een unieke positie? Lag het lot van vele volkeren in zijn handen? Of was dat ook maar een illusie van Zantini? Dat wilde hij graag weten.

Gewoon doorgaan. Dat was de enige manier om erachter te komen.

Een beweging bij het raam trok zijn aandacht. Pictures was daar iets aan het monteren. De getatoeëerde man zag dat Vincent hem in de gaten had en zwaaide glimlachend.

Geërgerd knipperde Vincent met zijn ogen. 'Wat is hij daar in hemelsnaam aan het doen?'

'We zijn bezorgd om je veiligheid,' zei Zantini. 'Hij schroeft het venster van buiten dicht zodat niemand ongemerkt naar binnen kan.'

'En zodat ik een gevangene ben in mijn eigen huis.'

Zantini glimlachte breed. Een vals lachje. 'Welke kwade bedoeling je mij nu weer toedicht... Waarom zou je überhaupt willen ontsnappen? Dit is de kans van je leven. Als rechtgeaarde Amerikaan weet je toch dat je dit soort zaken niet met halve maatregelen aanpakt?' Hij zuchtte bedroefd. 'Wij in het oude Europa zijn daar soms jaloers op. Wij jammeren liever en geven de regering overal de schuld van. Daar staat tegenover dat wij

Europeanen alles braaf slikken wat de regering ons aandoet. Voor onze kleine, nog prille onderneming betekent dat dat we niet bang hoeven te zijn dat de stemcomputers meteen weer van het toneel verdwijnen als ze eenmaal zijn aangeschaft en in gebruik zijn genomen.' Hij boog zich iets naar voren en vouwde zijn handen. 'Toch moeten we voorzichtig zijn. We hebben een programma nodig dat... laten we zeggen een dubbele bodem heeft.'

Dat wilde er bij Vincent niet in. 'Een dubbele bodem?'

'Dubbele bodems zijn heel belangrijk in de goochelkunst. Ongetwijfeld heb je daar wel eens van gehoord.'

'Ik zie het verband niet met software,' zei Vincent. 'Ik kan me voorstellen wat je met de dubbele bodem in een hoge hoed kunt doen, maar...'

'Je moet dat niet letterlijk nemen, maar de zin ervan tot je laten doordringen. Het doel van een dubbele bodem is om er iets in te verbergen wat je later nodig hebt om de truc uit te voeren. Dat doe je op het moment dat je het publiek de indruk geeft dat het controle kan uitoefenen op wat er gebeurt, begrijp je? Ik doe mijn hoge hoed af zodat het publiek erin kan kijken en vaststelt dat er niets in zit. Maar het publiek vergist zich natuurlijk. De holle ruimte is zo handig in de hoed verborgen dat het lijkt of de hoed vanbuiten niet langer is dan vanbinnen. Je kunt er bijvoorbeeld een duif in verbergen. Tijdens het verloop van de truc open ik ongemerkt de holle ruimte. Op het juiste moment... voilà... tover ik de duif eruit.'

'Past die vogel in de hoed?' vroeg Vincent verbaasd. Hij had die truc natuurlijk wel eens op tv gezien. Toch twijfelde hij. Hij had altijd gedacht dat dat filmtrucage was.

'Vogels zijn kleiner dan je denkt. Het verenkleed verdoezelt dat het lichaam nietig is. In een goede hoge hoed kun je zelfs gemakkelijk meer vogels verstoppen.' Zantini maakte een sierlijke beweging naar het plafond. 'En als ze fladderen lijken ze nóg groter. Daarom zorg je ervoor dat de vogels meteen opvliegen.'

Vincent knikte. 'Oké, ik heb het begrepen. De dubbele bodem waarborgt dat bij een controle het geheim niet ontdekt wordt...' Hij stokte. Natuurlijk. Dat principe kon je moeiteloos overbrengen op de software van een stemcomputer. Als iemand wilde controleren of het apparaat correct functioneerde, moest je de schijn wekken dat er niets mis mee was.

Ongeacht hoe je dat bewerkstelligde.

'Durf je dat aan?' vroeg Zantini.

*Durf je dat aan?* Vincent staarde naar het plafond. Zijn hart bonsde.

Met een loerende, alwetende blik bleef de illusionist hem strak aankijken. Alsof hij precies wist dat Vincent zich niet zou laten kennen. Het lag gewoon aan de vraagstelling.

Ook ditmaal kon hij de uitdaging niet weerstaan.

'Natuurlijk,' zei hij.

Aldus werd Vincent door twee bedienden verzorgd.

Dat went, stelde hij vast.

Ze zagen er bizar uit. Maar ze namen wel de lastige dingen in het dagelijks leven van hem over. Wanneer Vincent 's ochtends uit bed kwam, stonden de bagels, donuts en een kan versgezette koffie voor hem klaar. De hele dag door zetten ze koffie voor hem. De koelkast bevatte een onuitputtelijke voorraad blikjes cola en bier. 's Middags verscheen naast hem op zijn werktafel uit het niets een dienblad met zijn lunch. En hij wist dat het buiten schemerde zodra er een bord met sandwiches naar hem toe werd geschoven.

De kleren die hij uittrok, en op de vloer liet vallen, verdwenen als bij toverslag en doken gewassen en gestreken weer op. Telkens hingen er schone handdoeken in de badkamer, het wc-papier was nooit op en het leek of de zeep aangroeide. Als Vincent geen man alleen was, zou hij ook gemerkt hebben dat er geen stofrolletje te vinden was, dat er in de keuken geen vetlaagje meer rondom de kookplaten zat en dat de wastafel en de douche elke ochtend blinkend schoon waren.

Maar het had ook nadelen als je er bedienden op na hield.

Het probleem was niet zozeer dat ze zich bovendien als lijfwachten gedroegen, bezoek noch post duldden en hem ongetwijfeld belet zouden hebben zonder hun gezelschap op pad te gaan. Nee, het irriteerde hem verschrikkelijk dat er voortdurend iemand was of kon zijn. Hij was het gewend om de toiletdeur en sowieso de deur van de badkamer open te laten staan. Nu zou hij dat zelfs onder bedreiging van een vuurwapen niet voor elkaar krijgen. Als hij zich douchte, deed hij de deur achter zich op slot alsof er staatsgeheimen lagen opgeslagen. En als hij naar de wc moest, liep hij eerst door het huis om er zeker van te zijn dat niemand ergens bezig was. Alleen dan had het zin om überhaupt een poging te wagen. Zelfs een plasje plegen ging niet als hij wist dat een van hen meeluisterde.

Op zeker moment realiseerde hij zich dat dat aan Furry lag. Ze bewoog zich als een seksbom. Zo zag ze er ook uit als je alleen haar silhouet ontwaarde. Al dat haar irriteerde hem mateloos. Het groeide op de meest onmogelijke plaatsen. Regelmatig sloop ze naar hem toe en zei: 'Alsjeblieft, smakelijk eten.' Ze overhandigde hem dan een bord met sandwiches of in partjes gesneden fruit. Haar donker behaarde handen en armen deden sterk denken aan de stekelige beharing van een orang-oetan. 's Avonds zag je de stoppels op haar kin. Ze moest zich dus elke ochtend scheren om geen baard te krijgen. Griezelig.

Pictures was oké. Hij liet Vincent een keer de tatoeage op zijn bovenarm zien. Daarmee was alles begonnen. Een eenvoudig hart waarin *Victoria* was getatoeëerd. 'Tjonge, wat was ik toen verliefd,' zei hij lachend. De zwartblauwe lijnen op zijn gezicht werden toen rimpels. Hij kon zijn borstspieren zo bewegen dat het leek of er een miniatuurschip op zware zee over zijn hartstreek voer. Tatoeages vormden zijn kleding. De manier waarop hij erover vertelde, gaf je de indruk dat je bloot rondliep als je ze niet had.

Met Pictures' behaarde vriendin lag dat anders. Natuurlijk was dat niet fair tegenover haar. Toch meed Vincent haar waar en wanneer hij maar kon. Hij durfde er niet aan te denken hoe ze er met baard uitzag. Of als ze zich douchte. Of hoe ze er vanonder uitzag als ze een plasje deed. Alleen al van die gedachte kreeg Vincent overal kippenvel.

Dat soort gedachten had hij gelukkig zelden. Dat maakte de situatie draaglijk. Zijn werk nam hem bijna honderd procent in beslag. Hij kon vrijwel nergens anders aan denken.

In tegenstelling tot de proefversie die hij indertijd voor Frank Hill had gemaakt, vond hij het ditmaal belangrijk om het programma van de fabrikant volledig te decoderen. Hij las de inhoud van het EPROM-systeem uit, kopieerde de binaire code op zijn eigen computer en met een professioneel disassemblageprogramma probeerde hij de functies en toepassingen van de software code voor code te doorgronden.

Bij de basistoepassingen die een processor kan uitvoeren, ging het om functies als 'Laad de inhoud van geheugen X in register A'. Of 'Vermenigvuldig register A met 2'. En zo verder. Je kon er makkelijk achter komen wat er gebeurde. De betekenis en bedoeling ervan doorgronden was een stuk moeilijker. Dan moest je het hebben van je intuïtie en combinatievermogen. Alsof je de hele dag sudoku's aan het oplossen was.

Dagenlang hield Vincent zich bezig met een ingewikkelde keten van laad-, verplaats-, en schrijftoepassingen. Pas na twee uitputtende dagen en nachten – hij sliep 's nachts maar drie uurtjes, eigenlijk niet meer dan uitputtingsdutjes – realiseerde hij zich dat die toepassingsinstructies niet meer deden dan enkele zinnen op een display zetten!

Zantini kwam af en toe kijken. Hij zat dan naast hem op een omgedraaide stoel, met de armen op de rugleuning, en liet zich door Vincent bijpraten over wat hij deed. Hij wilde bijvoorbeeld graag weten wat een EPROM was.

'Dat is de afkorting van *erasable programmable read-only memory*,' legde Vincent uit. Hij pakte de EPROM. 'Dat is dit zwarte ding dat op een kever lijkt. Een soort vaste schijf, begrijpt u? Een gewoon geheugen verliest de informatie zodra de stroom eraf gaat. Deze niet. Met een zogenaamde EPROM-brander leg je de informatie vast.' Hij wees naar zijn oude brander, die eruitzag en zo groot was als een zakrekenmachientje met een slotje. Het ding was zo oud dat je het nog op de ouderwetse manier moest aansluiten op de pc. Maar het werkte. 'Als je het geheugen wilt wissen, schijn je met ultraviolet licht op dit venstertje.' Hij wees naar een raampje van kwartsglas dat in de zwarte kunststof behuizing zat.

Zantini luisterde aandachtig en knikte af en toe. Hij liet echter niet merken of hij er iets van begreep.

'Nu wil ik ook graag iets van u weten,' zei Vincent op een geschikt moment. 'Hoe hebt u dat indertijd in restaurant El Rancho gedaan? Hoe wist u dat de vingerhoed onder het servet lag?'

Zantini trok een wenkbrauw op. Het zag er expressief uit. 'Een illusionist verraadt zijn trucs niet.'

'Waarom zou een computerprogrammeur dat wel doen?'

Het antwoord bleef uit. Je kon merken dat Zantini nadacht over die vraag. Kregen illusionisten hun erecode met een brandstift ingegraveerd? Zou hij voor het illusionistengerecht gesleept worden als hij die erecode schond? Zou men hem... Tja, wat voor een straf kreeg een afvallige illusionist? Liet men hem op magische wijze voor altijd verdwijnen?

'Oké.' Zantini toonde zich inschikkelijk. 'Je kunt sowieso in allerlei boeken lezen hoe die truc werkt. Eigenlijk is het heel eenvoudig. Je mag je alleen niet laten afleiden. Vandaar de blinddoek.'

'Maar er was toch iemand in het publiek die u een teken gaf? Hij of zij heeft u toch naar de vingerhoed geleid?'

'Ja, de man die mij erheen bracht,' zei Zantini.

Vincent zette grote ogen op. 'Ramesh? Zat Ramesh in het complot?'

'Zonder dat hij het in de gaten had.'

'Hè?'

'Ik zei dat de laatste die het voorwerp had aangeraakt naar voren moest treden,' legde Zantini uit. 'Veel gedoe om niks. Ik wilde alleen maar het bijgeloof aanwakkeren dat in elk mens verborgen zit. Iemand die wist waar

de vingerhoed verstopt was, moest mij leiden. Iemand die in elk geval geloofde dat ik misschien toch over magische krachten beschikte.' Zantini
stak een hand op. 'Als je die persoon aanraakt en je je geblinddoekt door
hem laat leiden, voel je elke aarzeling, elke spanning in zijn spieren, elke
onzekerheid. De betreffende persoon zal gegarandeerd een beetje ver-
krampen zodra ik hem in de juiste richting dirigeer. Zeker als ik hem naar
de juiste tafel stuur en tegen hem zeg dat hij zijn pas moet inhouden...
Met een hand op zijn schouder kun je zijn gedachten lezen. Althans met
wat oefening.'

'Wilt u daarmee zeggen dat Ramesh niet met u onder één hoedje speelde?'

'Hij realiseerde zich niet dat zijn lichaamstaal mij alles vertelde wat ik
wilde weten.'

Vincent bleef sceptisch. 'Dat klinkt mij eerlijk gezegd te eenvoudig.'

'Zoals je wilt,' zei Zantini. 'De meeste goocheltrucs zijn nu eenmaal te-
leurstellend eenvoudig. Of overweldigend complex. In elk geval is het altijd anders dan je denkt.'

'Dat klinkt alsof ik het ook kan.'

'Dan raad ik je aan eerst met iemand te oefenen om je zelfvertrouwen
op te krikken alvorens je op het podium stapt en voor een publiek gaat
staan. Voor de rest... ja, iedereen kan dat.' Zantini glimlachte flauwtjes.
'Soms is het de kunst om iets moeilijk te laten lijken. Bij het programmeren is dat niet anders, hè?'

In het geval van stemcomputers twijfelde Vincent. Was het systeem
daadwerkelijk moeilijk te hacken? Of leek dat alleen maar zo?

Bij het concept van de firma Nedap speelden verschillende zaken een
rol. In een stembureau stonden doorgaans verscheidene stemcomputers.
Voor elk apparaat had je bovendien een stemmodule nodig, een zwart
kastje met een slotje waarop je een programmeer- en leesmodule kon aansluiten die op hun beurt[1] op een pc waren aangesloten waarop je een programma had geïnstalleerd waarmee je de stemmodule voor de betreffende
verkiezing had geprogrammeerd en de namen van de partijen en kandidaten zodanig had ingevoerd dat je de eraan gekoppelde stemgegevens later
kon oproepen en uitprinten.

De NEDAP functioneerde alleen als je er een stemmodule op aansloot
waarop de uitgebrachte stemmen waren opgeslagen. Aan het einde van de
verkiezing kon je van elke stemcomputer de uitslag uitprinten. De opgeslagen informatie van de los te koppelen stemmodule was met een uit-

---

[1] Via een seriële kabel.

leesmodule aan te sluiten op de pc, die vervolgens alle stemmen optelde[2]. Ook kon je de stemmodule verzegelen en opslaan.

Daar had Vincent een tijdje over zitten tobben. De stemmodules vormden de sleutel van het geheel. Hoe hij de boel ook zou hacken, uiteindelijk moesten in de stemmodules precies de gegevens staan die hij wilde hebben.

Hij demonteerde een stemmodule en stelde een schakelplan op. Een module bevatte twee flashgeheugenchips en enkele geïntegreerde schakelcircuits[3]. Het geheel zag er ontstellend solide en doordacht uit.

Daar stond tegenover dat je elk systeem kon hacken. Het tot dan toe nog niet weerlegde belangrijkste axioma was dat een hacker niet faalde omdat het systeem te moeilijk was, maar omdat zijn eigen kundigheid tekortschoot.

Dat was de uitdaging.

Vincent installeerde op een van zijn eigen pc's het officiële onderhoudsprogramma, sloot de programmeer- en uitleesmodule en vervolgens een andere stemmodule aan, en met een *sniffer*[4] decodeerde hij de manier waarop de stemmodule zich liet aansturen en hoe en waar hij de gegevens opsloeg die binnenkwamen.

Iemand was daar zeer grondig mee bezig geweest. Van elke uitgebrachte stem werden vier kopieën opgeslagen, elk met een Hamming-Code foutcorrectie[5], waardoor een verkeerde telling bijzonder onwaarschijnlijk was.

---

[2] Je zou op het idee kunnen komen om niet de stemcomputer maar het pc-programma te hacken. Aangezien de stemprocedure niet eens voorziet in een controle van dat programma is het manipuleren van de uitslagen belachelijk eenvoudig. De mogelijkheid bestaat echter om de opgeslagen uitslagen in een stemcomputer meteen uit te printen. Als de gegevens op de uitdraai afwijken van de som van de afzonderlijke uitslagen ligt het voor de hand dat er met de resultaten is geknoeid.

[3] Dat is noodzakelijk om het flashgeheugen in te lezen en er gegevens op weg te schrijven.

[4] Afgeleid van het Engelse *to sniff*, ofwel 'snuffelen'; een applicatie die de uitgaande en binnenkomende impulsen die door een seriële kabel gaan afluistert.

[5] Speciale coderingsmethode om afzonderlijke bitfouten (bijv. door 'kiepende bits' als gevolg van geheugenfouten) in een datablock te herkennen en te corrigeren; zie http://de.wikipedia.org/wiki/Hamming_Code

[6] Dat gaat als volgt: in het flashgeheugen is bit 5 verbonden aan de massa. Bovendien zijn bit 5 en 7 verwisseld aangesloten, waarbij bit 7 aan 1 is verbonden voor het *flash-erase*-commando voor de Intel P28F010 flashchips; voor alle andere programmacommando's mag dat 0 zijn.
De enige verbinding met bit 7 bevindt zich in het slotje van de programmeermodule, aangeduid met 'schrijven' en waaraan de stemmodule wordt bevestigd om die te voorzien van de kandidatenlijsten en op 0 te zetten. De stemcomputer kan alleen de nulwaarden in de bit 7 van de afzonderlijke geheugens van de stemmodules wegschrijven. Aangezien er twee kopieën van een stem met geïnverteerde bits opgeslagen worden, is het onmogelijk om een eenmaal afgegeven stem door flash-handelingen achteraf te veranderen. Uitvoerige documentatie op http://www.wijvertrouwenstemcomputersniet.nl/other/es3b-en.pdf

Bovendien was de stemmodule zodanig gebouwd dat de stemcomputer elke uitgebrachte stem maar één keer in het geheugen kon opslaan[6]!

Vincent ervoer dat als een klap in het gezicht. Hij sprong op, liep doelloos door het huis, schonk zichzelf in de keuken een glas cola in, zette het glas na één slokje weer weg, staarde voor zich uit, vloekte, liep terug naar zijn werkkamer en controleerde alles voor de tweede keer. Het resultaat bleef hetzelfde.

Natuurlijk kon hij ervoor zorgen dat zijn programma valse stemmen naar de stemmodule wegschreef. Dat was eenvoudig. Iemand die op partij A stemde, las op het display: *U hebt op partij A gestemd.* Dat nam niet weg dat je die stem toch als een stem voor partij B kon opslaan.

Dat verdroeg zich echter niet met de eis van Zantini dat er een 'dubbele bodem' in moest zitten. Zodra iemand dat apparaat ging testen, kwam de fraude aan het licht. De persoon in kwestie zou een lijst afwerken: dertig stemmen voor A, twintig stemmen voor B, en ga zo maar door. Als de telling daarvan afweek, werd meteen duidelijk dat er iets niet in orde was.

Het programma moest dus op verschillende manieren kunnen werken, al naargelang er sprake was van een test of dat er echte verkiezingen werden gehouden. Dat was echter geen fundamenteel probleem; het basisprincipe van programmeren was dat een programma afhankelijk van de behoefte van de gebruiker verschillend werkte. Ook had Vincent ideeën over hoe en waaraan zijn software kon vaststellen of er getest werd. Om te beginnen met het eenvoudige trucje dat het apparaat pas vals ging spelen als een bepaald minimumaantal stemmen was opgeslagen, bijvoorbeeld vijfhonderd. Tijdens een test werd ongetwijfeld een ander patroon gevolgd dan bij echte verkiezingen, zoals de tijd die verstreek tussen het uitbrengen van de verschillende stemmen, het drukken op de iconen en het analyseren van de uitgebrachte stemmen na een bepaalde tijdspanne, om maar wat te noemen. Ook was het mogelijk dat de omschakeling via een soort geheime code in zijn werk ging. Een geheime code die een ingewijde met behulp van de stemtoetsen kon invoeren, zoals Vincent dat tien jaar geleden met een eenvoudig programma voor de Diebold-stemcomputer had gedaan.

Maar hoe moest hij dat in een systeem bouwen dat niet toeliet dat opgeslagen stemmen overschrijfbaar waren?

Vincent merkte niet dat hij op zijn vingernagels kauwde. Hij deed dat zo fel en langdurig dat ze gingen bloeden. Hij had het gevoel dat hij voor een zwarte muur stond.

Een zwarte muur en de gedachte dat het hoe dan ook toch moest lukken! Die Nederlander Hackinator en zijn kornuiten hadden dat ding immers ook gehackt!

Vincent deed die nacht bijna geen oog dicht.

# Hoofdstuk 11

'Je komt nogal... hoe zal ik dat zeggen... gedeprimeerd over. Alsof de dingen niet gaan zoals jij dat wilt,' zei Zantini de volgende dag tijdens zijn bezoekje. 'Zijn er problemen waarvan ik op de hoogte moet zijn?'

Vincent bleef naar het beeldscherm staren. Hij wilde Benito Zantini absoluut niet vertellen hoe radeloos hij op dat moment was. Ook niet dat het aan hem knaagde dat Hackinator mogelijk een betere programmeur was. En dat die Nederlander zich door een meisje had laten helpen, vond hij evenmin een geruststellende gedachte.

Had hij indertijd maar beter opgelet!

'Ik vraag me nog steeds af hoe het u gaat lukken het gewijzigde programma in alle stemcomputers te installeren zonder dat iemand ontdekt dat ermee geknoeid is.' Afleiden was het devies. 'Dat is volgens mij het grootste probleem.'

'Dat heb ik je toch al duidelijk gemaakt?' zei Zantini zachtjes. 'Hocus pocus, simsalabim.'

Vincent schudde zijn hoofd. 'Met alle respect voor uw vingervlugheid... het wil er bij mij niet in dat u deze klus met wat goocheltrucjes kunt klaren. De lui met wie we te maken krijgen zijn niet gek. Oké, het zijn politici, dus op die stelling valt wel wat af te dingen. Maar toch. Stom zijn ze in geen geval.'

Zantini lachte zachtjes. 'Integendeel, Vincent. Integendeel. Juist omdat ze zo intelligent zijn, zal alles van een leien dakje gaan.'

'Dat moet u me uitleggen.'

'Je begrijpt niet hoe illusionisme werkt. Weet je wie het lastigste publiek is? Dat zijn kinderen. Ze nemen niets als vanzelfsprekend aan en observeren heel nauwkeurig. Ze hebben nog geen concepten in hun hoofd over hoe de wereld eruit hoort te zien, begrijp je? Ze zien alles zoals het is. Intelligente mensen daarentegen...' Hij maakte een minachtend gebaar. 'Hoe intelligenter iemand is, hoe makkelijker je hem kunt misleiden. Hoe meer iemand gestudeerd heeft en titels voor zijn naam heeft staan, hoe sneller hij in de val stapt die illusie heet. Weet je waarom? Omdat die mensen dat niet verwachten. Ze vinden zichzelf zo slim dat ze denken dat hun dat niet overkomt.'

'Hm,' zei Vincent.

'Wacht, ik zal het bewijzen.' Zantini sprong uit zijn stoel, verliet de werkkamer en kwam even later terug met een leeg glas. Hij bleef bij de deur staan, glas in de hand, en vroeg: 'Wat zie je?'

'Een glas,' zei Vincent.

'Weet je dat zeker? Kijk goed.'

Waar stuurde die man op aan? 'Oké, ik zie een leeg waterglas met ribbels in de lengterichting. Vermoedelijk is dat glas van u, want ik heb dat soort glazen volgens mij niet in de kast staan.'

'Dat is al beter. Kijk nu nog eens goed. Wat zie je?'

Vincent legde zijn armen over elkaar, staarde naar het glas dat Zantini in zijn hand hield en dacht na. Wat bedoelde die goochelaar? Ah! Was dit een oefening in logisch denken? Vincent grijnsde.

'Oké, om precies te zijn zie ik de voorkant van iets wat op een glas lijkt.'

Zantini zweeg en liet zijn hand met een sierlijke beweging van onder naar boven langs het glas glijden, waarbij hij het voorwerp even aan het zicht van Vincent onttrok.

Als door een wonder vulde het glas zich plotseling met cola!

'Tjeses!' flapte Vincent eruit.

Hoe had hij dat geflikt? Vincent kreeg het niet meer bij elkaar gedacht. Waar kwam die cola opeens vandaan? Het ging allemaal te snel. Zo snel kon je een glas niet met bijvoorbeeld een verborgen reservoir vullen. Hoe had hij dat in hemelsnaam voor elkaar gekregen?

'Niet slecht,' zei Vincent nogal onwillig.

'Enig idee hoe dit trucje werkt?' voegde Zantini er op een spottende toon aan toe. 'Je bent toch zo intelligent...?'

Vincent schudde somber zijn hoofd. 'Geen idee.'

De illusionist knikte tevreden, liep naar de werktafel en zette het glas voor Vincent neer.

Het glas was in twee helften verdeeld. In de ene helft zat cola, de andere helft was leeg. Een spiegel vormde de scheiding tussen de twee helften, zodat je als je het glas van voren bekeek de illusie had dat het helemaal leeg was.

'U hebt het glas gewoon... gedraaid,' riep Vincent uit.

'Dat moet je goed oefenen om ervoor te zorgen dat niemand die beweging waarneemt,' legde Zantini uit. 'Maar begrijp je nu wat ik bedoel? Illusie. Dat is waar het om gaat. Iets ziet er zodanig uit dat je de verkeerde conclusies trekt.'

Vincent was stomverbaasd, zijn mond viel open. In zijn hoofd bliksemde het, hij zag lichtjes, de assembleercode raasde langs zijn neuronen en er vormden zich prachtige, veelbelovende patronen.

'Ik denk dat het beter is dat u nu gaat,' fluisterde hij.

Hij legde zijn handen op het toetsenbord en begon te tikken. Hij merkte niet dat Zantini uiteindelijk de kamer uit liep.

De stemmen die in het flashgeheugen opgeslagen waren, lieten zich niet meer wijzigen met de stemcomputer.

Oké, dat was nu eenmaal zo. Maar het speelde geen rol wanneer die stemmen waren opgeslagen!

Na de verkiezingen werd een speciale sleutel in een speciaal slot van het apparaat gestoken en in een bepaalde positie gedraaid. Dan pas kon je de stemmodule verwijderen. Dat was een verstandige voorzorgsmaatregel, die

---

[1] De stemmen moeten dan natuurlijk eerst ergens anders worden opgeslagen. De computer beschikt over 16 kilobyte RAM, een normaal werkgeheugen dat voldoende is voor ingewikkelder programma's dan alleen het tellen van stemmen (de Nederlandse activist en computerexpert Rop Gonggrijp heeft er ter demonstratie een eenvoudig schaakprogramma op geïnstalleerd). Het grote nadeel is echter dat dat geheugen bij stroomuitval alle opgeslagen informatie verliest.

Deze methode is dus ongeschikt als je het systeem wilt manipuleren. Als op de verkiezingsavond bijvoorbeeld de stroom even uitvalt, zal het bedrog aan het licht komen. Een onderbreking van de stroomtoevoer leidt ertoe dat het programma de tot dan toe opgeslagen stemmen 'vergeet'. De stemmodule zal dan aan het eind van de verkiezingen minder stemmen bevatten dan dat er kiesgerechtigden zijn komen opdagen (het aantal kiezers op de kiezerslijst wordt geregistreerd om het deelnamepercentage te berekenen).

De printplaat van de NEDAP bevat echter ook een EEPROM-chip. De 'dubbele e' in de omschrijving staat voor *electronic erasable*. Het betreft een vast geheugen dat in tegenstelling tot een gewone EPROM om programmatechnische redenen gewist en herschreven kan worden. De chip heeft een geheugen van slechts 8 kilobyte en dient ertoe om het fabricagenummer en enkele instellingen vast te leggen, bijvoorbeeld of de tiptoetsen bij aanraking al dan niet een piepgeluid moeten maken. De rest van het geheugen is bedoeld voor het opslaan van het gebeurtenissen- en foutenprotocol.

Een manipulatieprogramma kan een applicatie bevatten die de beide protocollen zo inkort dat er plaats is voor een lijst van 16-bit-getallen, een voor elke partij en/of kandidaat. In plaats van dat de stemmen meteen worden weggeschreven naar de stemmodule, telt het programma alleen het aantal stemmen, om aan het eind van de verkiezingen de afzonderlijke stemmen eerlijk te verdelen en op te slaan in het flashgeheugen – of niet. Aangezien bij verkiezingen alleen het totaal aantal stemmen controleerbaar is, kan men op die manier, en ondanks de geraffineerde constructie van de stemmodule, naar believen schuiven met de uitgebrachte stemmen.

Verder is het raadzaam een proefcontrole uit te voeren waarmee gewaarborgd wordt dat een partij pas stemmen ontstolen wordt als een bepaalde drempel is bereikt. Op die manier wordt voorkomen dat een kandidaat misschien maar één stem krijgt. Als die stem bij de telling niet verschijnt, zal de kiezer die deze stem heeft uitgebracht weten dat er iets niet klopt.

voorkwam dat iemand die zich op de dag van de verkiezingen in het stem-hokje bevond de module zomaar kon meenemen.

De truc was om de fraude pas op dat moment te laten plaatsvinden. Zijn programma zou de stemmen die door het analyseprogramma achter-af geteld werden pas op het allerlaatste moment naar het flashgeheugen van de stemmodule wegschrijven[1].

Zo moest het gebeuren.

Alsof er een enorme last van zijn schouders viel. Als vanzelf verscheen er een glimlach op zijn gezicht. Hij had Hackinator verslagen, die de NEDAP eveneens en als eerste gehackt had. Maar hij had het ding slechts aan een paar journalisten getoond, en die waren niet onder de indruk. De code van Vincent zou daadwerkelijk zijn werk doen. Hij zou wereldgeschiede-nis schrijven.

Eerst moest hij slapen. Hij had een branderig gevoel in zijn ogen. Zijn knieën deden pijn omdat hij steeds had zitten wippen zonder dat hij dat gemerkt had. En in zijn hoofd zoemde het.

Het schemerde al toen hij in bed kroop.

In de daaropvolgende avonden liet hij Zantini zien wat er in technisch opzicht aan een stemcomputer moest gebeuren om de gewijzigde software te installeren.

'Eerst opent u het apparaat.' Hij liet hem de schroeven zien en deed toen voor hoe het moest. 'Hou er rekening mee dat de behuizing vóór de ver-kiezingen verzegeld wordt. Dit apparaat is voorzien van een gewone sticker die makkelijk te kopiëren is. Er zijn echter zegels waarbij dat niet lukt. Je kunt ze ook niet losmaken zonder ze te beschadigen. Is dat een probleem?'

Zantini keek hem geamuseerd aan. 'Grapje zeker.'

'Ik bedoel maar,' zei Vincent gepikeerd. Hij haalde het deksel eraf en liet hem de twee EPROM-chips zien. 'Die moet u verwisselen. Weet u hoe dat moet?'

'Laat maar zien,' zei de illusionist.

'Dat kunt u het beste met speciaal gereedschap doen. Met een chip-tang.' Hij liet hem zijn nogal versleten tang zien. 'Ze zijn overal voor een paar dollar te koop. De tang zet u zo aan, ziet u?' Een routinebeweging; het kostte hem bijna moeite om die heel langzaam uit te voeren en af en toe te stoppen. 'Zorg er vooral voor dat u geen slotjes beschadigt, verbuigt of afbreekt.'

'Je bedoelt die zilveren pootjes?' wilde Zantini weten.

'Precies. Met de tang trekt u het zwarte kapje van het siliconencontact voorzichtig los. Het ding zit stevig, maar moet makkelijk te verwijderen zijn. Anders klopt er iets niet en zit hij misschien vast aan een sokkel met een klem. Die moet u dan eerst losmaken.' Hij keek om zich heen. 'Ik heb hier niets liggen wat daarop lijkt, anders zou ik het u laten zien...'

De illusionist maakte een afwijzend gebaar. 'Is al goed. Ik denk niet dat ze hun apparaten opeens gaan ombouwen.' Hij stak zijn hand uit. 'Mag ik dat eens proberen?'

Vincent gaf hem de tang en keek hoe Zantini de EPROM's verwisselde. De illusionist was daar best handig in. Maar dat verbaasde hem bij nader inzien niet, omdat Zantini nu eenmaal een goochelaar en bovendien een zakkenroller was. Hij verdiende de kost met zijn vingervlugheid.

'Na de verkiezingen moet u de oude chip er natuurlijk weer in doen,' sloot Vincent af.

Zantini keek hem aan alsof hij daar geen zin in had. 'Waarom?'

'Omdat men bij twijfel de EPROM verwijdert en het opgeslagen programma met het origineel vergelijkt. Dan komt snel vast te staan dat ze niet identiek zijn.'

'Kun je dat programma niet zo schrijven dat het na gedane arbeid op de een of andere manier... zichzelf laat verdwijnen of zo? En dat daarna alleen de originele software overblijft?'

Vincent schudde zijn hoofd. 'Bij moderne chips is dat mogelijk. Ik heb u echter laten zien dat deze informatie alleen met ultraviolet licht compleet gewist kan worden[2]. Alles gaat er dan af. Bovendien zien niet alle EPROM-chips er hetzelfde uit. De originele zijn voorzien van een stickertje met het versienummer van de software, een eenvoudig controlenummer en zo meer. Die stickers zou je kunnen vervalsen, maar ze bevatten misschien kenmerken waar wij niet van op de hoogte zijn.'

De illusionist bewoog zijn vingers alsof hij de soepelheid ervan controleerde terwijl hij nadacht. 'Goed,' zei hij. 'Ik heb het begrepen.'

Ze bespraken nog op welke manier vastgelegd moest worden naar welke partij het programma de gestolen stemmen zou wegschrijven. De eenvoudigste oplossing, zo kwamen ze overeen, was dat de partij die moest winnen in de broncode werd gezet. Zantini vond dat Vincent simpelweg voor elke partij die in Duitsland een belangrijke rol speelde een eigen versie van het programma moest schrijven. Hij stelde een lijst op met partijen, waarvan de afkortingen voor het overgrote deel uit drie letters bestonden, zoals CDU, CSU, SPD, FDP en zo verder. 'Die afkortingen zullen

---

[2] Er zijn ook zogenaamde OTP-EPROM's, die maar één keer programmeerbaar zijn, vergelijkbaar met een cd die niet overschrijfbaar is. OTP staat voor *one time programming*.

niet veranderen,' voegde hij eraan toe. 'Sommige partijen bestaan al meer dan honderd jaar.'

Vincent leunde achterover en observeerde de lange, magere man met het dandyachtige snorretje. 'U gelooft nog steeds dat u dat voor elkaar krijgt, hè?'

Zantini keek hem verwonderd aan. 'Natuurlijk. Waarom vraag je dat?'

'Omdat ik het maar niet begrijp. Ik zou in de verste verte niet weten hoe ik hier überhaupt aan zou moeten beginnen. Vergeleken met waar u voor staat, is het op zich al niet makkelijk te schrijven programma een peulenschil.'

De illusionist schoof hem de lijst toe en zei glimlachend: 'Daarom vullen we elkaar zo goed aan.' Ondanks alles kon het hem blijkbaar niet veel schelen hoe Vincent erover dacht.

'Ik moet het nog zien.'

'Er valt niks te zien.' Zantini draaide zijn stoel weer om en leunde met de armen over elkaar op de rugleuning. Kennelijk zat hij zo het liefst. 'Van problemen is eigenlijk geen sprake. Een veel fundamentelere kwestie is dat de politici die ik gesproken heb ook niet geloven dat ik kan wat ik beweer.'

'Daar kan ik me iets bij voorstellen.'

'O ja? Dat vraag ik me af. De oorzaak is namelijk dat de generatie politici die tegenwoordig aan de macht is geen verstand heeft van computers. Ze begrijpen niet hoe die apparaten werken. Niet dat ik er veel verstand van heb. Maar zij hebben echt geen flauw benul.'

Vincent keek sceptisch. 'Dat geloof ik niet. Ze zullen in hun vrije tijd niet programmeren, maar tegenwoordig kan iedereen computeren. Ze hebben dus minstens een idee hoe een computer functioneert.'

Zantini zuchtte diep. 'Ik zal je een voorbeeld geven. De Duitse minister van Justitie heeft zich in het kader van een of andere campagne laten interviewen door een groep kinderen. Dat kwam op tv. Ik was toen in Duitsland. De kinderen vroegen haar van alles en nog wat, zoals hoe haar werkdag eruitziet en ga zo maar door. Uiteindelijk kreeg ze de vraag welke browser ze gebruikte.'

Vincent haalde zijn schouders op. Waarschijnlijk Internet Explorer. Wie niet? Als deskundige vond hij dat een vergeeflijk foutje. 'En?'

'Die vrouw zei...' Zantini stokte en wreef over zijn neus. 'Besef wel dat die minister destijds een wet door de Bondsdag kreeg die ervoor zorgde dat de rechtspositie van alle websites die aan Duitse providers gekoppeld waren aan nieuwe regels werd gebonden. Die vrouw antwoordde met de tegenvraag: "Wat is ook alweer een browser?"'

Vincent zette grote ogen op. 'O?'

'Begrijp je het nu? Dat bedoel ik met "geen flauw benul".'

'Ik zou ook niet weten hoe je dat anders moet noemen.'

'Ze hebben geen idee welke mogelijkheden een stemcomputer voor ze opent en denken nog steeds dat verkiezingen fraudeproof zijn. De stemcomputer beschouwen ze simpelweg als een moderne vervanging van het stembriefje. Heel eigentijds. Je hoeft ook geen stembriefjes meer te drukken, zei iemand tegen mij. Hij vond dat een schitterende vooruitgang.'

'Voor het bedrag dat je moet neertellen om een stemcomputer te kopen, kun je veel stembriefjes drukken, nietwaar?'

'Hallo zeg.'

'Oké.' Vincent legde zijn armen over elkaar. 'En nu? Hoe gaat u dat probleem oplossen?'

De illusionist glimlachte, zoals je dat doet als je iemand een groot geheim toevertrouwt. 'De omstandigheden zijn nu zo dat we binnenkort een unieke kans krijgen om... eh, laten we zeggen onze diensten op een adequate manier aan te bieden.' Hij keek Vincent bezorgd aan. 'Dat houdt wel in dat we onder tijdsdruk staan als het gaat om de voorbereidingen. Met "we" bedoel ik in dit geval vooral "jij".'

Vincent kneep zijn ogen half dicht. 'Wat betekent dat concreet?'

Zantini boog zich naar voren en vouwde zijn handen. 'Over vier weken vinden in een van de Duitse bondsstaten verkiezingen plaats. De zogenaamde deelstaatverkiezingen. In dit speciale geval zijn alle partijen die daaraan deelnemen onder elkaar al tot bindende afspraken gekomen over het vormen van bepaalde coalities. Dat is op zich geen probleem, omdat algemeen een bepaalde verkiezingsuitslag verwacht wordt: de huidige oppositie zal zeer waarschijnlijk de zittende partij vervangen. Maar in theorie, dus als de kiezers anders stemmen dan de prognoses ons willen doen geloven, is het mogelijk dat er een patstelling ontstaat. Dus dat geen enkele partij een regering kan vormen zonder de coalitiepartijen te verraden.'

'En dat wilt u bewerkstelligen?'

'Precies. Natuurlijk op een technische manier.'

Vincent liet die informatie bezinken. 'Klinkt goed,' zei hij. Dat zou de politici onder druk zetten. 'Klinkt heel goed.'

De illusionist keek hem aandachtig aan. 'Haal je die deadline?'

'Ja,' zei Vincent. Zantini hoefde niet te weten dat hij daar nog over in het duister tastte. Simpelweg eerst toezeggen was een heel gebruikelijke

tactiek bij softwareprojecten. Meestal kreeg je het voor elkaar. En zo niet...
Nou ja, in alle IT-projecten speelden allerlei factoren een rol, zoals de hardware, de bedrijfssystemen, de drivers en zo meer. Er was kortom altijd wel een weerloze zondebok te vinden.

'Goed.' Zantini knikte opgelucht. 'Want ik heb bij mijn zakenpartners al gedreigd dat de verkiezingsuitslag wel eens voor een verrassing kan zorgen. Ze geloven er geen woord van. Maar als ik gelijk krijg, zullen ze dat niet snel vergeten. Dat betekent trouwens ook dat het moet lukken. Anders komt er geen deal!' voegde hij eraan toe.

Vier weken. Dat was krap. Héél krap. Vincent had echter de indruk dat hij zo goed als klaar was. Maar als je bij een softwareproject het gevoel kreeg dat je de klus voor negentig procent voor elkaar had, was je doorgaans pas halverwege. Ook als je met de eindversie bezig was, de deadline aan de horizon opdoemde en dus alle puntjes op de i waren gezet, doken er nog steeds nieuwe moeilijkheden op waar je niet aan gedacht had.

Vincent voorzag een probleem in de snelheid van de gegevensoverdracht. Flashgeheugenchips werkten met een bepaalde snelheid die niet voldoende was om aan het einde van de verkiezingen alle stemmen – in de loop van de dag kwamen er honderden of duizenden binnen – zo snel naar de stemmodule weg te schrijven dat de klus geklaard was voordat een stembureaumedewerker het plastic kastje uit het slotje trok. Alles moest binnen enkele seconden achter de rug zijn. De geheugenchips waren echter te langzaam.

Heel vervelend. Tobbend staarde Vincent minstens een uur lang roerloos naar het beeldscherm en hij vergat de tijd. Het moest lukken. Het moest hoe dan ook mogelijk zijn.

Uiteindelijk realiseerde hij zich hoe.

In het laatste uur van de verkiezingsdag ging het in de meeste gevallen nog maar om enkele tientallen stemmen die bepaalden welke partij won. In principe kon hij er dus voor zorgen dat er in de loop van de dag zo veel stemmen naar de flashchips werden weggeschreven dat de wegschrijfsnelheid aan het einde van de verkiezingsdag geen rol meer speelde.

Dat hield wel in dat het algoritme dat hij uitgedacht had geraffineerder moest zijn.

Hij moest goed nadenken over de methode aan de hand waarvan het aantal stemmen werd geregistreerd. Hele dagen en nachten was Vincent bezig met het bedenken van allerlei combinaties en werkte hij de samenhangen uit die in de vorm van formules onderdeel van zijn programma moesten worden. Hij schreef daar software voor die niets anders deed dan die formules met alle denkbare stemmenverdelingen te testen, gewoon om zeker te zijn.

Terwijl dat programma werkte en kleurrijke puntpatronen op het beeldscherm deed verschijnen, vroeg hij zich soms af waar hij in hemelsnaam mee bezig was. Waarom deed hij dit? Afgezien van het feit dat dit een schitterende uitdaging was, een ongelofelijk fascinerend probleem. En dat hij dat probleem zou oplossen...

'Ik ben het slachtoffer geworden van de duistere kant van de macht,' zei hij op een dag tegen zichzelf in de spiegel. Buiten was het donker. Hij wist echter niet of het vroeg in de ochtend of laat in de avond was. Hij zwaaide met zijn zoemende scheerapparaat en deed of het een lichtzwaard was. 'Straks blijkt dat Zantini mijn vader is en dat hij graag wil dat we samen over het universum heersen.'

Aandachtig keek hij naar zijn gezicht. Hij was bleek geworden. Wekenlang was hij niet meer buiten geweest. Evenmin ontging het hem dat hij kringen onder zijn ogen had. Alsof hij elk moment ten prooi kon vallen aan een venijnige burn-out.

Bovendien wist hij maar al te goed wie zijn biologische vader was, ook al had hij hem nog nooit ontmoet.

Het kwam nog zover dat hij de uitgebrachte stem van zijn vader manipuleerde. Als het plan van Zantini tenminste doorging. Helemaal mesjogge.

Het was nog steeds mogelijk om ermee op te houden. Het programma was immers nog niet af. Hij kon er gewoon een punt achter zetten.

Dat kon op elk moment, maakte hij zichzelf wijs terwijl hij weer aan het werk ging. Hij programmeerde, concipieerde, codeerde en testte. Hij sliep amper en eten schoot er ook bij in. Op een avond zette Furry een gebaksbordje met een brandende kaars op zijn werktafel. *'Merry Christmas,'* zei ze. Vincent staarde naar het bord en wist niet wat dit te betekenen had.

Het was ook moeilijk te begrijpen. Thuis in Philadelphia had hij de winter en kerst altijd met sneeuw geassocieerd. Dit jaar was het echter warm in Oviedo. De warmste decembermaand sinds de stichting van de stad. Op sommige dagen was het zelfs onaangenaam broeierig, alsof het hoogzomer was.

Op een middag zat Vincent op het toilet en viel hij in slaap. Het moest er gewoon een keer van komen.

Hij schrok wakker van voetstappen, stemmen en klepperende geluiden. Het duurde even voordat hij doorhad waar hij zich bevond en wat er aan de hand was. Hij rechtte zijn rug terwijl hij op de toiletpot zat. Die twee freaks van Zantini waren op de veranda ligstoelen aan het klaarzetten. Twee kratjes bier erbij. Ze maakten het zich gemakkelijk. Het was pas begin januari! En ze gingen uitgerekend onder het klapraam van het toilet zitten!

Tjeses, wat pijnlijk! In geen geval wilde hij dat ze hoorden hoe hij zijn behoefte deed. Dat de dagelijks klus inmiddels geklaard was en in het water lag, maakte het probleem niet minder nijpend. Hij moest zich nog afvegen en het toilet doorspoelen. In geen geval zou hij dat doen. Geen denken aan! Hij wilde wachten tot ze weer vertrokken. Ook al duurde dat misschien uren.

Een sissend geluid. Een van hen trok een flesje bier open. En weer een. De ligstoelen kraakten omdat het lang geleden was dat iemand erin had plaatsgenomen.

Wie ging vlak na kerst in de zon zitten, ook al was dit Florida? Alleen freaks kwamen op dat idee.

Misschien kon hij ze weglokken. Hij veegde zich af terwijl hij naar de deurklink staarde. Piepte de deur? Hij kon het zich niet meer herinneren. In het dagelijks leven hield hij zich niet bezig met dat soort onbenullige, lastige klusjes, zoals het oliën van scharnieren. Nee, er was niets mis met de toiletdeur. Hij kon wegsluipen, de twee freaks weglokken en daarna snel naar het toilet hollen om door te spoelen. Ja, zo wilde hij het doen.

Op hetzelfde moment begon Furry te praten. Haar stem had iets wulps en... fluweligs, het deed denken aan een vachtje. Alsof er haar op haar stembanden groeide.

'Zeg, die knul schrijft toch een computerprogramma waarmee je verkiezingsfraude kunt plegen? En dat allemaal in opdracht van Ben? Dat heb ik toch goed begrepen, hè?'

'Zeker.' De man met de duizend tatoeages sprak zo sloom als iemand die niks omhanden had en niet wist hoe hij de dag moest doorkomen.

'Oké, ik heb daarover nagedacht...'

'Niet doen. Dit is een zaak van Ben.'

'Dat is nog maar de vraag. Daar komt misschien heel snel verandering in.'

'Hoezo?'

Furry draaide zich om in haar ligstoel. Het ging gepaard met veel gekraak. 'Het is toch belangrijk dat niemand erachter komt dat er verkiezingsfraude is gepleegd? Als dit uitkomt, vervangen ze de apparaten of ze schaffen ze af, waarna er opnieuw verkiezingen worden gehouden, nietwaar?'

'Waar stuur je op aan?'

'Zou Ben uiteindelijk tot de conclusie komen dat het beter is om alle medeplichtigen uit de weg te ruimen? Daarmee bedoel ik die jongen, en ons.'

# Hoofdstuk 12

Vincent schrok zo erg dat hij sterretjes zag. Natuurlijk! Goeie genade! Natuurlijk! Zodra Zantini de software in zijn bezit had en in gebruik nam – het programma was miljoenen waard – moest hij degenen die ervan wisten tot zwijgen brengen. Natuurlijk! Natuurlijk!

Wat was hij toch een idioot geweest om de verklaringen van een maffioso ook maar één seconde lang serieus te nemen. Wat dom! De maffia had de vorige eigenaar van dit huis omgebracht omdat hij in hun vaarwater was gekomen. Als Vincent niet meteen op de vlucht sloeg, zou hij ook vermoord worden door die kliek.

Hij was sowieso een gigantische stommeling geweest om zich te laten overhalen. Zijn domme trots had hem zoals zo vaak over de streep getrokken. Wat ongelofelijk zwakzinnig! Wat was hij oliedom geweest. Wat getuigde dit van een onvoorstelbaar onnozele stompzinnigheid!

Langzaam, heel voorzichtig en zonder het geringste geluid te maken kwam Vincent overeind. Zijn knieën trilden ervan. De freaks mochten niets horen, anders zouden ze hun meester, die beul, wel eens kunnen vertellen dat hij van wanten wist, en dat ze uit de school hadden geklapt. Met chirurgische precisie omvatte zijn hand de deurklink en draaide die om terwijl hij over zijn hele lichaam beefde... en hij was het toilet uit.

Hij liet de deur openstaan en haastte zich door de gang, verdween in zijn werkkamer en sloot achter zich af. Rustig blijven, dacht hij. Alles was nog niet verloren. Hij moest alleen snel en vastbesloten handelen.

Vincent was te snel het toilet uit gevlucht om het antwoord van de getatoeëerde man te horen.

'Furry,' zei hij terwijl hij zich ongegeneerd uitrekte, 'jij kijkt te veel tv. Ik heb je daar al vaker voor gewaarschuwd.'

'Ik heb het niet over de tv. Je moet geen zijweg inslaan.'

'Moord? Wat een onzin! Alsof iemand hem gelooft als hij naar de politie gaat en vertelt dat hij software heeft geschreven waarmee je verkiezingsfraude kunt plegen. Ten eerste snapt bij de politie niemand waar hij het over heeft. Ten tweede kan het ze geen donder schelen, ook al snappen ze waar het over gaat. Ten derde loopt ons knulletje niet naar de politie... Gezien zijn verleden is dat het laatste wat in zijn hoofd opkomt.'

Furry krabde over de vacht onder haar hals. Het haar puilde uit de V-hals van haar T-shirt. 'Is hij bang voor de politie? Ik dacht dat hij een brave burger was.'

'Dat lijkt maar zo. Ongeveer tien jaar geleden heeft hij in de nor gezeten.'

'Meen je dat? Waarom?'

'Iets met computers. Wat anders?'

Ze liet de informatie bezinken. Langzaam. Grondig. Op een warme dag als deze moest je je niet opwinden. Al helemaal niet als je behaard was als een beer.

En het was pas de eerste week van januari. Het was heerlijk in Florida.

Uiteindelijk vroeg Furry: 'Wie heeft je dat verteld?'

Pictures keek op. Hij was even ingedut. 'Hm? Wat? O, ik heb dat van Ben. En hij heeft dat van de bazin van ons knulletje. Zij laat zich goed informeren over de lui die ze aanneemt.' Hij grijnsde. 'Ze hebben allemaal een dik dossier.'

'Goh. En ze zien er zo braaf uit.'

'Philadelphia. Oak Tree Detention Center. Ik weet dat omdat ik iemand ken die daar ook gezeten heeft. Jason. Heb ik je al eens over hem verteld...?'

'Zegt me niks.'

'Tankstation overvallen. Hij was helemaal bezopen.'

'O, je bedoelt díé Jason. Ik snap het. En?'

'Hij zegt dat je niet in de verkeerde vleugel moet zitten. Er kunnen dan vervelende, indrukwekkende dingen met je gebeuren.' Pictures nam een flinke slok van zijn bier. 'Volgens het dossier zat onze knul in de verkeerde vleugel. Daarom denk ik niet dat hij naar de politie gaat.'

'Ik help het je hopen.' Furry haalde nog een flesje uit het krat.

Het bier smaakte net zo goed als voorheen. En de zon scheen nog steeds zo lekker warm dat je het beste rustig in je ligstoel kon blijven liggen. Toch was er iets veranderd. Beiden voelden het intuïtief en ze wierpen elkaar een blik toe. Furry ging rechtop zitten, plaatste haar harige voeten op de planken verandavloer en zei: 'Ik ga eens kijken hoe ons knulletje het maakt. Mama's lieveling.'

Pictures knikte. 'Vraag of hij er ook eentje wil. Op zo'n dag gaat alles beter met een koud biertje erbij.'

Furry kwam overeind en liep op blote voeten het huis in. De traliedeur viel in het slot. Een geruststellend geluid. In de gang stonk het. Geen wonder, de toiletdeur stond open. En er was niet doorgespoeld. Computerfreaks waren rare lui. Furry spoelde het toilet door, waggelde naar de werkkamer en klopte zachtjes op de deur. 'Hé! Alles in orde? Wil je een koud biertje?'

Geen antwoord. Ze deed de deur open.

Binnen was het aardedonker. Zelfs het beeldscherm was uit. Maar de computer zoemde en maakte een ratelend geluid, alsof het ding ergens druk mee was.

'Vincent?'

Ze tastte naar de lichtknop. Het licht ging aan. Vincent was er niet. Ongetwijfeld sliep de jongen.

Normaal gesproken zou ze het terras op zijn gelopen en de draak hebben gestoken met die computerfreaks en hun manier van leven. Maar een vreemd gevoel dwong haar om naar de slaapkamer te gaan en te kijken of hij inderdaad sliep.

In de slaapkamer was hij evenmin.

Merkwaardig. Verontrust liep Furry het hele huis door. Ze keek in de badkamer, de keuken en in de woonkamer. Geen spoor van Vincent.

'Pic!' schreeuwde ze. 'Die jongen heeft de benen genomen!' Ze pakte haar mobiele telefoon en belde Zantini.

Vincent vond het vermoeiender dan hij dacht om door de kruiptunnel onder het huis naar de vrijheid te robben. Toen hij zich halverwege onder een wel erg smerige balk door wurmde, en zweette als een paard, raakte hij in paniek omdat hij bang was dat hij bleef steken en dan geen kant meer op kon. En dat hij daar crepeerde omdat niemand hem vond...!

Maar het lukte uiteindelijk toch. Doornat en bibberend kroop hij achter de half verdroogde agave bij het slaapkamerraam boven de grond. Had iemand hem gezien? Nee. Gelukkig maar. Hij trok de zak naar zich toe die hij de hele tijd achter zich aan gesleept had. Snel!

In deze fase van de vlucht hing zijn lot af van het vloerkleed. Had het zichzelf gladgetrokken nadat hij het luik gesloten had? Hij had door de kier van het luik aan dat ding zitten sjorren, waardoor hij bijna zijn arm verrekt had.

Hij hoopte er het beste van en maakte dat hij wegkwam. Hij kroop door de heg, passeerde het huis van de buren – ze waren sowieso nooit thuis – en zette het op een lopen.

Voor het eerst in zijn leven zou hij een auto moeten stelen. Hopelijk was dat net zo makkelijk als in de film. Zonder auto kwam je in deze streek nergens.

Terwijl hij verder liep, rommelde hij tussen de spulletjes die hij had meegenomen. Wat gereedschap dat dienst kon doen, geld en natuurlijk zijn creditcards. En de envelop die op de een of andere manier, waar hij nog niet uit was, zijn levensverzekering was geworden. Of juist niet, als hij pech had. En...

Plotseling schrok hij zich wezenloos. Zijn adresboekje. Hij had het op de tafel laten liggen nadat hij het adres op de envelop had geschreven. Hij had het uit de zak gehaald en daarna was hij het vergeten. Verdomme!

Even overwoog hij serieus om terug te lopen. Dat was natuurlijk waanzin. Als ze hem grepen, kreeg hij geen tweede kans meer. Nee, het boekje had hij niet meer, pech gehad. Vincent liep verder.

Hij was op de vlucht zonder een adres of telefoonnummer op zak. Belachelijk.

Niks aan te doen. Gewoon doorzetten.

Zantini vloekte de hele weg naar Lake Charm.

'We hebben alles gelaten zoals het was,' verzekerde Pictures hem snel, alsof er dan in wezen niks aan de hand was.

Morrend passeerde Zantini hem naar de werkkamer van Merrit. Het stonk er. Kennelijk ging die bengel niet of niet vaak genoeg onder de douche. Computerfreaks waren allemaal hetzelfde.

De computer zoemde nog en de harde schijf was zo te horen druk bezig. Het beeldscherm stond echter uit. Het beviel Zantini niet zoals de computer ratelde. Hij zette het beeldscherm aan en zag zijn vrees bewaarheid worden. De computer was de harde schijf aan het formatteren. Al voor de vierde keer, zoals de teller bevestigde. Hij trok de stekker eruit. Het werd stil. Dat was in elk geval wat. Hopelijk was niet het hele programma gewist.

'Jij had toch de ramen vergrendeld?'

Pictures knikte haastig. 'Dat heb ik ook gedaan. Hij is niet door een van de ramen ontsnapt. Ik begrijp het niet. Om het huis uit te kunnen, had hij ons moeten passeren.'

'Goochelarij dus?' Zantini keek om zich heen. Boeientrucs vormden de koningsklasse van de podiummagie. Natuurlijk kende Zantini ze allemaal, ondanks het feit dat hij helaas zelden de gelegenheid had gekregen om er een te vertonen. Er waren immers ingewikkelde technische hulpmiddelen voor nodig. Welk trucje had Vincent gebruikt om te ontsnappen?

Eigenlijk was in dit geval maar één soort truc aan de orde. De artiest verdween door een luik in de vloer om ergens anders op te duiken. Zantini bekeek het vloerkleed waar hij op stond en dat plooien vertoonde. Met een ruk trok hij het kleed weg. Als hij het niet dacht – een klapluik. Zorgvuldig weggewerkt in de vloer, maar voor een geoefend oog makkelijk te herkennen.

Hij maakte het luik open en zag een nauwe schacht die in de lengterichting van het huis onder de vloer liep. Ongelofelijk. Was dit tegenwoordig standaard?

'Onvoorstelbaar!' riep Pictures uit. Meteen liet hij zich in het gat zakken.

'Niet doen!' snauwde Zantini. Hij greep hem bij zijn overhemd vast en gaf hem de autosleutels. 'Neem mijn auto en zoek de omgeving af. Ver kan hij nog niet zijn.'

'Oké, geen probleem!' Pictures rende weg en schreeuwde naar zijn vriendin. Meteen daarna startte hij de auto; de banden gierden terwijl hij wegreed.

Eindelijk was het stil en kon Zantini zich concentreren.

Mentale magie berustte simpelweg voor het grootste deel op een goed ontwikkeld observatievermogen. Benito Zantini was trots op zichzelf dat hij daarin min of meer een meester was geworden. Hij kon zich geblinddoekt door een toeschouwer laten leiden om erachter te komen onder welke stoel in de zaal een bepaald voorwerp was verstopt. Het werd een heel ander verhaal, veel moeilijker ook, als je rondkeek in een vertrek om je ervan bewust te worden wat zich daar onlangs had afgespeeld.

Vooral in deze varkensstal.

Zantini deed zijn ogen dicht en visualiseerde de kamer. Hij probeerde zich te herinneren hoe het er hier de vorige keer uitzag en nam alles in zich op. Daarna deed hij zijn ogen open.

Een aangebroken pakje herschrijfbare cd's trok zijn aandacht. Het lag op de printer. Hij boog zich naar het pakje. Iemand had de plasticfolie driftig losgetrokken. Het materiaal knisperde zelfs nog. Een teken dat niet lang geleden iemand één cd eruit had gehaald.

Vincent had het programma op cd gezet. De software was dus niet verloren gegaan. Als Zantini die cd snel te pakken kreeg, kon hij zich nog aan het tijdschema houden.

Naast de cd's lag een lege en stoffige papieren zak. Volgens het opschrift hadden er dikke enveloppen in gezeten. Zantini herinnerde zich tijdens zijn vorige bezoek dat er een envelop in zat, die nu verdwenen was.

Zantini zonk de moed in de schoenen. Was die bengel van plan de cd op de post te doen?

Haastig keek hij om zich heen en hij zag een viltstift. Het kapje zat er los op, maar de stiftpunt was nog vochtig. Niet langer dan een halfuur geleden had iemand ermee geschreven.

Ook zag hij een gebonden boekje dat half onder het toetsenbord was geschoven. Met een vinger schoof hij het eronderuit. ADRESSEN stond op de boekband gedrukt. Een gewoon adresboekje dat je voor een paar dollar kon kopen in elke winkel waar ze kantoorartikelen verkochten.

Het adresboekje van Vincent. Een voorzichtige blik op de eerste bladzijde bevestigde zijn vermoeden. Hij vond het verbazingwekkend dat een computerspecialist dit soort ouderwetse kantoorartikelen gebruikte.

Des te beter. Zantini glimlachte. Gebonden notitieboekjes hadden een geheugen. Weinigen waren zich daarvan bewust. En als je ze goed behandelde, kon je ervoor zorgen dat ze zich van alles 'herinnerden'.

Bedachtzaam legde hij het adresboekje op zijn handpalm, sloeg de kaft om en blies voorzichtig tussen de bladzijden. Op hetzelfde moment kromde hij zijn hand waarop het boekje lag.

Het adresboekje viel open – 'Als bij toverslag,' fluisterde Zantini – op de plaats waar het gedurende langere tijd geopend was geweest. Vincent had daar een adres uit overgeschreven, dat mocht je met recht vermoeden.

Het was de bladzijde met de letter K.

# Deel II

Het spel

# Hoofdstuk 13

'Meneer König!'

De stem van mevrouw Volkers. Zoals altijd klonk ze schril, eisend, ongeduldig. Simon verstarde terwijl hij de sleutel in het slotje van zijn postbus wilde steken. Hij deed zijn ogen dicht, telde tot drie, ademde diep in en rechtte zijn rug.

Ze daalde inmiddels de trap af. Natuurlijk praatte ze zo hard dat het hele huis kon meegenieten. Volgens hem ging er op de vierde verdieping een deur open. Ja, hij wist het zeker. Ouwe Meckenstein vond het prachtig om mee te luisteren als er weer eens stennis was in huis.

Mevrouw Volkers bleef op de bovenste trede staan, hield zich vast aan de handlijst en zei streng: 'Het wordt tijd dat ik u zeg waar het op staat!'

Simon wist waar ze nu mee kwam. Altijd hetzelfde liedje.

'Dat doet u om de zes weken, mevrouw Volkers. Ik neem aan dat het ook nu weer over de *Kehrwoche* gaat.'

De Kehrwoche, ofwel de poetsweek. Een Zwabisch gebruik. Nee, een religieus ritueel waar de gelovigen vurig de hand aan hielden. Hun fanatisme deed niet onder voor ongeacht welke orthodoxe religieuze stroming. Dat er nog geen bommen waren gelegd en niets opgeblazen was, had ongetwijfeld te maken met het feit dat er dan veel troep ontstond. En troep, stof, überhaupt elke verontreiniging en ongerechtigheid in de ruimste zin van het woord, was wat de wereld teloor liet gaan als er op zaterdagochtend niet met bezem, dweil en stofdoek gestreden werd.

Toen Simon König van Berlijn naar Stuttgart verhuisde – alweer bijna dertig jaar geleden – dacht hij dat de Kehrwoche een folkloristische anekdote was. De liefde had hem huis en haard doen verlaten. En omwille van de liefde had hij alle listen en lagen gebruikt, zoals dat toen nodig was, om leraar te worden aan het gymnasium.

Een van zijn kleine vergissingen, zoals later bleek.

'Het spijt me dat ik daar wéér over moet beginnen,' zei mevrouw Volkers. 'Maar anders doet niemand het. Alweer moet ik u eraan herinneren dat u zaterdag de kelder niet gepoetst hebt. Ik heb dat gecontroleerd. Ontkennen is dus zinloos.'

Simon König onderdrukte een zucht. Niet omdat hij zogezegd betrapt was, maar omdat door deze woordenwisseling zijn vrije maandagochtend steeds meer verzuurde. Dit schooljaar had de roosterplanner hem de eerste drie lesuren op maandag vrij gegeven. Een geschenk uit de hemel. Boven wachtte een fraai gedekte eettafel op hem; ontbijt met warme broodjes – vers uit de broodbakmachine – geurende koffie en wat al niet meer. Hij had alleen snel even de krant en de post gehaald.

Hij stak de sleutel in het slotje van de postbus en zei zo geduldig als hij kon opbrengen: 'De kelder is schoon, mevrouw Volkers. Schoner dan mijn koelkast. Zo schoon dat je op de vloer een hersentransplantatie kunt uitvoeren zonder dat er gevaar voor infectie dreigt.'

'Omdat ik steeds vóór u aan de beurt ben. Natuurlijk maak ik de kelder schoon zoals het hoort. Zeer grondig!'

'Met dank. Daardoor is de kelder een week later vrijwel altijd nog steeds zo schoon dat er niet gepoetst hoeft te worden.'

'Meneer König, het huishoudelijk reglement laat niets aan duidelijkheid te wensen over. Iedere huurder is gehouden aan de wekelijkse schoonmaak. Degene die aan de beurt is, veegt het trappenhuis, het pad tot aan het tuinhek, het trottoir én de kelder.'

Mevrouw Volkers was een oude, strenge dame die letterlijk met geheven hoofd door het leven ging. Daardoor waren – behalve 's winters, dan deed ze een zijden sjaaltje om – de plooien en rimpels in haar hals goed te zien. Ze droeg bij voorkeur met kant afgezette kleding, voorzien van ruches en filigraanwerk met parelknopen en andere versierselen. Niemand wist precies waarom ze nu enkele jaren een ingelijste filmfoto uit een *Sissi*-film boven haar deurbel en naambordje had hangen. Het gerucht ging dat ze vroeger actrice was geweest en in de genoemde film een van de afgebeelde hofdames van keizerin Elisabeth van Oostenrijk had gespeeld.

De meningen waren echter verdeeld over wie van de hofdames dat was. Op de foto waren vijftien vrouwen in hoepelrokken te zien.

'Weet u wat het probleem is, mevrouw Volkers?' Simon deed zijn bril af om die schoon te wrijven over de mouw van zijn colbert. 'Wij verschillen gewoon van mening over het doel van de huisregels. Volgens mij moet het pand in hygiënisch opzicht keurig in orde zijn. Niet meer en niet minder. U denkt daar heel anders over. Als het aan u ligt, zorgen de huisregels ervoor dat de bewoners voortdurend in de weer zijn met van alles en nog wat, ongeacht de staat waarin de gemeenschappelijke ruimtes verkeren, ongeacht hoe schoon ze zijn. Daarom hebben we steeds ruzie.'

'U probeert zich eruit te praten.'

'Helemaal niet,' protesteerde Simon. 'Integendeel. Hierbij verklaar ik zonder de geringste gewetenswroeging dat ik nu en in de toekomst nooit schone vloeren zal gaan vegen. Ik kan mijn tijd wel beter besteden.'

'De vrouw van wie u gescheiden bent, dacht daar heel anders over,' zei mevrouw Volkers snibbig.

'Iedereen betreurt z'n werkwijze op zijn of haar eigen manier.' Simon draaide zich botweg om en opende zijn postbus, die alweer propvol zat. De krant, een dikke envelop en veel reclame.

Zijn rampzalige huwelijk was wel het laatste waaraan hij op deze mooie ochtend herinnerd wilde worden. Helene en hij waren niet gescheiden, althans niet officieel. Maar ze woonden al ruim achttien jaar niet meer samen, wat op hetzelfde neerkwam.

Hij sorteerde de reclame en wierp alles in de afvalbak, die vlakbij stond. De dikke envelop kwam uit Amerika en was van zijn onechte zoon. Dat paste bij het voorgaande. Alweer een klap in zijn gezicht.

'We kunnen het probleem ook ingrijpender bespreken en fundamenteel bevredigender oplossen.' Hij wendde zich weer tot zijn tegenstandster. 'U moet toegeven dat iedereen in dit huis in financieel opzicht niet doorsnee is en uitgesproken goed bij kas zit. Dat geldt ook voor de buurt waarin we wonen, en op enkele uitzonderingen na voor de hele straat. Het is zonder meer mogelijk, financieel geen aderlating en misschien op termijn zelfs rendabel, in elk geval voor degenen die nog werken, dat we een huismeester inhuren die deze klusjes voor ons doet. Dat maakt het leven niet alleen gemakkelijker, hij zal dat werk ook veel professioneler doen dan de meesten van ons kunnen, op u na natuurlijk. Voordat u dat idee verwerpt, moet u bedenken dat dit soort oplossingen heel gewoon is in andere deelstaten, en dat deze variant bovendien als voordeel heeft dat er een arbeidsplaats wordt geschapen waar iemand niet hoogopgeleid voor hoeft te zijn. Het soort arbeidsplaatsen waar tegenwoordig een groot gebrek aan is. Dat zou volgens mij een zinvolle oplossing zijn, die ongetwijfeld zal bijdragen aan de huisvrede, waar het nu flink aan schort. Bovendien hoeft u me dan niet elke zes weken te bespieden en me ongevraagd adviezen te geven die ik toch niet zal opvolgen. En ik hoef de vermaningen, die u niet passen, niet langer te verduren.'

Mevrouw Volkers keek hem onbewogen aan. Daarna trok ze een nog hooghartiger gezicht en zei: 'U bent niet van hier, dat merk je gewoon.' Ze draaide zich om en liep de trap op.

Met een zucht liet Simon zijn schouders hangen. Hij wachtte tot de deur achter haar in het slot viel en wachtte toen nog iets langer tot ook de deur op de vierde verdieping met een klikje dichtging. 'Niemand luistert naar me,' zei hij tegen zichzelf. 'Dat is het grote drama in mijn leven.'

Met de post onder de arm ging hij terug naar zijn appartement, legde de krant op de tafel naast de broodjes, die inmiddels koud waren geworden, schonk zichzelf een kop lauwe koffie in en maakte eerst de envelop open die Vincent hem opgestuurd had.

Een cd in een plastic hoes viel eruit. Zo te zien iets voor de computer. Hè? Vincent wist toch dat hij geen computer had?

In de envelop zat ook een brief. Een korte, zoals gewoonlijk. En kennelijk haastig geschreven. Simon ging ervoor zitten om het gekrabbel te ontcijferen.

Hij las de brief twee keer. Daarna pakte hij de cd, keek er verdwaasd naar en begon de brief opnieuw te lezen, maar nu terwijl hij het gevoel kreeg dat hij in een nachtmerrie verzeild was geraakt.

Als hij het goed begreep, wilde Vincent dat hij de cd veilig opborg, onvindbaar voor wie dan ook. En hij mocht er niemand over vertellen en de cd aan niemand geven...

De brief en de envelop diende hij meteen te verbranden. Daarna was het motto: verroer je niet! Tot Vincent zich weer meldde.

# Hoofdstuk 14

Simon keek naar de wandklok. Het was al laat in de ochtend. Dat gezellige ontbijt met zichzelf kon hij nu wel vergeten. Hij nam een slok koude koffie die afschuwelijk smaakte.

Met die jongen had hij alleen maar sores. Wat was er aan de hand met deze cd? Iets illegaals? Iets gevaarlijks? Zoiets moest het zijn als Vincent in zijn brief schreef: *Bel me in geen geval!!! Ze zien dan je telefoonnummer en dat heeft rampzalige gevolgen!!!*

Rampzalige gevolgen? Wat bedoelde hij daarmee? En wie waren 'ze'? Was dit een grap?

Simon had echter nooit de indruk gekregen dat zijn zoon zich met dit soort grappen bezighield.

Vincent was hem kortom in iets aan het verwikkelen.

Alweer.

Bijna twintig jaar geleden had Vincent hem voor het eerst geschreven. Simon zou nooit vergeten dat hij de brief met de Amerikaanse postzegel uit de andere post had gevist en zich verwonderde over het kinderlijke handschrift waarmee het adres genoteerd was. En dat in de aanhef *Dear Dad* stond.

Hij dacht terug aan de avond dat hij met Helene in deze keuken zijn misstap opbiechtte en toegaf dat hij een onecht kind had. Aan deze tafel hadden ze gezeten. Helene was zo bleek geworden als de tegelwand. Later besefte hij dat het slippertje er vermoedelijk niet de oorzaak van was dat ze zich zo diep gekrenkt voelde dat ze vertrok om nooit meer terug te komen. Al die jaren hadden ze gehoopt een kind te krijgen. Op deze manier kwam ze erachter dat het aan haar lag. Dat moest voor haar een klap in het gezicht zijn geweest.

*Geboorteplaatsen van de democratie.* Zo heette de studiereis naar Philadelphia in de Verenigde Staten. De stad waar de onafhankelijkheidsverklaring werd ondertekend en verkondigd, zoals ook later de grondwet die van de Verenigde Staten de eerste en duurzaamste democratie ter wereld maakte.

Lila was hun gids in de Independence Hall. Gewoon een baantje, zoals ze later tegen hem zei. Na de rondleiding waren ze aan de praat geraakt. Hij vond haar lachje en de manier waarop ze luisterde – ondanks zijn slechte Engels – heel charmant. Zij op haar beurt vond hem om de een of andere reden boeiend. Spontaan hadden ze een afspraakje gemaakt voor die avond. 'Ik ben getrouwd,' had hij gezegd, toen de relatie nog pril was. Maar dat interesseerde haar blijkbaar niet.

Toen hij op zeker moment – hij moest nu afscheid van haar nemen of met haar de trap op gaan – aan Helene dacht, maakte hij zichzelf wijs dat zij er toch nooit achter zou komen. Dat dacht hij, zoals zo veel mannen die een slippertje maakten.

Met een duister gemoed piekerde hij over de vraag hoeveel mannen een even hoge prijs hadden betaald voor een avontuurtje, een nacht vol misverstanden, parelende lachjes en enkele minuten die in het teken stonden van hartstocht die heftiger had gekund.

Hij verweet Lila niks. Ze had hem niet lastiggevallen, geen eisen gesteld en ze wilde ook geen geld.

Ook Vincent viel niets te verwijten. Hij wilde weten wie zijn vader was. Daar had hij recht op.

Hij kon alleen zichzelf van alles verwijten.

Simon legde de cd wegend op zijn hand en vroeg zich af wat hij moest doen. Hij had geen flauw vermoeden wat dit te betekenen had, hoe diep hij ook nadacht. Waarschijnlijk omdat hij te weinig verstand had van computers. E-mail, internet – hij had daar nooit belangstelling voor gehad. Stilletjes hoopte hij dat hij zich daar nooit voor hoefde te interesseren.

Hij staarde naar zijn verwrongen spiegelbeeld in het glimmende omhulsel van de koffiekan. Ruim dertig jaar geleden alweer. Ongelofelijk. Toen had hij nog een volle bos zwart haar. Niet de grijze lokken van nu, die hem een misplaatst voornaam voorkomen gaven. Hoe zou Lila eruitzien? In zijn tijd was ze een jong meisje. Overmoedig, levenslustig, aantrekkelijk. Hij stelde zich voor dat ze er nog hetzelfde uitzag. Ook nu ze midden vijftig was.

Hij had haar graag gebeld. Misschien wist zij wat er aan de hand was. Steeds van stek wisselen zat echter in haar bloed. Hij had allang geen actueel adres en telefoonnummer meer van haar.

Alleen maar moeilijkheden.

Het beste was om eerst maar eens te doen wat Vincent in die brief van hem vroeg. Komt tijd, komt raad.

Voor de laatste keer las hij de brief. Hij wilde de inhoud goed tot zich laten doordringen om er zeker van te zijn dat hij niets over het hoofd had gezien. Daarna stond hij op en haalde hij een doosje lucifers uit de la. Nadat hij even had overwogen hoe hij dit moest doen, pakte hij ook de vleestang. Hij gebruikte die tang – een overblijfsel uit zijn huwelijk – vrijwel nooit. Maar je kon er de brandende brief uitstekend mee boven de spoelbak van de gootsteen houden.

Hij zag hoe het papier in as veranderde. Glimmende schilfers die in de spoelbak vielen. Daarna maakte hij de tang open; de laatste woorden in het handschrift van Vincent verkoolden. Het metaal van de spoelbak maakte een knakkend geluid.

Nu de envelop nog, zoals Vincent dat graag wilde. Het duurde langer voordat die helemaal verbrand was. De rookontwikkeling was bovendien sterker, waarschijnlijk als gevolg van de envelopvulling. Simon opende het raam boven de gootsteen om de rook te laten wegtrekken. Toen de envelop verbrand was, schudde hij de as van de tang en draaide hij de kraan open om alles weg te spoelen.

Hoe zou zijn leven eruit hebben gezien als hij ook de eerste brief van Vincent verbrand had?

Daar dacht hij liever niet over na. Waar kon hij de cd het beste verstoppen? Daar moest hij maar eens over nadenken. En snel ook, want het werd hoog tijd om te gaan.

# Hoofdstuk 15

Haastig verliet Simon de woning, aktetas in zijn hand, en was vastbesloten om niet meer aan de brief van Vincent te denken. Natuurlijk kon je iets niet met opzet vergeten, maar het was wel mogelijk om in je hoofd met andere dingen bezig te zijn. Rondkijken, observeren en je geen zorgen maken.

Het was niet ver lopen naar het schoolgebouw. Een ideale woon-werkafstand, al ruim dertig jaar. Eerst hadden hij en Helene het appartement gehuurd. Later kregen ze de gelegenheid om het te kopen. Hij betaalde echter nog steeds hypotheek.

Niet omdat Helene hem veel geld afhandig had gemaakt. Integendeel. Verbazingwekkend vroeg nadat ze was vertrokken, had ze hem gevraagd niets meer over te maken, omdat ze inmiddels zelf carrière had gemaakt. Ze had een topfunctie bij een tijdschriftenconcern dat talloze bladen uitgaf met fotoreportages over prominenten, de adel en afschuwelijke misdaden. Simon kon maar niet geloven dat mensen dat soort bladen lazen en bereid waren ervoor te betalen. Maar deze business was kennelijk toch lucratief. Dagelijks passeerde hij een kiosk, waar hij die tijdschriften in de vorm van een groot, kleurrijk mozaïek zag hangen. Met foeilelijke, schreeuwende coverfoto's en onvoorstelbaar idiote koppen en bijschriften.

Het was lekker om elke dag naar je werk te lopen. Dat hij in een nieuwbouwwijk woonde, nam hij op de koop toe. Hoewel, zo pril was de wijk inmiddels ook niet meer. Maar wel nog net zo afschuwelijk als in het begin, in de jaren zeventig, toen een planoloog hier zijn ei kwijt kon, maar geen plannen had om er zelf te gaan wonen.

Tegenwoordig was de wijk een broeinest van sociale problemen. Simon was niet van de overtuiging af te brengen dat dat voor een groot deel te wijten was aan de architectuur, zoals donkere hoekjes waar sinistere dingen konden gebeuren en duistere stegen waar zich 's avonds niemand waagde. Plaatsen die de *horror vacui* aantrokken, de knapen die niets goeds in de zin hadden. Tussen de onschuldig uitziende struiken langs de straten werd regelmatig materiaal gevonden dat op drugsgebruik duidde, waaronder injectienaalden en lege plastic zakjes waarin de politie sporen van heroïne had gevonden. Ja, midden in deze op het eerste gezicht zo brave satellietstad.

Het zedenverval was een feit. Geen wonder. Er was gewoon niemand meer die hogere idealen had en die in dat opzicht als rolmodel diende. Misschien vormde de paus daarop een uitzondering, maar dat was niet voldoende. Ook al was hij een Duitser. Bovendien getuigde hetgeen hij predikte van weinig realiteitszin met betrekking tot het echte, moderne leven.

En dan de media. Dat er tegenwoordig in elke huiskamer een tv stond, was volgens zijn vaste overtuiging de bron van de morele malaise in Duitsland. Sinds de tv haar intrede had gedaan, was het niveau van wat een gewone burger aan informatie, al dan niet didactisch, tot zich nam praktisch in een vrije val geraakt. En de publieke zenders volgden die trend enthousiast. Dat had Simon inmiddels ruim tien jaar geleden ertoe bewogen om zijn abonnement op te zeggen en de tv bij het grofvuil te zetten. Tot op de dag van vandaag had hij daar geen spijt van. Hij betreurde het echter dat hij dat niet vijf jaar eerder had gedaan.

De tv was tegenwoordig de grote concurrent van de school. Toegegeven, ook de machtigste. Helaas. Wat bracht het gros van de televisieprogramma's over? Dat het oké was om simpelweg toe te geven aan je meest primitieve driften en neigingen. *Grijp wat je grijpen kunt, laat je niet de kaas van het brood eten en doe alles wat je leuk vindt, want dat is het belangrijkste in het leven.* Daar kwam het ongeveer op neer. Denk vooral niet na over de toekomst, de lange termijn, maak geen plan voor wat je met je leven wilt en laat de ethische overwegingen maar aan anderen over. Stel überhaupt geen eisen aan jezelf, want dat doen anderen al genoeg. 'Eisen stellen aan jezelf' – tegenwoordig stond dat gelijk aan 'bezoeking', zo niet 'terreur'. Wat moest je dan als leraar die zijn leerlingen wilde bijbrengen dat een geslaagd leven iets te maken had met dat je je verantwoordelijkheid nam. Een woord als 'discipline' kon je niet meer in de mond nemen zonder dat de klas je regelrecht uitlachte. Om maar te zwijgen van woorden als 'zelfbeheersing' en 'orde'.

Maar alles begon en eindigde met de mens. Als je jezelf overgaf aan ongebreideldheid – en dat zag je om je heen in de maatschappij, een collectieve, genotzuchtige ongebreideldheid – was het eind zoek.

Dat had Simon aan den lijve ondervonden nadat Helene was vertrokken. Hij had zich helemaal laten gaan. Uiteindelijk had zijn leven aan een zijden draad gehangen. Het scheelde niet veel of men had hem dood gevonden in zijn woning, die op een vuilstortplaats leek. In nog geen zes maanden was het zover gekomen.

Het schoolgebouw kwam in zicht. Alweer zo'n lelijk gebouw. Een betonnen kolos met een architectuur die vroeger modern werd genoemd. In een tijd dat het modern was om ervaringen en waarden van vroegere generaties fundamenteel overboord te gooien met de gedachte dat je voor de vuist weg alles beter kon maken. Het resultaat was een overmaat aan beton waarover inmiddels een groen schimmelwaas lag. En platte daken die al jarenlang lekten zonder dat een van de vele bedrijven die hij had zien komen en gaan in staat waren er op duurzame wijze iets aan te doen. Om die reden hoorden een stuk of tien plastic badkuipen, die je onder de lekken schoof, nu tot de vaste inventaris van de school.

Hij had het allang niet meer over de sfeer die daardoor in het gebouw heerste. 'Het lijkt hier wel een metrostation,' had een vijfdeklasser ooit gezegd. Volgens Simon was dat een betere samenvatting dan alles wat hem door de jaren heen aan commentaar ter ore was gekomen.

Toen hij op school arriveerde, was de ochtendpauze in volle gang. Hij was dus later dan hij dacht. Hij probeerde altijd in de lerarenkamer te zijn voordat de pauzebel klonk. Ten eerste om de massale stormloop naar het schoolplein voor te zijn en te voorkomen dat hij onder de voet werd gelopen. En ten tweede omdat hij zich rustig wilde voorbereiden op de lessen die hij moest geven.

Bij de hoofdingang was het te druk. Hij liep om het gebouw heen en nam een van de vele zij-ingangen. Hij zag enkele leerlingen van de zevende of achtste klas achter een grote rododendron staan terwijl een van hen een cd aan een andere leerling gaf. Ze keerden Simon opeens de rug toe in hun poging zich onopvallend te gedragen. Natuurlijk waren ze weer iets aan het verhandelen wat illegaal gekopieerd was.

Simon ergerde zich toen hij dat zag. Het deed hem denken aan de dubieuze cd van Vincent. En aan het feit dat hij zich moreel verzwakt voelde omdat hij die cd in huis had verstopt. Hij had die leerlingen graag de wacht aangezegd, maar nu ontbrak hem de moed.

Hopelijk meldde Vincent zich binnenkort. Al was het maar omdat Simon hem dan kon vertellen wat hij ervan vond.

Het was rustig in de docentenkamer. Enkele natuurkundeleraren discussieerden zachtjes met elkaar, een collega was proefwerken aan het corrigeren en een sportleraar zat in trainingspak achter de pc en volgde online de beurskoersen. Het gerucht ging dat hij veel geld verloren had met speculeren. Simon was blij dat hij zich nooit met internet had beziggehouden. Dat realiseerde hij zich toen weer eens. Gewoon het zoveelste medium dat de mensen in verwarring bracht.

De voorbereiding op de lessen was voor iemand met zijn ervaring natuurlijk nog slechts een ritueel. Hij kende het rooster vanbuiten. Net als de leerstof en het lesprogramma. Hij wist ook uit het hoofd dat hij in het vijfde uur maatschappijleer moest geven aan klas 12B en dat het thema 'legitimiteit en macht' was. Zelfs dat daar achttien lesuren voor vrijgemaakt waren. Rousseau, Montesquieu en Weber hadden ze al besproken. Vandaag zouden ze het over John Locke hebben. Met als anekdote dat hij zijn hoofdwerk – *Twee verhandelingen over het landsbestuur* – uit vrees voor represailles anoniem gepubliceerd had, waarna hij alle sporen gewist had, zijn manuscript verbrand had en zich pas in zijn testament als auteur van dat werk bekend had gemaakt. Scholieren vonden dat soort dingen fascinerend. Waarschijnlijk omdat ze zo uit een Hollywoodfilm afkomstig leken te zijn.

In het vierde lesuur ging hij zo dadelijk verder met een zeer speciale lessencyclus. Klas 8A hield zich bezig met de middeleeuwen. Met als thema 'religie en macht'. Vandaag wilde hij de fundamenten van het koningschap met ze doornemen. De uitdaging was om de les zo interessant te maken dat de bijdehandste grapjassen vergaten om spitsvondige grappen te maken over zijn achternaam.

Dat was hem in de afgelopen jaren vrijwel altijd gelukt.

De bel ging. De pauze was voorbij. Simon hing snel zijn jas op, pakte haastig zijn tas en liep naar het klaslokaal.

Hij voelde zich nog steeds onrustig, opgejaagd. Een slecht teken. Misschien zouden de grapjassen het vandaag van hem winnen.

'König komt eraan!' Hij hoorde hun stemmen al van ver door de gang galmen, gevolgd door haastige voetstappen en geschuifel. Zoals altijd. En zoals altijd deed hij of hij dat niet merkte.

Elk lesuur begon met de vraag waar hij de vorige keer was gebleven, en hij ging pas verder met de leerstof als minstens drie leerlingen antwoord hadden gegeven. Een vertrouwd ritueel. Hij zag dan hoe ze erbij zaten, piekerden, wegkeken en zo overduidelijk hoopten dat deze kelk aan hen voorbij zou gaan. Simon zat dan zo weer in het stramien dat hij als zijn normale leven beschouwde. Bijna was hij deze vreemde, hectische ochtend vergeten terwijl de derde leerling antwoord gaf en de klas collectief een zucht van verlichting slaakte.

'Vandaag gaan we ons bezighouden met de vraag hoe iemand in de middeleeuwen koning werd,' zei Simon. Hij pakte een stukje krijt. 'We schrijven het jaar 1024. Koning Hendrik II is overleden en heeft geen troonopvolger. Wat moet er in zo'n geval ge...'

Hij stokte en keek uit het raam. Het schoolplein werd begrensd door een rij plantenbakken van grindbeton. Praktisch alle leerlingen beschouwden deze rij als een grens die niet overschreden mocht worden.

Erachter stond een Noord-Amerikaanse indiaan, zijn kleding versierd met borduursels. Zijn verentooi was schitterend. En hij was mobiel aan het bellen.

# Hoofdstuk 16

De kinderen renden opgewonden naar het raam. Ze hadden de indiaan dus ook gezien. Hij had zich dat dus niet ingebeeld. Een geruststellende gedachte.

'Ga terug naar jullie plaatsen,' maande hij zijn leerlingen. 'Het is vast en zeker geen echte indiaan. Gewoon iemand die onderweg is naar een gekostumeerd feestje of die er net vandaan komt.'

Een voor een liepen de kinderen terug. Simon wachtte tot de rust min of meer was weergekeerd terwijl hij de man die op het trottoir stond aandachtig observeerde. Een breedgeschouderde kerel, nogal klein van stuk en met de gezichtstrekken van iemand uit Midden-Europa. Ongetwijfeld had hij zich verkleed. Heel indrukwekkend. De jas was afgezet met dierenhuid en deed denken aan een kledingstuk dat hij ooit in een volkenkundig museum aandachtig had bewonderd.

De man telefoneerde terwijl hij zijn blik langs de muren, ramen en deuren van het schoolgebouw liet glijden.

Onwillekeurig deed Simon een stap terug.

Prompt ergerde hij zich aan zijn eigen gedrag en aan het feit dat hij zich in verwarring liet brengen door een stomme brief! Hij dwong zichzelf om niet meer uit het raam te kijken en concentreerde zich op de leerstof: de omstandigheden waaronder Konrad II tot koning werd gekozen en gekroond, en hoe hem de keizerlijke waardigheid ten deel viel.

Pas aan het eind van dat lesuur – gelukkig waren er geen flauwe grappen gemaakt – keek Simon weer uit het raam naar het schoolplein. De indiaan was verdwenen.

Een indiaan op het trottoir. Geen twijfel mogelijk. Leo parkeerde de oude Mercedes bij de stoeprand. De gedrongen man met de verentooi hoefde het linkerachterportier maar te openen om vervolgens in te stappen.

'Heb je de spullen?' De veren ruisten terwijl hij plaatsnam op de achterbank.

'Is geregeld.' Leo gaf hem de zak die op de passagiersstoel lag.

'Geweldig.'

Leo wierp een vluchtige blik in de achteruitkijkspiegel. Hij kleedde zich warempel op de achterbank om. Natuurlijk had hij weer geen onderbroek aan, alleen een lendendoek. Beslist heel stijlgetrouw...

'Hoe was jouw weekend?' Misprijzend keek Leo langs de hoge gevels links en rechts van de straat. Tientallen ramen. Iedereen kon zien wat er zich in de auto afspeelde.

'Tof natuurlijk,' klonk het vanaf de achterbank. Textiel ruiste. De man stootte zijn armen en benen tegen de achterbank en portieren.

'Vannacht was het min drie graden,' zei Leo.

'Dacht ik al. Het was zo beestachtig koud in mijn tent.' Zijn mobiele telefoon kwinkeleerde. 'Ja? Ah, eindelijk! Waar hang je uit? Heb je mijn sms'je gekregen over die gozer met de vervalste vuurwapens? Goed. Ik heb het helemaal gehad met hem. Maak hem koud. Nee, geen waarschuwing meer. Breng hem om, punt uit.'

Er viel een stilte. Vanaf de bestuurdersstoel hoorde Leo de blèrende stem in het mobieltje, maar hij verstond niet wat er werd gezegd. Hij keek op zijn horloge. Dit duurde veel te lang.

'Ik wil het liefst dat je dat meteen doet. In elk geval heb ik je vanmiddag nodig bij de... wacht even. Hoe heet die school? Ja, precies. Luister wat ik nu zeg. Die vent is tot het achtste lesuur bezig, tot pakweg halfvier. Daarna grijpen we hem, oké? Wat? Natuurlijk. We staan allemaal bij een andere uitgang. Wie hem in de kraag grijpt, heeft gewonnen. Oké. Tot dan.' Het ruisen van de kleren nam weer een aanvang.

'Het achtste lesuur? Hoe ben je dat te weten gekomen?' vroeg Leo.

'De rectorskamer gebeld. Ik zei dat ik de vader van Marcus ben en een afspraak wil.'

'Marcus?'

'Maakt niet uit. In elke klas zit tegenwoordig wel een Marcus.' Hij trok zijn colbert aan en wierp de met borduursels versierde indianenbroek en pelsjas op de passagiersstoel. 'Ga je weer terug?'

Leo knikte. 'Moet je ook die kant op?'

'Nee. Ik ga hier posten.' Leo zag dat hij in een zwart notitieboekje bladerde. Waarschijnlijk controleerde hij of alle personen erin stonden die hij wilde bellen. 'Iemand moet het doen.'

'Graag of niet.'

'Ja, bedankt. En bedankt ook dat je... nou ja, voor alles.' Plotseling was hij uitgestapt en sloeg hij het portier dicht.

Leo liet de motor stationair draaien. Toen hij wegreed en in de achteruitkijkspiegel keek, zag hij dat zijn broer, die van een indiaan in een zakenman was veranderd, opnieuw druk aan het bellen was.

De dag verstreek zoals de meeste dagen. Simon ervoer het kalme schoolritme dat in het teken stond van regelmaat als uitgesproken rustgevend.

Het zesde lesuur. Klas 10A. Het nationaalsocialisme. Overgang van de Weimardemocratie naar de dictatuur. Vandaag zou hij een film kunnen laten zien over de manier waarop Hitler de macht greep. Een film deed het altijd goed, ook al werd het nut ervan overschat, vond hij. Daarom nam hij zelden zijn toevlucht tot dat soort hulpmiddelen. Maar omdat hij niet het imago wilde hebben van iemand die niet met moderne leermiddelen kon omgaan, en omdat hij deze film het meest indrukwekkend vond, besloot hij dit uur ermee te vullen.

'En? Heeft 10A zich netjes gedragen?' vroeg Bernd Rothemund hem in de middagpauze.

Bernd was klassenleraar van 10A. Hij gaf Frans, Engels en in noodgevallen ook Duits. Een van de weinige collega's met wie Simon echt goed kon opschieten.

'Ik heb ze stil gekregen met een film,' zei Simon.

'Jij laat ook geen middel onbenut,' zei Bernd grijnzend. 'Kom, we gaan naar de mensa.'

Bernd was een gemoedelijke, kalende man met een baard en een gezonde bierbuik. Simon miste op een pijnlijke manier de zorgeloosheid die Bernd uitstraalde. Bovendien deelde Bernd enkele van zijn opvattingen over het belang van de school als vormingsinstituut, de verantwoordelijkheid die een leraar had voor de toekomst van de samenleving en hoe je het onderwijs het beste vorm kon geven. Samen koesterden ze het motto dat een school niet louter als taak had om zo veel mogelijk kennis in die kinderhoofden te proppen, maar veel meer om de dorst naar kennis in ze te doen ontvlammen.

De mensa. Simon wist niet goed wat hij ervan moest denken. De school had niet altijd de beschikking gehad over een mensa. Vroeger gingen de leerlingen gewoon naar huis om te eten. Indertijd werden er 's middags ook minder lessen gegeven. Maar aangezien voor de meeste leerlingen gold dat er 's middags niemand thuis was, omdat de moeders eveneens werkten, werd besloten om de cafetaria om te bouwen tot een heuse schoolkantine die op professionele wijze door een cateringbedrijf geleid werd.

En de catering was niet slecht. Simon at liever op school dan dat hij thuis zelf wat kookte of elke dag naar een restaurant ging. Het laatste zou niet goed zijn geweest voor zijn gezondheid. Nog afgezien van het feit dat hij het zich financieel eigenlijk niet kon veroorloven om steeds buitenshuis te eten.

Dat was de positieve kant ervan. Het negatieve aspect was dat er een maatschappelijke ontwikkeling in tot uitdrukking kwam waar Simon zich grote zorgen over maakte. De meeste ouders waren in economisch opzicht zodanig belast dat ze het zich niet meer konden permitteren dat een van hen thuisbleef om voor de kinderen te zorgen. Ook al ging het in de meeste gevallen om gezinnen met maar één kind. Het gevolg was dat de ouders verwachtten dat de school de kinderen opvoedde. Vroeger zou het idee dat de staat de opvoeding voor zijn rekening nam een nachtmerriescenario zijn geweest. Op menige ouderavond kreeg Simon de indruk dat veel ouders hun kinderen het liefst aan het begin van het schooljaar afleverden om ze bij het begin van de grote vakantie weer op te halen. Natuurlijk verwachtten ze dat hun koters in de tussentijd keurig opgevoed werden. Dat was echter geen reële optie. De school was een instituut dat kennis overdroeg, in het beste geval intellectueel nieuwsgierige mensen 'voortbracht', hoewel dat zelden het geval was. De onderwijsstructuur was ingebed in een klassikaal en hiërarchisch systeem dat niet geschikt was om bijvoorbeeld meer dan alleen elementaire gedragsregels over te brengen.

'Ik trakteer vandaag,' zei Bernd terwijl ze voor het menubord stonden. Ze moesten kiezen tussen gehakt met aardappelsalade en spaghetti bolognese.

Simon knikte. 'O?' Hij nam gehakt. Tomatensaus vormde immers een groot risico als je een wit overhemd droeg.

'Om het weer goed te maken.'

'Om het...?' Simon zuchtte toen het eindelijk tot hem doordrong. 'Nee, hè. Vertel me nou niet dat je je alweer...'

'Ze zijn me te slim af geweest,' verzekerde Bernd hem op een vertwijfelde toon die komisch overkwam. 'Ik was vastbesloten om niet wéér mijn mond voorbij te praten. Dat meen ik echt! Gisteren had ik een afspraak. De nasleep ervan heeft me helemaal confuus gemaakt. En dat satansgebroed heeft daar misbruik van gemaakt!'

Sinds het begin van het schooljaar wilde Simon voor 10A met een onaangekondigd proefwerk op de proppen komen. Maar het betreffende les-uur moest hij afstemmen met Bernd, die klassenleraar was. Telkens was er sprake van een lek. En dat lek bleek Bernd te zijn.

'Daar is bij jou niet veel voor nodig, met alle respect,' zei Simon. Bernd was nou eenmaal iemand die geen geheim kon bewaren.

'Ik heb even gecheckt... Volgende week kan ook.' Ze gingen in de rij staan. 'Heb je je agenda bij je?'

'Ach, weet je, ik denk dat ik dat soort proefwerken maar in de wacht zet zolang jij klassenleraar van 10A bent.' Simon nam een salade als voorgerecht. 'Wat had je dan voor een afspraak?'

'Het gaat om Sebastian Traub, een van mijn eindexamenkandidaten. Hij is een kei in vreemde talen en wil tolk worden. Een uitstekende keuze waar ik helemaal achter sta. Vanmorgen klopte zijn vader bij me aan. Hij wil per se dat zijn zoon medicijnen gaat studeren. Spaghetti, graag,' zei hij tegen een vrouw met een wit schort voor. Ze stond aan de andere kant van de balie. 'Dokter Traub. Wel eens van gehoord? Bekende cardioloog. Hij speelt golf met de minister-president, luncht met de burgemeester en ga zo maar door. Zijn vader, zijn opa... allemaal artsen. Een familietraditie, bla, bla, bla.'

'Ik begrijp het. Dus jij steunt die jongen in zijn beroepskeuze,' zei Simon. Hij wees naar het gehakt. 'Met wat aardappelsalade, alstublieft.'

'Was het maar zo gemakkelijk,' zei Bernd terwijl hij met zijn dienblad tussen de tafels door laveerde naar het voor docenten gereserveerde gedeelte. 'Dokter Traub verwacht van ons dat wij op die jongen inpraten. Met "wij" bedoel ik de school, de docenten, jij, ik, de rector, de schoonmaakster. Zo stelt hij zich dat voor.'

'Kan het ons wat schelen wat dokter Traub vindt?'

'Ik vrees van wel. Sinds maart is hij voorzitter van de donateursvereniging. Hij haalt de meeste bedrijfsdonaties binnen, en doneert zelf ook grote bedragen. Dus is hij een grote vis in de vijver. We mogen hem absoluut niet onderschatten.'

Simon zette zijn dienblad heftiger neer dan de bedoeling was. 'Chanteert hij ons?'

Bernd haalde zijn schouders op. 'Je weet hoe belangrijk de donateursvereniging is geworden. Zonder die organisaties kan deze school de poorten wel sluiten, zo eenvoudig is dat.' Hij schudde verdrietig zijn hoofd. 'Ik heb geen idee wat ik nu moet doen. Voor het eerst in jaren betreur ik het dat ik de contactpersoon van de donateursvereniging ben.'

Verbeten hakte Simon met mes en vork in zijn onschuldige gehakt. 'Er loopt hier iets gigantisch uit de klauwen,' zei hij. 'Waarom kan hij ons chanteren? Oké, omdat we met de huidige financiële middelen niet meer rondkomen. De vraag is waarom we niet krijgen wat we nodig hebben.'

'Omdat de staat geen geld meer heeft,' antwoordde Bernd. 'Overal hetzelfde liedje.'

'Dat proberen ze ons steeds wijs te maken. Maar waar is het geld dan gebleven?'

'Wat bedoel je?'

Simon stak zijn vork omhoog. 'Ze hebben het steeds over economische groei, nietwaar?'

'Ja, maar het is nooit genoeg. Altijd maar groei, groei, groei.'

'De mensen willen steeds meer. Hebzucht regeert de wereld. Een of twee procent, in elk geval is er sprake van groei terwijl de vergrijzing toeneemt. Dat betekent logischerwijs dat we steeds welvarender worden, nietwaar?'

Bernd zuchtte. 'Met cijfertjes kan ik gewoon niet uit de voeten. Dat is de reden waarom ik vroeger geen wiskunde heb gestudeerd.'

'Dit heeft niks met wiskunde te maken, maar met gezond verstand. Wanneer is deze school gebouwd? Midden jaren zeventig. Binnenkort vieren we het vijfendertigjarig jubileum. Toen had de Bondsrepubliek Duitsland kennelijk wel geld om scholen te bouwen. Is er pakweg vijfendertig jaar later, terwijl er steeds sprake is geweest van economische groei, geen geld meer om die scholen te onderhouden? Vergeet niet dat hier de jongere generaties het onderwijs moeten krijgen om ervoor te zorgen dat ze genoeg kennisbagage hebben als ze het straks van ons overnemen. En zou er dan geen geld zijn om lekke daken te repareren? Dan klopt er toch iets niet?'

Bernd wikkelde wat spaghetti om zijn vork. 'Om maar te zwijgen van de versleten vloerbedekking in het trappenhuis. Dat wordt stilaan gevaarlijk.'

'De inrichting van de schoolbibliotheek laat ook te wensen over.'

'In de lerarentoiletten is nog maar één handendroger over die het doet. Maar ach, daar kunnen wij kerels wel tegen, hè?' Met een vinger haalde Bernd de gemorste tomatensaus van zijn pullover. 'Al vijf jaar, toch? Of zijn het er inmiddels zes?'

'Dat bedoel ik,' zei Simon. 'Waar is al dat geld gebleven? Waarom holt de welvaart achteruit? Als Duitsland steeds rijker is geworden, waarom kunnen de mensen zich dan financieel geen kinderen meer permitteren? Waarom zijn er geen moeders meer te vinden die thuisblijven om voor de koters te zorgen? Dan klopt er toch iets niet?'

'Ho, vroeger leefden we een stuk eenvoudiger,' opperde Bernd. 'Tjeses, hoeveel gezinnen hadden in de jaren zeventig twee auto's? Toen keken we nog zwart-wit, weet je nog? De kinderen van tegenwoordig kunnen zich dat niet voorstellen.'

Met een peinzende blik staarden ze naar het bruisende komen en gaan in het gedeelte waar de leerlingen zaten. Leerlingen die onder het eten mobiel belden en sms'jes verstuurden. Leerlingen die thuis vrijwel allemaal de beschikking hadden over een computer met internetaansluiting.

'De consument is veeleisender geworden,' vervolgde Bernd. 'Dat speelt ook een rol. Tegenwoordig word je doodgegooid met reclame over alle mogelijke spullen die we niet nodig hebben. Kennelijk werkt dat, want de omzet stijgt. Heel sluipend zijn al die dingen broodnodig geworden. Dat laat het geld rollen, en een euro kun je maar één keer uitgeven.'

'En de economie floreert.' Simon keek hem van achter het toegetakelde gehakt aan. 'Soms krijg ik de indruk dat het allemaal bedrog en zwendel is. We werken ons arm. Hoe meer we ons uitsloven, hoe sneller dat gaat.'

'Je zou in de politiek moeten gaan, Simon.'

Simon lachte. 'De politiek? Nee. Ik ga zo vroeg mogelijk met pensioen.'

# Hoofdstuk 17

Ook na de middagpauze gaf Simon weer les aan klas 10A. Ditmaal maatschappijleer. Kiesrecht, partijen, de parlementaire democratie. De thema's sloten goed aan bij het laatste lesuur vóór de pauze.

In het achtste lesuur had hij klas 8C. Met als thema de absolutistische staat, Lodewijk XIV en de aanvang van de verlichting. Het doel van het lesprogramma was dat de leerlingen begrepen hoe de verlichting tot de Franse Revolutie had geleid en de basis legde voor de moderne maatschappij. Je vroeg dan natuurlijk wel erg veel van leerlingen van de achtste klas. Maar toch, je kon nooit weten. Simon was al tevreden als ze enkele belangrijke jaartallen en trefwoorden onthielden. Dat zou wel lukken, want 8C was een rustige, ijverige klas. En Lodewijk XIV met zijn hofhouding was een kleurrijk, onderhoudend thema dat de belangstelling erin hield. Tijdens de middaglessen mocht je al blij zijn als niemand indutte.

Na het laatste lesuur ging Simon zoals gebruikelijk nog even naar de lerarenkamer. Hij legde zijn boeken terug in de kast en keek of hij post had, wat niet het geval was. Hij deed kortom wat hij altijd deed.

Hij had geen haast. De lesdag sloot hij graag rustig af: alles doen wat nog gedaan moest worden en weten dat alles was afgehandeld. Hij was niet iemand die de school uit vluchtte. Waarom ook? Niemand wachtte thuis op hem. Het was er stil. Soms doodstil, verlaten, op het onaangename af. Nee, hij hoefde niet zo snel mogelijk naar huis.

Er zat nog een restje koffie in de kan. Maar goed ook, want zo laat op de dag loonde het niet om verse te zetten. Een half kopje slechts, niet eens, maar dat maakte niet uit.

Simon liep terug naar zijn kast, nam het lesrooster voor dinsdag door en dacht na hoe hij die uren zou invullen. De elfde klas kreeg een proefwerk aangekondigd voor volgende week, dat mocht hij niet vergeten.

De deur ging open. 'Ah, Simon.' Volker Fuhrmann kwam binnen. Hij gaf biologie, Duits en levensbeschouwing. 'Goed dat ik je hier tref. Ik heb iets nodig van jou.'

Simon keek de dikke man vluchtig aan. Met Fuhrmann ging hij het liefst zo min mogelijk om. 'Wat dan?'

'Jouw handtekening.' Met waggelende tred liep Fuhrmann naar zijn kast en hij haalde een bos sleutels uit zijn tas. De bos was zo groot dat het leek alsof de huissleutels van de halve stad eraan hingen. Het was Simon een raadsel waarom iemand zo veel sleutels nodig had. Het gerucht ging dat hij de sleutelbos naar ongehoorzame leerlingen gooide, vooral naar degenen die tijdens de les aan het smoezen waren. In de meest recente uitgave van de schoolkrant werd de sleutelbos van Fuhrmann dan ook als massavernietigingswapen aangemerkt.

'Mijn handtekening? Waarvoor?'

'Zul je zo zien.' Fuhrmann opende luidruchtig zijn kast en haalde er een meerbladig document uit met een lange lijst handtekeningen. 'Een actie van de lerarenvakbond tegen de plannen van de minister van Onderwijs om inspecteurs toe te laten in de leslokalen. Dat is toch bij de wilde spinnen af? Wat denkt die vrouw wel? We zijn allemaal gediplomeerd en bijgeschoold, anders gaven we geen les, zo is het toch? Waarom nog meer controles?'

'Een actie? Dat hoor ik voor het eerst.'

'Ze willen er druk achter zetten. Iedere onderwijskracht moet elk jaar door een inspecteur geobserveerd worden om te kijken of de manier van lesgeven deugt. De discussies daarover laaien hoog op. Wat zijn hun criteria? En wie sturen ze? Bureaupiefen die niet weten hoe het eraan toegaat in een school?' Fuhrmann legde het document neer en een pen ernaast. 'Ik zou dus je handtekening maar zetten als je niet wilt dat over een tijdje een of andere snuiter van de onderwijsinspectie opduikt, tussen je leerlingen gaat zitten en je later een cijfer geeft voor je manier van lesgeven. Het is nog maar een voorstel. We kunnen de kont dus nog tegen de krib gooien. Ervoor zorgen dat de baby zogezegd de wiegendood sterft.'

Simon nam de petitie vluchtig door. Hij schudde zijn hoofd. 'Sorry, maar ik vind dat een goed idee. Als ik minister van Onderwijs was, zou ik zoiets meteen invoeren.'

Fuhrmann keek hem verbijsterd aan. 'Ben je helemaal gek geworden? Steun jij dat gedoe ook nog?'

'Waar moeten we dan bang voor zijn? Als we lesgeven zoals het hoort, is er niks aan de hand. En met het huidige lerarentekort zullen ze zich wel twee keer bedenken voordat er consequenties worden verbonden aan hun conclusies,' zei Simon. 'Ze zullen heus niemand ontslaan.'

Dat was geen wonder. Het aanzien van het beroep van leraar was tot een treurig dieptepunt gedaald. Alleen degenen die het op hun werk niet meer uithielden, gingen het onderwijs in. Bijvoorbeeld iemand als Volker Fuhrmann. Hij zat de hele dag op zijn luie kont en als ambtenaar vond hij het wel prima zo. Zijn lijfspreuk was: 'Het kan mij geen donder schelen of ze wat leren, als ik maar elke maand mijn salaris krijg.' Telkens opnieuw hoorde Simon van leerlingen dat Fuhrmann er bepaalde ideeën op na hield over lesgeven. Kennelijk zat hij het liefst achter zijn bureau en hield hij monologen, zonder dat het hem interesseerde of iemand hem kon volgen of ook maar begreep waarover het ging. Daarentegen waren zijn proefwerken een makkie. Om die reden was hij toch in zekere mate populair, ondanks het feit dat je weinig van hem opstak.

'Oké,' zei Fuhrmann. Hij nam de pen en de lijst met handtekeningen terug. 'Goed, voor mijn part.' Zijn toon liet er geen misverstand over bestaan dat hij zich verschrikkelijk ergerde. Hij kookte van woede, alsof Simon hem beledigd had. 'Het getuigt van kortzichtigheid, Simon. Laat dat gezegd zijn. Kortzichtigheid ten top. Had ik niet van jou verwacht.'

'Jammer dat je me zo slecht kent,' antwoordde Simon onbewogen.

'Een zeer kortzichtige visie,' herhaalde Fuhrmann. Hij zwaaide met een vinger voor het gezicht van Simon. 'Inderdaad, er is nu een lerarentekort. Maar de demografische ontwikkeling staat niet stil. En dan? Op zeker moment komt de boel weer in evenwicht. Dan blijven die cijfers die ze ons geven niet langer zonder gevolgen. Dan kost het collega's hun baan. De heren van de inspectie zullen hun kortetermijnvisies op deze manier doorzetten en doen of ze er goed werk mee verrichten.'

'Dat zou best kunnen,' gaf Simon toe. 'Ik zou het ook anders doen dan zoals we het nu voorgeschoteld krijgen. In dat geval staat of valt alles met het oordeelsvermogen van de onderwijsinspecteurs. Ik vraag me af of ze werkelijk kunnen beoordelen welke manier van lesgeven deugt en wat niet door de beugel kan. In wezen kunnen alleen degenen die onderwijs genieten dat. De leerlingen dus.'

'Als het aan jou ligt, gaan de leerlingen ons een cijfer geven,' zei Fuhrmann. Hij snoof van woede en sloeg zijn kastdeur met een klap dicht. 'Geweldig. Zover komt het nog. Gelukkig ben jij de minister van Onderwijs niet en zul je dat ook nooit worden.'

Daar mag je blij om zijn, dacht Simon. Hij zei dat echter niet hardop.

Nu vond Simon toch dat het tijd werd om te gaan, want hij zag dat Fuhrmann boos mompelend aan een tafel ging zitten. Kennelijk wilde hij snel nog even enkele proefwerken corrigeren. Hij had inmiddels zo'n slecht humeur gekregen dat zijn leerlingen ditmaal niet hoefden te hopen op goede cijfers.

Simon pakte zijn tas, sloot zijn kast af, groette Fuhrmann zo afgemeten als maar kon en verliet de lerarenkamer. Had hij zich onbillijk opgesteld? Zijn collega's vonden hem een betweter, daar was hij zich van bewust. Maar hij was nu eenmaal van mening dat hij alles beter wist dan menigeen. Vermoedelijk een beroepsdeformatie. Of juist de reden om voor een carrière als leraar te kiezen?

Waarom zou iemand als Fuhrmann het onderwijs in gaan? Simon kon het met de beste wil van de wereld niet begrijpen. Waarschijnlijk had er voor Fuhrmann niets anders op gezeten. Een andere reden kon Simon niet bedenken. Het kon die man geen donder schelen of zijn leerlingen iets leerden. Met zijn houding straalde hij uit dat ze er voor hem waren in plaats van omgekeerd, zoals het hoorde. Hij had Fuhrmann bijvoorbeeld nog nooit horen zeggen dat een van zijn leerlingen iets bijzonders gepresteerd had. Hij sprak alleen over ze als hij zich ergerde of als ze op een andere manier zijn rust – het enige wat hij ambieerde – verstoorden.

Volgens Simon waren het juist lui als Fuhrmann die het beroep van leraar een slechte naam bezorgden.

Hij stoof door de hoofdingang naar buiten en hoorde dat de deur achter zijn rug met een klap in het slot viel. Op dit tijdstip lag de school er verstild bij. De meeste leerlingen waren al naar huis, behalve degenen die met een of ander project bezig waren. Achter sommige ramen was nog beweging te zien.

Het had geen zin om je te ergeren, dacht Simon. Hij kon toch niets meer veranderen. Over enkele jaren ging hij immers met pensioen. Dan zette hij een punt achter dit leven. Toch was het leuk om te weten dat veel van zijn leerlingen goed terecht waren gekomen. Tijdens reünies kreeg hij soms zelfs lovende woorden van ze. Daar hoefde Fuhrmann in elk geval niet op te rekenen...

'Meneer König?'

Een dikke jongeman stond voor hem. Zijn mobiele telefoon hield hij voor zich uit, alsof hij aan het filmen was.

Simon verstarde. 'Pardon?'

'Excuseert u mij,' zei de man. Hij liet zijn hand zakken. 'U bent toch meneer König?'

'Ja?'

'Iemand wil u dringend spreken.'

# Hoofdstuk 18

'Wie wil mij spreken? Waarom? Wat is er aan de hand?' Zijn vragen waren als pistoolschoten. En terwijl hij ze afvuurde, flitste het door hem heen dat deze wel erg heftige verdediging mogelijk achterdocht wekte. Maar dat had hij eerder moeten bedenken.

'Kom maar met mij mee,' stelde de jongeman voor. Hij was een jaar of twintig, en veel te gezet. Zijn dunne, leren jas puilde aan alle kanten hoekig uit, mogelijk door wapens die hij bij zich droeg. 'Ik breng u wel.'

'Waarheen?' Simon schudde zijn hoofd. 'Wie bent u trouwens? Waarom zou ik zomaar met u meegaan? Wie wil mij spreken?'

De man vertrok zijn gezicht. 'Dat kan ik u niet vertellen. Alleen dat het belangrijk is.'

Hij zag er zo vastbesloten uit dat vluchten onmogelijk leek. Alsof hij Simon tot zijn woning zou volgen, mocht hij besluiten zich gewoon om te draaien en verder te lopen. Misschien zou hij hem zelfs ontvoeren. Het idee alleen al! Simon realiseerde zich dat hij fysiek absoluut geen partij was voor die breedgeschouderde vent. Die man kon er in een oogwenk voor zorgen dat Simon alleen nog in staat was zich in een bepaalde richting te bewegen.

Hij kon beter een list verzinnen. Een geloofwaardige. Om daarna de benen te nemen.

'Is het belangrijk?' vroeg Simon. Hij gedroeg zich of hij inderdaad overwoog om met hem mee te gaan.

'Ja.' De man was kennelijk blij dat Simon zich plotseling zo coöperatief opstelde. 'Het is niet ver. Maar een paar honderd meter of zo. Het gesprek zal ook niet lang duren.'

Simon knikte. 'Oké. Dan gaan we maar... Ach!' zei hij plotseling terwijl hij in zijn jaszak voelde. 'Wacht even. Ik heb de sleutel van de kaartenkamer nog bij me. Die moet ik even aan de conciërge geven voordat hij gaat sluiten. Het duurt maar even, ik ben zo terug.'

Hij draaide zich om en haastte zich naar de hoofdingang. De list leek nog te werken ook. De man volgde hem niet en bleef afwachtend staan.

Natuurlijk was Simon niet van plan terug te keren. En hij had al evenmin een sleutel in zijn zak. Toen de deur achter hem in het slot viel, sloeg hij snel links af en hij daalde de trap af om een verdieping lager uitgang B te nemen, die uitkwam op het parkeerterrein. Hij zou dan een kleine omweg nemen naar huis.

Goeie genade, waar had Vincent hem in verwikkeld? Natuurlijk had dit met de brief en de cd te maken. Hoewel hij al ruim dertig jaar op deze school werkte, was hij hier nog nooit zo'n rare kerel tegengekomen. Nog wel in een lange SS-jas. Op dezelfde dag dat de brief van Vincent door de brievenbus was gevallen. Als dat toeval was, at hij zijn das op.

Toen hij de trap was afgedaald, liep hij haastig verder. Zijn voetstappen echoden tegen de betonnen muren. Zelden was de architectuur van dit gebouw zo indrukwekkend op hem overgekomen en deed die zo sterk denken aan een fabriek. Ja, zelfs aan een gevangenis.

Hij moest nu naar rechts. Links bevond zich de gymnastiekzaal. En een gang leidde naar de kluisjes, die er abominabel uitzagen en al heel lang een opknapbeurt nodig hadden.

De parkeerplaats lag er verlaten bij. Er stonden nog een stuk of drie auto's, voor zover Simon dat kon zien terwijl hij naar de deuren van donker glas en metaal rende.

Wat was er aan de hand met die cd? Stonden er documenten of andere gegevens op? Informatie die Vincent niet mocht hebben? Zaten gevaarlijke lui achter die gegevens aan? Zoiets moest het zijn.

Wat dacht Vincent wel om hem in deze ellende te verwikkelen? Toch was dat typisch voor de relatie die ze hadden. Sinds hij voor het eerst een brief van Vincent had gekregen, had hij er nooit echt bij stilgestaan wat datgene wat Vincent uitvoerde voor effect zou hebben op hem. Simon dacht dat alles wat hem nu overkwam zijn eigen schuld was. Hij had in moreel opzicht gefaald en was de verwekker van een kind dat zonder vader moest opgroeien. Het was waarachtig niet aan hem om zich te beklagen.

Het was tragisch dat ze elkaar nog nooit ontmoet hadden. Lila had hem wat foto's van Vincent opgestuurd, dat was alles. Op de laatste ervan was Vincent dertien of veertien. Daarna was ze verhuisd zonder haar nieuwe adres door te geven. Gedurende lange tijd was het contact verbroken. Als Simon zijn zoon op straat tegenkwam, zou hij hem niet herkennen.

Hij bleef abrupt staan. Zat dat erachter? Wie was die jonge vent die hem op het schoolplein had aangesproken? Had Vincent hem gestuurd?

Of – Simon hapte bijna naar adem – was hij misschien Vincent zelf tegen het lijf gelopen?

Onzin. Die gozer sprak vloeiend Duits met een accent dat aan Hessen deed denken. Vincent sprak alleen Engels.

Wat een gedoe! Simon wreef met een hand over zijn gezicht. Toen hij verder wilde lopen, zag hij dat op de parkeerplaats iemand stond die eveneens op hem leek te wachten.

De indiaan.

Ditmaal was hij niet verkleed. Hij zat strak in het pak en had een winterjas aan.

Goeie genade. Wat was hier aan de hand?

Simon liep terug de gang in en zocht de schaduw op. Dat had echter geen zin. Ze wachtten hem op.

Vincent! Simon zou hem de wind van voren geven zodra hij zich meldde.

En nu? Hij keek op zijn horloge. De kantoren van de schooldirectie waren nog niet gesloten. Misschien kon hij naar boven gaan en de secretaresse vragen om de politie te bellen. Maar dat was misschien een tikje overdreven.

Misschien ook niet. Ze zaten achter hem aan. Kennelijk waren ze niet met goede bedoelingen gekomen, anders zouden ze hem niet opwachten.

Ja, zo zou hij het doen. Simon draaide zich om en liep dezelfde weg terug als hij gekomen was.

Op de trap kwam hij een vrouw tegen. Waarschijnlijk een collega. Ze deed een stap opzij en zei: 'Meneer König?'

Simon bleef staan. Hij herkende haar niet, waarschijnlijk omdat het schemerig was in het trappenhuis. Of omdat er zo veel leerkrachten waren dat je überhaupt niet wist wie hier allemaal werkten. 'Ja?'

'Ik moet u de groeten doen van uw zoon Vincent.'

# Hoofdstuk 19

Simon deinsde achteruit. 'Pardon?'

Hij moest de benen nemen. Meteen. Ze achtervolgden hem nu in het gebouw.

Simon realiseerde zich dat hij een denkfout had gemaakt. Hij was ervan uitgegaan dat ze een collega was, omdat hij er in de loop der jaren aan gewend was geraakt te denken dat iedere volwassene die hij tijdens de lesuren tegenkwam sowieso een leerkracht moest zijn.

'Vincent Merrit,' zei de vrouw.

Nu pas zag Simon dat hij beslist geen leerkracht tegenover zich had. Ze had een piercing – voorzien van een glinsterend kristal – in elke wenkbrauw. Op school was het verboden om piercings te dragen. Een jaar geleden was die regel ingevoerd. Slepende discussies waren eraan voorafgegaan. Van de leerkrachten mocht je natuurlijk verwachten dat ze het goede voorbeeld gaven.

'Wie bent u?' vroeg Simon. Hij hield zijn aktetas steviger vast. De vrouw was een jaar of dertig, misschien wat ouder. Als ze hem aanviel, zou hij haar neerslaan met zijn tas. Of het althans proberen. Hij had er twee zware boeken in zitten. Het moest een verrassingsaanval worden.

Dat de gangen juist nu uitgestorven waren! Kwam er maar een collega aan. Zelfs Fuhrmann was welkom...

'Ik ben Sirona,' zei de vrouw. 'Uw zoon heeft mij gevraagd contact met u op te nemen. Vincent is op de vlucht en houdt zich schuil. Hij weet nog niet of het hem lukt naar Europa te gaan. Ook kan hij nog niet bij zijn geld. Toen hij ervandoor ging, realiseerde hij zich bovendien dat hij zijn paspoort had laten liggen. Het kan dus een tijdje duren voordat hij in Duitsland arriveert. In de tussentijd bekommer ik me om de zaak.'

Simon staarde haar aan. 'Welke zaak? Waar hebt u het over?'

'De cd die hij u heeft opgestuurd,' zei de vrouw.

Simon hield zijn adem in. Ho, wacht even. Nu moest hij oppassen wat hij zei. Vincent had geschreven dat hij de cd op een veilige plaats moest opbergen. Simon mocht er met niemand over praten. Zoals Vincent het in zijn brief geformuleerd had, realiseerde hij zich maar al te goed dat er mensen waren die deze cd koste wat het kost wilden hebben. Waarom zou hij de cd anders moeten verstoppen? Het was immers niet de bedoeling dat hij die gewoon in een la legde.

Hij keek de vrouw die zich Sirona noemde aandachtig aan. Wat een vreemde naam! Bij nader inzien zag ze er ook een beetje merkwaardig uit. Onwerkelijk bijna. Met zeer geprononceerde gelaatstrekken en lang, zwart haar. Door de kleren die ze aanhad, leek het of ze uit een fantasyfilm was gestapt: een strak ensemble van een gladde, glanzende stof. Leer? En gitzwart. Met daaroverheen een lang, golvend gewaad. Aan haar rechterpols droeg ze een eigenaardig sieraad in de vorm van een slang die om haar onderarm naar haar elleboog kronkelde.

Waar had die jongen hem in hemelsnaam bij betrokken? Het werd steeds merkwaardiger.

Als deze vrouw en haar handlangers die zich buiten ophielden – hoe moest je ze anders typeren? – dachten dat ze een ouwe zak als hij voor de gek konden houden, dan kwamen ze van een koude kermis thuis. Zo makkelijk zou hij het ze niet maken.

'Wat voor een cd?' vroeg hij.

'De cd die hij u heeft opgestuurd,' herhaalde ze.

Simon keek of hij absoluut van niets wist. Hij kon dat uitstekend. Lang geleden ingestudeerd. Als leraar moest je vaak zo kunnen kijken. Als bijvoorbeeld eindexamenkandidaten hem probeerden uit te horen over de onderwerpen of vragen waarmee hij hen tijdens de volgende toets zou bestoken.

'Het spijt me, maar ik vrees dat ik u niet kan volgen,' zei hij. 'Heeft mijn zoon mij een cd opgestuurd? Wat voor een cd?'

Ze haalde diep adem en glimlachte of ze het trucje doorhad. 'Oké.' Ze stak haar handen sussend omhoog. 'Ik heb er rekening mee gehouden dat u zo zou reageren. Vincent vertelde dat hij u in de begeleidende brief op het hart heeft gedrukt om er met niemand over te praten. Dat is prima, geen probleem. U speelt uw rol uitstekend. Gefeliciteerd. Maar weet u...' ze streek een haarstreng uit haar gezicht, '... nadat Vincent u die brief had geschreven, heeft hij er nog eens goed over nagedacht. Als je in de Verenigde Staten met de auto onderweg bent, leg je lange afstanden af en heb je tijd genoeg om na te denken, lijkt me. In elk geval heeft hij me gemaild, waarschijnlijk van achter een pc in een motel, zo heb ik het begrepen, en me gevraagd u te helpen. Hij schreef ook dat u mogelijk op deze manier zou reageren en dat u zou doen of u hoegenaamd niks van een cd af weet. Maar de brief heeft een zogenaamd trackingnummer waarmee je op internet die zending kunt volgen. Vincent heeft me dat nummer doorgestuurd en ik heb op internet, aan de hand van dat trackingnummer, bevestigd gekregen dat de brief vanmorgen om twee minuten over negen is bezorgd.'

Simon moest toegeven dat ze heel overtuigend overkwam. Je zou haar bijna geloven.

Hij zat echter lang genoeg in het onderwijs om te weten dat de meest leugenachtige mensen in staat waren om ter plekke zomaar opeens een absoluut geloofwaardig verhaal te verzinnen en het met een trouwhartige oogopslag te vertellen. In die val mocht je niet trappen. Bij twijfel diende je sceptisch te blijven en pas iets voor waar aan te nemen als er keiharde bewijzen op tafel lagen.

In dit geval was het moeilijk om stand te houden. Het verhaal klopte namelijk. Hij herinnerde zich dat op de envelop een etiket met een streepjescode zat. Hij had daar verder geen aandacht aan geschonken. Tegenwoordig was alles voorzien van die code. Hij had wel eens pakketjes ontvangen met wel vijf verschillende barcodes. Hij vroeg zich dan altijd af of degenen die er belang bij hadden die stickers uit elkaar konden houden. Was er nog wel iemand die begreep waar dat gedoe überhaupt goed voor was?

In elk geval had hij de envelop zorgvuldig vernietigd, met inbegrip van de stickers. Alle sporen waren gewist. En wat daarover op internet stond – nou ja, dat was niet zijn probleem.

Glimlachend haalde hij zijn schouders op. 'Het spijt me. Ik heb geen verstand van internet.'

'Hebt u vandaag al in uw brievenbus gekeken?'

'Dat gaat u niet aan. Maar ik wil u wel behulpzaam zijn: ja, ik heb mijn post gekregen.'

'Onmogelijk. De brief moet er zijn.'

'Het spijt me.'

Hij moest er stiekem om lachen. Zij dacht nog steeds dat ze hem kon overhalen. Zoals die vertegenwoordigers van stofzuigers. Af en toe belden ze bij hem aan. Ook zij dachten Simon te kunnen overhalen als ze maar lang genoeg op hem inpraatten. Dat gold vroeger ook voor bepaalde religieuze stromingen die 'zendelingen' op pad stuurden. Inmiddels gingen ze zijn deur voorbij.

Simon was gepokt en gemazeld in de omgang met tieners die van geen ophouden wisten. Hij had geleerd verwende snotapen de wacht aan te zeggen. Kinderen die schreeuwden, dreigden en soms zelfs buiten zichzelf raakten als ze hun zin niet kregen. Net als hun ouders. Die krijsten en dreigden ook vaak.

Wat ze ook probeerde, hij zou haar met een strak gezicht blijven aankijken en niet wijken. Als het moest urenlang, ongeacht hoe ze op hem inpraatte.

Ze dacht even na. 'Die brief moet vandaag besteld zijn. Anders is er iets misgegaan en krijgt u de zending nog,' zei ze, waarna ze een visitekaartje uit haar zak haalde. 'Hier hebt u mijn mobiele nummer. U kunt me altijd bereiken. Bel me als u de cd gekregen hebt. Het is belangrijk. Ik...'

Ze stokte en keek vluchtig over haar schouder. Alsof ze zich nu pas realiseerde dat ze in het trappenhuis stonden en dat iedereen kon meeluisteren zonder dat zij zich daarvan bewust was.

'Ik heb het trackingnummer achter op het kaartje genoteerd,' voegde ze er zachtjes aan toe. 'Controleer het. Dan weet u dat Vincent mij inderdaad gestuurd heeft.'

Simon was nogal teleurgesteld dat ze het zo snel opgaf. Misschien kwam hij onbuigzamer over dan hij dacht. Hij pakte het kaartje. Een zelf gefabriceerd ding dat je op het station uit de automaat haalde. Daar leek het althans op. Met slechts haar naam – Sirona – en eronder haar mobiele nummer.

Op de achterkant was een nummer met twintig cijfers genoteerd.

Leuk geprobeerd. Alleen kon hij natuurlijk niet meer controleren of de cijferreeks klopte. Dat had Vincent bijvoorbeeld moeten beseffen. Hij was immers degene geweest die hem had opgedragen om alles behalve de cd zorgvuldig te vernietigen: de brief, de envelop en zelfs de hoes waarin de cd zat.

Als haar verhaal klopte, werd tevens pijnlijk duidelijk dat Vincent niet goed over deze zaak had nagedacht.

Misschien had hij dat ook niet. Simon kende zijn zoon amper. Toch kreeg hij beslist de indruk dat hij vaak overhaast handelde.

'Belt u me?' vroeg ze.

'Dat weet ik nog niet,' antwoordde Simon.

Wat zou ze doen als hij haar niet belde? Natuurlijk zou hij haar visitekaartje bewaren. Misschien kon hij Vincent binnenkort zelf vragen wat dit te betekenen had.

'Het is héél belangrijk,' zei ze.

'Dat geloof ik graag, zoals u de dingen ziet.'

Er kroop een schaduw over haar gezicht. Zijn reactie stond haar duidelijk niet aan.

Prima, dacht Simon.

Hij schoof het visitekaartje in de borstzak van zijn overhemd. 'Ik zal het in elk geval bewaren,' zei hij. 'Daarna zien we wel verder. Nog iets?'

De jonge vrouw keek hem indringend aan. Kennelijk wist ze niet wat ze met hem aan moest. 'Oké,' zei ze uiteindelijk. 'Ik wacht op uw telefoontje. Tot dan.'

Ze liep weg. Lopen was echter niet het juiste woord, dacht Simon terwijl hij haar nakeek. Met haar krachtige, verende tred leek het of ze de traptreden niet raakte, alsof ze zweefde.

Alsof ze niet helemaal van deze wereld was.

Zo kwam het bijna op hem over toen ze de deur met een klap achter zich dichttrok en het galmende geluid wegstierf. Alsof hij gedroomd had. Onwillekeurig greep hij naar het kaartje in zijn borstzak. Sirona. Inderdaad. Ze was dus geen verschijning geweest.

Langzaam liep hij terug naar de parkeerplaats. De indiaan in het pak was in elk geval verdwenen.

Wat moest hij nu doen? Naar huis gaan? Of toch de politie bellen?

Simon aarzelde. Wat moest hij de politie dan vertellen? Dat drie jongeren hem hadden opgewacht en dat een vrouw hem een visitekaartje had gegeven? Dat klonk zelfs hem raar in de oren. Over die cd wilde hij al helemaal niks kwijt. Ze zouden dan denken dat hij geestelijk aan het aftakelen was. Dat ging dan echt te ver.

Stop! Wat een onzin! Hij zou nu naar huis gaan en er een punt achter zetten. Basta!

Hij hield zijn aktetas stevig vast en liep met grote passen verder. Niemand hield hem tegen of sprak hem aan. Soms keek hij onopvallend even om. Niemand volgde hem. Dat dacht hij althans. Waarom zouden ze hem ook volgen? Ze wisten hoe hij heette, dus hoefden ze maar in het telefoonboek te kijken om erachter te komen waar hij woonde. Makkelijk zat. Er stond zelfs bij wat hij voor de kost deed. Docent aan het gymnasium.

De vraag was meer wat hem te doen stond als hij eenmaal thuis was. Het liefst zou hij Vincent bellen. In de brief stond echter dat hij dat uit zijn hoofd moest laten. Maar gold dat ook als hij bezoek kreeg van degenen die de cd kennelijk wilden hebben?

Daar stond tegenover dat het best zo kon zijn dat het verhaal van Sirona klopte. Misschien had Vincent haar inderdaad gestuurd. In dat geval was hij hopelijk zo slim om hem nog een brief te schrijven, waarin hij de huidige situatie uit de doeken deed. Dat was alleen maar logisch. En als computer-programmeur was hij het ongetwijfeld gewend om logisch na te denken. Simon wilde deze brief afwachten voordat hij verdere stappen ondernam.

Van dit besluit, hoe weldadig en doordacht ook, was niets meer over toen hij bij zijn voordeur arriveerde. Niks doen was immers erg weinig.

Toen hij de sleutelbos uit zijn zak haalde, en de ouderwetse matglazen deur opende, dacht hij dat het misschien beter was om eens te kijken wat er op die cd stond. Maar hij had geen pc. Misschien kon hij van iemand een computer lenen. Dat hij er geen had, wilde niet zeggen dat hij er niet mee kon omgaan. Op de computer in de docentenkamer had hij wel eens de tekstverwerker gebruikt. En in zijn kast lagen een paar diskettes met zijn opgeslagen teksten.

Er was echter iets anders wat men hem had moeten vertellen. Diskettes waren niet gangbaar meer. Als de huidige pc de geest gaf, zou de school er waarschijnlijk een krijgen die geen diskettedrive meer had. Maar daar zag hij op dat moment het belang niet van in. In feite was een cd ook een dis-kette, alleen konden er meer gegevens op. Hij zou dat op eigen houtje heus wel voor elkaar krijgen.

Hij liep de trap op en vroeg zich af wie van zijn vrienden en kennissen een laptop had. Wie wilde hem die computer voor een dag of twee lenen? Bernd? Zei hij laatst niet dat zijn vrouw een laptop had gekocht?

Opeens herinnerde hij het zich. Bernd klaagde dat ze die computer vrij-wel niet gebruikte en dat het weggegooid geld was. Hij zou die pc onge-twijfeld een tijdje mogen lenen.

Simon deed de voordeur open en veegde zijn voeten. Misschien was het beter om Bernd meteen te bellen. Mogelijk kon hij die computer van-avond nog ophalen.

Plotseling hield hij zijn pas in. Deze dag leek wel een rariteitenkabinet. Ditmaal zag hij een lilliputter, een dwerg van amper een meter groot en keurig in krijtstreepkostuum. Hij stond in de gang en hield een revolver op hem gericht.

'Goedenavond, meneer König,' zei de kleine man. 'Kom rustig binnen. Doe of u thuis bent.'

# Hoofdstuk 20

Simon dacht dat zijn hart een slag oversloeg. Misschien wel twee. Het zou zelfs kunnen dat hij een hartstilstand had.

Hij kreeg een droge mond. Dat merkte hij pas toen hij onwillekeurig moest slikken. Een revolver! Vuurwapens kende hij alleen van tv, lang geleden, toen hij nog tijd verspilde aan dat soort programma's. Opeens besefte hij, heel merkwaardig, dat het denkvermogen je op een verkeerd spoor kon zetten: datgene wat je alleen op tv zag, bestond in werkelijkheid niet. Misschien was dat de reden waarom mensen zo graag naar moord en doodslag keken op tv en in de bioscoop, dacht hij prompt. Omdat ze dan op paradoxale wijze afstand konden nemen van die afschuwelijke dingen, alsof hun dat dan nooit kon overkomen.

Een verkeerde gevolgtrekking, realiseerde hij zich.

Langzaam stak hij zijn handen omhoog. Zomaar. Ook dat had hij alleen op tv gezien. Vincent, schoot het door hem heen. Vincent! Wat flik je me nou? Is dit jouw wraak?

'Tjeses, dit is *Tatort* niet,' zei de dwerg. 'Kom binnen en doe de deur dicht.'

Simon liet zijn handen zakken en deed wat er van hem gevraagd werd. Maar als hij de deur dichtdeed, zou hij met de rug naar die lilliputter staan. Onwillekeurig spande hij zijn spieren, hoewel hij wist dat dat geen zin had.

'Mag ik mijn tas neerzetten?' vroeg hij toen hij het avontuur met de deur overleefd had.

'Natuurlijk,' zei de dwerg. 'Maar wel langzaam.'

Bij de woonkamerdeur zag Simon een schaduwachtige beweging. 'Mijn vriend zei niet zomaar dat u moet doen of u thuis bent,' hoorde hij iemand anders zeggen.

Een verschrikkelijk magere man met dun, strak achterovergekamd haar – het leek of er brillantine in zat – stond opeens in de deuropening. Hij zat iets keuriger in het pak dan de lilliputter. Het stond hem echter evenmin. Door zijn smalle snorretje zag hij eruit als Rhett Butler die aan tuberculose leed, maar dan een stuk ouder.

De man maakte een buiging. 'Meneer König? Het spijt me dat we zo onbeleefd waren om ons toegang te verschaffen tot uw woning. Maar ik vrees dat we gedwongen waren door de omstandigheden. Ik heb reden om aan te nemen dat u iets in uw bezit hebt wat van mij is. Ik kom het persoonlijk halen, ik heb helaas geen andere keus.'

De cd, dacht Simon. Natuurlijk, wat anders?

'Ik heb geen idee waar u het over hebt.' Hij was vastbesloten geen duimbreed toe te geven.

'Daar geloof ik geen snars van,' zei de man, die eruitzag alsof hij uit een rariteitenvoorstelling was gestapt. 'Het gaat om een cd. Uw zoon heeft die vanuit Florida naar u opgestuurd. De opgeslagen gegevens zijn van mij. Ik heb ze dringend nodig. Tijd is geld, zoals u begrijpt. Zeker in mijn business. U kunt zich dan ook beslist voorstellen dat in mijn situatie zelfs de geringste vertraging in de geplande afloop zéér storend is.'

'Een cd?' zei Simon. Hij bleef kijken – met zijn zo typische, ingestudeerde trek op het gezicht – alsof hij werkelijk geen flauwe notie had. Tegenover eindexamenkandidaten die zich vertwijfeld realiseerden dat ze te vaak naar feestjes waren gegaan en te weinig achter de boeken hadden gezeten, was dat echter makkelijker dan als je oog in oog stond met iemand die een revolver op je richtte.

Het hield dan ook niet over. 'Het spijt me, al mijn cd's liggen in de woonkamer op het schap boven de audioset. Er is geen cd van u bij. U mag gerust kijken.'

Hou je van de domme, dacht Simon. Dat werkt altijd.

De magere man glimlachte flauwtjes. 'Ik neem aan dat uw zoon u ook op het hart heeft gedrukt om die cd goed te verstoppen en er met niemand over te praten. Ik zou dat in elk geval gedaan hebben. Een cd is nu eenmaal heel makkelijk te verbergen. Zo is het toch? Een dun schijfje van kunststof kun je overal wegstoppen.'

Simon haalde zijn schouders op. 'Ik weet van niks, zoals ik al zei. Ik heb trouwens zeer weinig contact met mijn zoon. Dit jaar heb ik niet eens een kerstkaart van hem ontvangen.'

'Wat treurig. Ik voel met u mee. Wat is er door de jaren heen van de heilige familieband geworden, hè?' De broodmagere man deed een paar stappen naar voren. De dwerg hield de revolver op Simon gericht. 'Toevallig weet ik heel zeker dat u een brief van uw zoon hebt gekregen, los van dat kaartje met kerst, en dat in de envelop ook een cd zat. Bovendien ben ik vastbesloten om niet zonder die cd weg te gaan.'

Vluchtig dacht Simon aan de plaats waar hij de cd verstopt had, en hoe lang het duurde voordat ze die vonden als ze alles afzochten. De twee mannen zouden de hele boel ondersteboven moeten halen, zijn meer dan twintigduizend boeken doorzoeken, in alle hoeken, gaten en spleten van zijn meubilair kijken en zelfs alle laden grondig inspecteren of de cd misschien eronder, erachter of erin was geplakt. Monnikenwerk. Dan had je aan één avond niet genoeg, zelfs niet als je de hele nacht doorging. Bovendien moesten ze er in het laatste geval rekening mee houden dat de bewoners van dit pand argwaan kregen als hier tot in het holst van de nacht het licht aan was, meubels werden verschoven en anderszins kabaal werd gemaakt.

Als hij de volgende ochtend niet op school verscheen, ging men zich ongetwijfeld zorgen maken, omdat hij nog nooit verstek had laten gaan. Bij ziekte meldde hij zich altijd telefonisch af. Ze zouden hem dan bellen. Als hij niet opnam, belden ze aan. De kans was klein dat die twee figuren hier ongestoord lang konden zoeken.

'Tja.' Hij haalde zijn schouders op. 'Dat zal moeilijk worden, vrees ik.'

Tot verbazing van Simon glimlachte de magere man en zei: 'Dat zal best meevallen, daar ben ik vast van overtuigd.' Hij stak een hand in zijn jaszak. Simon haalde diep adem omdat hij zich afvroeg wat die kerel dadelijk in zijn hand hield. Een vuurwapen? Een mes? Een martelwerktuig?

Het bleek een inktzwarte lap te zijn. Net een brede stropdas.

Wilde hij hem wurgen tot hij zei waar hij de cd verstopt had?

'Nee,' zei de magere man. Om zijn bovenlip speelde een spottend glimlachje waardoor het flinterdunne snorretje rare vormen aannam. 'Ik ben heus niet van plan u hiermee te wurgen. Dit is een blinddoek.' Hij hield de lap omhoog. 'Nu vraagt u zich natuurlijk af of ik gedachten kan lezen. Ja, dat kan ik,' voegde hij er zo serieus aan toe dat Simon er de rillingen van kreeg. 'Daarom weet ik zeker dat we u niet lang zullen ophouden.'

Simon keek sceptisch naar de man, die de blinddoek telkens tussen zijn handen liet glijden, alsof hij de lap glad wilde strijken. Gedachten lezen? Onzin. Zoiets als varkens die konden vliegen. Of leerlingen van de middelbare school die onderricht belangrijker vonden dan seks.

'U gelooft mij niet,' zei de broodmagere man. Begripvol schudde hij zijn hoofd. 'Dat neem ik u niet kwalijk. Ik zou in uw geval ook sceptisch zijn. Maar u zult zien dat ik gelijk heb. Ik kan niet in uw hoofd kijken en uw gedachten lezen zoals je een boek doorneemt. Nee, u moet zich dat anders voorstellen. Ook hoor ik uw gedachten niet, zoals je bijvoorbeeld een gesprek in de metro meekrijgt. Het ligt allemaal wat ingewikkelder. In elk geval moet ik me concentreren. Vandaar deze blinddoek, die ik mezelf omdoe.' Hij maakte een uitnodigend gebaar. 'Komt u maar. Ik doe u niks. En mijn assistent zal ervoor zorgen dat u mij niks doet. Gaat u hier maar staan.' Hij wees naar de vloer, ongeveer een meter van hem vandaan.

Wat was die vent in hemelsnaam van plan? Wat een eigenaardige overval. Zoiets had Simon nog nooit gehoord. Dat uitgerekend hem dat moest overkomen. Dat was wel het laatste waar hij op zat te wachten.

Simon zuchtte en volgde de aanwijzingen op. Toen hij voor de magere man stond, rook hij diens aftershave. Ook daar zat hij niet op te wachten. Een geur die hij meer associeerde met de demi-monde en dubieuze zakenlui dan met stijl en voornaamheid.

De man blinddoekte zichzelf met de tweemaal in de lengte gevouwen zwarte lap en knoopte die achter zijn hoofd vast. Hij schikte de blinddoek tot die goed zat, waarna hij een tijdje roerloos bleef staan, alsof hij zich intens concentreerde.

Simon durfde zich niet te bewegen. Hij staarde naar de man die in zijn huis een voorstelling gaf die nauwelijks te bevatten was. Wat was hier de bedoeling van? Dat had hij zich al eerder afgevraagd, maar het antwoord bleef uit.

'Zo,' zei de geblinddoekte man plotseling. 'Draai u nu met de rug naar mij toe zodat ik een hand op uw schouder bij uw nek kan leggen. Ik weet dat dat raar klinkt, maar alleen zo krijg ik contact met uw geest.'

'Schiet op,' morde de lilliputter, die uiterst verveeld toekeek. Waarschijnlijk had hij dit al ontelbare keren meegemaakt.

Simon had geen andere keus. Hij draaide zich om en huiverde toen hij een koude, spinachtige hand in zijn nek voelde.

'Denk nu aan de plaats waar u de cd verstopt hebt,' zei de man.

Had je gedacht. Simon deed zijn best om aan iets anders te denken. Niet omdat hij vermoedde dat die vent gedachten kon lezen, maar... nou ja, je kon nooit weten. Voor de zekerheid visualiseerde hij dus niet de envelop met de cd, die hij aan de achterkant van een la had vastgeplakt.

Hij haalde diep adem en dacht aan... Tja, waar dacht je zoal aan als je een lege, onbeschreven cd uit je denkwereld wilde bannen, als je je niet wilde herinneren hoe je de cd uit de hoes had gehaald, in een envelop deed en er piekerend mee door het huis liep omdat geen enkel plekje geschikt leek.

Hij kon natuurlijk aan school denken. Aan het volgende proefwerk voor de zevende klas. Aan de opgaven waarmee hij ze zou vermoeien. Nee, dat lukte niet, want vaag dacht hij ook aan het plakband waarmee hij de cd op het donkere hout had bevestigd. Was seks een goed alternatief? Het nadeel was echter dat hij dan aan Helene moest denken en dat wilde hij liever vermijden.

'Wat bent u toch chaotisch,' hoorde hij de man achter zijn rug mompelen. 'Te veel gedachten... te veel gevoelens. Volgens mij denkt u aan uw ex.'

Simon slikte. Goeie genade, hoe was dat mogelijk? Hoe kon die man überhaupt weten dat hij getrouwd was? In de woning lag of stond niets wat daarop duidde. Hij had niet eens een tweepersoonsbed, al jaren niet meer.

'Ik wil u nu vragen om samen met mij door het huis te lopen,' zei de man. 'Volg mijn aanwijzingen op. Loop langzaam, stap voor stap, zodat ik u makkelijk kan volgen. We gaan eerst naar de huiskamer.'

In de huiskamer? Simon gniffelde opgelucht. Gedachten lezen was gewoon onzin. De woonkamer? Prima. Die vent kon daar zoeken tot hij een ons woog en sterretjes zag achter zijn inktzwarte blinddoek.

Langzaam liep Simon naar de huiskamer.

'Stop!' zei de man. 'De cd ligt ergens anders.' Hij dacht na. Er viel een tastbare stilte. Simon probeerde te slikken, maar zijn keel was kurkdroog. Wat was dat voor iemand? Goeie genade, kon hij echt gedachten lezen? Dat was toch flauwekul? Dat hoorde toch thuis in het rijtje van legenden, sprookjes en de media die de mensen wat op de mouw speldden? Niemand kon gedachten lezen.

'We lopen nu naar de slaapkamer.'

Bingo. Simon kreeg er heel even knikkende knieën van. Ongelofelijk. Hoe deed die man dat? Alsof er ijskoude, slijmerige tentakels met voelhoorns in zijn hoofd zaten. Alsof er aan de magere vingers van die kerel onzichtbare verlengstukken zaten die zich door zijn schedel boorden, zijn hersenschors aftastten en in het boek van zijn herinneringen bladerden, alsof ze rondneusden in de oude, stoffige kaartenbak van zijn geheugen.

'Naar de slaapkamer graag,' herhaalde de griezel. Simon had geen andere keus. Gehoorzaam zette hij kleine stapjes. Gelukkig had hij een grote slaapkamer. Je kon er overal wat verbergen. Misschien was dit slechts toeval en had het niets te betekenen.

Hij deed de deur open en liep naar binnen. Wat een schande dat hij twee wildvreemde mensen door zijn slaapkamer moest leiden! Nota bene inbrekers! Gelukkig had hij de gewoonte om meteen nadat hij was opgestaan het bed op te maken. Zijn pyjama hing keurig over de stoelleuning. Maar toch. Wat een gênant gedoe! Hij moest zich inprenten hoe ze eruitzagen, zich herinneren hoe ze spraken. Als hij straks aangifte deed en er een daderprofiel gemaakt werd, zou hij zeker veel profijt hebben van een nauwkeurige beschrijving.

'Beschrijf wat u ziet,' zei de man achter zijn rug dwingend.

Had hij het woord 'beschrijving' opgevangen in zijn gedachten? Het begon steeds enger te worden.

'Daar staat het bed,' zei Simon. 'Ernaast het nachtkastje. Een ladekast. De kledingkast. Een vloerkleed, hanglamp, een stoel en...'

'De kledingkast,' viel de man hem in de rede. Kennelijk kon hij toch gedachten lezen. Griezelig trefzeker zelfs. 'Loop naar de kledingkast.'

Hoe kon hij dat weten? Simon werd er radeloos van terwijl hij met aarzelende stapjes naar de oude, donkerbruine kledingkast liep. Een geval uit de jaren tachtig. In wezen niet zijn smaak. Een afgrijselijk ding. Eigenlijk had hij al heel lang een andere willen aanschaffen. Hoe wist die vent dat hij de cd in de kledingkast had verstopt? Toen Simon op zoek was gegaan naar een bergplaats had hij zijn boeken als een serieuze eerste optie beschouwd. In de huiskamer, de gang en in de eetkamer – overal stonden zijn boeken. Rij aan rij en onder elkaar. Aanvankelijk wilde hij de cd aan de binnenkant van de kaft van een van de talloze geschiedenisboeken plakken.

Hij had *De Duitse geschiedenis van de 19de en 20ste eeuw* van Golo Mann al in zijn hand gehad. Een gebonden, speciale uitgave. Een dik boekwerk. Maar opeens schoot hem te binnen dat een inbreker die hier om welke reden dan ook de cd van Vincent zocht, misschien op hetzelfde idee kwam. Het lag zo voor de hand om een cd in een boek te verstoppen. Dat was een goede reden om het juist niet te doen.

Nu stond hij voor het meubel waarvan hij dacht dat niemand vermoedde dat daar een cd aan het oog was onttrokken.

'Open de kastdeuren een voor een,' zei de man dwingend.

De dwerg maakte een beweging met zijn revolver. Zeer motiverend. Simon opende de eerste kastdeur. Deze schappen vormden destijds het territorium van Helene. Ze bewaarde er van alles wat ze niet meer gebruikte, maar waarvan ze ook nog geen afscheid kon nemen, zoals een oude broodrooster, kerstversiering, twee hoeden...

'De volgende kastdeur.'

Ook dit kastgedeelte was lang geleden van Helene geweest. Hier hingen haar kleren, die ze en masse kocht, zelf naaide, verstelde en met evenveel gemak weer wegdeed als ze uit de mode waren. Nu hingen er zijn jassen en een overall die hij aandeed als hij in de kelder een klusje moest doen. Erachter stonden drie paraplu's.

'De volgende.'

Verdomme! Simon opende de kastdeur, bleef stokstijf staan en keek strak voor zich uit. Met zijn blik mocht hij niets verraden. In dit kastgedeelte borg hij zijn schoenen op. En zijn sokken, stropdassen en ondergoed. Niet erg netjes opgestapeld. Maar dat kon die vent niet zien, want hij was geblinddoekt.

'De volgende.'

Aha! Het kastgedeelte ernaast. Tevreden deed Simon de kastdeur dicht en trok de volgende open. Zijn overhemden, pakken, colberts en broeken. Alsjeblieft, geen probleem. Ja, alles zelf gestreken, als iemand daar belang in stelde. Niet omdat hij geen geld had om de hele boel naar de stomerij te brengen, maar omdat de stomerij niet altijd even voorzichtig was met zijn kleren. En dat vond hij zonde van zijn overhemden en ander goed.

'Nee,' klonk het achter zijn rug, tot grote ontsteltenis van Simon. 'Doe de vorige kastdeur weer open.'

Dat kon toch niet waar zijn! Die kerel kon echt gedachten lezen! Simon maande zichzelf tot kalmte en probeerde aan de stomerij te blijven denken. Twee keer hadden ze hem de nieuwprijs betaald van overhemden die ze in hun ijver versjteerd hadden. Daarna besloot hij zijn kleren zelf te strijken. Niet dat hij dat graag deed, maar nieuwe kleren kopen vond hij nog erger. Sterker nog, hij haatte winkelen...

'Vertel me wat u ziet.'

Simon haalde diep adem. 'Twee schappen. Een met onderhemden, het andere met onderbroeken. Een la vol sokken. Twee rekken met schoenen...'

'Raak het schap aan waar de onderhemden liggen.'

Tjeses! Nou ja, als hij dat zo graag wilde. Simon stak zijn hand uit en raakte het bovenste schap aan. En nu?

'Raak het schap aan waar de onderbroeken liggen.'

Goeie genade, hij kwam in de buurt. De cd was aan de achterkant van de la geplakt waarin hij zijn sokken be–

Nee. Niet aan denken. Simon raakte met zijn vingertoppen het onderste schap aan. Het donkere fineer was op een plaats een beetje beschadigd. Een lichte plek in de vorm van een... ja, wat eigenlijk...

'De la. Raak de la aan.'

Kalm blijven. Laat niks merken. Denk aan wat anders. Aan seks. Aan Helene. Hij raakte de la aan. Nu pas kwam hij op het idee om aan een andere plek te denken. De woonkamer. Zeker weten. Concentreer je. De cd was verstopt in *Politeia* van Plato...

'Trek de la uit.'

Shit. In hemelsnaam, hier lag geen cd, alleen maar sokken. Zwarte sokken, zodat hij niet lang naar een passend paar hoefde te zoeken. Inderdaad, alles lag door elkaar, maar een cd vond je hier zeker niet. Daarvoor moest je in de woonkamer zijn. Op de binnenkaft geplakt van Plato's *Politeia*. Een fraaie Klinghardt-uitgave uit 1909, gedeeltelijk uitgevoerd in leer... vastgeplakt met vier kleefstroken...

'Schuif de la maar weer dicht.'

Aha! Het was gelukt. Kon die kerel gedachten lezen? Daar leek het op. Simon had hem echter op het verkeerde been gezet door te visualiseren dat de cd op een heel andere plek lag.

De magere man liet hem los. Simon draaide zich om en zag dat hij de blinddoek afnam. Om diens lippen speelde een flauw maar afschrikwekkend zelfverzekerd glimlachje.

Zwijgend schoof hij de sokkenlade uit de kleerkast, gooide de sokken op de grond en draaide de la om. Toen zag hij natuurlijk dat de envelop op de achterkant ervan was vastgeplakt. Nog steeds zonder een woord te zeggen maakte hij de envelop los, haalde de cd eruit en keek er aandachtig naar. 'Hm,' zei hij. 'Interessant.' Met een ondoorgrondelijke blik staarde hij Simon aan. 'Een ogenblikje.'

Hij verliet de slaapkamer. De lilliputter ging voor Simon staan en hield hem met zijn revolver onder schot, alsof de geringste aanleiding voldoende was om hem van kant te maken.

Simon luisterde aandachtig. Hij hoorde iets. Alsof een computer opstartte. Klaarblijkelijk hadden ze een laptop meegenomen om te controleren of ze de juiste cd hadden gevonden. Kennelijk verliep deze controle tot tevredenheid van de gedachtelezer, want hij kwam een ogenblik later terug en zei: 'Ik heb u beloofd dat ik u niet lang zal ophouden. Dat was nog geen halfuur geleden. Ik denk dat ik woord heb gehouden, hè?' Hij knikte zijn kleine maat toe, die vervolgens zijn vuurwapen opborg. 'Nog een prettige avond. O ja, voor ik het vergeet...' voegde hij eraan toe terwijl hij zich al omdraaide om te gaan, '... de politie kunt u maar beter niets vertellen, oké?'

En weg waren ze.

# Hoofdstuk 21

Plotseling werd het stil. Oorverdovend stil. Simon stond midden in de slaapkamer en kon zich van schrik niet bewegen. Hij was overvallen! Er waren wis en waarachtig twee mannen zijn huis binnengedrongen. Een van hen hield een vuurwapen op hem gericht. En de andere man...

Hij durfde er niet meer aan denken. Dit kon hij aan niemand vertellen; niemand zou hem geloven. Wat een schande! Wat een vernedering! Hij was gedwongen zijn slaapkamer binnen te lopen en zijn kleerkast te openen voor vijandig gezinde lieden die hun gretige blik over zijn spullen lieten glijden. Schandelijk! Simon kreeg er maagpijn van, zijn knieën knikten en een wirwar van gevoelens maakte zich van hem meester. Boosheid voerde echter de boventoon.

Simon vond dat hij maar beter even kon gaan zitten. Hij nam plaats op de slaapkamerstoel. Meteen stond hij bevend op. Zijn lichaam schokte bijna. Nee, hij kon nu niet gaan zitten. Dat was gewoon onmogelijk. Hij moest rondlopen. Het liefst zou hij die kerels grijpen en iemand opdragen om ze morsdood te slaan, verdomme!

Hij ijsbeerde door de gang en de woonkamer, schoof de gordijnen terug en keek door de wijk, die er zo keurig bij lag. Alsof hier nooit iets ergs gebeurde. Een kleinburgerlijk paradijs, precies zoals de planologen het bedoeld hadden. Maar hier vond van alles plaats wat niet door de beugel kon. Hij wist dat van de ouders van zijn leerlingen, en van zijn collega's die politieagenten spraken als er weer iets in of om school was voorgevallen. Regelmatig kwam de ziekenwagen voorbij; blauw licht dat stroboscopisch snel over de gevels en daken flitste. Huiselijk geweld, kindermishandeling, verkrachting, alcoholmisbruik, zelfmoord.

Je voelde je echter niet beter als je wist wat er om je heen gebeurde. Hij schoof de gordijnen dicht en begon weer op en neer door de kamer te lopen. Hij haalde een boek van het schap, zette het vervolgens terug, verschoof een bloemenvaas, schikte een stapel papieren, waste zijn handen, kamde zijn haren en wist niet wat hij met zichzelf aan moest. Het liefst had hij iets tegen de muur gesmeten. Hij balde zijn vuisten. Nee, zover zou hij het niet laten komen. Maar zoals hij zich nu voelde, bestond het gevaar dat hij halsbrekende toeren uithaalde.

Hij loerde naar de telefoon. Moest hij nu iemand bellen? De politie? Iemand anders? Nee. Want hij schaamde zich. Ja, hij schaamde zich omdat er misbruik van hem was gemaakt en hij niet méér weerstand had geboden.

Hoe had die kerel dat überhaupt voor elkaar gekregen? Hij had geweten wat Simon dacht, in elk geval had hij iets gevoeld. Dat was misschien wel het ergste van alles. Ze waren niet alleen zijn woning binnengedrongen en hadden zich toegang verschaft tot wat men de privésfeer noemde, ze hadden ook bezit genomen van zijn geest, zijn gedachtewereld, het meest intieme domein van de mens!

Als die vent gedachten kon lezen, was hij misschien nog meer te weten gekomen. Simon hield zijn pas in bij de la waarin hij zijn bankpapieren bewaarde. Moest hij nu zijn creditcards laten blokkeren? Voor het geval dat? Hij trok de la open. Alles lag er nog in. Hield dat in dat blokkeren onnodig was? Goeie genade, hij wist niet meer waar hij aan toe was.

Hij liep terug naar de telefoon en legde een hand op de hoorn. Prompt trok hij zijn hand terug, alsof de telefoon gloeiend heet was. Dat was natuurlijk niet zo. De reactie symboliseerde alleen dat hij beslist niemand kon vertellen wat hij had meegemaakt. Dit was een geheim dat hij mee zou nemen in zijn graf. Een smerig, walgelijk geheim tussen hem en die man met dat Rhett Butler-snorretje.

Wat een rotzak! Toen hij tijdens zijn rusteloze wandeling door het huis zijn sofa passeerde, kreeg hij plotseling een onbedwingbare neiging om het kussen te pakken en het zo hard hij kon door de kamer te smijten. Het ging gepaard met een onmenselijk harde, indringende schreeuw. Een schreeuw die uit de onvermoede, sinistere krochten van zijn ziel kroop. Hij schrok van zichzelf en het kabaal dat hij maakte. Het kussen vloog met een dof geluid tegen de boekenkast en viel op de vloer.

Simon bleef roerloos staan, een hand tegen zijn borst gedrukt. Met deze woedeaanval had hij zijn hart gelucht. Toch was hij nog meer ontdaan dan voorheen. Hij moest rust vinden. Hij dacht aan bepaalde situaties die zich onlangs in de klas hadden voorgedaan toen hij wel uit zijn vel kon springen van boosheid. Telkens had hij zich in toom kunnen houden. Rustig doorademen, tot tien tellen. Of zelfs tot dertig. De woede uitademen, voelen dat je je steeds verder van het kantelpunt verwijderde, het moment dat er geen houden meer aan was.

Wat was er gebeurd? Afgezien van de pijnlijke situatie waarin hij verzeild was geraakt, had hij de cd prijs moeten geven. De cd die zijn zoon hem had toevertrouwd. Het vertrouwen dat Vincent in hem stelde, was beschaamd. Simon was niet eens in staat geweest om de cd één dag in zijn bezit te houden.

Hij moest Vincent nu wel bellen. Dat was gewoon onvermijdelijk. Er had zich precies datgene voorgedaan wat zijn zoon had willen voorkomen. Simon kon nu niet doen of zijn neus bloedde.

Bovendien wilde hij – verdomme – eindelijk weten wat er aan de hand was!

Hij vond de ansichtkaart die Vincent hem geschreven had. Die met de gedrukte tekst: *Beautiful landscape of Oviedo, Florida.* Simon zag het verschil niet. De foto kon van elke Amerikaanse voorstad zijn. Ergens op de achtergrond had Vincent een kruisje met een pijl gezet: *I am here.* Je zag echter alleen daken, palmen, struiken en een streepje blauw, waarschijnlijk een meertje, of niet natuurlijk.

In elk geval stond er een telefoonnummer bij. Simon toetste het nummer in en wachtte. Toen de telefoon vier keer was overgegaan, werd er opgenomen. Een fluwelige vrouwenstem zei: *'Hello?'*

*'Hello, my name is Simon König,'* zei hij. *'I want to talk to Vincent Merrit, please.'* Wie was dat? De stem klonk niet bekend. Vermoedelijk een vriendin van Vincent.

*'I am very sorry,'* zei de vrouw. Het klonk oprecht. *'Vincent is not here.'*
*'When will he come back?'*
*'I don't know. In fact, I don't know where he is.'*

De merkwaardige vrouw in het schoolgebouw had gezegd dat Vincent op de vlucht was. Daar begon het nu inderdaad op te lijken. Simon aarzelde.

*'May I know with whom I am talking?'* vroeg hij.
*'I am a friend,'* zei de vrouw met de fluwelige stem. *'May I tell him something in case he comes back?'*

Er klopte iets niet.

*'Yes,'* zei Simon. Hij voelde zich echter steeds ongemakkelijker. *'Please tell him to call his father. As soon as possible.'* De drang om het gesprek te beëindigen overweldigde hem. *'Thank you,'* zei hij nog, waarna hij ophing.

De hoorn in zijn hand was nat van het zweet.

Vincent was spoorloos. Op de vlucht. Nu moest hij Lila wel bellen. Hopelijk kreeg hij haar aan de lijn. Hij zou dan...

Plotseling werd er aangebeld.

Simon verroerde zich niet. Waren ze teruggekomen? Onzin! In dat geval zouden ze ongemerkt zijn binnengekomen. Toch deed hij niet open.

Opnieuw ging de bel. Iemand sloeg met een vuist op de deur. 'Meneer König? Alles in orde?'

Mevrouw Volkers. Simon liet zijn ogen rollen en deed open. Met tegenzin, maar wat moest hij anders?

'Ik hoorde net iets raars,' zei ze bijna ademloos. 'Was u dat?'

Simon zuchtte. 'Waarschijnlijk. Ik heb mijn voet gestoten,' loog hij. 'Mijn kleine teen. Het kan zijn dat ik het uitgeschreeuwd heb van de pijn.' Hij keek naar zijn geschoeide voeten. 'Voor de zekerheid heb ik mijn schoenen maar aangetrokken,' voegde hij er mat aan toe.

Mevrouw Volkers keek geërgerd. 'Ik dacht dat er wat gebeurd was.'

Simon staarde haar aan. Haar hand lag op haar enorme boezem, die heftig bewoog terwijl ze snel ademde van opwinding. Plotseling kreeg hij een idee. 'Hebt u toevallig twee mannen gezien die het pand verlieten?'

'Twee mannen?' zei mevrouw Volkers, nu nog meer ontdaan.

'Een lange magere en een lilliputter. Beiden strak in het pak.'

Ze knipperde met haar ogen. 'Nee, het spijt me. Ik heb niemand gezien.'

Hij dacht toch echt dat ze dag en nacht op de loer lag. 'Jammer.'

'Hoezo? Wie zouden dat dan moeten zijn geweest?'

'Wist ik dat maar,' zei Simon. Plotseling realiseerde hij zich wat hem te doen stond.

Hij bedankte haar voor de moeite die ze zich getroost had om naar hem om te zien, verzekerde haar nogmaals dat er niks ergs was gebeurd en deed uiteindelijk de deur weer dicht.

Aansluitend belde hij met Inlichtingen om achter het nummer van Lila Merrit te komen. Een gesprek van tien minuten. Het werd zo ingewikkeld dat de telefoniste er de brui aan gaf.

Toen haalde hij het visitekaartje maar tevoorschijn dat de geheimzinnige vrouw hem op school had gegeven. Sirona. Hij toetste het nummer in dat onder haar naam stond.

Ze nam meteen op. 'Ja?'

'Met Simon König,' zei hij. 'Hebt u iets met die overval te maken?'

'Wat voor een overval?' Het klonk oprecht. Simon had dertig jaar lang ervaring met ouders die aan de telefoon logen. Bijvoorbeeld als ze hun kind ziek meldden, vlak voor een belangrijk proefwerk. 'Hebt u de cd nog?' voegde ze er geschrokken aan toe.

'Voordat ik daar antwoord op geef, wil ik precies weten wat voor een spelletje hier gespeeld wordt,' zei Simon.

Heel even werd het stil aan de andere kant van de lijn. Daarna zei ze: 'We moeten elkaar ergens spreken.'

# Hoofdstuk 22

Ze ontmoetten elkaar in pizzeria Da Tonio. Simon was namelijk van mening dat die gelegenheid om verschillende redenen geschikt was voor iets wat sterk aan een samenzwering deed denken. Ten eerste ging het om een slechte pizzeria met weinig klandizie. Je kon er dus van uitgaan dat ze er vroeg op de avond min of meer ongestoord konden praten. Ten tweede verstonden de eigenaar en het personeel amper Duits, en ze spraken het zeer gebrekkig. Dat was beslist geen voordeel als er iets besteld werd, of als de klant speciale wensen had, en reclameren was bij voorbaat een heilloze zaak. Het betekende echter ook dat vrijwel zeker niemand kon meeluisteren naar wat ze te bespreken hadden.

Ze kwamen alle drie. De vrouw die zich Sirona noemde en gekleed ging als een fabelwezen uit een moderne Japanse comic; de potige jongeman met een zwak voor indianenkleding – die avond had hij de pelsjas aan, maar anders dan je zou vermoeden had hij ook gekozen voor een spijkerbroek; en de zwaarlijvige derde persoon had een T-shirt aan met de tekst: ER ZIJN MAAR 2 SOORTEN MENSEN – DE ENE GROEP BEGRIJPT HET BINAIRE SYSTEEM, DE ANDERE GROEP NIET. Hij heette Root. Zo werd hij althans aan Simon voorgesteld.

'Eigenlijk heet ik Rüdiger,' gaf hij toe. 'Maar vanwege Unix en zo... Het komt erop neer dat alleen mijn moeder me Rüdiger mag noemen, oké?'

'Hij reageert anders niet,' lichtte de pseudo-indiaan toe, die heel gewoon Alex heette.

Alles kwam nog steeds min of meer vertrouwd op Simon over. Een groepje leraren was hier enkele keren geweest om ongestoord en onopvallend het verjaardagsfeest van de rector – hij werd toen zestig – voor te bereiden. Het stonk er erger naar ranzig vet dan Simon zich kon herinneren van de vorige keren. De rector was inmiddels drieënzestig. Het zou best kunnen dat er in de keuken nog steeds hetzelfde vet werd gebruikt. Het drietal was in elk geval niet onder de indruk. Ze bestelden ieder een pizza en een gigantisch glas cola. Toen alles op tafel stond, vertelden ze hem eindelijk waar het over ging.

Het duurde een poosje voordat ze tot de kern van de zaak kwamen. Ze spraken om beurten. Degenen die niet aan het woord waren, smikkelden er flink op los. Toen iedereen zijn of haar zegje gedaan had, hadden ze de pizza's ruim voor de helft op. Simon had slechts een tonijnsalade besteld; op de menukaart was dat het enige gerecht dat je niet zwaar op de maag ging liggen.

'We hebben het dus over verkiezingsbedrog,' zei Simon. Hij had het gevoel of hij droomde.

Ze knikten terwijl ze aten.

'Zijn de verkiezingen in de Verenigde Staten gemanipuleerd?'

'Dat is best mogelijk,' zei Sirona, die een slag om de arm hield. 'Waar het om gaat is dat dat spelletje nu in Duitsland gespeeld gaat worden. En als geschiedenisleraar weet u dat Duitsers zich honderdvijftig procent inzetten om alles *gründlich* te doen.'

Simon prikte in zijn salade terwijl hij voor zichzelf helder probeerde te krijgen wat hij hiervan moest denken. Kennelijk had zijn zoon een programma geschreven, een eenvoudig stukje software, dat gebruikt was om de zittende president van de Verenigde Staten tegen de wil van de kiezers in het zadel te houden. Dat klonk meer dan alleen obscuur. Het deed sterk denken aan een bizarre samenzweringstheorie, aan sciencefiction, aan hersenspinsels van lui die niet wisten hoe ze de dag door moesten komen.

'Nu moeten jullie me toch een paar dingen uitleggen,' begon Simon, terwijl hij in gedachten zijn vragen in een logische volgorde probeerde te zetten.

'Prima,' zei Sirona. 'Daarom zijn we hier.'

Sinds die vrouw tegenover hem aan de tafel zat, keek Simon haar steeds alleen maar vluchtig aan, omdat hij bang was dat hij ging staren. Het leek wel of ze een kilo make-up op haar gezicht had gesmeerd. In het trappenhuis van het schoolgebouw was het schemerig. Waarschijnlijk was het hem toen niet opgevallen. Gelukkig maar. Simon twijfelde of hij zichzelf dan had kunnen overhalen om haar toch te bellen. De make-up zat ongetwijfeld millimeters dik op haar huid. Simon herinnerde zich foto's van geisha's die er op soortgelijke wijze maskerachtig uitzagen.

'Stemmachines.' Simon noemde het sleutelwoord nog maar eens. 'Ik ken die apparaten. Ik heb ermee gestemd tijdens de laatste gemeente-raadsverkiezingen.'

'En hoe voelt dat?' vroeg Sirona.

Simon haalde zijn schouders op. 'Of je nu op een knopje drukt of een kruisje zet op een vel papier... Uiteindelijk gaat het om de uitgebrachte stem, nietwaar?'

'Zo denken de meeste mensen,' zei Root. 'Dat is nou net het probleem.'

Simon liet zich niet van de wijs brengen. 'Wilt u in alle ernst beweren dat je zo'n stemmachine kunt manipuleren?'

'Dat is zonder meer mogelijk,' zei Sirona.

'Het valt mij moeilijk dat te geloven. In technisch opzicht staat dit land aan de top. We worden erom geroemd. En we zijn berucht als het gaat om de technische veiligheidsprocedures en de erbij behorende technische snufjes. Duitsland heeft bijvoorbeeld de tüv in het leven geroepen, met in het kielzog ervan de crashtest bij auto's, en ga zo maar door. Ik ga er voor-alsnog van uit dat hier alleen stemmachines worden ingezet die niet te ma-nipuleren zijn.'

'Meneer König, ik wil graag dat we het beestje bij de naam noemen,' zei Sirona. 'We hebben het niet over een stemmachine maar over een stem-computer. Want zo is het. Als u zich in deze materie verdiept, zult u vast-stellen dat vrijwel uitsluitend personen die beroepsmatig met computers werken degenen zijn die zich geëngageerd tegen de stemcomputer keren. Het ziet ernaar uit dat alleen zij zich ervan bewust zijn dat het fundamen-teel onmogelijk is om een stemcomputer honderd procent veilig te maken.'

'Ze zijn niet eens zo te maken dat ze betrouwbaarder zijn dan stembil-jetten,' voegde Root eraan toe.

'Dat begrijp ik niet,' zei Simon. Hij hield zijn handen omhoog om te voorkomen dat de discussie hem te snel ging. Deze jongelui bruisten van energie en ongeduld. Simon vreesde erdoor overweldigd te worden. 'Ze bouwen tegenwoordig alle mogelijke machines, die aan alle mogelijke vei-ligheidsvoorschriften moeten voldoen. Een instituut test die apparatuur en bevestigt daarna dat de fabrikant zich aan de voorschriften heeft ge-houden, dat is waar het om gaat. Neem nou de huizenbouw. Elk bouw-plan wordt door een staticus gecontroleerd op stabiliteit. Eerder zal geen metselaar een steen in zijn hand nemen. En nu gaat u mij vertellen dat als het de fundamenten van de democratie betreft, en dat zijn de verkiezin-gen, minder zorgvuldigheid aan de dag wordt gelegd dan bij de bouw van laten we zeggen een garage?'

'Ja,' zei Sirona kortaf. 'Zo is het precies.'

Alex boog zich naar voren en leunde met zijn ellebogen breeduit op de tafel. 'Stel, u loopt tijdens de komende parlementsverkiezingen een stembureau binnen. U ziet dat het stemhokje vervangen is door een soort biechtstoel.' Hij deed of hij wel vaker moeilijke dingen aan domme mensen moest uitleggen. 'U loopt de biechtstoel in. Door het vlechtwerk van het raampje ziet u iemand zitten. U fluistert hem de naam toe van de partij waarop u wilt stemmen. De man zegt: "Bedankt, uw stem is geteld." Vervolgens loopt u de biechtstoel uit. Hoe zeker bent u ervan dat uw stem daadwerkelijk geteld is zoals u die hebt uitgebracht?'

'Daar zal ik nooit zeker van zijn,' zei Simon. 'Maar het zou belachelijk zijn als de verkiezingen op die manier werden georganiseerd.'

'Dat is precies wat er gebeurt als u met de computer stemt. Alleen zit u niet in een biechtstoel maar gebruikt u een machine. Het principe is hetzelfde: u brengt uw stem uit door op een toets te drukken en het apparaat beweert dat uw stem geregistreerd is. U zult echter nooit weten of dat gebeurd is en hoe de uitgebrachte stem verwerkt wordt. Niemand weet dat.'

'Maar je kunt een computer toch zo in elkaar zetten dat...'

'Nee. U vergeet dat een computer juist gemaakt is voor het verwerken van gegevens. Om die reden is hij uitgevonden. Als je die factor eruit haalt, is het geen computer meer. Alsof je een vliegtuig ombouwt tot iets wat niet meer kan vliegen. Dan is het geen vliegtuig meer. Een computer verwerkt niet alleen gegevens, hij kan dat ook razendsnel doen. Natuurlijk kun je ook traditionele verkiezingen manipuleren. Veel dictaturen hebben laten zien hoe dat moet. Maar dat is een gigantisch karwei. Je hebt een geheime dienst nodig. In elk geval zijn er een heleboel mensen bij betrokken, bijvoorbeeld voor het drukken van valse stembiljetten en het vervangen van reguliere stembussen door stembussen met valse biljetten. En zo kan ik nog wel even doorgaan. Uiteindelijk komt de aap uit de mouw, omdat er altijd wel iemand is die uit de school klapt. Als je daarentegen stemcomputers inzet, heb je maar één persoon nodig die het juiste wachtwoord kent en toegang tot het systeem heeft. In dat geval kan hij miljoenen stemmen binnen enkele seconden veranderen. Dat is het verschil.'

Simon knipperde onrustig met zijn ogen. 'Wat kun je ertegen doen? Het is de tijdgeest. Steeds meer zaken worden elektronisch afgehandeld.'

'Dat is zo. Maar sommige dingen kun je beter niet elektronisch doen. Daar moet je de computer buiten laten,' zei Root. Hij kuchte. 'Raar dat uitgerekend computerfreaks dat aan de burgers moeten uitleggen.'

'De oplossing is heel eenvoudig. Gebruik papieren stembiljetten waarop je met een rood potlood een kruisje zet,' zei Sirona. 'Een beproefde methode. Dan kan er niks fout gaan en de resultaten zijn controleerbaar. Heel simpel.'

Simon staarde naar het roodgeblokte tafellaken en dacht aan wat hij werkelijk wilde weten. 'Wat heeft mijn zoon geschreven?' vroeg hij.

Sirona vouwde haar handen. 'Dat hij op de vlucht is. In een gestolen auto...'

'In een gestolen auto?'

'Hij kon niet bij zijn auto komen. En zonder eigen vervoer kom je niet ver in de Verenigde Staten. Waarschijnlijk had hij niet genoeg geld op zak om iets te huren. Hij schreef dat hij in een motel zat met internet voor de gasten. En dat hij u een cd met dit programma heeft opgestuurd om het ergens veilig op te bergen. Hij schreef ook dat hij, nadat hij dat gedaan had, grote twijfels had of dat wel zo'n goed idee was.'

'Dat was inderdaad een zeer slecht idee,' mompelde Simon.

'Daarom heeft hij mij gevraagd u te gaan zoeken en de cd in veiligheid te brengen.' Ze vouwde niet langer haar handen en spreidde haar vingers. 'Hij had zijn adresboekje niet bij zich. Dus kon hij mij uw adres niet geven. Ik heb toen op de website van de school gekeken.'

'Het was voldoende geweest om even het telefoonboek door te bladeren.'

'Dat heb ik gedaan. Maar in Stuttgart wonen vijf mensen die Simon König heten. Daarom hebben we besloten u te gaan zoeken in de school.'

Simon dacht na. Klopte dat verhaal? Waarschijnlijk wel. Het was niet de eerste keer dat Vincent een brief schreef en daar later spijt van had.

'Hij had zijn adresboekje dus niet bij zich. Hoe is hij dan achter uw e-mailadres gekomen?'

'Makkelijk te onthouden. Bovendien kennen we elkaar al een tijdje.'

Hij keek haar wat langer aan. Waren Vincent en zij bevriend? Bedoelde ze dat? Hij staarde naar haar maskerachtige gezicht. Hij kon niet eens met zekerheid zeggen hoe oud die vrouw was. Was ze achttien of acht-endertig?

Hij schraapte zijn keel, sloeg zijn ogen neer en staarde weer naar het roodgeblokte tafellaken met de talloze rodewijnvlekken die er in de was niet helemaal uit waren gegaan. 'Ik zal u vertellen hoe het zit. Ik heb die cd niet meer. Iemand heeft bij mij ingebroken en de cd gestolen.'

Het drietal kreunde in koor. In normale omstandigheden – spontane eenstemmigheid – zou dat komisch hebben geklonken.

'Wanneer is dat gebeurd?' vroeg Sirona.

'In de namiddag. Vlak voordat ik belde.'

'Hebt u gezien wie dat was?'

'Ja. Een magere kerel met een snorretje en nogal lange, dunne vingers. En... eh, een lilliputter, een dwerg.'

'Had u de cd dan niet verstopt? Vincent heeft u dat toch in zijn brief gevraagd? Dat schreef hij mij althans.'

Simon probeerde stoïcijns te kijken. Nooit zou hij deze kinderen vertellen op welke manier die rare vent de cd had gevonden. 'Ik had de cd verstopt. Maar niet zo goed als ik dacht.'

Root leunde achterover in zijn stoel, die prompt verontrustend kraakte. 'Oké, dan zetten we er een punt achter,' zei hij. 'Inpakken en wegwezen.'

'Tjeses!' snauwde Sirona hem explosief toe. Daarna richtte ze zich weer tot Simon of er niks gebeurd was. 'Vincent schreef over een magere man. Hij heet Benito Zantini en wil munt slaan uit de verkiezingsfraude. Als het aan hem ligt, worden de komende deelstaatverkiezingen in Hessen zodanig gemanipuleerd dat er in het parlement van die deelstaat een patstelling ontstaat in de coalitievorming. Daarna wil hij zijn diensten verkopen aan degene die het meest biedt. Dat heeft hij tenminste tegenover Vincent beweerd.'

Simon keek hen om beurten aan. Hij voelde zich niet op zijn gemak. 'Ik snap niet dat Vincent zich met dat soort dingen inlaat. Het is toch illegaal wat er gebeurt?'

'Natuurlijk. Verkiezingsfraude is illegaal.'

'Waarom is hij plotseling van gedachten veranderd?'

Sirona keek hem lang aan. Ze haalde haar schouders op en zei: 'Geen idee. Hij is er gewoon anders over gaan denken. Misschien speelt zijn geweten hem parten. Dat soort dingen gebeuren.'

Inderdaad, dat soort dingen gebeuren. Zijn eigen geweten was gaan knagen toen hij de Verenigde Staten verliet om naar huis te gaan. Hij besloot Helene niets te zeggen en de affaire te vergeten.

Tot het verleden hem had ingehaald.

Het geweten was iets eigenaardigs.

'Waar is Vincent nu?' vroeg hij. 'Ik wil graag met hem praten.'

Sirona wisselde een vluchtige blik met haar kornuiten, waarna ze zachtjes zei: 'Ik weet niet waar hij uithangt. Hij heeft beloofd zich weer te melden. Maar sinds dat mailtje heb ik niets meer van hem vernomen.'

# Hoofdstuk 23

De muren waren van saai beton. Aan het plafond hing een tl-buis in een kooi van dik staaldraad. Het meubilair bestond uit twee stoelen en een tafel van geschaafd hout.

Toen Vincent, die aan de tafel zat, zijn zegje gedaan had, viel er een stilte. Tegenover hem zat een breedgeschouderde kerel met grijsbruine lokken en een stoppelbaard. Hij was gekleed in een grijsachtig bruin Cordan-pak met een groen overhemd. Telkens opnieuw bladerde hij door zijn vol gekrabbelde, gele schrijfblok en beet nerveus op zijn onderlip.

'Hm,' zei hij uiteindelijk.

Vincent schraapte zijn keel. 'Kom op, Bruce... kun je je wat duidelijker uitdrukken?'

Eindelijk keek de man op en hij staarde Vincent aan. Vincent zag dat hij zich zorgen maakte. Het leek zelfs of hij bang was.

'Toen jouw moeder mij belde, ben ik meteen gekomen,' zei hij zachtjes.

Vincent knikte. 'Bedankt.'

'Ik dacht eerlijk gezegd dat het om een wissewasje ging,' zei de man die Bruce Miller heette. Hij had vroeger een tijdje samengewoond met de moeder van Vincent, die toen een jaar of zeven was. Bruce was destijds een van de weinige mannen van wie Vincent hoopte dat ze bleven. Bruce had ooit een honkbalhandschoen voor hem gekocht. Daarna waren ze gaan spelen. Onvermoeibaar gooide Bruce hem ballen toe. Urenlang. Ook als het slecht weer was. Ze vonden elkaar van meet af aan aardig. De moeder van Vincent had talloze mannen gehad. Bruce was echter de enige die ook in de jaren daarna af en toe belde en zelfs aan Vincents verjaardag dacht.

'Dat met die auto vind ik heel vervelend,' zei Vincent. 'Ik dacht, eh... nou ja, noem het een noodgeval. Ik moest wel op de vlucht slaan, dat begrijp je toch? Ze hielden me gevangen in mijn eigen huis. Ik vraag me af wat ze met me gedaan zouden hebben als...'

'Ik begrijp het heus wel,' viel Bruce hem in de rede. 'Maar je maakt het wel bont als je met een gestolen auto van Florida naar Pennsylvania rijdt! Had je die kar niet ergens kunnen laten staan? Had het vliegtuig genomen!'

'Dat durfde ik niet. Me inschrijven in een motel vond ik al spannend.' Had hij overdreven gereageerd? Aan de reactie van Bruce te zien wel. Vincent was bang dat ze hem in de kraag grepen zodra hij zich ergens legitimeerde of zijn creditcard gebruikte. In de film ging dat altijd zo. Een voortvluchtige werd steevast gesnapt als hij het waagde om zijn creditcard tevoorschijn te halen.

Bruce bladerde verder. En weer terug. Voortdurend klikte hij met zijn balpen. *Klik, klik, klik.* Uiteindelijk liet hij het schrijfblok tussen hen in op het kale, blanke hout van het tafelblad vallen en zei: 'Het probleem is dat je al eens eerder veroordeeld bent.'

'Veroordeeld?' Dat klonk afschuwelijk. 'Het was maar een week.'

'Maar je hebt wel gezeten.' Bruce zuchtte en wreef over zijn kin. 'Ik kan je volgen, Vincent. Althans min of meer. Je bent ergens willens en wetens in verwikkeld geraakt. Ik snap ook, al kan ik dat moeilijk geloven, dat jij er mogelijk verantwoordelijk voor bent dat we nu deze president hebben...' Hij stopte en schudde zijn hoofd. 'Nee, dat geloof ik eigenlijk liever niet. Maakt niet uit. Het feit blijft dat je nu weer in een of ander louche zaakje zit. En dat dat te maken heeft met het manipuleren van computers. In wezen hetzelfde delict als waar je destijds voor veroordeeld werd. Dat maakt deze zaak ernstiger, begrijp je?'

'Ja.'

'En die autodiefstal komt daar nog eens bij.' Bruce legde zijn gebalde vuisten op tafel en keek hem aan. 'Wel eens van de *three strikes rule* gehoord?'

'Natuurlijk,' zei Vincent. Waar stuurde hij op aan? De *three strikes rule* hield in dat een slagman maar drie keer mocht misslaan. 'We hebben het toch over mijn strafblad en niet over honkbal?'

'Inderdaad, we hebben het over jouw strafblad. Ook in de rechtszaal is de *three strikes rule* van belang. Iemand kan levenslang krijgen als hij twee keer wegens hetzelfde delict veroordeeld is geweest en de derde keer bijvoorbeeld voor een ander vergrijp in de kraag wordt gegrepen. Dat kan trouwens ook iets "futiels" zijn, zoals winkeldiefstal.'

Vincent kreeg het gevoel of iemand hem een klap verkocht. 'Levenslang?'

'Ja, maar dat gaat niet op voor alle staten. De wet wordt ook niet in alle staten waar die geldt op dezelfde manier toegepast. In Pennsylvania is deze wet in elk geval van kracht. Als we onder die autodiefstal uit proberen te komen door te zeggen dat je in iets illegaals verzeild bent geraakt, iets met computermanipulatie, en dat je moest vluchten, dan loop je het niet geringe risico – wat ook afhangt van de rechter die deze zaak onder de hamer krijgt – dat de rechtbank wegens computerfraude en autodiefstal de *three strikes rule* toepast en je tot levenslang veroordeelt.'

Vincent kreeg er een wee gevoel van in zijn maag. Hij kromp ineen. 'Levenslang?'

Hij dacht op het ergste voorbereid te zijn. Maar het ergste was erger dan zijn ergste nachtmerrie.

'Daarom adviseer ik je die zaak in Florida niet te vermelden. Beken gewoon die autodiefstal en zit je straf uit.'

'Waar moet ik dan aan denken?'

Bruce maakte een wiegende beweging met zijn wollige hoofd. 'Als je je goed gedraagt, kun je volgend jaar herfst weer op vrije voeten zijn. Ik krijg het denk ik wel voor elkaar om je in een van de betere strafinrichtingen te krijgen. Ergens waar je...' hij kuchte, '... niets te vrezen hebt.'

De rest van de week leefde Simon in een soort roes. Hij ging zoals altijd elke dag naar school, maar was er niet helemaal bij tijdens het lesgeven, alsof alles slechts een droom was, terwijl hij niet zeker wist wat hij precies droomde: datgene wat hij op school uitvoerde of wat hem thuis was overkomen, de kwestie met de cd en de man die gedachten kon lezen.

Verkiezingsfraude met stemcomputers. Een merkwaardig verhaal. Ook spookte het door zijn hoofd dat die dikke kerel – hij noemde zich Root – zijn pizza tot op de laatste kruimel had opgegeten en daarna zei: 'Lekker. Moet ik onthouden.' Wat moest hij daarvan denken? Kon je zo iemand wel serieus nemen?

Ze hadden het over van alles en nog wat. Over democratie, stemprocedures, partijvorming, corruptie in de politiek en wat al niet meer. De gebruikelijke, alledaagse kwesties waar jongvolwassenen het onder elkaar over hadden als het om politiek ging. Simon was tot de conclusie gekomen dat jongeren op die leeftijd nauwelijks geïnteresseerd waren in het algemeen welzijn of maatschappelijke kwesties. Eigenlijk waren ze alleen bezorgd dat besluiten die anderen namen niet positief uitpakten voor henzelf. Dat was de reden waarom ze, als het de politiek betrof, vooral scholden op degenen die aan de touwtjes trokken en het over corruptie hadden, alsof ze wisten wat dat betekende. Degenen met een politieke visie hadden het vaak over vrijheid van meningsuiting, terwijl ze er in werkelijkheid een groot probleem mee hadden als anderen er anders over dachten dan zij.

De angst speelde hun parten. Misschien moest iemand eerst over zijn eigen angsten heen stappen voordat je iets met hem kon beginnen. Ook in politiek opzicht.

Naarmate die gedenkwaardige maandag verder wegzakte in het geheugen beschouwde Simon dat gedoe over stemcomputers en de vrees dat iemand er de democratie mee kon kapen steeds meer als een samenzweringstheorie, zoals er zo veel van waren en die af en toe de kop opstaken.

Op een nacht ging de telefoon. Het was twintig over twaalf.

Natuurlijk sliep Simon al. Onder normale omstandigheden zou hij zelfs niet uit bed zijn gekomen om de telefoon op te nemen. Scholieren die het gevoel hadden dat ze onrechtvaardig bejegend werden, grepen graag naar dit middel om wraak te nemen. Daar was hij in de beginjaren van zijn leraarschap achter gekomen. Nachtelijke belletjes. Simon wist er alles van. Hij zou er last van blijven houden tot de telefooncel helemaal uit het straatbeeld verdwenen was. Maar dit waren rare tijden. Dus haastte hij zich op blote voeten over de parketvloer naar de gang en nam op.

'Simon?' Een kristalheldere vrouwenstem.

Hij herkende haar meteen. Lila.

Normaal gesproken had Simon weinig belangstelling voor verkiezingen in andere deelstaten. Natuurlijk wist hij wie de zittende minister-presidenten waren van de verschillende deelstaatregeringen. Beroepshalve was dat zogezegd een must. Ook hield hij zich op de hoogte van de machtsverhoudingen in de bondsraad, de prognoses en zo meer. Maar toen op die zondag de stembureaus in Hessen sloten, ging hij naar aanleiding daarvan voor een tv zitten om de uitslag te volgen.

Tot dat doel had hij zichzelf uitgenodigd bij Bernd en zijn vrouw Ute. Ze tolereerden zijn belangstelling voor de verkiezingen, maar ook niet meer dan dat.

'De SPD wint natuurlijk glansrijk,' zei Bernd. 'Ze vegen de CDU-regering van de kaart. Dat is zo zeker als tweemaal twee vier is.'

'Sinds wanneer ben jij goed in wiskunde?' diende Simon hem van repliek. 'Jij kunt daar dus niet over oordelen.'

Het was slecht weer. Ze zaten in de woonkamer en genoten van een grog die Ute voor hen had neergezet. Zonder die nevel en regen hadden ze op de vijfde verdieping een prachtig uitzicht gehad over de stad.

'De opiniepeilingen liegen er niet om. Het wordt inmiddels al van de daken geschreeuwd. De zittende regering is al aan het inpakken,' zei Bernd. Hij telde de slogans op de vingers van een hand. 'Nog steeds niet overtuigd?'

'Over een uur weten we het zeker.' Simon nam nog een slokje.

'Maar we eten wel op tijd,' waarschuwde Ute hen. 'Als het vlees gaar is, gaat de tv uit. En daarmee basta.'

'Helemaal mee eens,' zei Simon. Geen sterrenrestaurant kon tippen aan de kookkunst van Ute. Als hij geweten had dat ze in verkiezingen aanleiding zag om voor hem te koken, zou hij in de afgelopen tien jaar geen deelstaatverkiezing gemist hebben.

De presentatoren van de verkiezingsuitzending verveelden zich kennelijk. Net sportverslaggevers die live commentaar gaven op wedstrijden waarvan de uitslag min of meer vaststond. Ze maakten grapjes om de tijd te doden tot de eerste uitslagen binnenkwamen, kletsten erop los en recapituleerden onnodig. Eindelijk verschenen er kleurrijke staafgrafieken met cijfers die tot op de komma nauwkeurig bevestigden wat de prognoses op grond van stembuspeilingen voorspeld hadden. De Linkspartei haalde het deelstaatparlement niet, terwijl de SPD en de Grünen samen twee zetels meer kregen dan de CDU en de FDP.

Televisiebeelden van juichende mensen in rode T-shirts en verbijsterde aanhangers van partijen die flink verloren hadden.

Een van de presentatoren hield een vinger tegen zijn oortje en zei: 'Ik hoor net dat er nieuwe uitslagen zijn die een iets ander beeld geven...'

Alweer een staafdiagram. Op het eerste gezicht was deze grafiek nauwelijks te onderscheiden van de vorige. De copresentatrice was echter verbaasd en zei: 'O, het ziet ernaar uit dat de kaarten opnieuw geschud worden.'

Simon begreep het pas toen het tweede diagram met de zetelverdeling – op grond van de actuele uitslagen – in beeld verscheen. De Linkspartei had de grens van vijf procent bereikt en kwam in het parlement. Dat had de zetelverdeling van de partijen grondig veranderd.

'Kan moeilijk worden,' zei de presentator.

Dat zou het understatement van de dag worden.

In de keuken piepte de braadoven. 'Ah, etenstijd,' zei Simon. Hij verheugde zich op de maaltijd. 'We zien straks wel hoe het afgelopen is.'

Ute bleef naar de tv staren. 'Nu niet, het spijt me.'

'En het braadstuk dan?'

'Het braadstuk...' zei Ute. Het klonk onwillig, als een verwensing. 'Bernd, zet de kleine tv die in de slaapkamer staat even op het aanrecht, wil je?'

Simon zou bijna van streek raken door deze dreigende barbarij die onvermijdelijk leek. Maar Bernd gehoorzaamde braaf. Hij kwam uit zijn stoel en was al onderweg. 'Ute,' zei hij omzichtig. 'Zo belangrijk vind ik de verkiezingen nou ook weer niet.'

'Maar ik wel. Het kan toch niet zo zijn dat het Ypsilanti niet lukt om Koch een nederlaag te bezorgen? Dat mag niet gebeuren.'

Toch was het zo. De verkiezingsuitslag zadelde de deelstaat Hessen op met een patstelling.

Alle partijen hadden zich al vóór de verkiezingen vastgelegd als het ging om hun coalitiepartners. De FDP had verklaard alleen met de CDU verder te willen, en de Grünen alleen met de SPD. Door de opkomst van de Linkspartei kreeg geen van deze twee coalities een zetelmeerderheid, die nodig was om een regering te vormen.

In theorie was een grote coalitie mogelijk. Die poging mislukte door de eis van de CDU, die als partij met de meeste stemmen de leiding wilde hebben en dus de minister-president leverde. Hoewel de CDU en SPD hetzelfde aantal zetels in het parlement hadden, kreeg de CDU 0,1 procent meer stemmen dan de SPD[1]. SPD-lijsttrekker Andrea Ypsilanti had zich als doel gesteld om de zittende minister-president Roland Koch af te lossen, waardoor deze vorm van samenwerking uitgesloten was.

De presentatrice vroeg aan een hoogleraar in het constitutioneel recht – de man had duidelijk geen mediatraining gehad – hoe het nu verder ging. 'Zal Hessen zonder regering verder moeten?'

'Dat zeker niet,' zei de hoogleraar. 'In het ergste geval kan teruggegrepen worden op artikel 113 van de Hessische grondwet. De zittende deelstaatregering zal dan in demissionaire staat de lopende zaken afhandelen tot er een nieuwe regering is gevormd. Eventueel gedurende de hele formatieperiode.'

'Blijft in dat geval minister-president Koch aan?'

'Ja, maar als demissionair minister-president.'

'Wat houdt dat in?'

De hoogleraar keek haar berispend aan, als een examinator die bij een eindexamenkandidaat gebrek aan parate kennis vaststelde. 'Dat hebben we al eens eerder aan de hand gehad. In feite dezelfde situatie als in 1982[2].

---

[1] Precies 3511 stemmen meer.

[2] In 1982 kwam de FDP niet in het Hessische parlement. De Grünen bereikten daarentegen voor het eerst de kiesdrempel van 5 procent. Zowel de CDU als de Grünen wilden geen coalitie aangaan met de SPD, de grootste partij, die echter geen meerderheid had. Deze patstelling werd in het Duitse politieke jargon Hessische Verhältnisse genoemd.

Destijds was Holger Börner anderhalf jaar demissionair, tot het parlement zichzelf ontbond[3].'

'Zou dat dan een oplossing kunnen zijn?'

'Natuurlijk. Overeenkomstig artikel 80. Maar daar is een absolute meerderheid in de volksvertegenwoordiging voor nodig.'

Simon had er grote moeite mee dat ze gedwongen waren om slechts terloops te genieten van het heerlijke gebraden vlees, de geurende aardappelen en de wijnzuurkool – met dank aan Ute – omdat de kleine tv alle aandacht opeiste terwijl de ene na de andere politicus zijn commentaar gaf. Doorgaans het gebruikelijke, inhoudsloze gewauwel waar je geen snars wijzer van werd. Dat was de schuld van de media, vond Simon. In een situatie waarin nog niemand kon weten hoe het verder moest, waarbij de verantwoordelijken met elkaar spraken om tot een oplossing te komen, sleurde men ze voor de microfoon en dwong hen iets verstandigs te zeggen. Dat ze dan zo goed en zo kwaad als het ging hun best deden om te doen of ze belangrijke dingen te vertellen hadden, was niet alleen begrijpelijk maar zelfs bijna vanzelfsprekend.

Simon staarde naar zijn bord en sneed een stukje vlees af. Hij probeerde zich af te sluiten voor het gesnater op tv. Hij wilde gewoon genieten van wat Ute bereid had en haar culinaire eer bewijzen. Het lukte hem echter niet.

'Misschien is dit geen toeval,' zei hij uiteindelijk tegen Bernd en Ute. 'Die rare verkiezingsuitslag, bedoel ik. Kunnen jullie je daar iets bij voorstellen?'

Bernd keek hem aan. 'Natuurlijk. Sinds de opkomst van de Linkspartei staat het politieke landschap op zijn kop. Ze veroorzaken alleen maar onrust.'

'Daar zal een democratie mee moeten kunnen omgaan,' antwoordde Simon. 'Dat zal ook gebeuren.' Hij had dit soort discussies inmiddels zo vaak gevoerd dat hij het zat was. 'Maar dat bedoel ik niet. Stel je eens voor dat er mogelijk verkiezingsfraude is gepleegd met als doel om tot deze patstelling te komen.'

Ze keken hem aan alsof hij gevloekt had in de kerk. 'Verkiezingsfraude?' zei Bernd voorzichtig. 'Hoe... eh, kom je daarbij?'

---

[3] Op 24 september 1983. De aansluitende nieuwe verkiezingen zorgden opnieuw voor een rood-groene meerderheid. De Grünen tolereerden ditmaal een spd-minderheidsregering. Twee jaar later stapten ze als coalitiepartner in de regering; Joschka Fischer werd minister van Milieu en Energie en de eerste 'groene' minister. Hij ging de annalen in als de minister die beëdigd werd in witte gymschoenen. Later wilde hij wel kwijt dat hij speciaal voor die gelegenheid nieuwe had aangeschaft.

'Daar ben ik ook benieuwd naar,' voegde Ute er snibbig aan toe.

Simon vertelde hoe hij daarbij kwam. Het hele verhaal passeerde de revue. Van de cd die hij toegestuurd had gekregen tot alles wat er daarna was voorgevallen. Zoals de ontmoeting met de magere man en de dwerg, maar hij had het vooral over de eigenaardige vrienden van zijn zoon en wat ze hem verteld hadden over stemcomputers en dat er met die software zo gemakkelijk geknoeid kon worden.

Intussen had Bernd zich half omgedraaid en de tv uit gezet. 'Dat zou ongehoord zijn!' zei hij toen Simon zijn verhaal gedaan had. 'Ik kan me dat echter nauwelijks voorstellen. Het lijkt mij onmogelijk om in alle stembureaus ongezien aan alle apparaten te prutsen.'

Ute knipperde nerveus met haar ogen. 'Helemaal mee eens. Natuurlijk, in theorie zal dat best mogelijk zijn. Maar praktisch niet, denk ik.'

'Waarom niet? Omdat wij ons daar geen voorstelling van kunnen maken?' vroeg Simon. 'Ik kan het me evenmin voorstellen. Ik interesseer me voor deze deelstaatverkiezingen omdat ik te horen heb gekregen dat iemand de boel probeert te manipuleren. Met deze verkiezingsuitslag als gevolg. Die voorspelling is uitgekomen. Vinden jullie dat niet vreemd?'

Ze keken elkaar aan. 'Echt iets voor je broer,' zei Ute tegen Bernd. 'Ken je Frank?' vroeg ze daarna aan Simon.

Hij schudde zijn hoofd.

'Frank is sinds een halfjaar hoofdredacteur van de *Wiesbadener Neue Zeitung*,' zei Bernd.

'Hij komt morgenavond,' voegde Ute eraan toe.

# Hoofdstuk 24

Dus was Simon de volgende dag weer te gast bij Bernd en Ute. De broer van Bernd was er ook. Ze zaten in de huiskamer aan de hapjes en dronken er Badense witte wijn bij. Simon vertelde hem alles wat hij Bernd en Ute de vorige avond had toevertrouwd.

'Stemcomputers? Hm,' zei Frank nadenkend. Hij pakte een sneetje volkorenbrood en deed er kruidenkaas op. Kauwend dacht hij na. 'Tja, wat zal ik ervan zeggen? Hoeveel van die computers hebben ze überhaupt ingezet? En was dat aantal voldoende om de verkiezingsuitslag in belangrijke mate te beïnvloeden?'

'Dat zou ik ook graag willen weten,' zei Simon[1].

'Iedereen heeft het over deze nek-aan-nekrace,' bracht Bernd te berde. 'In feite gaat het om slechts een paar duizend stemmen. Een stuk of wat stemcomputers zijn wellicht voldoende om die stemmen te stelen, nietwaar?'

Frank Rothemund was zo'n beetje de tegenpool van zijn broer, afgezien van zijn gelaatstrekken, vooral rond de ogen. Frank was langer, veel slanker en in tegenstelling tot Bernd gespannen, bijna rusteloos. Voortdurend was zijn lichaam in beweging. Hij wipte met een voet, legde een hand op het kussen van de bank of hij kauwde op het zoveelste sneetje brood. Ook zijn stekende blik was opvallend. Simon ontwaarde er een fundamenteel wantrouwen in, om niet te zeggen regelrechte mensenhaat. Misschien lag dat aan het werk dat hij deed. Elke dag deed hij verslag van moordaanslagen, oorlogen en politieke intriges. Het geestelijk evenwicht kreeg dan ongetwijfeld een knauw.

---

[1] Bij de verkiezingen op 27 januari 2008 in Hessen werden in acht steden en gemeenten voor het eerst stemcomputers gebruikt. Ongeveer 100.000 kiezers hebben er hun stem mee uitgebracht, ofwel circa 2,3 procent van de kiesgerechtigden in Hessen.

'Ach, dat soort verhalen. Wel grappig.' Frank nam nog een hapje: een toastje met zalm. 'Ik herinner me een experiment van een protestgroep in Nederland. Ze hadden een stemcomputer omgebouwd tot een schaak-computer[2]. Heel komisch, oké. Maar snap je wat ik bedoel? Er zijn van die gozers... Geef ze een geldautomaat en ze zorgen ervoor dat dat ding pornoplaatjes uitspuugt.' Hij schudde zijn hoofd. 'Ik ben eerlijk gezegd niet onder de indruk.'

Het klonk op onaangename wijze lankmoedig-inschikkelijk. Zoals je met iemand sprak die jou niet open wilde vertellen dat hij je aanzag voor een maffe aanhanger van samenzweringstheorieën.

'Is dat dan geen thema voor de krant?' begon Simon opnieuw. 'U moet mij niet vragen wat er precies aan de hand is. Maar het gegeven is de moei-te waard om nader onderzoek naar te doen, nietwaar?'

De hoofdredacteur keek hem korzelig aan. 'Eerlijk gezegd zie ik daar geen journalistiek thema in.' Hij nam een hap van een toastje en zei ter-wijl hij erop kauwde: 'Na elke verkiezing doen dit soort verhalen de ronde. Elke keer zijn er lui die met belachelijke theorieën over de verkiezingsuit-slag komen. Variërend van astrologische invloeden, omdat Pluto de pla-neet Saturnus passeerde en meer van dat soort flauwekul, tot zeer kren-kende verwijten aan het adres van politici. Verwijten die je onmogelijk serieus kunt nemen.'

Simon vouwde zijn handen. 'Dat wil ik best geloven. Toch denk ik dat er in dit geval iets anders aan de hand is. Ze hebben bij mij ingebroken en wat gestolen. En ik ben geïnformeerd dat iemand munt wil slaan uit ver-kiezingsbedrog. Harde bewijzen heb ik echter niet, dat geef ik grif toe. Maar als ik de belastingdienst zou vertellen dat ik een financiële fraude van deze orde vermoed, zal er gegarandeerd een onderzoek worden gestart.'

'Dan gaat het ook om geld. Niet alleen om stemmen,' opperde Bernd.

Zijn broer werd ongeduldig en maakte een afwijzend gebaar. 'Ja, ja, ver-tel mij wat. Al sinds er stemcomputers bestaan, worden ze in een slecht daglicht geplaatst. Maar er zijn veiligheidsvoorschriften, gebruiksbepalin-gen en wat al niet meer. Het kan er bij mij simpelweg niet in dat bij echte verkiezingen dat soort bedrog in het spel is.'

'Computerdeskundigen zijn een andere mening toegedaan,' zei Simon. 'Ze denken zelfs dat je met een stemcomputer heel gemakkelijk fraude kunt plegen.'

---

[2]   http://www.heise.de/ct/Hackerteam-demonstriert-die-manipulierbarkeit-von-wahlcomputers--/arti-kel/125969

'Je zou de betreffende stemcomputers toch kunnen controleren of er fraude mee gepleegd is?' opperde Ute ongeduldig. 'Een vakman moet toch in staat zijn om erachter te komen of ermee gerommeld is? Dan weet je het gewoon zeker.' Ze keek haar zwager aan. 'Het verbaast me dat je er zo over denkt, Frank. Volgens mij is het de taak van de pers om dit soort discussies aan te zwengelen en soortgelijke voorstellen te doen.'

Frank bewoog zijn mondhoeken, boog zich naar voren en zette zijn wijnglas iets te hard neer, alsof het afgelopen was met zijn goede humeur, dacht Simon. 'Neem me niet kwalijk, Ute, maar je bent een leek wat journalistiek aangaat. Zo werkt dat niet. Als krant moeten we verantwoordelijk bezig zijn. We kunnen niet schrijven wat in ons opkomt en moeten ons bewust zijn van het grotere verband. Laat ik er dit over zeggen: een campagne die wantrouwen wil opwekken tegen stemcomputers past gewoon niet in het politieke plaatje.'

'Past dat niet in het politieke plaatje?' Daar keek Bernd van op. 'Wat bedoel je?'

Frank maakte een breed gebaar. 'In Duitsland staat de democratie sowieso al in een slecht daglicht. Dit kunnen we er niet nog eens bij hebben. Zeker niet in ons land. Als je dit soort geruchten de vrije loop laat, dus dat de verkiezingen gemanipuleerd zijn, versterk je dat beeld alleen maar. En die praatjes help je niet zomaar de wereld uit. Vooral niet als het gebruik van de stemcomputer in het geding is. Ik geef het je te doen.'

'Dan moeten ze die dingen misschien niet meer gebruiken,' vond Ute. 'Met potlood stemmen ging toch prima?'

Frank liet zijn ogen rollen. 'Dat is ouderwets, te veel gedoe. De gemeenten hebben al problemen genoeg om voldoende verkiezingsmedewerkers op te trommelen. Ze grijpen alles aan om de boel doelmatiger te maken.'

'Dat probleem kun je ook anders oplossen,' meende Bernd.

Simon stak zijn hand op. 'Nu iets anders,' zei hij. 'Stel dat er een kern van waarheid zit in wat men mij verteld heeft. Stel dat iemand deze verkiezingen hoe dan ook gemanipuleerd heeft, met als doel de deelnemende partijen te bewijzen dat dat simpelweg mogelijk is. Dan mag je ervan uitgaan dat hij nu, terwijl wij hier zitten, bezig is om politici warm te maken voor zijn aanbod om de volgende verkiezingen te beïnvloeden. Niet zomaar een deelstaatverkiezing. Nee, de volgende nationale parlementsverkiezingen, die naar alle waarschijnlijkheid volgend jaar herfst plaatsvinden.'

'Ik weet heus wel dat die verkiezingen eraan komen,' zei de hoofdredacteur op onhebbelijke toon.

Simon liet zich niet op de kast jagen. 'Als je vermoedt dat er zoiets aan de hand is, zou je iemand op pad kunnen sturen om de toonaangevende politici te schaduwen. Misschien dat hij een magere man spot die tegenwoordig vaak te zien is in de verschillende partijkantoren.' Hij pakte zijn wijnglas. 'Dat zou ik in elk geval doen.'

'Zulke dingen gebeuren alleen in slechte Hollywoodfilms,' zei Frank Rothemund snibbig. 'In het echte leven gaat dat anders, geloof mij maar. Je kunt niet zomaar aankloppen bij de minister-president van een deelstaat of in Berlijn bij de voorzitter van een grote partij en hem of haar de volgende verkiezingen te koop aanbieden. Zelfs als je tot het kantoor kunt doordringen en vertelt wat je komt doen, wat gelet op de controles en veiligheidsmaatregelen praktisch uitgesloten is, word je linea recta terug naar de hoofdingang geëscorteerd. Je kunt onze politici veel verwijten, maar geen van hen zal ook maar één seconde overwegen dat aanbod serieus te nemen. Niemand.'

Vroeg in de avond nam Simon afscheid met het excuus dat hij enkele proefwerken moest corrigeren. Hij wilde Sirona bellen voordat het te laat werd.

'Nog nieuws van Vincent?' vroeg ze meteen.

Simon was er nog steeds niet achter wat die twee met elkaar hadden. Na het telefoontje met Lila vond hij dat hij Sirona op de hoogte moest stellen van het feit dat Vincent wegens autodiefstal in voorlopige hechtenis was genomen en dat hem een rechtszaak en een lange gevangenisstraf boven het hoofd hingen. Tot zijn verbazing interesseerde haar dat nauwelijks, waardoor hij zich afvroeg of Vincent wel een intieme relatie met haar had.

En nu dit. Misschien was hij gewoon te oud om nog te begrijpen hoe de jonge generatie dacht en voelde.

'Nee, geen nieuws,' zei hij. 'Ik bel u vanwege de gisteren gehouden deelstaatverkiezingen in Hessen. Weet u soms meer dan wat de media berichten?'

Hij hoorde een zucht. 'Ja,' zei ze. 'Ik was op pad als verkiezingswaarnemer. Samen met een stel vrienden.'

Simon was onder de indruk. Had ze dat vrijwillig gedaan? In verkiezingstijd had hij heel vaak geprobeerd zijn leerlingen ertoe te bewegen de activiteiten in een stembureau te volgen. Natuurlijk tevergeefs. 'Interessant,' zei hij.

Zij dacht dat dat een vraag was. 'En of,' zei ze. 'Heel interessant. In Obertshausen mochten we het stembureau niet in[3], en in... eh, het schiet

---

[3] zie https://netzpolitik.org/2008/erste-berichte-von-der-wahlbeobachtung-in-hessen

me even niet te binnen, zijn we er uiteindelijk achter gekomen dat alle voorzitters van de betreffende stembureaus per brief gewaarschuwd waren dat we zouden komen. Ze kregen het verzoek om ons indien mogelijk de toegang te beletten.'

'Hoe kan dat?' vroeg Simon. 'De openbaarheid ervan betreft nota bene een van de fundamentele principes van democratische verkiezingen. Dat hoort de voorzitter van een stembureau te weten.'

'Men wil kritiek op stemcomputers weren[4],' zei Sirona. 'Dat heeft een van hen ons met zoveel woorden duidelijk gemaakt. Natuurlijk waren daar geen getuigen bij.'

Simon dacht aan het gesprek met de broer van Bernd. Een gesprek dat zo anders was verlopen dan hij zich had voorgesteld. *Een campagne die wantrouwen wil opwekken tegen stemcomputers past gewoon niet in het politieke plaatje.* Wat een vreemde opmerking. Simon begon zich steeds ongemakkelijker te voelen. 'Weet u toevallig hoeveel computers er zijn ingezet tijdens deze verkiezingen? Is het mogelijk dat ze een doorslaggevende rol speelden in de berekening van de uitslag?'

Er viel een stilte, alsof de verbinding verbroken was. 'Ik ben nu alles aan het becijferen; ik heb hier de uitslagen van de afzonderlijke stembureaus liggen. U kunt er woensdag ook bij zijn, als u dat wilt.'

'Hoezo? Wat bedoelt u? Waar kan ik bij zijn?'

'O ja, natuurlijk. We zijn dan bij Alex. Hij woont ook in Stuttgart. U hoeft dus niet ver te reizen.'

---

[4] *Spiegel Online* berichtte op 28 januari 2008 over incidenten in samenhang met de inzet van stemcomputers tijdens de Hessische parlementsverkiezingen. In minstens één geval bleken de stemcomputers 's nachts in de woningen van partijleden te zijn opgeslagen. http://www.spiegel.de/netzwelt/tech/0,1518,531417,00.html

# Hoofdstuk 25

Vincent zag zijn moeder plaatsnemen aan de andere kant van de glazen plaat. Ze had een handtas bij zich. Wis en waarachtig, een handtas, terwijl ze vroeger altijd een van die zelf genaaide tassen om haar schouder had hangen. Een handtas die ze nu onzeker tegen zich aan hield. Alsof ze zich eraan vastklampte.

Ze zei iets wat hij niet verstond. Hij wees dat ze de hoorn moest opnemen, die links van haar aan de scheidingswand hing.

'Hallo, Vince.' Haar stem klonk blikkerig door de luidspreker. Aan deze kant hing geen hoorn. Aan de scheidingswand waren alleen een luidsprekertje en een microfoon bevestigd. 'Hoe gaat het met je?'

'Gaat wel,' antwoordde Vincent. Hij dacht aan de ophanden zijnde rechtszaak en dat tot nu toe niemand het hem moeilijk had gemaakt. Afkloppen. Alles verliep correct, de cipiers behandelden hem neutraal, alsof hij niet echt bestond. Hij vroeg zich af of daar verandering in zou komen als hij niet langer in voorarrest zat, maar als veroordeelde een gevangenisstraf uitzat. Hij probeerde dat van zich af te zetten. Vooral niet gaan piekeren. Ten eerste zou hij daar vroeg genoeg achter komen, en ten tweede kon hij daar toch niets aan veranderen.

'Ach, Vince!' Zijn moeder schudde verdrietig haar hoofd. Het deed pijn om haar zo bedroefd te zien. De bruisende levenslust, die zo kenmerkend voor haar was ondanks de tegenslagen in haar bewogen leven, was verdwenen. 'Dat ik dit ook nog moet meemaken... mijn zoon in de gevangenis. Wegens autodiefstal!'

Het klonk of dat een bijzonder schandelijk delict was.

'Had ik volgens jou beter een bankroof kunnen plegen?' vroeg Vincent. Ze luisterde niet. 'Ik moet iets verkeerd gedaan hebben.' Ze staarde voor zich uit, alsof ze in herinneringen verzonken was. 'Ik ben geen goede moeder geweest, denk ik. Voor het eerst in mijn leven vind ik het raar dat ik nog steeds als een domme tiener van de ene man naar de andere vlinder.' Ze keek hem aan. De pijn was in haar ogen te lezen. Ze beet op haar onderlip. 'Waarschijnlijk is dat de oorzaak van de ellende. Je hebt je nooit kunnen settelen en geen echt gezinsleven gekend. Altijd stonden we op het punt om weg te gaan. Altijd maar weer verhuizen.'

'Zo erg was het nou toch ook weer niet, mama. In elk geval was het nooit saai,' zei Vincent. Hij had het niet graag over dit soort dingen. Zeker niet tussen al die mannen aan zijn kant van de scheidingswand. Stinkende kerels die zo hard in de microfoon brulden dat je jezelf niet eens verstond.

Er verscheen een lachje op haar gezicht. 'Dat was het zeker niet.' Ze zuchtte. 'Hoe doet Bruce het? Heb je de indruk dat hij jouw belangen goed behartigt? Eerlijk gezegd is het natuurlijk ook een geldkwestie. Toen ik Bruce belde, was ik blij dat hij jou wilde helpen, maar...'

'Bruce is oké,' viel hij haar in de rede. 'Dat is hij altijd geweest. Je had bij hem moeten blijven. Weet je wel dat hij echt van je hield?'

Zijn moeder keek hem geschrokken aan en wendde toen haar blik af, alsof ze op het punt stond om in tranen uit te barsten. Ze knipperde met haar ogen en wreef met een hand over haar gezicht. 'Ja, dat weet ik,' zei ze. 'Misschien dat ik destijds om die reden...' Ze zuchtte diep en probeerde te glimlachen. Een moeizaam, vertwijfeld lachje. 'Iedereen maakt fouten, nietwaar? Ik heb er in elk geval heel veel gemaakt. Er valt jou niks te verwijten, hoor je?' Tot zijn opluchting glimlachte ze niet meer zo krampachtig. 'Ik verwijt jou dan ook helemaal niks. Wel neem ik mezelf van alles kwalijk. En terecht, dat weet ik heel goed. Dat hoeft niemand mij te vertellen.'

Zwijgend keken ze elkaar aan terwijl er rechts van hem om geld werd gebakkeleid en aan zijn linkerkant over de naam van een nog ongeboren kind werd gediscussieerd.

'Heb je mijn vader gebeld?' vroeg Vincent uiteindelijk. Dat was belangrijk om te weten.

Ze knikte. 'Ja.'

'En?'

'Best vreemd om zijn stem weer te horen. Hij klonk precies zoals ik me hem in mijn herinnering heb bewaard. Alsof de tijd stil is blijven staan.' Ze glimlachte peinzend. 'Tijd is een raar fenomeen...'

'Heb je naar die cd gevraagd?'

'De cd? Ja, die heeft hij ontvangen. Maar iemand heeft de cd nog dezelfde dag gestolen. Een lange, magere man, zei hij tegen mij.'

Verbijsterd leunde Vincent achterover in zijn stoel. Zantini. Verdomde klootzak. Hoe had hij dat in hemelsnaam voor elkaar gekregen? Hoe kon hij weten naar wie hij die cd had opgestuurd? Toen hij op de vlucht was, realiseerde hij zich echter gevoelsmatig dat Zantini het misschien wist. Gelukkig kende hij het e-mailadres van Sirona uit zijn hoofd. En hij vond het best slim van zichzelf dat hij haar gevraagd had om de cd te halen.

Hij begreep het niet. Was Zantini dan misschien toch een echte tovenaar? Was dat gegoochel slechts een dekmantel die zijn ware aard verhulde?

Vincent dacht na terwijl hij naar de klok keek die tegenover hem aan de muur hing. Hij moest opschieten. Over enkele minuten was de bezoektijd voorbij. Hij had een idee. Maar was het wel een goed idee? Na alles wat er was voorgevallen twijfelde hij meer dan ooit aan zijn inschattingsvermogen.

Hij had niet veel tijd meer. Misschien moest hij deze ene kans benutten om de loop der dingen te veranderen.

Hij boog zich naar de microfoon toe, keek zijn moeder aan en zei: 'Zou je hem nog eens willen bellen?'

Ze keek hem met grote ogen aan. 'Natuurlijk.'

'Oké. Vertel hem het volgende...'

# Hoofdstuk 26

Alex woonde in het zuiden van Stuttgart, in een van de gerenoveerde woonblokken nabij de Mozartstrasse. De bouwwerkzaamheden hadden maandenlang voor files en overlast gezorgd. Toen Simon de trap van het metrostation nam, vroeg hij zich af wat hij hier eigenlijk te zoeken had. Wat had hij überhaupt met deze kwestie te maken? Waarom deed hij dit? Alleen omdat zijn zoon, die hij nog nooit ontmoet had, een computerprogramma had geschreven? Vreemd wat dit soort kleine, eigenlijk niet-bestaande dingen tegenwoordig voor uitwerking op je leven konden hebben. Eens te meer kwam hij tot het besef dat de wereld op het punt stond door te draaien.

Voelden de mensen een eeuw geleden dat ook zo? Of had het met ouderdom te maken? Kwam de wereld hectisch en overweldigend over zodra je een bepaalde leeftijd had? Simon vroeg het zich af. Dolgraag was hij een keer in de huid gekropen van iemand uit de negentiende of achttiende eeuw om te weten hoe de mensen in die tijd het leven ervoeren. Je kwam er anders nooit achter, ongeacht hoeveel geschiedenisboeken je las. Je wist niet hoe het was om te leven in het Duitse keizerrijk met die strakke hiërarchie, of tijdens de Franse Revolutie, waarin de mensen de pretentie hadden om de hele wereld op zijn kop te zetten. Hoe was het in de middeleeuwen, waarin het religieuze wereldbesef onbesproken bleef?

Hij was bij het adres aanbeland dat Sirona hem gegeven had. Alexander Leicht. Zijn naambordje hing onder de deurbel.

'Neem de trap naar boven.' De stem van Alex klonk door de luidspreker. 'Bovenste etage.' De deuropener zoemde.

De bovenste verdieping telde maar één woning. Een soort penthouse. De deur stond open. Met uitzicht op een ruim interieur dat beslist niet zou misstaan in een stijlvol woonblad. Simon was verbaasd. Hij had niet verwacht dat de jongen met dat explosieve karakter zo fraai woonde. Een rijke familie? Een erfenis? Steeds meer mensen plukten daar de vruchten van. In deze tijd werd het vermogen van de oude generatie – miljarden euro's, zuurverdiend – overgedragen aan de volgende generatie, die dat geld vervolgens ongegeneerd liet rollen.

Hoe het ook zij, Simon legde de fles rode wijn in zijn linkerhand, belde nog een keer kort aan en liep naar binnen.

'Leo?' hoorde hij Alex ergens roepen. 'Ga jij even, alsjeblieft?'

'Ja.' Een andere stem.

Met de fles in zijn hand stond Simon te wachten. Hij had graag zijn jas uit gedaan, want in de op het eerste gezicht ruime, koele huiskamer was het warm. Hij keek rond of hij een kapstok zag en of hij de fles wijn ergens kon neerzetten.

Opeens kwam iemand op hem af. Een potige vent. Ongetwijfeld twee meter lang en zo breedgeschouderd als een bokser. Met zijn korte stekelhaar en nogal suffige blik kwam hij niet bepaald over als een icoon van het intellectualisme. 'Goedenavond,' zei de man. Hij stak een verontrustend brede hand naar hem uit. 'U bent meneer König? Sirona zei al dat u zou komen.'

'Aangenaam? En u bent Leo?' Simon keek wantrouwig naar diens enorme toegestoken hand. Snel overhandigde hij hem de fles wijn.

'Ik heet eigenlijk Leopold.' Het trucje met de fles werkte. Leo bestudeerde het etiket. 'Spaanse wijn? Wat aardig van u.'

Toen hij Simon uit zijn jas hielp, kwam Alex aangelopen. Op blote voeten. Gekleed in een grof geweven linnen hemd en een broek van zaklinnen. 'Hallo, meneer König.' Hij gaf hem een hand. 'Het spijt me, ik werd net gebeld en moet nu iets dringends afhandelen. Maak het u gemakkelijk tot de krijgsraad compleet is. Leo zorgt voor alles. Hij is trouwens mijn broer, ook al lijken we niet op elkaar.' Hij grijnsde. 'Zonder hem zou het hier een puinhoop zijn. Tot zo.'

Met kletsende voetstappen liep hij een andere kamer in. Toen de deur even openging zag Simon in die ruimte een glimp van een aantal oplichtende beeldschermen. Een gezette vent zat achter een van de computers. Het was Root.

Leo ging hem voor naar een reusachtig zitkamerameublement. Drie sneeuwwitte sofa's stonden gegroepeerd om een salontafel die de afmetingen had van een tweepersoonsbed. Dit gedeelte van de woning was rondom voorzien van ramen. Het uitzicht op de binnenstad van Stuttgart was fantastisch. De zon was net ondergegaan, de lucht kleurde donkerblauw. In combinatie met de gele lichten van de straatlantaarns was de stad zo mooi als die in de schemering maar zijn kon.

'U en uw broer wonen hier fraai,' zei Simon. Hij probeerde een gesprekje op gang te krijgen.

Leo haalde zijn schouders op. 'Nou ja, laten we zo zeggen... ik woon hier en hij betaalt de huur.' De verbaasde, wat geërgerde blik in de ogen van Simon noopte hem kennelijk om zich nader te verklaren, want hij voegde er haastig aan toe: 'Een paar maanden geleden zijn mijn vriendin en ik uit elkaar gegaan en, eh... van Alex mag ik hier voorlopig wonen. Als hij er niet is, geef ik de planten water en zo. Eigenlijk is hij er nooit.'

'O?' Simon schraapte zijn keel. 'Wat doet hij dan voor de kost, als ik vragen mag?'

Leo haalde een keer diep en luidruchtig adem door zijn mond. 'Wel, dat weet ik niet precies. Alex heeft een bedrijf dat in rollenspellen doet. In het echt en op internet. Maar wat dat inhoudt, moet u hem zelf maar vragen.'

'En kun je daarvan leven?'

'Hé!' Leo maakte een breed gebaar naar alles wat er om hen heen te zien was. 'Kijk maar. Hij verdient zo veel dat hij niet meer weet wat hij met zijn geld moet doen.'

'Rollenspellen.' Simon nam plaats. Weer wat geleerd.

Leo ontpopte zich als een gastheer op wie niets viel aan te merken. Of Simon wat wilde drinken. Voor een kleerkast was hij overdonderend attent en zorgzaam. Toen Simon zei dat hij wel een kop koffie lustte, kwam Leo even later terug met een dienblad waarop zijn koffie stond, en verder alles wat daarbij hoorde. Daarna verscheen hij met nog meer dienbladen: glazen, flessen en smakelijk belegde broodjes.

'Alex zei dat u leraar bent,' zei Leo opeens.

Simon knikte. 'Aan het gymnasium. Geschiedenis en maatschappijleer. En u?'

'Persoonsbeveiliging,' zei de breedgeschouderde man. Simon schatte hem niet ouder dan tweeëntwintig. 'Ik werk bij een beveiligingsbedrijf.' Hij haalde zijn schouders op. 'Klinkt opwindender dan het is. Je ziet veel beroemde lui van dichtbij. Maar meestal staan we er niet omheen.' Er werd aangebeld. 'Dat zal Sirona zijn,' zei Leo. Hij stond op, maar bleef staan toen hij het geluid hoorde van blote voeten die over de parketvloer snelden.

Alex deed zelf open.

'Is Sirona zijn vriendin?' vroeg Simon zachtjes.

Leo ging weer zitten. Een vluchtig glimlachje speelde om zijn mondhoeken. 'Dat zou hij wel willen. Maar ik vrees dat...' Hij stokte en schudde zijn hoofd.

Nu verschenen ze alle drie. Sirona zag er ditmaal uit als een sprookjesfee. Ze droeg een wijdvallende heuprok van witte tule en een donkerblauw jasje met rokpanden die tot aan de knieholten reikten. In haar hoog opgestoken haar pronkte een soort aureool. Simon vond het verbazingwekkend dat iemand zo door de stad durfde te lopen. Root had vandaag een kanariegeel T-shirt aan met het opschrift LIEVER BENIJDEN DAN MEDELIJDEN.

'We zijn nogal gestrest,' zei Alex, hoewel hij overkwam als iemand die geen idee had wat stress was. 'Volgend weekend houden we een middeleeuws feest in de Eifel. Compleet met riddertoernooien en zo. Het wil niet zo vlotten met de instanties. Als je het woordje "wapen" in de mond neemt, heb je een probleem. Loop met een zwaard aan je gordel door een Duitse stad en je overtreedt prompt een heleboel wetten waarvan je niet weet dat die überhaupt bestaan.'

'Online knalt het ook flink,' voegde Root eraan toe. Hij hield een laptop losjes onder een arm.

'Toch niet weer in Elfenland?' vroeg Sirona terwijl ze Simon een hand gaf. Ze scheen erg ontdaan te zijn van dat nieuws. Simon vroeg zich intussen af wat ze bedoelde met Elfenland. Hij had geen flauw idee.

'Het volle aantal punten. De gozer die valse toverspreuken verkoopt, is weer actief. Moet wel een genie zijn dat hij mijn versleutelde codes kan kraken.'

'Hoor hem eens,' zei Alex grijnzend.

Ze gingen aan de broodjes die Leo gesmeerd had. Er werden wat grappen gemaakt omdat alleen Leo en Simon wijn dronken, terwijl de rest de voorkeur gaf aan cola. Daarna vertelde Sirona over haar belevenissen als verkiezingswaarnemer. 'De medewerkers waren allemaal vooraf gewaarschuwd. Ze hadden opdracht gekregen ons niet bij de stemcomputers te laten, niet met ons van gedachten te wisselen, geen commentaar te geven, en ga zo maar door. Het lag er zo dik bovenop. Er staat inmiddels ook een foto op internet. Iemand van een andere groep heeft die van de genoemde brief gemaakt en gepubliceerd. Nogal wazig, bewogen kiekje, maar toch duidelijk genoeg. Nou ja, sommigen waren best oké. Die namen alles met een korreltje zout. Maar er waren erbij, tjeses... alsof we de kroonjuwelen wilden stelen.' Ze at het ene broodje na het andere. 'Hm, lekker. Goed gedaan, Leo.'

Leo glimlachte gevleid.

'Het argument dat je bij het gebruik van stemcomputers minder medewerkers nodig hebt, is volslagen uit de lucht gegrepen. Dat staat in elk geval als een paal boven water,' zei ze terwijl ze van haar broodje at. 'In Heiligenrode[1] wond iemand van de organisatie er geen doekjes om. Om de verkiezingen ordelijk te laten verlopen, heb je medewerkers nodig. Het maakt geen verschil of er al dan niet stemcomputers staan. Hij heeft trouwens niet veel op met het gebruik van die computers. Ouderen kunnen er slecht mee overweg, vindt hij. Het enige voordeel is dat er bij de gemeenteraadsverkiezingen minder fouten worden gemaakt.'

'Hoezo?' vroeg Root.

Sirona schonk nog wat cola bij. 'Gemeenteraadsverkiezingen zijn vaak nogal ingewikkeld. Er zijn bijvoorbeeld tien of vijftien stemmen die je kunt verdelen over de kandidaten en partijen. Men noemt dat "cumuleren en panacheren". Je mag je dan niet vertellen, anders is je stembiljet ongeldig. Een stemcomputer telt natuurlijk mee en houdt bij hoeveel stemmen je nog overhebt.'

'Klinkt inderdaad als een voordeel,' zei Alex.

'Zo ongeveer het enige.' Sirona had genoeg gegeten. Ze veegde haar vingers af aan een servet. 'Voor de rest waren er onregelmatigheden te over. Een voorzitter van het stembureau had kennelijk zijn bijscholing gemist, wat hem door zijn collega's luid en duidelijk onder de neus werd gewreven. Een stembureaumedewerkster had de stemmodule gewoon in haar zak gestopt en was ermee naar het hoofdbureau gegaan[2]. Verder vergat men de modules te verzegelen, er waren modulesleutels zoekgeraakt, toetsen die het niet deden, en zo meer...'

'En nu?' zei Alex. Simon had de indruk dat het Alex eigenlijk niet interesseerde. En dat hij meedeed aan dit circus om Sirona een plezier te doen.

'Tja, en nu. Dat is de grote vraag.' Ze opende haar map en spreidde allerlei tabellen en grafieken uit over de enorme salontafel. 'Dit zijn de uitslagen van de verschillende kieskringen. De groene balken zijn kieskringen waar de stemcomputer is ingezet.' Ze vormde een nieuwe rij. 'Dit zijn de kieskringuitslagen van de vorige verkiezingen. De verschillen tussen deze en de vorige verkiezingen heb ik ingekleurd. Geel betekent een verschil van drie tot vijf procent. Oranje staat voor vijf tot tien procent. En rood voor meer dan tien procent.'

---

[1] Voor details zie https://berlin.ccc.de/wiki/Wahl_in_Hessen/Niestetal.

[2] Voorgeschreven is het getuigenprincipe, ofwel twee personen per stemcomputer; stemmodules horen verzegeld en in ondertekende enveloppen gearchiveerd te worden.

Iedereen boog zich naar voren en staarde naar de uitdraaien. Vrijwel geen enkel balkje was wit gebleven.

'Ik zie dat de Hessenaren een nogal wankelmoedig volkje zijn,' vond Alex.

Simon schraapte zijn keel. 'Sorry, maar ik kan die gegevens op geen enkele manier interpreteren.'

Sirona liet zich op de vloerbedekking zakken en trok haar tulerokje strak om haar benen. 'Ik zoek aanknopingspunten die op verkiezingsfraude duiden. Stel dat je kunt aantonen dat in kieskringen waar computers werden gebruikt de stemverhoudingen anders zijn dan in de overige kieskringen. In dat geval heb je een argument om een verkiezingsonderzoek te gelasten.'

'En? Hebt u aanknopingspunten gevonden?'

Haar witgeschminkte gezicht bleef onbewogen. 'Helaas niet.'

Het werd onaangenaam stil.

'Kortom, we weten alleen dat iemand die cd belangrijk genoeg vond om te stelen,' zei Simon omdat niemand zijn mond opendeed. 'Naar men zegt een cd met software om verkiezingsfraude te kunnen plegen. We weten echter niet zeker of het ook zover gekomen is.'

Iedereen knikte instemmend, behalve Sirona.

'Dat soort software kun je probleemloos maken,' zei Root. 'De boel geïnstalleerd krijgen is andere koek.'

Iedereen verstarde toen Sirona plotseling kwaad de lege map door de kamer smeet. 'Verdomme!' schreeuwde ze. 'Ik wil de software van die klotecomputers onderzoeken! Ik wil zien wat ze ermee geflikt hebben.'

'Hé, maak je niet zo druk,' zei Alex.

Root trok zijn neus op. 'Als die Amerikaanse vriend van jou verstand van programmeren heeft, valt er denk ik niet veel aan te zien.'

Het ontging Simon niet dat Alex zijn wenkbrauwen fronste toen Root het over Vincent had.

'Het programma zit in een EPROM,' snauwde Sirona. 'Dat geheugen wist zichzelf niet. Wedden dat er wel wat te zien valt?'

'Het is ingewikkelder dan je denkt,' zei de gezette programmeur. Hij hield zijn laptop met twee handen vast. 'Het systeem dat je moet hacken, beperkt zich niet tot de NEDAP's maar omvat de hele stemprocedure. Een *cheater*[3] die gemanipuleerde EPROM's gebruikt, kan die verwisseling ook ongedaan maken. Hij laat dan geen sporen achter.'

---

[3] (Engels: 'bedrieger') Computerjargon: een *cheater* is een speler die middelen inzet waarmee hij oneerlijk voordeel behaalt tegenover zijn medespelers.

'Er is altijd wel iemand die verkiezingsfraude wil plegen,' bracht Alex te berde. 'Het is nooit anders geweest.'

Sirona wierp hem een boze blik toe. 'Ja, maar we hoeven het die lui niet nog gemakkelijker te maken!' Ze keek uit het raam. Een avond vol lichtjes. 'Hadden we dat programma maar. Dan zouden we tenminste een aanknopingspunt hebben.'

Het programma! Simon schrok en ging rechtzitten. Dat zou hij bijna vergeten...

'Ik heb een vraag,' zei hij. 'Waarschijnlijk omdat ik nu eenmaal weinig verstand van computers heb. Eigenlijk weet ik er geen snars van. Mijn vraag is wat ik me in verband met een computerprogramma moet voorstellen onder een "valdeur"?'

Alex ging in kleermakerszit zitten. 'Een valdeur? Gamers gebruiken die uitdrukking. In het onlinespel *Drachenburg*, dat wij exploiteren, zijn er allerlei valdeuren. Doorgaans voeren ze naar onderaardse kerkers, maar soms ook naar schatten en geheime gangen, waarbij we...'

Sirona stak haar hand op. 'Wacht even. Dat bedoelt hij volgens mij niet.' Ze keek Simon aan. 'Waarom vraagt u dat?'

Hoe kon hij dat het beste uitleggen? Gisteren, kort voor middernacht, had Lila hem weer gebeld. In opdracht van Vincent, zoals ze meer dan één keer benadrukte. Bovendien werd de toch al slechte verbinding op zeker moment verbroken zonder dat hij wijzer was geworden van wat ze hem verteld had. Hij was tot twee uur wakker gebleven, maar ze had niet meer teruggebeld.

'Ik heb nieuwe informatie van Vincent. Informatie waar ik echter geen snars van begrijp,' gaf hij toe. 'Hij liet weten dat zijn programma een valdeur heeft.'

Root keek met een ruk op, alsof hij onder stroom stond. 'Een valdeur! Hij bedoelt een *trap door*.'

Simon snapte niet waarom Sirona en Alex zo opgewonden reageerden. 'Wauw!' zei Alex, en Sirona voegde eraan toe: 'Dat zou fantastisch zijn...!'

'Hoezo? Wat wil dat zeggen?' vroeg Simon.

'Dat het programma hopelijk een geheime toepassing bevat,' legde Sirona uit. Ze ging op haar knieën aan de salontafel zitten en keek Simon strak aan. 'Wat heeft hij precies verteld?'

'Poeh.' Simon probeerde zich te herinneren wat Lila gezegd had. 'Dat zal moeilijk worden,' zei hij. 'Zijn moeder heeft in zijn opdracht contact met me opgenomen. Het is nog maar de vraag of ze alles woordelijk heeft weergegeven. Volgens mij heeft ze net zo weinig verstand van computers als ik.'

'Oké,' zei Sirona. Ze stak haar handen naar hem uit, alsof ze het nodig vond hem te kalmeren. 'Daar komen we misschien later wel achter. Wat heeft zij gezegd?'

'Dat ze van Vincent tegen me moest zeggen dat hij zijn signatuur in het programma heeft achtergelaten. Een test met zijn initialen.'

Sirona, Alex en Root keken elkaar radeloos aan.

'Een test met zijn initialen...?' zei Alex.

Root fronste zijn wenkbrauwen. 'Wat voor een test?'

'Hoe ziet die test eruit?' vroeg Sirona aan Simon. 'Heeft ze daar iets over gezegd?'

Simon probeerde zich elk woord te herinneren. Lila klonk alsof ze een lijst met trefwoorden voorlas. 'Als die initialen in de partijlijst opduiken, zei ze, trekken ze... hm... trekken ze vijfennegentig procent naar zich toe.' Hij stak zijn handen omhoog. 'Vijfennegentig procent van wat? Geen flauw idee. Ik heb ernaar gevraagd, maar ze kon me daar geen antwoord op geven.'

'Vijfennegentig procent van de stemmen?' zei Sirona. Ze kneep haar ogen half dicht. 'Natuurlijk. Wat anders? Hij heeft een extra routinecontrole ingebouwd waarmee de partijlijst wordt opgevraagd. Als de afkorting van een partij VM is, krijgt die vijfennegentig procent van de stemmen, ongeacht hoe er gestemd wordt.'

'VWM,' zei Simon. 'Zijn volledige naam is immers Vincent Wayne Merrit.'

'VWM. Ook goed,' zei Sirona ongeduldig. Ze sprong overeind en begon onrustig heen en weer te lopen. 'Daar komen we verder mee. Dat is de test waarmee we kunnen bewijzen dat er met de software geknoeid is. Het is voldoende een fictieve partij met de afkorting VWM in de lijst te zetten en een proefverkiezing uit te voeren, waarbij je alleen op de andere partijen stemt. Als de VWM toch vrijwel alle stemmen krijgt, is er duidelijk iets niet in orde.'

'Maar hoe uitvoerbaar is dat plan?' vroeg Alex. 'Het probleem blijft dat we niet bij de stemcomputers kunnen komen.'

Sirona draaide zich met een ruk om. Haar tulerokje deinde mee. 'Dat hoeft ook niet,' riep ze enthousiast. 'Het is voldoende om die aanwijzing openbaar te maken! Deze publieke druk zal ervoor zorgen dat alle voorzitters van de betreffende stembureaus...'

'Sorry, Sirona, maar dat werkt echt niet,' viel Alex haar in de rede. 'Het duurt nog maanden tot aan de volgende verkiezingen. Als je die *trap door* openbaar maakt, heeft Zantini, of wie er ook achter zit, voldoende tijd om het programma te veranderen. En dan? Dan bereik je het tegendeel. Ze doen die test en zien dat alles oké is. Vals alarm. Het versterkt de gedachte dat er met de computer niks mis kan gaan.'

De als een fee geschminkte en uitgedoste jonge vrouw liet haar schouders hangen. 'Je hebt gelijk. Dat is niet de juiste methode. Verdomme! We moeten die computers zelf controleren. Eerst de boel testen. Als blijkt dat we gelijk hebben, lichten we de instanties in.'

'Hoe wil je dat doen?'

'Inbreken en een computer stelen.' Ze zuchtte. 'Ik zou het anders niet weten.'

Een wanhopige stilte maakte zich meester van het groepje rond de tafel. Simon kreeg het niet meer bij elkaar gedacht. Hoe langer deze discussie duurde, hoe onwerkelijker die leek. Net als het vermeende gevaar van stemcomputers. Het begon erop te lijken dat dit vreemde meisje hartstikke paranoïde was. Een meisje dat niet de deur uit ging zonder zich eerst uit te dossen als een stripfiguur.

Root doorbrak het zwijgen met zijn gegrinnik. 'Hé, ben ik de enige die nog kan tellen?' Hij keek iedereen aan. 'Met deze informatie is het toch een fluitje van een cent om het systeem te hacken?'

'O ja?' snauwde Alex. 'Hoe dan? Er is geen netwerk. Je kunt dus niet inpluggen.'

Root lachte, alsof het een goeie grap was. 'Denk toch eens na, man.' Hij boog zich naar voren en staarde Alex aan. 'Vandaag ben je er niet echt bij, hè?'

'Vertel!'

'We richten een partij op. Een partij die we vwm noemen. Daarna nemen we deel aan de Bondsdagverkiezingen. De hel breekt los als blijkt dat de stemcomputers vijfennegentig procent van de stemmen naar een volstrekt onbekende partij sluizen.' Grijnzend leunde hij achterover. 'Owned[4].'

---

[4] Zie Wikipedia, computerjargon: *own, owned* (Engels *to own*: 'bezitten'). Vaak ook *pwn. Ownen* is vrij te vertalen met 'domineren' of 'duidelijk sterker spelen'. *Owned* komt overeen met 'Nou heb ik je!' of 'Hebbes!'

# Hoofdstuk 27

'Een partij oprichten?' zei Alex. Zijn ogen flonkerden bizar. Waarschijnlijk slechts de weerspiegeling van het nachtelijke Stuttgart achter de panoramaramen. 'En kan dat dan zomaar?' Hij keek Simon aan. 'Daar hebt u verstand van, hè?'

Simon knikte. 'Volgens artikel 21 van de grondwet[1] kan in principe iedereen een partij oprichten. Wordt ook veel gedaan. Niet dat ik dat ooit geprobeerd heb, als u dat soms denkt. Ik ben echter niet op de hoogte van de procedures die daaraan voorafgaan. Maar het kan zeker.'

'Fascinerend,' zei Alex. Hij keek Sirona aan. 'Zo doen we het. Er kan niks gebeuren. In het ergste geval lukt het gewoon niet. Dan krijgt onze partij nul stemmen en is het over en sluiten.'

'Geef nou maar toe dat ik een genie ben,' beklaagde Root zich. 'Daar gaan jullie echt niet dood van.'

Sirona en Alex keken elkaar aan en zeiden in koor: 'Root, je bent een genie.' Het leek wel ingestudeerd. Of was dit niet de eerste keer?

De gezette computerfreak leunde breed grijnzend achterover, legde zijn armen op de stoelleuningen en zei: 'Dat klinkt al beter.'

Alex begon meteen te organiseren. 'Nu moeten we iets verzinnen waar de afkorting vwm voor staat. Natuurlijk iets geks, maar toch... hm.' Hij keek Simon met een kritische blik aan. 'Had u uw zoon niet beter Peter kunnen noemen? Dan hadden we nu de "p" van partij. Dat zou alles een stuk gemakkelijker maken.'

---

[1] Artikel 1, lid 1 van de Duitse Grondwet luidt: 'De partijen werken mee aan de politieke wilsvorming van het volk. De oprichting van die partijen kan naar believen plaatsvinden. De interne organisatie ervan moet voldoen aan de democratische principes. Over de herkomst en het gebruik van de middelen, alsook over het vermogen, moet openbaar rekenschap worden afgelegd.'

'Dan moet u zich beklagen bij de moeder van Vincent,' antwoordde Simon zuur. 'Ik heb daar geen stem in gehad.'

'De "v" is ook goed,' zei Root. 'Dan stichten we gewoon een volkspartij. Of een volksfront. Ja, volksfront. *Volksfront für wirtschaftlichen Marxismus* – vwm. Keurig, hè?'

Alex trok een gezicht. 'Ik heb zo mijn twijfels. Ik ben zelfstandig ondernemer, man. Ik heb niet veel op met het marxisme.' Hij schudde zijn hoofd. 'Bovendien stikt het van dat soort partijen. Nee, ik wil graag iets echt excentrieks. Hoe buitenissiger het programma van onze partij is, hoe minder'twijfel er achteraf kan ontstaan dat er iets niet klopt als we veel stemmen trekken. Mee eens, Sirona?'

Ze knikte zwijgend. Alsof ze nog moest wennen aan het idee.

'vwm,' zei Alex peinzend. 'Iets met volks... dat staat me wel aan. Beter dan vereniging. Dat klinkt niet politiek genoeg. Volkspartij. Of volksbeweging. Blijft de vraag waartoe het volk bewogen moet worden. Volksbeweging voor...'

'*Volksbewegung für Waffenbesitz und Mobilfunk,*' stelde Root voor. 'Of *Volksbewegung für weltweite Mülltrennung.* Of *Volksbewegung für würdevolle Mutterschaft.* Of...'

'Tjeses!' riep Alex uit. 'Ben je gek geworden? *Würdevolle Mutterschaft.* Hoe kom je erbij?'

Leo schraapte zijn keel. 'Wat vinden jullie van *Volksbewegung zur Wiedereinführung der Monarchie?*' stelde hij schuchter voor. 'Afgekort is dat ook vwm.'

Ze staarden hem aan alsof er een blauw gewei op zijn hoofd groeide.

'Cool,' zei Sirona.

'Kijk aan,' zei Alex. 'Je hebt dus niet alleen spieren.' Simon zag dat Leo onwillekeurig verstarde door die opmerking. Mogelijk realiseerde Alex zich op dat moment ook dat hij zijn broer gekrenkt had, want hij klopte hem haastig op de schouder en zei: 'Prima. Heel goed. Geweldig idee.'

'Monarchie!' Root trok zijn neus op. 'Wel erg uitgekauwd, vind je niet?'

'Maar ideaal voor ons doel.' Alex werd enthousiast, alsof hij een visioen kreeg. 'Monarchie is geniaal. Niemand zal op zo'n partij stemmen, hoewel iedereen de partij kent. De media zullen erover berichten, op straat wordt erover gesproken. Precies wat we nodig hebben.' Hij keek Sirona aan. 'En? Wat vind je ervan?'

Het elfenmeisje knikte. Ze leek in gedachten verzonken.

Alex klapte in zijn handen. 'Zo doen we het. Leve de monarchie.' Hij wees met een vinger naar Simon. 'En u, meneer König, gaat ons adviseren hoe we die partij moeten oprichten.' Hij lachte. 'Meneer König! Zoiets verzin je toch niet?'

Toen Simon de volgende ochtend wakker werd, bekroop hem een onbehaaglijk gevoel, een vaag vermoeden. Dat had natuurlijk alles te maken met gisteravond. Met het idee een partij op te richten. Sinds hij die drie jongelui had ontmoet, kon hij zich niet aan de indruk onttrekken dat hij geleidelijk in iets verwikkeld raakte waarvan het eind nog lang niet in zicht was.

Drie jongelui? Inmiddels waren het er vier. Leo hoorde er immers ook bij. Toen hij hem bedankte voor de koffie en de broodjes, had die knul hem aangekeken op een manier die hij maar niet kon vergeten. Toen werd immers pijnlijk duidelijk dat Leo niet bepaald overspoeld werd met loftuitingen van de anderen. In dit wereldje stelde je kennelijk alleen wat voor als je thuis was in computers. En aangezien Simon in dat opzicht ook een groentje was, voelde hij zich onwillekeurig verbonden met de broer van Alex.

Ze hadden afgesproken dat ze volgende week maandag weer een bijeenkomst hielden. Opnieuw bij Alex, die dan zijn middeleeuwse festiviteit achter de rug had. In de tussentijd wilde Simon informatie vergaren over alles wat nodig was om een partij op te richten.

Dat was nog het leukste van alles: eindelijk wilde iemand iets van hem leren!

'Jij weet toch het een en ander over computers, hè?' vroeg hij tijdens de middagpauze aan Bernd. 'Kun je op internet informatie vinden over een bepaald persoon?'

Bernd bolde zijn wangen. 'Dat ligt eraan. Gewoon proberen.'

'Hoe doe je dat?'

'Je haalt Google op het scherm en tikt de naam in. Dan vind je iets over hem of haar. Of niet. Of je krijgt informatie over iemand die dezelfde naam heeft. Dat gebeurt ook.'

'Kun je me laten zien hoe dat moet?'

In de lerarenkamer gingen ze achter de computer zitten en tikten 'Alexander Leicht' in. In een fractie van een seconde kwam er informatie over hem op het scherm. Ze stelden vast dat hij een bedrijf had dat Brood en Spelen heette en *Online Role Playing Games*, *Live Action Role Playing Games* en – nieuw! – *Alternate Reality Games* aanbood.

Simon liet zijn schouders hangen en voelde zich opeens verschrikkelijk oud. 'Nu weet ik nog niks,' bekende hij. 'Ik kan me hier helemaal niets bij voorstellen.'

'Ik kijk wel even op Wikipedia,' zei Bernd, die inmiddels druk in de weer was met de muis. 'Alexander Leicht? Wat is dat voor iemand?'

'Een jonge vent die ik onlangs heb leren kennen.' Simon bleef opzettelijk vaag. 'Midden twintig. Ik wil graag weten waar hij de kost mee verdient.'

'Hm,' zei Bernd. Hij was er met zijn gedachten niet bij. 'Let op: *Multiplayer Online Role Playing Game*[2] is een computerspel. Verschillende gamers spelen online tegen elkaar in een typisch vormgegeven virtuele en interactieve wereld waarin ze samen avonturen beleven en zo meer.'

'Op internet?' vroeg Simon verbaasd. 'Wil dat zeggen dat iedereen thuis in zijn eentje achter de computer zit?'

'Zo gaat dat tegenwoordig, Simon.' Bernd zuchtte. 'De jeugd weet niet anders. Ze chatten, sms'en, discussiëren in forums en spelen games. Zo leven ze, ik zie dat bij die twee van ons. Juliane is net zo fanatiek als Dominik.'

Simon staarde naar de beelden op het scherm: potige, in plompe uitrusting gestoken krijgers met belachelijk gespierde armen dreigden met akelige slag- en steekwapens. 'De jonge generatie groeit op in een periode van vrede die ongekend is in de geschiedenis,' zei hij. 'Kunnen ze niks beters verzinnen dan zich in een fictieve wereld te begeven waar het altijd oorlog is? Vreemd.'

'Het is maar een spel, Simon,' zei Bernd. 'Fantasie. Kennelijk is de realiteit gewoon te saai geworden.'

---

[2] http://de.wikipedia.org/wiki/Massively_Multiplayer_Online_Role-Playing_Game

# Hoofdstuk 28

Een week later, op maandagavond, stond Simon weer als eerste voor de deur. Toen Alex opendeed, legde hij meteen uit dat de rest nog moest komen.

'Leo is met de auto onderweg. Hij haalt Sirona af in Mainz. Hij heeft net gebeld... Ze zitten in de file,' vertelde hij, mobieltje in de hand. Hij was vandaag normaal gekleed, in een spijkerbroek en een afgedragen sweater. 'Root komt met de trein, die natuurlijk weer eens vertraging heeft. Altijd hetzelfde liedje. In de *real world* kun je je amper meer verplaatsen.' Hij legde de mobiele telefoon weg. 'Zal ik uw jas ophangen?' vroeg hij onbeholpen. De rol van gastheer was hem niet op het lijf geschreven, in tegenstelling tot zijn broer. 'Loop maar alvast naar de huiskamer. Ik kom er zo aan met de hapjes en drankjes. U weet waar u moet zijn.'

Simon liep naar het zitkamerameublement, waar ze ook de vorige keer gezeten hadden en dat krankzinnige plan hadden uitgedacht om een partij op te richten. Hij legde zijn map op de sofa en keek wat er op de salontafel lag. Een boek over Mongolië en een oud bordspel zonder stukken. Alleen kaarten in een soort draaischijfjes die deel uitmaakten van het speelveld.

'Gevonden op de vlooienmarkt,' zei Alex. Hij kwam aangelopen met een dienblad vol glazen, flessen en zoute krakelingen. 'Spelletjes van vroeger intrigeren me. Ik ben er altijd naar op zoek. Om inspiratie en ideeën op te doen waar ik wat mee kan in mijn bedrijf. De gamebranche is een zeer dynamische wereld. Je moet heel flexibel zijn, voortdurend innoveren en je best doen om steeds hoog te scoren op de populariteitsschaal van de gamebusiness. Op internet bestaat loyaliteit niet. Zodra iemand met een beter en geavanceerder spel op de proppen komt, zijn je klanten in een mum van tijd gevlogen.'

Simon nam beleefd een glas sinaasappelsap aan. Hij wees naar het speelbord. 'Wat is dat voor een spel?'

'Ökopoly[1]. Ben ik momenteel aan het uitproberen. Een oeróud spel. Bevordert naar men zegt het gekoppelde denken.'

Het speelveld bestond uit een soort landschap in een fictief land. Met uitgeponste venstertjes waarin met getallen de 'levenskwaliteit', 'gevolgen voor het milieu', 'bevolkingsdichtheid' en 'productie' werden uitgedrukt. Bovendien kon je met de draaischijfjes een aantal stappen vooruit of achteruit nemen. De resultaten van die speelzetten hadden in een vaste volgorde hun uitwerking op de andere grootheden. Alles was met elkaar verbonden, en alle spelers samen hadden als regering de taak om de desolate uitgangspositie van het land te verbeteren.

Ze speelden een paar rondjes. Simon vond het ingewikkelder dan hij aanvankelijk dacht. Ze brachten het er redelijk af door met een handige verdeling van milieumaatregelen en industriële hervormingen een verbetering tot stand te brengen. Maar de neveneffecten van die maatregelen veroorzaakten op complexe wijze een negatieve uitwerking: de milieuvervuiling nam schrikbarend toe, of de staatsinkomsten namen dramatisch af, of de populariteit van de politici daalde snel, waardoor er een staatsgreep gepleegd werd en het spel uit was.

'Onoplosbaar,' mopperde Alex gefrustreerd. 'Zo is het toch? Ik heb veel ervaring met spelletjes, maar dit slaat werkelijk alles. Hoe heet die uitvinder... Frederic Vester[2]. Hij moet me maar eens uitleggen hoe je hier uit komt.'

Simon zette de draaischijfjes terug naar de beginwaarden.

'Laten we het nog een keer proberen,' zei hij. 'Ditmaal met investeringen in het onderwijs. Of met informatie en voorlichting, zoals dat in dit spel genoemd wordt.'

'Onderwijs? Wat schieten we daarmee op?'

'Alles in het leven hangt ervan af. Het gaat om de vraag wat er zich in onze hoofden afspeelt,' legde Simon uit. 'Dit spel pretendeert het echte leven te weerspiegelen, nietwaar? Althans bij benadering. Dan moet mijn visie ook in dit spel haar vruchten afwerpen.'

'Hm,' zei Alex. Hij was niet overtuigd, maar volgde toch de voorgestelde

---

[1] 'Ökolopoly, een cybernetisch ecologisch-economisch spel', is ontwikkeld door Frederic Vester en voor het eerst in 1980 als uitklapbare bijlage verschenen in het tijdschrift *Nature*, en vier jaar later als bordspel. Inmiddels ook als computerspel verkrijgbaar. Zie http://de.wikipedia.org/wiki/Ökolopoly

[2] http://de.wikipedia.org/wiki/Frederic_Vester

strategie van Simon. En inderdaad, na enkele verschillen in opvatting, waar ze telkens lang over discussieerden, lukte het hun om deze fictieve, door slechts weinig constanten vormgegeven en op grove wijze voorgestelde wereld te verbeteren. Volgens de spelregels hadden ze dus gewonnen.

'Cool.' Alex leunde achterover en staarde tevreden naar het speelbord. 'Het gaat om de vraag wat er zich in onze hoofden afspeelt. Goeie slogan. Iets om te gebruiken als motto voor mijn bedrijf.'

'Dat bedrijf van u...' Ook Simon leunde achterover. 'Ik moet bekennen dat ik me daar überhaupt geen voorstelling van kan maken. Wat verkoopt u? Uw broer zei dat u spellen organiseert.' Hij haalde zijn schouders op. 'Nu weet ik eerlijk gezegd nog niks.'

Alex pakte een flesje bier. 'Ik ben er zogezegd in gerold,' zei hij terwijl hij de fles openmaakte. 'In mijn kindertijd was ik degene die het spel en de spelregels bepaalde. Ik was dus aanvoerder en scheidsrechter tegelijk. De meeste kinderen vonden dat prima. Zo iemand had je gewoon nodig. En ik was dat toevallig. Bovendien groeide ik op aan de rand van de stad. Hele wijken werden daar in die tijd uit de grond gestampt. Toen ik veertien was, woonde ik niet meer in het dorp maar in een stadsdeel. Tja, je groeit op en dan heb je geen zin meer om buiten wat rond te lopen, je kleren vies te maken en kou te lijden. Ik ben toen begonnen met rollenspellen. Ik weet niet of u dat wat zegt.'

'Leg het me maar uit. Wat ik eronder versta, klopt vast niet.'

Alex maakte een felle beweging met de fles, waardoor er een paar druppels bier op de salontafel vielen. 'Het ziet er absoluut niet spectaculair uit. Er zitten wat lui met formulieren, een pen en een dobbelsteen aan een tafel. Meestal vertellen ze elkaar wat. Het is een spel waarin de fantasie ruim baan krijgt, snapt u? Iedereen speelt een rol in die fictieve wereld waarin men samen met andere avonturiers van alles beleeft. De spelleider leidt alles in goede banen. Iemand zegt bijvoorbeeld: "Ik open deze deur." De spelleider bepaalt wat er zich achter die deur bevindt. Misschien heeft de speler een monster losgelaten, waartegen hij nu moet vechten. Dat doet hij door de dobbelsteen te gooien. Afhankelijk van wat hij gooit, heeft hij gewonnen of verloren, en ga zo maar door...' Hij zag dat er wat druppels bier op de salontafel waren gevallen, haalde zijn zakdoek tevoorschijn en veegde ze weg. 'In elk geval was ik vrijwel altijd de spelleider. Je kunt speelconcepten kopen die klaar zijn voor gebruik, zoals *Das Schwarze Auge*[3] en *Dungeons & Dragons*[4]. Maar op zeker moment ben je

---

[3] http://de.wikipedia.org/wiki/Das_Schwarze_Auge

eraan toe om zelf werelden te scheppen en de spelregels te bepalen. Tja, en toen kwamen de computerspellen, die steeds beter werden. In die periode kwam ik Root tegen. Hij zat toen ook in een project dat een computerspel ontwikkelde. Ik denk dat ik voorbestemd was om in deze branche te blijven hangen. Niet iedereen houdt van games. Maar de fans geven zich helemaal, als u begrijpt wat ik bedoel. Ze zetten zich honderdvijftig procent in. Meespelen is altijd beter dan toekijken hoe anderen spelen, zeg ik altijd. Zelfs als het om voetbal gaat. Gewoon zitten kijken is toch oervervelend?'

Hij nam een flinke slok.

Simon liet de informatie bezinken. 'Ik vond het zo vreemd om te horen dat u middeleeuwse feesten organiseert...'

'O ja?' Alex wreef met de handrug over zijn mond. Daarna zette hij de bierfles neer om zijn woorden beter van gebaren te kunnen voorzien. 'Om precies te zijn heb ik die middeleeuwse festiviteit niet georganiseerd, alleen het riddertoernooi. Stadjes met een binnenstad die zich daarvoor lenen, organiseren dat soort volksfeesten. Tegenwoordig lukt dat niet meer zonder professionele ondersteuning. En die moet je inhuren. Er worden veel middeleeuwse spektakels gehouden, maar als je er een paar bezoekt zie je vaak dezelfde gezichten. Die mensen trekken 's zomers van stad naar stad en spelen bedelaar, goochelaar, kruisridder of kruidenvrouwtje. Ook hebben ze hun eigen kostuums, hun eigen trucjes en hun eigen spreuken en leuzen. Ik organiseer riddertoernooien met zwaarden, schilden, tenten, schildknapen en ruiters. Zeer duur en pompeus, maar het brengt ook veel geld op, omdat er maar weinig mensen zijn die in zo'n toernooi kunnen optreden.'

'Goed, maar wat heeft dat met computers te maken?' vroeg Simon. 'Computers en software zijn immers min of meer de reden waarom we hier nu tegenover elkaar zitten.'

'Het gaat om het spel. De fantasie. Je in een andere wereld verplaatsen, een ander leven leiden en op die manier van alles beleven wat je in realiteit nooit zou meemaken. Een ridder, een krijger, een tovenaar... wat je maar wilt. Je bepaalt je eigen grenzen, afhankelijk van je fantasie.' Hij greep weer naar de fles. 'De computer is uiteindelijk ook maar speelgoed, zoals zo veel dingen. Veel verstand van computers heb ik niet. Vergeleken met Sirona en Root ben ik een analfabeet. Als een spel van de *multiplayer games* goed op gang komt op internet is er sprake van een technische inzet en capaciteit die bijna niet meer te tillen is. Duizenden spelers zitten er

---

[4] http:/de.wikipedia.org/wiki/Dungeons_%26_Dragons

dan in. Natuurlijk wordt er momenteel ook veel geld verdiend. Maar ik heb u al verteld dat op internet geen loyaliteit bestaat. Over een maand kan iedereen gevlogen zijn. Dan sta je daar met hardware ter waarde van een miljoen euro en torenhoge vaste lasten. Grote bedrijven maken nu de dienst uit. Ik heb geen zin meer om me daarin te mengen. Daarom heb ik me in de afgelopen tijd steeds meer toegelegd op alternate reality...' Hij keek Simon aan. 'Dat zegt u waarschijnlijk niks.'

'Nooit van gehoord,' zei Simon.

'In de alternate reality integreer je een fictieve wereld in de werkelijkheid van alledag. Noem het ensceneren. Afgelopen jaar hebben we dat bijvoorbeeld met een agentenverhaal gedaan, waarbij twee groepen geheim agenten achter een geheime formule probeerden te komen. Wat dat geheim precies inhield, maakte niet uit. Het ging om de jacht. Het spel deed het enkele maanden uitstekend. Eerst werden de deelnemers in een trainingskamp opgeleid tot geheim agent. Daarna zijn ze met hun uitrusting, geheime aanwijzingen en zo meer op pad gegaan om vijandige agenten te ontmaskeren. Die vijandige agenten hoorden natuurlijk bij de andere groep. Ze speelden tegen elkaar.' Hij schudde grijnzend zijn hoofd. 'Dat was geweldig. Op een dag waren alle spelers in de binnenstad onderweg, tussen het verkeer en de gewone voetgangers. Tjonge, wat keken die lui raar op toen iemand een mobilofoon tevoorschijn haalde en de klopjacht begon...' Hij lachte. 'Als spelleider zit je dan non-stop in de stress.' Hij keek Simon aan. Kennelijk herinnerde hij zich opeens de vraag van Simon. 'Bij dat soort spellen zetten we ook computers in. Maar wel op een andere manier. Veel communicatie verloopt via e-mail. Je maakt websites die alleen maar onderdeel zijn van het spel maar die er heel realistisch uitzien. Natuurlijk komt er nog veel meer bij kijken. We hebben talloze brieven van niet-bestaande instanties verstuurd. Natuurlijk voorzien van hun briefhoofden om het echt te laten lijken. En we stopten voorwerpen in stationskluisjes en trommelden mensen op die deden of ze wachtposten, wetenschappers of zomaar toevallig passerende voetgangers waren.'

Simon trok zijn wenkbrauwen op. 'Ik kan me voorstellen dat u soms niet meer weet wat fantasie en werkelijkheid is.' Hij keek Alex aan. 'Hoe houdt u die twee werelden gescheiden?'

Alex grijnsde. 'Eerlijk gezegd weet ik het soms ook niet meer.' Hij haalde zijn schouders op. 'Maar dat is het fascinerende ervan. Er zijn momenten dat je het gevoel hebt dat je bij de volgende stap die je zet de realiteit verlaat en voorgoed in de wereld vertoeft die je zelf bedacht hebt. Soms denk je dat dat echt mogelijk is.'

Simon wist niet wat hij daarop moest zeggen. Hij schonk zichzelf nog wat sinaasappelsap in om dit moment van stilte te overbruggen.

'Maar de realiteit haalt je telkens in,' verzuchtte Alex. 'Meestal na de afrekening. We hebben een spel dat je half online en half reallife speelt. Het heet Elfendans. De deelnemers ontmoeten elkaar online en om de paar maanden face to face. We bouwen dan diep in het bos een compleet elfendorp. Bij een betoverend mooi dorpje in het Thüringer Wald... Financieel loont dat niet. Een bodemloze put.' Hij staarde naar het tafelblad. 'Maar dankzij dat spel heb ik Sirona leren kennen. Eigenlijk doe ik alleen nog maar mee omdat zij erin zit.' Hij stokte, schraapte zijn keel, nam een slok bier uit de fles en keek op zijn horloge. 'Volgens mij moeten ze er nu zo zijn.'

De gebruikelijke file bij Pforzheim. Zodra je de stad bijna kruipend gepasseerd was, loste de file langzaam op. Leo zuchtte. Hij was opgelucht dat hij in elk geval weer kon doorschakelen naar de derde versnelling.

Hij kon nauwelijks wachten tot hij weer in Stuttgart was.

Sirona zat op de achterbank en had de hele weg praktisch geen woord gezegd. Wat een vreemde vrouw. Toen ze in de file stonden, had hij soms even in de achteruitkijkspiegel naar haar gekeken, hoewel hij dat eigenlijk een beetje ongepast vond. Je moest het maar durven om in die uitdossing over straat te gaan.

Het had bovendien iets onwerkelijks. Misschien was ze daaropuit. Soms kwam ze op hem over als iemand die uit een stripverhaal was gestapt. Het was nauwelijks te geloven dat ze in Mainz in een echt huis woonde en dat hij haar daar had opgehaald. Hij had nota bene aangebeld, en op een wit bordje naast de deurbel stond SIRONA.

'Kun je even stoppen?' vroeg ze plotseling.

Leo verstarde. 'Stoppen?'

'Ik bedoel als we weer langs een parkeerplaats of tankstation komen.'

'Hoezo?' vroeg Leo voordat hij zich realiseerde dat die vraag niet gepast was voor een chauffeur. Maar hij was gewoon blij dat hij weer kon rijden. Ergens stoppen was hem nu een gruwel.

De jurk van Sirona ruiste. 'Ik moet even,' zei ze simpelweg.

Leo kreeg het gevoel dat hij kleurde. 'Oké,' zei hij. 'Volgens mij ligt achter de volgende bocht een tankstation.'

Het feit dat ze naar de wc moest, vond hij een geruststellende gedachte. Elfjes en feeën hoefden niet naar het toilet. In elk geval had hij daar nog nooit van gehoord.

Het tankstation lag inderdaad achter de volgende bocht. Hij had zich dat goed herinnerd. Leo parkeerde bij de glazen deur van de toiletruimte. Sirona stapte zonder iets te zeggen uit en ging naar binnen.

Zoals altijd liep Leo even om de auto heen om te controleren of alles in orde was. Geen krassen, de bandenspanning was zo te zien goed. Zijn oog viel op de laptop die op de achterbank lag. Met daarop een map en enkele vellen papier die gedeeltelijk – slechts enkele centimeters – eruit waren gegleden. Als lijfwacht was hem ingeprent dat je je absoluut niet interesseerde voor rondslingerende papieren. Nergens. Nooit. Onder geen enkele omstandigheid.

Leo had zich daar altijd strikt aan gehouden. Maar hij werd nu wel erg nieuwsgierig. Waarmee hield die elf zich bezig? Hij ging achter het stuur zitten, draaide zich om en trok een van de vellen iets verder uit de map.

Zo te zien een of ander schakelschema. Een ingewikkeld, bizar vlechtwerk van lijnen en symbolen. Leo had geen flauw idee om welk apparaat het ging, laat staan dat hij begreep wat hij zag. Het had ook moderne kunst kunnen zijn, vond hij, als niet in een hoek de woorden TWIN CHIP en TOP SECRET hadden gestaan.

Vanuit zijn ooghoek zag hij net op tijd dat Sirona naar buiten liep. Ze moest om een man heen lopen die perplex stond toen hij haar zag. Leo was blij dat ze een paar seconden werd opgehouden, anders zou hij geen tijd meer hebben gehad om de bladen terug in de map te schuiven.

'Alles in orde?' vroeg hij, nadat ze was ingestapt. Hij keek haar in de achteruitkijkspiegel aan.

'Ja,' zei ze. Met een terloopse beweging borg ze de map op. Ze gedroeg zich niet of ze argwaan had gekregen.

Leo startte de auto en nam zich voor om in de toekomst niet meer zo nieuwsgierig te zijn.

Uiteindelijk kwamen ze bijna tegelijk binnen. Root was snipverkouden. In de schoudertas zat zijn laptop, waarmee hij vergroeid leek te zijn. Het ergerde hem dat de trein vertraging had gehad en dat hij zo lang in de kou had moeten staan. Even later waren Sirona en Leo er ook.

'We moeten iets anders verzinnen,' zei Sirona meteen opgewonden. Ze pakte haar laptop. 'Ik heb deze week de grondwet eens doorgenomen. Volgens mij is het invoeren van de monarchie in strijd met de constitutie. Of zie ik dat verkeerd?' Ze keek Simon aan. 'U zei dat alles conform de grondwet moet zijn om te voorkomen dat de partij bij voorbaat ongrondwettig wordt verklaard.'

'Inderdaad,' zei Simon.

Ze klapte de laptop open. Het beeldscherm lichtte op en toonde een tekstdocument met kennelijk notities van haarzelf. 'Een artikel verbiedt dat er in de grondwet wezenlijke veranderingen worden aangebracht. Artikel 79, lid 3, zegt dat de eerste twintig artikelen onveranderd moeten blijven, net als de onderverdeling van de deelstaten, en dat de afzonderlijke staten zich niet met die wetgeving mogen bemoeien[5].'

Simon knikte kalm. 'Inderdaad. Juristen noemen dat artikel de "eeuwigheidsclausule".'

'Maar dat staat toch lijnrecht tegenover de invoering van de monarchie?' Sirona scrolde omhoog in haar tekst. 'Oké, de eerste twintig artikelen. Dat zijn de grondrechten. Daar valt niet aan te tornen. Stel dat Duitsland een koninkrijk wordt. Dat houdt dan toch in dat de bondsstaten opgeheven worden? Natuurlijk willen we dat niet zo expliciet stellen. Waar het om gaat is dat we op dat verdomde stembiljet komen, nietwaar? Als iemand op een invloedrijke positie denkt dat wij dat van plan zijn, kan hij ons wegens staatsrechtelijke bedenkingen tegenhouden. En dan?'

Root maakte het zich gemakkelijk in zijn stoel en haalde luidruchtig zijn neus op. 'Dat is toch geen probleem? Dan richten we gewoon alsnog de *Volksbeweging für Würdevolle Mutterschaft* op. Daar kan niemand iets tegen hebben.'

'Tjeses, waarom kom jij daar steeds mee aanzetten?' morde Alex. 'Heb je een probleem of zo?'

'Ik? Nee. Jullie hebben een probleem. En ik heb de oplossing.' Hij rommelde in zijn tas. 'Goeie genade, wat heb ik kou geleden. Waarschijnlijk heb ik een longontsteking opgelopen. Kan ik misschien een kop hete thee krijgen of zoiets?'

'Leo, kun jij hem even behandelen?' Alex knikte zijn broer toe. Gehoorzaam liep Leo naar de keuken. 'Wat vindt u ervan, meneer König? U bent hier de deskundige.'

'Anticonstitutioneel wil zeggen dat je het liberaal-democratisch staatsbestel niet erkent, afwijst of door een ander beginsel wilt vervangen,' legde Simon uit.

'Welk ander beginsel bijvoorbeeld?' vroeg Sirona.

'Nou ja, zoals het leidersbeginsel. De generatie van mijn ouders heeft daar op zeer onaangename wijze kennis mee gemaakt.'

---

[5] De woordelijke inhoud van artikel 79 GG, lid 1, luidt: 'Een verandering van deze grondwetbepaling die de onderverdeling van de Bondsrepubliek in deelstaten, de fundamentele medewerking van de deelstaten bij de wetgeving of de in de artikelen 1 en 20 neergelegde grondbeginselen treft, is ontoelaatbaar.'

'O, ik begrijp het.' Sirona keek piekerend voor zich uit, hoewel dat moeilijk te zien was achter al die schmink. 'Bedoelt u dat het voldoende is om in ons programma te zetten dat we uitdrukkelijk voor een liberaal-democratisch staatsbestel zijn?'

Simon gniffelde. 'Weet u wel wat men daaronder verstaat?'

Ze knipperde met haar ogen. Dankzij haar lange kunstwimpers zag dat er zeer spectaculair uit. 'Nou ja... het mag duidelijk zijn wat het liberaal beginsel inhoudt. Dat je grondrechten hebt. Zoals gelijke behandeling, vrijheid van meningsuiting, en zo meer. En democratie wil in principe zeggen dat het volk zijn eigen regering mag kiezen, nietwaar?'

Toegegeven, hij genoot ervan. Het kwam immers zelden voor dat iemand spontaan iets van hem wilde weten, en dat hij zich niet gedwongen zag om de persoon in kwestie kennis te moeten inpompen met behulp van alle mogelijke trucjes uit het pedagogische wapenarsenaal. Bovendien betrof het ook nog eens een mooie, jonge vrouw. Ja, hij genoot er wel degelijk van.

'In dit verband zijn drie zaken belangrijk,' zei Simon goedgehumeurd. Hij gaf les. 'Ten eerste de vrijwaring van geweld en willekeur. In plaats daarvan... ten tweede... moet er, zoals je dat tegenwoordig staatsrechtelijk noemt, sprake zijn van een staatsvorm die het recht als hoogste gezag handhaaft, waarbij de samenleving gestoeld is op wetgeving. En dat er in dat opzicht rechtsgelijkheid heerst, en dat je aanspraak kunt maken op en je toevlucht kunt nemen tot dat fundamentele recht. Ten derde moeten die wetten tot stand komen op basis van het zelfbeschikkingsrecht van een volk. Dat betekent, tevens het wezenlijke punt, dat de meerderheid in vrijheid en gelijkheid beslist. Tegenwoordig wil dat zeggen dat elke stem even belangrijk is, onafhankelijk van geslacht, rijkdom of titel.'

'U zegt steeds "tegenwoordig". Was dat vroeger dan anders?'

'O, natuurlijk. In het oude Griekenland bedoelde men met het volk, *demos*, de mannelijke volwaardige burgers. In Duitsland werd het Pruisische parlement nog tot 1918 vormgegeven door een kiesstelsel dat uit drie klassen bestond. Het gewicht van een stem hing af van de belasting die je afdroeg.'

'Ongehoord,' zei Root, die zijn neus ophaalde. Leo liep de keuken uit en zette een grote pot thee voor hem neer. Root schonk in; er kon geen dankwoordje af.

Leo had dat kennelijk ook niet verwacht van de gezette computerspecialist. Hij vroeg meteen aan de anderen wat ze wilden drinken en verdween weer in de keuken.

'In principe hebt u gelijk,' zei Simon tegen Sirona. 'Als je in Duitsland de monarchie wilt herinvoeren, zul je aan de grondwet een flinke kluif hebben.'

De als een elfje geklede vrouw rechtte haar rug. 'Dat zei ik toch? En nu?'

'We beroepen ons op artikel 146[6], het laatste artikel van de grondwet.' Simon knikte naar haar laptop. 'Lees dat artikel maar eens. Er staat in dat de mogelijkheid bestaat dat de grondwet plaatsmaakt voor een nieuwe grondwet, vooropgesteld dat het Duitse volk daar in vrijheid over beslist.' Hij leunde achterover. 'Dat betekent dat een partij wel degelijk mag nastreven dat de grondwet vervangen wordt. Dat is beslist niet in strijd met de constitutie.'

'Ah!' riep Alex uit. 'We hoeven ons plan dus niet overboord te gooien, hè? Aan de grondwet zal het niet liggen.'

'Zo is het,' zei Simon.

Alex was duidelijk opgelucht. 'Prima. Het idee is te goed om te verwerpen.'

'Er is echter iets anders wat een kink in de kabel kan veroorzaken,' zei Simon. 'Ik zou niet weten hoe je dat probleem moet oplossen.' Hij keek Root aan. 'En een naamsverandering biedt geen soelaas.'

Drie paar ogen staarden hem onthutst aan.

'Wat voor een probleem?' vroeg Alex.

'Wat bedoelt u? Dat we de partij niet van de grond krijgen?' zei Sirona bang.

'Daar ben ik inderdaad bang voor.' Simon haalde de stukken uit zijn tas. 'Een partij moet, om als zodanig erkend te worden, aan bepaalde criteria voldoen. Ten eerste moet de partij opgericht worden door natuurlijke personen. Ze moeten Duitse staatsburgers zijn, althans de meerderheid. Ten tweede moet de naam van de partij duidelijk verschillen van al bestaande partijen. Dat geldt vooral voor de afkorting.'

'Daar voldoen we toch aan?' zei Alex.

'Ten derde dient de partij democratisch georganiseerd te zijn. Dat wil zeggen dat het bestuur democratisch gekozen is,' vervolgde Simon. 'Ten vierde moet de partij zodanig in de openbaarheid treden dat onmiskenbaar duidelijk wordt dat de partij serieus wil deelnemen aan de politieke wilsvorming.'

'Geen probleem. We drukken wat affiches en flyers. En we komen met een website.'

---

[6] 'Deze grondwetbepaling, die na de voltooiing van de eenheid en vrijheid voor het hele Duitse volk geldt, verliest haar geldigheid op de dag dat een grondwet in werking treedt die door het Duitse volk in vrijheid gekozen is.'

'In dat opzicht vormt het aantal leden het belangrijkste criterium,' lichtte Simon toe.

'O.' Sirona zette grote ogen op.

Alex keek verbaasd. 'Waarom? Gaat dat niet zoals bij een vereniging? Je hebt dan toch maar zeven oprichtingsleden nodig?'

'Bij de vorming van een partij ligt dat anders. In 1970[7] is er een precedent geschapen. Een groep met slechts vijfenvijftig leden werd toen als partij afgewezen.' Simon pakte een vel papier. 'Daar staat tegenover het oordeel van het *Bundesverfassungsgericht*[8], dat een in oprichting zijnde vereniging met vierhonderd leden als partij erkende. Dat werd destijds de meetlat waarlangs een partij werd gelegd. Sorry, maar ik zou niet weten hoe we aan dat aantal leden moeten komen.'

Alex knipperde met zijn ogen. Plotseling schoot hij in de lach, leunde ontspannen achterover in zijn stoel en zei: 'Als dat alles is? Je hebt toch alleen handtekeningen nodig? Handtekeningen op een ledenlijst?'

'Handtekeningen vervalsen is geen optie. Het moeten echte leden zijn. Van hogerhand kan dat gecontroleerd worden. In ons geval zal dat zeker gebeuren.'

'Nou en?' Alex grijnsde breed. 'Ik hoef alleen maar een circulaire te versturen naar mijn klanten. We definiëren dit gewoon als een nieuw spel. Wie mee wil doen, moet op de ledenlijst staan.'

Simon keek verbaasd op. 'En doen ze dat dan?'

'Natuurlijk. Iets soortgelijks gebeurt zo vaak.' Alex lachte. 'Als ik in die circulaire duidelijk maak dat het deelnemersaantal beperkt is, gaat alles nog sneller. Binnen een paar dagen hebben we gegarandeerd die vierhonderd aanvragen.'

Simon bladerde door de stukken, las piekerend de paragrafen, regels en uitvoeringsbepalingen nog eens door en keek vervolgens op. 'Ja, zo kan het.'

'Dan doen we het zo. Vandaag zetten we de boel op papier en morgen gaat alles de deur uit.'

Simon vroeg zich af wat deze onverwachte wending precies voor een gevoel gaf. Hij had opgelucht moeten zijn dat het probleem dat hij als onoplosbaar beschouwde zo snel en eenvoudig uit de wereld was geholpen. Ook in het belang van zijn zoon wilde hij dat dit project slaagde. Maar om de een of andere reden had hij de indruk dat de grond onder zijn voeten

---

[7] Besluit van de Bondsdag van 26 februari 1970 betreffende drukwerk VI/361, StenBer. blz. 1657.

[8] BVerfGE 24, 332

was weggeslagen. Alsof hij iets in beweging had gezet waarover hij geen controle meer had.

'Wordt dit niet langzaam een hachelijke onderneming?' Simon richtte zich tot Alex. 'Ik bedoel zoals u uw klanten, uw deelnemers benadert? Misschien breekt er een moment aan dat ze geen onderscheid meer kunnen maken tussen fictie en werkelijkheid.'

Alex glimlachte wijs. 'Weet u zeker dat dat onderscheid überhaupt bestaat?'

Was dit spel of realiteit? Dat vroeg Simon zich enkele dagen later af terwijl hij in de keuken zijn post doornam. Het ledenformulier had hij voor zich liggen. Volgens de stempel was hij lijsttrekker.

Moest hij hier zijn handtekening onder zetten? Hij begreep inmiddels dat de jongelui hem daarmee eer wilden bewijzen. Het liefst was hij echter adviseur gebleven.

Lila had weer gebeld. Vincent was tot tweeëntwintig maanden cel veroordeeld wegens autodiefstal. Zoals het er nu uitzag, zou hij zijn tijd voor het grootste deel moeten uitzitten. Nee, Simon kon daar niets aan veranderen. Ze had alleen gebeld om de stand van zaken door te geven.

Vreemd om haar stem weer te horen. Een stem uit het verleden. Onwerkelijk.

Nu zat hij hier met een lidmaatschapsformulier van een partij die niet bestond. Hij dacht na over het feit dat hij Vincent nog nooit ontmoet had. Hij had alleen wat foto's, ansichtkaarten, brieven en telefoontjes. Allemaal zaken die Alex uit zijn mouw toverde als hij zijn spellen een realiteitsvernisje wilde geven.

In wezen nam hij alles voor waar aan omdat anderen dat ook deden. Hij wist het echter niet honderd procent zeker. Dit kon net zo goed een spel zijn dat al achttien jaar aan de gang was.

Simon zuchtte. Daarna pakte hij een pen uit de keukenla, trok het lidmaatschapsformulier naar zich toe, vulde het in, ondertekende het en stopte het in de bijgevoegde retourenvelop.

# Hoofdstuk 29

Winston Smith Correction Center. Het stond met imposante, zilveren letters op een groot, wit bord bij de toegangsweg. En eronder: John D. Narosi Group.

'Een commerciële gevangenis[1],' had Bruce hem uitgelegd. 'Eentje met een voorbeeldfunctie. Er worden alleen lichte tot middelzware gevallen opgeborgen.'

Het gebouw aan het eind van de toegangsweg deed beslist futuristisch aan. Je zou eerder denken aan een museum voor moderne kunst dan aan een nor. De bekraste, gammele gevangenisbus was hier absoluut niet op zijn plaats. Nadat Vincent elders in die bus was gestapt, waren ze verder gereden en hadden ze drie verdachten in voorarrest ergens afgeleverd en drie andere gevangenen opgepikt.

Meteen nadat de ingangspoort zich achter hen gesloten had, werden de boeien verwijderd. Ook die hoorden hier niet thuis. Alles om hen heen was licht, open, nieuw. De architect had zich ongetwijfeld uitgesloofd om er wat van te maken. Dat was nog eens wat anders dan het stoffig-muffe gebouw waar Vincent het de afgelopen weken mee had moeten doen. Om nog maar te zwijgen van de geur van verval en geweld in het Oak Tree.

De opnameprocedure verliep met een kille precisie. Eerst moesten ze alles afgeven wat ze nog bij zich droegen. Bruce had hem al uitgelegd dat hij geen verdachte in voorarrest meer was, maar een veroordeelde gevangene.

Vincent stond voor een balie van gepolijst roestvrij staal en keek hoe een potige, geüniformeerde vrouw met kortgeknipt, bruin haar zijn plastic zak

---

[1] In 2007 was in de Verenigde Staten 7,4 procent van de in totaal 1,7 miljoen volwassen gedetineerden ondergebracht in commerciële gevangenissen. De drie grootste zijn de Correction Corporation of America (cca), Geo Group en Cornell Company.

leegde. Zijn portefeuille, kam en polshorloge legde ze in een metalen kluisje dat van een barcode was voorzien. Tegen een tengere, gladgeschoren man achter een computer somde ze de spullen op die ze erin deed. 'Een portefeuille met rijbewijs, vijf dollar en vijftig cent, en een foto. Een kam. Een polshorloge. Wat heeft dit te betekenen?' vroeg ze terwijl ze een honkbal omhooghield.

'Mijn eerste,' zei Vincent. 'Ik wil die graag houden.'

Met een grimmige blik bekeek ze de verweerde bal. 'Dat is niet toegestaan.'

Jammer, wilde Vincent zeggen. Hij kreeg echter geen woord meer over zijn lippen. Zijn moeder had hem die bal gegeven toen ze hem na de rechtszitting voor het laatst omarmd had. De zitting had nog geen halfuur geduurd. Bijna terloops had de rechter hem veroordeeld tot bijna twee jaar celstraf. Alleen omdat Vincent een van de drie auto's van zijn buren had geleend om te voorkomen dat hij werd vermoord.

Welbeschouwd geen slechte deal.

'Hier, die bal heb ik onlangs gevonden. Een cadeautje van Bruce, weet je nog?' In tranen had ze de honkbal uit haar handtas gehaald.

'Natuurlijk kan ik me dat nog herinneren.' Destijds was het een mooie honkbal. Groot en wit. Helemaal schoon. De opdruk was toen goed te lezen.

In de hand van deze vrouwelijke cipier leek de bal gekrompen. Een verweerde bal, versleten en vaak gebruikt. Een kleine, grauwe bal. Een beetje vies; de vlekken waren er niet meer uit gegaan. Met veel losse draadjes. Bruce en hij hadden er talloze keren mee gespeeld. De cipier in het huis van bewaring had er niets op tegen gehad dat hij die meenam in zijn cel.

'Een honkbal,' zei de cipier. Ze legde de bal in het metalen kluisje bij de rest van zijn schaarse bezittingen.

De volgende fase van de opnameprocedure: uitkleden en wassen. Open douchecabines. Lauwwarm water. De cipiers keken onverschillig toe. Een arts onderzocht iedereen vluchtig en zette daarna zijn paraaf in de betreffende invoervelden van een laptop. Bij een andere stalen balie ontvingen ze gevangeniskleding: ondergoed, sokken en een blauwe overall. Vincent kleedde zich aan.

Tot slot kreeg iedere gedetineerde een soort stalen ring overhandigd. Onder toezicht van twee cipiers moesten ze die om de enkel doen en dichtdrukken tot het slotje klikte.

'De enkelband bevat een chip. Het systeem weet dus altijd waar u bent,' legde een van de cipiers uit. Een bleke man met veel moedervlekken in zijn hals. 'Als de chip niet meer reageert, gaat het alarm af. Dat kan bijvoorbeeld gebeuren als u de enkelband met geweld probeert te openen of als u zich zonder toestemming van het terrein begeeft.'

'En dan?' vroeg Vincent.

'Ik zou het er niet op aan laten komen,' zei de andere cipier. Hij maakte een gebaar dat Vincent door moest lopen.

Twee cipiers begeleidden hem naar zijn cel. Een bijna steriele ruimte. Alsof Vincent de eerste was die hier werd ondergebracht. Het licht weerspiegelde tegen de gladde, lichtbeige muren. Een raam, dat op een schietgat leek, was zo klein dat je er niet door kon ontsnappen en bood uitzicht op de stad. Een toilet en een wastafel van roestvrij staal. Een kleine tafel en een stoel, beide van wit plastic. Een stalen bed dat lichtbeige geverfd en simpelweg aan de muur geschroefd was. Daar moest Vincent het mee doen. Het beddengoed was net zo blauw als de gevangeniskleding. Hij ging zitten en liet tot zich doordringen dat hij hier bijna twee jaar moest doorbrengen.

Op het beddengoed lag een folder waarin hij welkom werd geheten in de 'strafinrichting', zoals de gevangenis genoemd werd. De voorschriften en aangeboden diensten werden erin opgesomd, zoals de openingstijden van de bibliotheek en waar je je moest melden als je een allergie had voor bepaalde voedingsstoffen.

De laatste bladzijde van de folder was gewijd aan de 'John D. Narosi Group'. Een zowel indrukwekkende als conceptloze beschrijving van een conglomeraat van bedrijven dat zich met allerlei zaken bezighield, variërend van het exploiteren van gevangenissen tot het beheer van mobiele netwerken wereldwijd, de fabricage van beroepskleding maar ook koelaggregaten, de levering van vloeibare stikstof, de vervaardiging van auto-onderdelen, speelgoed en chemicaliën voor chemische campingtoiletten. Maar er was meer. De John D. Narosi Group zat ook in hedgefondsen en in het bankwezen, waaronder de bank die het Trojaanse paard ontving in het programmaatje dat Vincent geschreven had.

Vincent liet de folder zakken. Dat maakte de cirkel dus rond, zoals dat op een dag uiteindelijk altijd het geval was.

Op zeker moment ging het klepje van zijn deur open. Iemand keek in zijn cel. Het was de vrouw die bij de ingang achter de balie stond. Ze hield een honkbal in haar hand.

'Die mag u houden,' zei ze. 'Maar als u hem naar iemand gooit, bent u hem meteen kwijt.'

'Afgesproken,' zei Vincent prompt.

Ze wees naar een smal schap naast het raam. 'Leg hem daar maar op. Bestemd voor privéspulletjes.' Ze gaf hem de honkbal.

'Bedankt,' zei Vincent, waarna hij het niet kon laten om te vragen: 'Maar de bal is toch al ingevoerd? In de computer, bedoel ik.'

'Wat in een computer is opgeslagen, kan ook weer gewist worden,' zei ze met een zucht. 'Ik weet ook niet waarom ik hiertoe besloten heb. U doet mij aan mijn zoon denken, hoewel hij pas anderhalf is. Nou ja, hoe dan ook, zorg ervoor dat ik hier geen spijt van krijg.'

'Ik laat hem mooi op het schap liggen,' beloofde Vincent haar.

Die nacht hield hij de honkbal echter in zijn hand vast. Hij droomde dat hij de bal telkens opnieuw in grote stembussen gooide. Zwarte, glanzende bakken van drie meter hoog. De bal maakte een dof geluid toen die erin viel, alsof de stembus leeg was.

De gevangenisregels werden hem snel duidelijk.

's Ochtends werd hij gewekt door een indringende zoemtoon die wel honderd keer vanuit de krochten van het gebouw en vanuit de andere cellen naar hem toe echode. Het was nog donker. Op zeker moment zei iemand tegen hem dat het halfzes was.

Na het wekken had hij tien minuten om zich te wassen. Daarna hoorde hij opnieuw een zoemtoon, die ditmaal echter onaangenamer klonk; de celdeuren gingen automatisch open. Ontbijt in de eetzaal.

Dat had Vincent wel eens in een film gezien. Doorgaans betrof het het duistere, vervallen gebouwen waar sadistische cipiers schreeuwden en traliedeuren altijd zo hard mogelijk dichtklapten.

Maar in het Winston Smith Correction Center bevond je je tussen honderden andere gevangenen, die eveneens blauwe overalls aanhadden en die onverschillig-rustig door goed verlichte ruimtes liepen. Niemand schreeuwde, de deuren gingen met een zacht schrapend geluid open. De stem uit de luidsprekers deed sterk denken aan de kennisgeving op het station dat een trein op een ander perron arriveerde. Cipiers waren permanent maar onopvallend aanwezig. Ze hadden geen wapenstokken bij zich, noch sloegen ze oorlogstaal uit.

Dat was ook niet nodig. Op een moeilijk te vatten manier wist iedereen dat je je maar beter niet als een buitenbeentje kon gedragen. Je wist wat er van je verwacht werd en dat je er goed aan deed om aan die verwachtingen te voldoen.

Geen ochtendappel. Dankzij de enkelbanden met elektronische sensoren wist het systeem op elk moment waar je je bevond. Bovendien waren alle zalen en gangen uitgerust met videocamera's en bewegingsmelders, duidelijk zichtbaar voor iedereen. In deze gevangenis werd alles wat je deed geregistreerd.

De dag bracht je door in de werkplaatsen. Er werd gezegd wat je moest doen. Vincent moest filters monteren. Samen met een tiental andere gevangenen. Iedereen deed hetzelfde werk en zat in een luchtige, halfronde zaal aan een lichtbeige, gebogen tafel. Voor je lagen kartons met verschillende voorgestanste delen. Witte inlegsels, zacht en wollig, en zwarte, ruwe tussenlagen werden om beurten in een plastic raamwerk gelegd en afgesloten met een deksel. De eindproducten werden in plastic dozen gestapeld. Af en toe kwam iemand van een andere groep ze ophalen, die de filters in plasticfolie verpakte en verzendklaar maakte.

Je werkte in een rustige sfeer. En er werd vrijwel geen woord gezegd. Op zeker moment klonk de zoemtoon voor de lunch. Na het eten ging je weer aan de slag. Daarna terug de cel in, waar het licht om halftien uitging.

De volgende dag was van hetzelfde laken een pak.

Soms had Vincent het gevoel dat hij in een oude sciencefictionfilm was beland, zoals *Logan's Run*[2], *Gattacca* of THX 1138. Zo zag het leven er in de toekomst uit, als je die films mocht geloven. De mensen droegen eveneens praktische overalls in dezelfde kleur; ze liepen kalm rond in goed verlichte ruimtes die overweldigend eenvoudig waren ingericht en waar iedereen onbewogen zijn werk deed.

Inderdaad. Dit was geen gevangenis. Hij leefde in de toekomst. Iedereen wist wat hij moest doen en deed wat er van hem verwacht werd. Alles was perfect georganiseerd, er gebeurden geen onvoorziene dingen.

Vincent beschouwde dit in zekere zin als de ideale wereld.

Het ging precies zoals Alex voorspeld had. Binnen een week hadden ze bijna duizend lidmaatschapsaanvragen binnengekregen, uit heel Duitsland.

Simon was onder de indruk. Hij hielp met het schrijven van de noodzakelijke brieven en het invullen van formulieren, waarna alles werd opgestuurd. Daarna ging het leven weer zijn gewone gangetje.

Niet lang daarna dacht hij niet dagelijks meer aan zijn jonge vrienden en hun ambitieuze voornemens, laat staan aan het feit dat hij lijsttrekker was van een pseudopartij in oprichting. Soms belde Lila hem 's avonds laat. Ze zei dat ze Vincent in de gevangenis had opgezocht en dat het goed met hem ging. En dat hij in een mooie, moderne gevangenis zat, waar het

---

[2] *Logan's Run*, 1976.

er heel beschaafd aan toeging. Het deed haar meer denken aan een kliniek dan aan een strafinrichting. Ze kreeg geen berichten meer die ze aan hem moest doorgeven. Simon vroeg zich af of hij Lila kon vertellen wat zijn plan was. En of ze hem kon vragen Vincent daarover te informeren. Hij besloot dat niet te doen. Het was niet alleen ingewikkeld om het cruciale punt in deze zaak uit te leggen, er zat ook een risico aan vast. Informatie over het project kon uitlekken. Alles zou dan misgaan. Simon was vooral bang dat Vincent dan alsnog wegens computercriminaliteit werd aangeklaagd.

In plaats daarvan schreef hij hem een brief. Een brief die maar niet af kwam omdat hij niet wist wat hij hem moest vertellen, waardoor schrijven een kwelling werd. Uiteindelijk deed hij de brief – met een nietszeggende inhoud – in de envelop en liep er meteen mee naar de brievenbus om er niet meer aan herinnerd te hoeven worden.

Op een avond belde niet Lila maar Alex. Er was post gekomen van de verkiezingsautoriteit. De vwm werd erkend als partij en zou op het stembiljet komen te staan voor de komende Bondsdagverkiezingen! Dat moest gevierd worden, vond Alex. Ze hadden een feestje georganiseerd. Of hij zin had om te komen.

# Hoofdstuk 30

Toen Simon bij Alex thuis arriveerde, ging het er al heftig aan toe. Veel drank, een uitbundige sfeer en muziek die harder stond dan hem aangenaam was. De huiskamer was voor die gelegenheid op een merkwaardige manier gedecoreerd. Iets groots, wat op een tent leek, was met stangen stervormig aan het plafond opgehangen, waardoor je amper meer naar buiten kon kijken. Het materiaal rook bovendien nogal scherp.

'Dat is een Mongoolse joert,' zei Alex. Hij had iets aan wat inderdaad deed denken aan wat Djengis Khan – althans volgens afbeeldingen die hij wel eens onder ogen had gekregen – in zijn tijd gedragen kon hebben, compleet met een keurig getrimde, zwarte baard en snor, een pelsmuts en een jas die zo dik was dat een normaal mens eruit zweette. 'Een originele tent. Een tienkoppig gezin heeft daar jarenlang in gewoond.'

'Interessant,' zei Simon. Hij bekeek de zware, viltachtige stof. Voor het terrasraam bevond zich de deur, van rood, kleurrijk beschilderd hout. 'Ik moet wel bekennen dat ik het verband nog niet zie.'

Alex schoot in de lach. 'Dan kunt u lang zoeken. Deze tent hoort bij een ander spel waarmee we aan de slag zijn gegaan. Mongolië, dat is nog eens wat anders, hè? Vandaag hebben we de algemene projectbespreking gehouden. We proberen een vergunning te krijgen van de Mongoolse regering om het spel in dat land te spelen. We hebben dan véél paarden en vee nodig, en véél ruimte. En ruimte is er genoeg, laat ik u dat vertellen. U kunt zich niet voorstellen hoe leeg dat land is. Het dunst bevolkte plekje op aarde! Dit wordt sensationeel. Als het allemaal lukt. Anders zoeken we iets in Europa.' Hij trok Simon aan zijn arm mee. 'Kom, ik stel u aan mijn medewerkers voor.' Zachtjes voegde hij eraan toe: 'Maar let op, ze denken dat de oprichting van die partij niet meer is dan een spel. Het fijne weten ze er niet van.'

Simon knikte. 'Ik begrijp het.'

Er waren meer gasten dat hij gedacht had. Ze stelden zich aan hem voor, maar hij hoorde amper hun namen door de eigenaardige, dreunende muziek die de hele woning vulde. Velen werkten op het secretariaat, zo veel had hij begrepen. Ze hielden zich bezig met de dagelijkse gang van zaken. Ook waren er medewerkers en vormgevers van de spellen aanwezig. Sommigen waren eveneens verkleed: Mongoolse herders en zo meer. Kostuums die er spectaculair uitzagen, maar hier niet opvielen omdat ook Sirona zich in de kamer bevond. Kennelijk had ze besloten om zich vanavond avontuurlijker dan ooit uit te dossen. 'Ik ben de ijsprinses,' zei ze glimlachend tegen hem. Ze was gehuld in blauw met witte tule en omhangen met zilverachtig glinsterende linten. Haar torenhoog opgestoken haar kon onmogelijk van haarzelf zijn.

Root was natuurlijk niet verkleed. Hij had een T-shirt aan met het opschrift INTELLIGENT RISICOMATERIAAL. Boven een groot, halfvol bierglas vertrouwde hij Simon toe: 'Dit is mijn derde al!'

Op uitnodiging van Alex begaf Simon zich naar het buffet met de hapjes. Hij vond ook een bordeaux, die er betrouwbaar genoeg uitzag en waar niemand van dronk. Hij ging op de bank zitten en voelde zich niet echt thuis in dit gezelschap. Allemaal jonge mensen die met elkaar praatten of ze elkaar een jaar lang niet gezien hadden en elkaar hierna een eeuwigheid niet meer zouden zien. Kennelijk amuseerden ze zich schitterend. Hij daarentegen – nou ja, in elk geval waren de hapjes heerlijk. Net als de wijn. Toch was hij blij dat Sirona zich naast hem op de bank installeerde om wat te praten.

'Nu u toch hier bent, wil ik u eindelijk iets vragen wat al tijden op mijn hart ligt,' flapte ze eruit. 'Stel dat in Duitsland de monarchie nooit zou zijn afgeschaft. Wie zou nu dan regeren?'

Simon moest erom glimlachen. Een goeie vraag. Verbazingwekkend dat iemand die nu pas stelde. 'Waarschijnlijk een gekozen minister-president of een andere regeringsleider, zoals dat in alle Europese monarchieën het geval is. U bedoelt natuurlijk wie dan koning of koningin zou zijn.'

Ze knikte zo heftig dat haar torenhoge kapsel de neiging had in te zakken. 'Precies. Dat zou dan een keizer zijn, hè?'

'De laatste Duitse monarch was er in elk geval een. Keizer Wilhelm II, tevens koning van Pruisen.'

'Inderdaad. En? Zijn er nog nakomelingen?'

Simon knikte. 'Wilhelm II was een afstammeling van het huis Hohenzollern, naast de Habsburgers het belangrijkste Duitse vorstengeslacht.

De familie komt oorspronkelijk uit Zwaben, een lijn die terugvoert tot in 1061[1]...'

'Duizend jaar?' De woest uitgedoste vrouw was verbaasd.

'... en bestaat ook tegenwoordig nog,' vervolgde Simon. 'Prins Georg Friedrich von Preussen staat nu aan het hoofd van het huis Hohenzollern[2]. Hij is de achter-achterkleinzoon van Wilhelm II en dus een nazaat van bijvoorbeeld Frederik de Grote. De monarchie werd in 1918 afgeschaft. Anders zou hij nu waarschijnlijk de Duitse keizer zijn.'

Sirona schudde nadenkend haar hoofd. 'O ja? Prins Georg? Nooit van gehoord.'

'Hij is nog jong. Net over de dertig. U zou hem waarschijnlijk heel aardig vinden.' Simon keek naar Leo, de broer van Alex. Met een ernstig gezicht was hij lege glazen aan het inzamelen en de hapjes op de dienbladen aan het schikken; de gasten hadden er een rommeltje van gemaakt.

Ergens onder haar kostuum kwinkeleerde iets. 'Vreemd,' zei ze terwijl ze haar mobieltje tevoorschijn haalde, 'de adel kun je min of meer vergelijken met astrologie. Je verstand zegt dat het allemaal flauwekul is, en toch laat het onderwerp je niet los.' Ze keek naar het display van haar telefoon en trok haar zilverachtig blauw geverfde wenkbrauwen op. 'Sorry, ik moet even bellen.'

'Natuurlijk,' zei Simon.

Ze liep het dakterras op. Tien minuten later stond ze nog steeds buiten te bellen. Ze gebaarde heftig. Simon besloot om eens te gaan kijken of er nog wat van die goede rode wijn over was.

Leo was meestal in de keuken bezig. Hij bekommerde zich om alles. Hij zorgde ervoor dat er voldoende drank was, dat de dienbladen aangevuld werden met verse hapjes, en hij zamelde de lege glazen en gebruikte borden in voordat ze op de vloer in scherven vielen. Ook vulde en leegde hij voortdurend de vaatwasser, zoals gebruikelijk. Hij betaalde de huur in natura. Hij deed dat niet omdat Alex dat graag wilde of van hem verwachtte, maar omdat hij vond dat het zo hoorde.

Maar afgezien daarvan voelde hij zich op dat feestje sowieso niet op zijn plek. Hij had niets met de mensen die zich rond Alex schaarden. En de muziek beviel hem evenmin. Eigenlijk stond hij nog het liefst in de keuken. Zijn territorium. Daar werd hij met rust gelaten en had hij iets omhanden. Zodra een of meer Mongoolse krijgers per abuis in de keuken be-

---

[1] Burkhard I von Zollern, overleden in 1061, geldt als de eerste Hohenzollernvorst.

[2] http://de.wikipedia.org/wiki/Georg_Friedrich_Prinz_von_Preußen

landden, wat wel eens gebeurde, reageerde Leo zo kortaf en afwijzend dat de betreffende personen zo snel mogelijk maakten dat ze wegkwamen.

Hij had er echter absoluut niets op tegen dat Simon König plotseling naast hem bij het buffet stond.

Leo werd er warempel verlegen van dat deze eerbiedwaardige man toekeek hoe hij zwarte olijven in stukjes sneed en ze over de met tonijnpasta bestreken sneetjes stokbrood verdeelde. En dat die man bovendien zei: 'Dat doet u uitstekend.'

'Afgekeken,' zei Leo zonder op te kijken. Hij vertelde toen over Nina, gewoon omdat hij vond dat hij wat meer moest zeggen, en dat ze elkaar op een persfeest hadden ontmoet. Zij werkte in de catering en hij was een van de lijfwachten van de minister-president. 'In mijn werk sta je de helft van de tijd naast een buffet waar je niks van mag nemen. Je helpt dan een handje mee als het rustig is. Dienbladen en schotels wegdragen. Je eet wat en kijkt toe... zo hebben we elkaar leren kennen.'

'En u hebt geleerd hoe je op professionele wijze hapjes bereidt.'

'Professioneel? Ach, wat zal ik ervan zeggen...' Leo veegde zijn klamme handen af aan een handdoek. Hij was het niet gewend dat iemand met hem sprak. Lijfwachten werden doorgaans behandeld alsof ze bij het meubilair hoorden.

Simon hief zijn glas. 'Uitstekende keuze. Hebt u dat ook van haar afgekeken?'

Nina en wijn. In de twee jaar dat ze samen waren, had hij haar nog nooit een slok wijn zien drinken. Hij sneed de uien in ringen en vertelde dat hij altijd al geïnteresseerd was geweest in wijn. En dat hij inmiddels veel boeken had over wijnstreken, jaargangen en zo meer. 'In dat opzicht ben ik wat je noemt ontaard; mijn vader had immers een bierbrouwerij.' Hij staarde de man met de imposante witte haardos weifelend aan. 'Vindt u het raar dat iemand van mijn leeftijd belangstelling heeft voor wijn?'

'Raar? Ik vind het geweldig.'

Wauw, dacht Leo. Hij had zich bijna gesneden.

'Hoort dit werk er ook bij?' vroeg Simon. Hij boog zich over een boek dat opengeslagen op de gootsteen lag en keek naar de titel. Leo kleurde. Hij had het steeds willen wegleggen, maar was er nog niet toe gekomen.

'Rebecca Gablé. *Het tweede koninkrijk*,' zei de man met het witte haar bijna fluisterend. 'Bepaald geen wijnboek. Een historische roman?'

'Dat is mijn andere geheime passie.' Leo moest dat nu wel toegeven. 'U steekt daar natuurlijk de draak mee, hè? Waarschijnlijk omdat hetgeen in die boeken staat voor het grootste deel niet waar is.'

'Niemand weet hoe het werkelijk gegaan is,' zei Simon terwijl hij het boek doorbladerde. 'Wat de historici schrijven, is uiteindelijk ook maar giswerk.' Hij legde het boek voorzichtig terug. 'Maar zo spannend als in dit soort lectuur wordt het zelden beschreven.'

Leo vatte moed. 'Mag ik u wat vragen, meneer König?'

Simon keek hem strak aan. 'Natuurlijk.'

'Hoe begint een, eh... hoe noem je dat... een dynastie? Ik lees steeds dat de oudste koningszoon die opvolger wordt een zoon krijgt die hem weer opvolgt, en zo gaat dat verder. Maar het moet toch ooit begonnen zijn? Iemand moet toch de eerste koning zijn geweest? Al heel lang vraag ik me af hoe dat gegaan is.'

Zachtjes zette Simon zijn wijnglas neer. 'Dat is iets voor een avondvullende lezing, vrees ik. Het koningschap is een heerschappijvorm die zo oud is als de menselijke beschaving. Veel daarvan is dan ook gehuld in de nevelen des tijds. In de meeste oude culturen was de koning tevens een soort hogepriester. Hij stamde af van de goden of was een incarnatie van deze bovennatuurlijke wezens. Een koning beschouwde men dus niet meer als een gewoon mens. In Egypte was de farao de wereldlijke heerser, de geestelijk leidsman en, althans in het begin, de belichaming van de god waarin men geloofde. In Japan was dat zo tot het eind van de Tweede Wereldoorlog. De bezetting door de Amerikanen beroofde de tenno van zijn goddelijke luister.'

'En in Duitsland?'

'Tja, Duitsland heeft zoals u weet een bewogen geschiedenis. Voor de oorsprong van het koningschap moet je teruggaan tot vóór het zogenaamde "Heilige Roomse Rijk der Duitse Natie". Dat rijk kreeg in de tiende eeuw vorm onder de Ottonen. In het Oost-Frankische Rijk, de voorloper ervan, was er doorgaans sprake van een gekozen koning. Natuurlijk was beslist niet iedereen kiesgerechtigd. En niet iedereen was verkiesbaar. Vooral in het begin van die periode moest de koning uit een geslacht komen met het zogenaamde koningsheil. Ook nu weer komen we uit bij bovennatuurlijke krachten. Koningsheil betekent namelijk niets anders dan dat iemand bovenmenselijke eigenschappen heeft. Een koning diende om te beginnen buitengewoon schrander en welbespraakt te zijn. Eigenschappen die we tegenwoordig rangschikken onder het begrip "charisma". Het ging zover dat men van hem verwachtte dat hij op het slagveld onkwetsbaar was, dat hij invloed had op de vruchtbaarheid van de akkers en dat hij zieken kon genezen.'

'Dan verlang je wel erg veel van een koning, nietwaar?'

'Ja, uit die tijd komt bijvoorbeeld de schaakregel dat een geslagen koning het einde van het spel betekent. In de vroege middeleeuwen was succes in oorlogen afhankelijk van de koning. Zodra de koning sneuvelde, was de slag onverbiddelijk verloren.'

Leo keek bedremmeld naar de half bereide sneetjes stokbrood. 'Ik had me dat heel anders voorgesteld. Ik dacht dat iemand gewoon de macht greep, zichzelf tot koning uitriep en vervolgens bepaalde dat zijn kinderen en kindskinderen zijn opvolgers werden om ervoor te zorgen dat zijn familie aan de macht bleef. Ik dacht altijd dat het zo begonnen was.'

'Ergens op de wereld gebeurde dat ongetwijfeld, maar het verklaart niet waarom deze heerschappijvorm zo algemeen verbreid was. Ik denk dat het eerder te maken heeft met het idee dat een koning iets bovenmenselijks had, iets goddelijks. En dat die eigenschappen erfelijk waren. Bij de bevolking heeft de erfmonarchie qua legitimiteit altijd in hoger aanzien gestaan dan de kiesmonarchie. Welbeschouwd kon zonder het fiat van de bevolking geen enkele heerschappijvorm doorgang vinden.'

Leo knikte nadenkend. Hij begon het te snappen. Eigenlijk een heel eenvoudige, logische verklaring over het ontstaan van het koningschap. Daar had hij zelf ook op kunnen komen!

Hij had graag tegen Simon gezegd dat hij dit een interessant gesprek vond, en hoeveel het voor hem betekende dat dit onderhoud überhaupt had plaatsgehad. Hij wist echter niet hoe hij dat moest zeggen. Dus knikte hij slechts en legde de uienringen op de schijfjes metworst.


Stom feestje. Mongolië interesseerde hem geen snars. Tjonge, wat een ellende. Root leunde tegen de wand in het tochtvrije hoekje tussen de liftmuur en de buitenmuur van de badkamer. Daar ging hij altijd staan als hij zin had in een sigaret. Alex wilde namelijk niet dat er in zijn buurt gerookt werd, ongeacht hoe goed je je werk deed of hoe hard je je uitsloofde.

Buiten was het sowieso beter dan binnen. Geen stom gewauwel aan je kop. Hier had je een prachtig uitzicht op de stad. Bovendien was deze lenteavond heerlijk zwoel. Wat wilde je nog meer?

Plotseling hoorde hij iemand praten. Hij boog zich naar voren om te kijken wie dat was. Ah, dat geflipte wijf. Ze stond bij de balustrade en was aan het bellen. Root spitste zijn oren.

'... ik wil alleen maar weten waar hij uithangt!' zei ze vinnig. 'Kom, ga je me nou wijsmaken...'

Root leunde weer tegen de muur. Hij had al door waarover het ging. Zoals hij vermoed had, papte Sirona aan met een of ander ex-vriendje.

Daarom kreeg Alex bij haar geen poot aan de grond, hoe goed hij ook zijn best deed.

Hij volgde de sigarettenrook die verwaaide in het briesje. Natuurlijk ging hem dat gesprekje niks aan.

Daarom was het ook zo interessant.

Hij loerde nog een keer om de hoek.

'... dat heb je me toen verteld. Maar inmiddels is mij duidelijk dat dat niet kan kloppen. Ik weet niet wat ik van TWIN moet denken. In elk geval is het wat anders dan wat Friedhelm me destijds heeft willen wijsmaken!'

TWIN? Wat zullen we nou krijgen? Root tuitte zijn lippen. Dat klonk niet meer als gedoe met haar ex-vriendje.

'Verdomme, je hebt me voor je karretje gespannen!' schreeuwde Sirona.

Woedend klapte ze de mobiele telefoon dicht, bleef bij de balustrade staan en snikte terwijl ze in de duisternis staarde.

Zo zachtjes mogelijk leunde Root weer tegen de muur. Ze kon maar beter niet merken dat hij meegeluisterd had.


Het was allemaal geen probleem. Al met al had hij het niet slecht getroffen. Je moest gewoon je werk doen, dat was alles. En dat deed hij keurig. Elke dag beter, omdat elke nieuwe dag hem de gelegenheid bood datgene wat hij moest doen nog soepeler en voortreffelijker te laten verlopen.

Zodra 's ochtends de zoemer klonk, sloeg hij de deken van zich af en hij was uit bed voordat het weksignaal ophield. Daarna waste hij zich en kleedde hij zich aan – hij raakte steeds meer gewend aan de ochtendroutine, en om elke dag perfect uit te voeren. Zoals een robot dat zou doen. Hij gedroeg zich tijdens het ochtendtoilet dan ook steeds meer als een geprogrammeerde machine. Meer was niet nodig om uitstekend te functioneren.

Hij zou dit doorstaan. Als een kille, gevoelloze machine voerde hij de dagelijkse routine uit. Zonder onnodige bewegingen, zonder energie te verspillen. Net als C-3PO. Met het verschil dat hij de rust zelve was en met niemand sprak, tenzij dat absoluut noodzakelijk was.

Dit concept, de optimale bewegingsroutine vinden, instuderen en daarna steevast perfect uitvoeren, was hem op het lijf geschreven. Om die reden monteerde hij per uur meer filters dan wie ook. Dat trok de aandacht van de opzichter. Tevreden knikte hij Vincent toe. Daar was hij natuurlijk niet toe verplicht. Het had ook niets te betekenen.

Op een dag liep de opzichter naar hem toe. Vincent zag wat er gebeurde, maar liet zich daardoor niet van zijn werk af houden. Hij verwachtte een pluim. In plaats daarvan zei de man: 'Je ziet er pips uit, Merrit.'

Vincent vroeg zich af wat hij hiervan moest denken. 'Ik voel me prima, meneer.' Wat hem betrof was dat de waarheid.

'Je zou eens naar de dokter moeten gaan,' zei de opzichter. Hij had kort, blond haar en zag eruit als een sportman.

'Bedankt, meneer. Ik denk niet dat dat nodig is.'

Maar hem werd niets gevraagd. Hij was een gevangene, een gedetineerde, een veroordeelde. Zijn mening deed er niet toe.

De gevangenisarts onderzocht hem en stelde enkele vragen. Of hij goed sliep. Wat hij droomde. Of hij goed kon eten. Vincent wist niet wat de man in de witte jas van hem wilde. Hij gaf echter zo goed hij kon antwoord op diens vragen.

'Lichamelijk kan ik niets vinden,' zei de arts. Hij had groene ogen en lange, dunne vingers. 'Maar echt gezond bent u niet. Ik stuur u door naar onze psychologe. Ik denk dat dat het beste is.'

Vincent zag dat niet zitten en reageerde erg heftig. 'Nee, meneer! Dat kunt u mij niet aandoen. Ik wil niet naar een zielenknijper!'

Maar hij was een gevangene, een gedetineerde, een veroordeelde. Zijn mening deed er niet toe.

'Morgenvroeg om tien uur,' zei de arts. Hij zat achter zijn computer en tikte de afspraak in.


Toen Vincent de volgende dag aan het werk was, werd hij opgehaald door een jonge cipier met een verschrikkelijk verveelde uitdrukking op zijn gezicht. Hij escorteerde Vincent naar een kamer. Bij de deur legde hij hem uit dat hij in het vervolg zonder begeleiding naar de psychologe moest gaan. Het identificatiesysteem was na deze afspraak zodanig aangepast dat de betreffende deuren automatisch voor hem opengingen.

'De enkelband zoemt zodra je naar je afspraak moet gaan,' sloot hij af. Hij liet Vincent achter in de praktijk van de psychologe.

De psychologe was een gezette vrouw van midden vijftig. Ze had lange, golvende lokken. Haar vermoeide ogen achter de bril met gouden montuur straalden welwillendheid uit.

'Goedemorgen, Vincent.' Ze gaf hem een hand. 'Ik ben dr. Cramer. Ga zitten.'

De leunstoel naast haar bureau was zeer comfortabel en wiegde zachtjes zodra je anders ging zitten. Hij zag dat dr. Cramer zijn gegevens op haar beeldscherm had.

Hij had er rekening mee gehouden dat ze hem zou uithoren over zijn veroordeling, het feit dat hij een auto gestolen had. En waarom hij dat gedaan had. Dat soort zaken. In plaats daarvan vroeg ze hoe het met hem ging. Ze keek hem oprecht belangstellend aan.

'Goed,' verzekerde hij haar. Toen ze hem zwijgend bleef aankijken, voegde hij eraan toe: 'Ik red me wel. Alles is hier prima geregeld en doelmatig ingericht. Af en toe heb ik het gevoel dat ik een figurantenrol heb in *Star Trek*, als u begrijpt wat ik bedoel.'

Ze liet niet merken of ze het begreep. 'Heb je er geen moeite mee dat je hier opgesloten zit?'

Vincent knipperde met zijn ogen. Hij wist niet wat hij daarop moest zeggen. 'Nou ja, dat is het doel van dit alles, nietwaar?'

'Vind je dat dat het doel is?'

'Natuurlijk. Je belandt in de gevangenis omdat je vrijheid je ontnomen wordt.'

Ze knikte peinzend. 'Wat doet dat met je?'

'Ik neem aan dat dat een beter mens van mij moet maken.' Prima antwoord, vond Vincent. Zoiets wilde ze vast horen. Als het hem lukte haar ervan te overtuigen dat het goed met hem ging, en dat hij uitstekend functioneerde in het systeem, zou hij binnen niet al te lange tijd op vrije voeten zijn.

'Zo,' zei dr. Cramer. Ze deed haar zware bril af en wreef over haar neus. 'Een beter mens... Kon iemand mij maar eens uitleggen wat ik daaronder moet verstaan. Weet je wat ik me afvraag sinds ik deze baan heb?'

Vincent keek haar argwanend aan. 'Nee.'

'Vrijheid wil zeggen dat je kunt kiezen. Tot die vrijheid behoort ook dat je kunt kiezen voor niet-vrij zijn. Maar hoe zit dat andersom? Als je niet meer vrij bent, heb je geen keus meer, ook niet om weer vrij te zijn. Waarom is dat zo? Zonder de definities van vrijheid en niet-vrij zijn geweld aan te doen, heb ik toch sterk de indruk dat er iets onrechtvaardigs in zit.' Ze zuchtte, zette haar bril weer op, boog zich naar voren en legde haar armen over elkaar. Ze had enorme borsten. 'Vertel eens wat meer over je jeugd, Vincent.'

Vincent vroeg zich af wat dit te betekenen had. Hij snapte het niet. 'Mijn jeugd?'

'Zo doen zielenknijpers dat. Ze hebben het altijd over de jeugd,' zei ze.

Vincent deed wat er van hem gevraagd werd. Hij kon er niet onderuit. Aanvankelijk sprak hij in algemene termen, maar dr. Cramer vroeg hardnekkig naar de bijzonderheden tot hij het uiteindelijk over zijn moeder had, over de talloze verhuizingen van en naar Philadelphia en hoe hij er uiteindelijk achter was gekomen wie zijn vader was.

Ze vond het fascinerend dat hij de codes van die dagboeken gekraakt had. 'Hoe denk je daar nu over?' vroeg ze. 'Heb je er moeite mee dat je indertijd de dagboeken van je moeder uitploos?'

Vincent haalde zijn schouders op. 'Ik weet het niet. Ik moest gewoon weten wie mijn vader was. Zij wilde mij dat niet vertellen.'

'Het lijkt wel of je nog steeds trots bent dat je die dagboekslotjes gekraakt hebt.'

Vincent dacht terug aan die middag, het leek wel een eeuw geleden. Plotseling schoot hij in de lach. Inderdaad, voor het eerst sinds hij in de gevangenis zat, moest hij ergens om lachen. 'Ja,' gaf hij toe, 'dat ben ik nog steeds. Ik vind dat ik dat best slim gedaan heb.'

# Hoofdstuk 31

Het was gelukt. De partij was opgericht. En daarmee was 'de val gezet', zoals Alex dat bij het afscheid formuleerde. Voorlopig was het afwachten geblazen. De rest zou vanzelf gaan.

Geleidelijk ging het leven weer zijn gewone gangetje. Simon gaf zoals altijd les en ergerde zich aan en bakkeleide met bepaalde leerlingen die volgens hem beter konden presteren maar dat om de een of andere reden niet deden. En aan de ouders, op wie hij in wezen hetzelfde had aan te merken. Hij moest proefwerkvragen verzinnen, proefwerken corrigeren en ze een cijfer geven, en zijn oordeel onderbouwen. Een keer belde Alex om te vragen of hij onlangs nog wat van Sirona had gehoord. Kennelijk was ze moeilijk te bereiken. Simon had geen idee waar ze uithing. Teleurgesteld nam Alex dat voor kennisgeving aan. Daarna hoorde hij niets meer over deze kwestie. Hij dacht daar ook niet verder over na.

Het jaar ging voorbij. Na de opwindendste verkiezingsstrijd die Amerika ooit gekend had – een strijd die ditmaal wereldwijd uitzonderlijk veel belangstelling kreeg en tot de verbeelding sprak – werd Barack Obama gekozen tot president van de Verenigde Staten. Tegelijk brak de bankencrisis uit, die later financiële crisis werd genoemd. Iedereen sprak erover, maar weinigen begrepen er iets van. Vreemd genoeg werden er opeens miljarden en nog eens miljarden gevonden om te voorkomen dat banken omvielen. Maar voldoende geld om het lekkende dak van de school te repareren, was er kennelijk nog steeds niet.

Ook voor Simon waren de weken rond de jaarwisseling opwindend. Maar alleen omdat Vincent hem opeens regelmatig schreef.

De eerste brieven waren korte schrijfsels over het dagelijks leven in de gevangenis. Simon kreeg de indruk dat het door de bank genomen goed ging met Vincent. Door de wijze waarop hij zijn woorden koos, was het moeilijk om op die brieven te antwoorden. Simon deed er echter alles aan om te voorkomen dat dit opbloeiende contact hem door de vingers glipte. Hij had immers óók een dagelijks leven waarover hij kon schrijven. En door de bank genomen had hij evenmin te klagen.

Geleidelijk liet Vincent doorschemeren dat hij in de beginperiode van zijn celstraf een soort zenuwinzinking had doorgemaakt en nu bij een psychologe in behandeling was. Zij had hem geadviseerd om met zijn vader te corresponderen. Dat veranderde de toon van de briefwisseling dramatisch. Simon had nu bovendien meer tijd nodig om zijn antwoorden te formuleren. Hele avonden zat hij peinzend aan zijn bureau. Hij was dan verzonken in zijn herinneringen en zocht naar de juiste woorden. Hij probeerde duidelijk te maken dat hij die korte affaire met de moeder van Vincent – wat je noemt een slippertje, omdat hij destijds al twee jaar met Helene getrouwd was – heel lang als een grote misstap had beschouwd. Hij had gefaald, was tekortgeschoten. Ooit had hij gewild dat het nooit gebeurd was, als je het leven al op die manier kon sturen, maar tegenwoordig was hij blij dát het gebeurd was. Nu had hij tenminste een zoon, ook al waren de omstandigheden verre van ideaal. Terugblikkend betreurde hij het vooral dat ze geen gezamenlijk verleden hadden. Indertijd wilde Lila zelfs geen geld van hem aannemen. De cheques die hij toch opstuurde, wisselde ze niet in. Op zeker moment was ze verhuisd zonder hem haar nieuwe adres te geven. Daardoor was het contact opnieuw verbroken. Tot Vincent hem schreef. Maar dat gebeurde pas toen Simon docent aan het gymnasium was.

Kon je dat verzuim inhalen? Was die nalatigheid goed te maken? Simon vroeg het zich af. Avonden lang zat hij maar wat naar buiten te staren terwijl de zon onderging. Hij keek terug op zijn leven en ervoer alleen maar weemoed en treurnis.

Een merkwaardige gedachte spookte echter door zijn hoofd. Toen hij zich tijdens zijn studie, maar ook later, met de adel en vorstenhuizen bezighield, had hij het altijd vreemd gevonden dat in die kringen de afstamming zo belangrijk werd gevonden. De gezaghebbende naslagwerken[1] gingen over vrijwel niets anders dan de genealogie van de betreffende families. In de familiestatuten[2] van de hoge adel speelden de gezondheid en karak-

---

[1] Het *Genealogische Handbuch des Adels* omvat thans 124 delen. Een openbare genealogische databank van de hogere adel in Europa is te vinden op http://www.informatik.uni.erlangen.de/cgi/bin/stoyan/wwp/LANG=germ/?2

[2] De hoge adel had het recht om zaken omtrent familie, bezit en erfrecht zelf te regelen, onafhankelijk van het algemeen geldend burgerrecht: http://www.adelsrecht.de/Lexikon/H/Hausgesetz/hausgesetz.html

tereigenschappen van de huwelijkspartners van hun zoons en dochters een zeer ondergeschikte rol vergeleken met de eis dat ze van gelijke afkomst moesten zijn.

Simon had deze kijk op het leven, grenzend aan bezetenheid, altijd uitermate eigenaardig gevonden. Nu vroeg hij zich af of – ondanks deze potsierlijkheid – niet iets behouden was gebleven wat in de moderne tijd, waarin zo veel waarde werd gehecht aan individualiteit, in de vergetelheid was geraakt. Namelijk dat de voortplanting – het doorgeven van het leven, en dus van de eigen genen – het meest fundamentele aspect van het menselijk bestaan was en altijd zou blijven.

De tijd verstreek en Vincent deed zijn werk. Op een dag zei dr. Cramer dat het tijd werd om het wat rustiger aan te doen. Ook daar was Vincent het mee eens.

Hij zou immers niet voor altijd in de gevangenis zitten. Soms liet hij zelfs zijn gedachten gaan over wat hij hierna ging doen.

Zijn moeder was er op vrijwel alle bezoekdagen. Op een dag kwam ze samen met Bruce.

'Wat is er aan de hand?' vroeg Vincent.

Bruce grijnsde slechts. Een veelzeggend lachje. Daarna legde hij een arm om Lila, die een beetje beschaamd haar hoofd boog. Een nauwelijks merkbare beweging, maar het was Vincent niet ontgaan.

Voor het eerst sinds hij zich kon heugen kwam zijn moeder kalm over. Alsof ze haar hele leven gehold had en nu tot rust was gekomen.

Of voortdurend op de vlucht was geweest.

'Hoe gaat het met je?' vroeg ze.

'Goed,' zei Vincent. Hij vroeg zich af of je dat zo kon zeggen. Hij keek zijn moeder aan. Ze had veel dingen verkeerd gedaan, dat stond als een paal boven water. Maar ze hield van hem, dat wist hij maar al te goed. Ze had altijd van hem gehouden. En hij hield ook van haar. 'Ja, het gaat goed met me,' zei hij.

Op een dag viel er een brief van de verkiezingsautoriteit in de bus. Als erkende partij kreeg de vwm gratis zendtijd toegewezen op de publieke zenders. Om van die mogelijkheid gebruik te maken, diende minstens één verkiezingsspotje samen met het begeleidende formulier ingediend te worden. Het bijgevoegde blad met toelichtingen en verklaringen bood informatie over de inlevertermijnen, adressen en de middelen tot informatie-overdracht.

Alex bladerde wat, gaf alles aan Root en zei: 'Hier, handel jij dat maar af.' Hij was met zijn gedachten bij het Mongolië-project, dat eindelijk vorm leek te krijgen. Er hadden zich inmiddels voldoende belangstellenden gemeld voor dit nomadenspel, dat enkele weken in beslag zou nemen. En voldoende gegadigden, ook ter plekke, waren bereid om joerten en paarden aan hem te verhuren. Het begon er zelfs naar uit te zien dat de regering van Mongolië zijn plannen zou goedkeuren. Maar hij had nog geen officiële toestemming. Tot het zover was, kon hij aan niets anders denken.

Met tegenzin bekeek Root de papieren. 'Wat moet ik daarmee?'

'Nou ja, een verkiezingsspotje maken. Over de monarchie en zo. Doe je best.'

'Oké,' zei Root. Hij stopte de papieren in zijn uitpuilende laptoptas. Het had niet langer zijn aandacht.

Enige tijd later viel er weer een brief van de verkiezingsautoriteit in de brievenbus. vwm werd er onder andere aan herinnerd dat het verkiezingsspotje tijdig ingeleverd diende te worden.

'Heb jij dat afgehandeld?' vroeg Alex.

'Natuurlijk,' zei Root fel. Hij wilde er niet van beschuldigd worden dat er iets niet klopte. 'Ik heb een dvd opgestuurd. Een hele poos geleden.'

'Goed.' Alex liet de brief op zijn hand balanceren, alsof hij zich afvroeg wat hem nu te doen stond. 'Kan ik even zien wat je gemaakt hebt?'

'Geen probleem.' Root klapte zijn laptop open. Plotseling schudde hij zijn hoofd. 'Nee, jammer. Ik heb de disk-image elders opgeborgen. Was te groot. Ik breng die morgen voor je mee, oké?'

'Ja, doe dat,' zei Alex. Hij schoof de brief in de uitpuilende map met zaken die hij nog moest regelen. Weinig van wat er in die ordner gestopt werd, zou het daglicht ooit nog zien. 'Ik ben heel benieuwd. Per slot van rekening ben ik de partijvoorzitter.'

Dus hield Root zich tot diep in de nacht bezig met het monteren van foto's en videofragmenten die hij op zijn harddisks vond en op internet tegenkwam. Het verkiezingsspotje moest in elk geval de indruk wekken dat dit een serieuze poging was om de monarchie in Duitsland nieuw leven in te blazen.

Dat was niet eenvoudig als je wist dat dat spotje niet eens als taak had iemand te overtuigen. Integendeel zelfs. Maar het mocht geen duf filmpje worden. Dat was zijn eer te na. Hij wilde er in elk geval iets leuks van maken.

Hij kreeg een geniaal idee – vond hij – terwijl hij in een van de bestanden op zijn harddisks neusde en op enkele tamelijk goed gelukte opnames stuitte die hij lang geleden met zijn mobiele telefoon had gemaakt. Hij was allang vergeten dat ze überhaupt bestonden. Grinnikend monteerde hij het grootste deel van de beelden die hij indertijd had verzameld en maakte er een gloednieuw verkiezingsspotje van. Het was moeilijk om serieus te blijven terwijl hij de tekst insprak. Na verschillende pogingen was het filmpje eindelijk klaar. Het zag er puik uit, vond hij. Hij brandde het spotje op een dvd, die hij in een envelop stopte en de volgende ochtend snel nog even op de bus deed. Nu kon hij tegen Alex zeggen dat hij alles al 'een hele poos geleden' had opgestuurd.

Maar op die dag kreeg Alex toestemming van Mongolië. Daardoor moest er opeens verschrikkelijk veel geregeld worden en dacht niemand meer aan het verkiezingsspotje.

# Hoofdstuk 32

Helene Bergen was hoofdredactrice van in totaal vijf tijdschriften, die duidelijk van elkaar verschilden qua prijs, vormgeving en doelgroep. Deze bladen moesten echter allemaal de overwegend vrouwelijke lezersgroep in de ban houden met pakkende, sensationele, wulpse of anderszins opwindende verhalen uit de wereld van de beau monde. Het was een baan die veel van haar vergde, waardoor ze vaak tot 's avonds laat werkte en haar toch al verwaarloosde privéleven nog meer in de knel kwam.

Het kwam dan ook regelmatig voor dat ze – net gedoucht en geurend naar perzikshampoo – thuis in haar ochtendjas blootsvoets op het hoogpolige tapijt stond en met de redactie belde. Zoals ook die dag.

'Hij zet de boel af, ik weet er alles van. Toch wil ik dat verhaal,' zei ze. 'Zeg maar dat hij ons voor dat bedrag iets verschuldigd is. Een *first look* in zijn fotocollectie of zo.'

Ze trok de handdoek die ze om haar hoofd gewikkeld had los en kamde haar nog vochtige lokken. 'Iemand van de grafische afdeling moet een lay-out maken. Twee pagina's. De foto's zo groot mogelijk. Ze zijn er duur genoeg voor. Met zoiets als "Is ze dol op iemand van eenvoudige komaf?" En als proef wil ik ook een coverfoto. Graag vóór morgenmiddag.'

Helene wierp een blik op de muurklok, greep naar de afstandsbediening en zette de tv aan terwijl haar assistente met het volgende verzoek kwam.

'Niet nu,' zei Helene. 'Daar hebben we het straks wel over. Vandaag is het Sissi-dag. Ben je dat nu al vergeten? Het derde deel: *Schicksalsjahre einer Kaiserin*. Wat zou ik graag een verhaal met die titel willen hebben.' Helene was er niet achter gekomen waarom die oubollige tranentrekker met Romy Schneider en Karl-Heinz Böhm in de hoofdrollen herhaald werd. Een of ander jubileum, vermoedde ze. Eigenlijk kon het haar niet schelen. Haar medewerkers wisten dat de *Sissi*-trilogie tot haar favoriete films behoorde. Ze wilde dan absoluut niet gestoord worden.

'We zamelen geld in en geven je de dvd-box. Een cadeautje van de redactie,' zei Verena, haar assistente.

'Dat beschouw ik als een vijandige poging om mij arbeidsongeschikt te maken,' zei Helene, terwijl ze met een half oog naar het weerbericht keek. 'Waarom denk je dat ik geen dvd-speler heb?'

Verena zuchtte. 'Dan ga ik maar eens vroeg naar huis.'

'Doe dat. Dan zie je je man ook weer eens.'

Toen ze de telefoon in het oplaadstation zette, zei iemand op tv: 'Partijen voor de parlementsverkiezingen. U ziet nu een uitzending van de vwm, de *Volksbewegung zur Wiedereinführung der Monarchie*.'

Helene moest erom grinniken. Tegenwoordig had je allerlei rare partijen. Ongetwijfeld had een of andere goochemerd van de publieke omroep dit verkiezingsspotje met opzet voor de *Sissi*-film gezet.

Ze liep naar de keuken en luisterde terwijl ze een glas wijn inschonk. Een koning om de stabiliteit en het vertrouwen te waarborgen, bla, bla.

Toen ze weer de huiskamer in liep, en zich naar het bijzettafeltje begaf, had het niet veel gescheeld of het wijnglas was uit haar handen op de peperdure vloerbedekking gevallen; de rode wijn zou dan een ramp veroorzaakt hebben. Op tv zag ze haar echtgenoot, van wie ze al bijna twintig jaar gescheiden leefde. Hij zag er eerbiedwaardig grijs uit en had een ernstige blik. Opnieuw hoorde ze de jeugdige stem. 'Wij eisen dat Simon König koning Simon I wordt, koning van Duitsland.'

Volker Fuhrmann wilde naar de sportuitzending op het andere kanaal zappen. Zijn vrouw hield echter voet bij stuk. 'Jij altijd met je sport,' had ze gezegd. Daardoor had ze alleen al deze week twee keer een speelfilm gemist.

'Dan ga ik naar de kroeg,' zei Volker na het weerbericht. Hij kwam uit zijn stoel terwijl het verkiezingsspotje van een kleine partij werd aangekondigd. Een van die potsierlijke partijtjes die kansloos meededen aan de Bondsdagverkiezingen. 'Dan hoef ik in elk geval niet naar een kitschfilm te kijken.'

Zijn vrouw legde haar benen op de sofa en trok een zuur gezicht. 'Op de een of andere manier ben je er nooit,' zei ze.

Wat moest je met zo'n verwijt? Een stemmetje in zijn binnenste adviseerde hem om vooral te zwijgen over het feit dat hij zou blijven als hij naar de sportuitzending op het andere kanaal mocht kijken. Radeloos en schuldbewust stond hij in de deuropening, omdat hij niet wist wat hij moest zeggen.

Plotseling zag hij op tv een collega die hij niet mocht uit het schoolgebouw stappen en energiek naar de camera lopen. Een jeugdige stem zei: 'Wij eisen dat Simon König koning Simon I wordt, koning van Duitsland.'

Volker deed zijn ogen dicht. Toen hij ze weer opende, zag hij een wapperende Duitse vlag en iemand die zei: 'Partijen voor de Bondsdagverkiezingen. U zag een uitzending van de vwm, de *Volksbewegung zur Wiedereinführung der Monarchie.*'

Had hij dit gedroomd? Of werd hij langzaam gek?

'Hé, volgens mij was dat een collega van jou. Hij lijkt er in elk geval veel op,' zei zijn vrouw.

Hij merkte dat hij iets zei. Het kwam er onduidelijk, hakkelend uit. Simon König? Was die ouwe zak een monarchist? En maakte hij zich ook nog belachelijk door net te doen of de troon – die niet eens bestond – van hem was?

Langzaam veranderde het gehakkel in een schaterlach. Nu had hij hem te grazen. Dit zou Simon König de das omdoen.

'Je stelt me voor een dilemma,' zei het schoolhoofd de volgende ochtend in zijn kantoor met de donkere, eiken meubelen. Het was de enige kamer waar je de architectuur van de rest van het schoolgebouw even kon vergeten. 'Ik hoop dat je dat begrijpt.'

Simon begreep er niks van. Om te beginnen drong het nog steeds niet helemaal tot hem door wat er precies was voorgevallen. Kennelijk was gisteravond iets in gang gezet. Hij zat toen rustig te lezen in *Introspectie*, van Mark Aurel. Op de draaischijf van de platenspeler had hij het celloconcert in e-mol van Vivaldi gelegd. Plotseling had Fuhrmann hem gebeld en hem met een schetterstem de meest belachelijke verwijten gemaakt. 'Dat kost je je kop, König!' had hij door de telefoon geschreeuwd. 'Je lijdt aan grootheidswaanzin!' Simon had geen flauw idee wat er in Fuhrmann gevaren was. Uiteindelijk kwam hij tot de conclusie dat zijn collega stomdronken was en had hij zwijgend opgelegd. Toen de telefoon meteen daarna wéér ging, had hij de stekker uit de muur getrokken.

Vanochtend kwam hij te weten dat dat tweede telefoontje van Bernd was. Hij had Simon willen vertellen over het verkiezingsspotje dat hij op tv had gezien en waarin Simon 'figureerde'. En dat niet alleen. In dat spotje werd geroepen dat hij de koning van Duitsland moest worden. Bernd vond dat een slechte grap. Simon moest daar iets tegen ondernemen.

Simon was er niet toe gekomen om Bernd over de achtergronden te vertellen die vermoedelijk aan de basis stonden van dit voorval. En op het moment dat hij Alex wilde bellen, had het schoolhoofd hem dringend ontboden. Een invaller zou het eerste lesuur van hem overnemen.

'Het spijt me, maar ik begrijp het dilemma niet,' zei Simon.

Sinds mensenheugenis was Ernst Rögemann het schoolhoofd van het Immanuel Kant College. Hij had grijs haar, met een strakke scheiding, en een broodmager gezicht waarmee hij ontwapenend opofferingsgezind kon kijken. 'Wel, ik heb begrepen dat je je kandidaat stelt voor een politieke partij.' Hij zweeg even, alsof hij er niets meer aan toe hoefde te voegen, en vouwde zijn handen.

'Dat is niet verboden,' zei Simon. Nog altijd vroeg hij zich af welk misverstand hieraan ten grondslag lag.

Soms wekte Rögemann de indruk dat hij vergeten was om met pensioen te gaan. Dit was zo'n moment. Vaag verwachtte Simon dat Rögemann op het punt stond hem te vertellen dat hij gestudeerd had ten tijde van keizer Wilhelm II en dat hij slechte herinneringen aan die tijd had overgehouden.

'De monarchie, hoe haal je het in het hoofd! Nog afgezien van het feit dat ik het niet gepast vind om via de tv te horen te krijgen wat er speelt.' Het schoolhoofd zuchtte diep en bewoog zijn gevouwen handen, alsof hij een smeekbede deed. 'Dat uitgerekend jij zoiets flikt. De monarchie! Als docent maatschappijleer heb je de taak om jonge mensen bij te brengen hoe belangrijk de democratie en de rechtsstaat zijn. Dat wil ook zeggen dat je als voorbeeld moet dienen met betrekking tot hetgeen je doceert.'

Simon begreep nog steeds niet wat er was voorgevallen. Kennelijk was hij opgedoken in een verkiezingsspotje dat gisteravond was uitgezonden. Een spotje van een partij die hij had helpen oprichten voor dat bizarre meisje en haar niet minder bizarre vrienden. Hij moest erachter zien te komen hoe dat had kunnen gebeuren. Het was nu zaak om ervoor te zorgen dat hij niet nog meer imagoschade leed.

De vraag was hoe hij dat het beste kon aanpakken. Alles ontkennen was beslist niet de oplossing. Dan stond hij te kijk als een idioot.

Dan maar de vlucht naar voren. Dat was in zekere zin de beste optie. In elk geval tot hij wist wat er in hemelsnaam precies gebeurd was.

'Denemarken heeft een monarchie,' zei Simon. 'Net als België, Nederland, Spanje en Zweden. Twijfel je aan hun democratische houding? Zelfs Groot-Brittannië heeft een monarchie. Daar is nota bene de parlementaire democratie uitgevonden!'

Het schoolhoofd tuitte zijn lippen. In de lerarenkamer waren de meningen verdeeld over de emotie die daaraan ten grondslag lag. Volgens sommigen deed hij dat zodra hij iets afkeurde. Anderen meenden dat hij dan alleen maar nadacht.

'Daar heb je gelijk in, Simon,' zei hij uiteindelijk. 'Maar we hebben het nu over iets heel anders. Wat men mij over dat verkiezingsspotje verteld heeft... ik moet bekennen dat ik dat filmpje niet gezien heb... doet mij er ernstig aan twijfelen dat in Duitsland de taak van een docent maatschappijleer in overeenstemming te brengen is met de kandidatuur van, hm... monarch. Ben jij inderdaad lid van een partij die de herinvoering van de monarchie bepleit? Ik vraag je dat op de man af.'

Dat lidmaatschap kon Simon niet ontkennen. Hij had immers dat formulier ingevuld en ondertekend. Het was nu zaak dat hij dat waardig erkende. Met opgeheven hoofd en een rechte rug zei hij: 'Inderdaad.'

De verkrampte handen van het schoolhoofd ontspanden zich. 'Dus toch.'

'Ik mag hopen dat je me mijn grondwettelijk recht op vrije meningsuiting en het ontplooien van politieke activiteiten niet ontzegt,' zei Simon om gezichtsverlies te voorkomen.

'Integendeel,' zei het schoolhoofd. 'Ik heb hierover al met de onderwijsinspectie gebeld. De instructies die ik gekregen heb, komen tegemoet aan zowel jouw wens om politiek actief te zijn als mijn behoefte om gerustgesteld te worden aangaande mijn onbehagen dat ik zojuist onder woorden heb gebracht. Ik zal me houden aan het voorschrift dat een docent die een hoog politiek ambt ambieert, ongeacht op welk niveau in de politieke structuur, vrijgesteld dient te worden voor de verkiezingscampagne en daarna, mocht de betreffende docent eventueel gekozen worden voor het nagestreefde ambt. Dat geldt voor de duur van de ambtsperiode. Men heeft mij ook uitgelegd op welke wettelijke basis dat voorschrift stoelt. Maar dat weet jij waarschijnlijk beter dan ik. Eerlijk gezegd ben ik dat alweer vergeten.'

Simon slikte. 'Vrijgesteld? Wat moet ik me daarbij voorstellen?'

'Nou ja, je bent de lijsttrekker van een partij die meedoet aan de Bondsdagverkiezingen. In elk geval tot aan de verkiezingen hoef je geen les meer te geven,' legde het schoolhoofd uit. 'Daarna zien we wel verder.'

'Maar we zitten midden in het schooljaar, de leerlingen hebben me nodig...'

'Een collega uit Thüringen valt zolang in. Om familieredenen wil ze graag in Stuttgart zijn. Dat is mij al toegezegd voor het geval in dit gesprek vast zou komen te staan dat het inderdaad waar is wat ik al vermoedde.'

Het schoolhoofd leunde achterover in zijn stoel en legde zijn handen met een concluderend gebaar plat op de tafel. 'En dat is het geval.'

'Het spijt me verschrikkelijk,' zei Alex vol wroeging nadat hij op de laptop het verkiezingsspotje van Root had bekeken.

Ze bevonden zich voor het eerst bij Simon thuis. Alex droeg een donker-blauwe blazer die hem chic en voornaam stond. Het serieuze voorkomen dat hij uitstraalde, werd echter tenietgedaan door de adelaarsveer die hij in zijn met pareltjes gedecoreerde, gevlochten paardenstaart had gestoken. Hij zat op het puntje van zijn stoel, alsof hij elk moment kon opspringen.

Root was bij binnenkomst meteen gaan zitten en hing nu als een zak aardappelen in een stoel. Ditmaal had hij een rood T-shirt aan met het op-schrift Wij zijn degenen voor wie onze ouders ons altijd gewaar-schuwd hebben.

'Zoals u weet was het niet de bedoeling om reclame te maken voor de partij,' zei Simon kalm. 'Geen website, geen brochures, geen affiches. He-lemaal niets. En nu dit. Een verkiezingsspotje op primetime. Nog wel met mij als...' hij zweeg even, '... ik weet niet of daar wel een woord voor is. Troonpretendent? Nee, onzin. Die troon bestaat immers niet.'

Root kwam bepaald niet over of hij spijt had van deze kwestie. 'Een schitterende woordcombinatie.' Het probleem deed hem niets. 'Simon König... koning Simon. Zo'n idee moet je gewoon gebruiken.'

'Hé,' zei Alex morrend. 'Wel mijn idee.'

'Deze zogenaamd schitterende woordcombinatie heeft tot gevolg dat ik voor de rest van het jaar met verlof ben gestuurd,' zei Simon.

'Wat wil dat zeggen?'

'Dat ik me op school niet meer mag vertonen. En dat iemand anders mijn lessen geeft.'

'Hoe zit het met uw salaris?'

Simon knikte. 'Ik krijg doorbetaald, maar...'

'Dan is er toch niks aan de hand?' Root stak zijn handen omhoog. 'U moet mij dankbaar zijn. Negen maanden vakantie! Kom daar maar eens om.'

Simon schoot bijna uit zijn slof. 'Afgezien van het feit dat dit voorval mij een slechte naam bezorgt,' zei hij geveinsd kalm, 'zullen we op een dag, als alles volgens plan verloopt, voor de draad moeten komen met ons voornemen dat we met de oprichting van de vwm alleen maar wilden be-wijzen dat je met stemcomputers wel degelijk verkiezingsfraude kunt ple-gen. De vrijstellingsregeling die het schoolhoofd mij heeft opgelegd, is be-doeld voor partijkandidaten die zich serieus in de verkiezingsstrijd willen mengen. Ze reizen veel, houden speeches en dergelijke. Dat ga ik natuurlijk niet doen. Dus kan men mij terecht verwijten dat ik de boel bedonderd heb en dus onterecht ben doorbetaald. Nota bene met belastinggeld!' Hij zweeg even. Hoe duidelijker hij dit probleem onder woorden bracht, hoe meer hij zich ervan bewust werd in welke moeilijke situatie Root hem gemanoeuvreerd had met zijn 'grappige inval'. Deze ellende kon hem wel eens zijn pensioen kosten.

'Om uzelf te beschermen zou u op hoger niveau officieel protest moeten aantekenen tegen die vrijstelling en benadrukken dat u bereid bent te allen tijde weer les te geven,' zei Alex. 'Ik kan mijn advocaat vragen om u advies te geven. En wat uw imago betreft, denk ik dat u zich te veel zorgen maakt. Het was immers maar één verkiezingsspotje. Amper twee minuten. Niemand die het nog te zien krijgt. Wedden dat over een paar dagen iedereen het vergeten is?'


Toen Helene Bergen destijds die baan als hoofdredactrice kreeg, straalde de vergaderzaal een kille, zakelijke sfeer uit. Het interieur bestond uit niet veel meer dan een grote tafel met stoelen, en de verlichting was doelmatig. Dat was verleden tijd. Nu zag je er pluchen sofa's, leren leunstoelen, bijzettafeltjes, tiffanylampen, muren in pasteltinten en veel gordijntjes met romantische bloemdessins. Kortom, alles waarvan Helene vond dat je er een knusse sfeer mee creëerde.

De vergadertafel was het enig overgebleven relict uit vroeger tijden; er lag nu een geborduurd tafellaken op.

De ontwerpen waar Helene de vorige dag om gevraagd had, lagen inmiddels ter inzage. Het zag ernaar uit dat er hard aan gewerkt was. Ze keek er echter slechts vluchtig naar, legde ze terzijde en vroeg: 'Wie heeft gisteravond het verkiezingsspotje gezien van de partij die de monarchie in Duitsland wil herinvoeren?'

Drie personen staken hun hand op. De andere redactrices en een man – hij heette Felix – die het voor elkaar had gekregen om bij de redactie van een vrouwentijdschrift te komen, keken alleen maar verbouwereerd rond. Felix wreef over zijn voorhoofd. Zijn collega's waren daarmee opgehouden, omdat je er rimpels van kreeg.

'Ze willen dat ene Simon König tot koning Simon I van Duitsland wordt uitgeroepen,' zei Manuela. Zij beantwoordde alle lezersvragen. Ook de vragen die ze zelf bedacht.

Roswitha deed de rubriek Koken & Bakken. Ze schudde haar hoofd. 'Je hebt geen idee hoeveel rare lui er rondlopen.'

'Maar hij zag er wel goed uit,' meende Manuela. 'Heel koninklijk.'

Dat zorgde voor veel gegiechel, gekakel en gekwek. Helene liet hen even begaan, waarna ze zoals gebruikelijk met haar pen hard op de leren map tikte om iedereen weer tot de orde te roepen.

'Meiden,' zei ze streng. 'Dit is ons op het lijf geschreven. Een koning voor Duitsland. Dat zou de komende tijd wel eens hét thema kunnen worden.'

'Die partij maakt geen schijn van kans,' opperde Felix. 'Ze halen nul komma nul en nog wat stemmen binnen. Hoofdzakelijk van hun eigen partijleden.'

Helene keek hem aan, zuchtte diep en vroeg: 'Hoelang werk je al bij ons, Felix?'

'Vier jaar?' giste hij. Felix had grote blauwe ogen en zwart krulhaar, was niet getrouwd, had geen verkering en had op de uitgeverij ook nog nooit een van de meiden proberen te versieren, dus was hij waarschijnlijk homo. Hij hield zich bezig met reizen, wellness en meer van dat soort zaken.

'Zo, vier jaar,' zei Helene. 'Dan zou je inmiddels moeten weten hoe we hier te werk gaan. Dit is niet de *Frankfurter Allgemeine Zeitung*. Ook niet de ZEIT of de *Süddeutsche*. Feiten staan bij ons op de tweede plaats. Wij verkopen geen nieuws, maar dromen, Felix. Mooie dromen. Onze lezeressen moeten verlangend zuchten als ze onze tijdschriften lezen.'

De rest zuchtte vol overgave. En bijna in koor. Ze kenden de donderpreek van Helene inmiddels.

'Een koning voor Duitsland, meiden!' Helene keek hen een voor een aan. 'Stel je dat eens voor! We hoeven niet meer naar Kopenhagen, Den Haag, Londen of Stockholm te lonken. Nooit meer ruzie met Caroline van Monaco. We hebben alles in huis!'

Niemand wist dat Simon König haar echtgenoot was. De meesten wisten niet eens dat ze getrouwd was. Hoe moesten ze dat ook weten? Helene woonde immers al bijna twintig jaar alleen.

Ze vroeg zich af of ze datgene wat ze van plan was voor Simon deed of dat ze hem simpelweg wilde treiteren. Misschien beide. Hij was altijd zo afschuwelijk correct en ordelijk. Altijd was hij eropuit om alleen maar verstandige dingen te doen, verstandige dingen te zeggen en verstandige meningen en visies erop na te houden. Hij was kortom verschrikkelijk saai. Ze had hem verlaten toen hij opbiechtte dat hij een affaire had gehad. En dat hij daar een onwettige zoon aan had overgehouden. Het was meteen over en sluiten. Nog dezelfde avond had ze haar koffers gepakt.

Ze was echter om een andere reden niet meer teruggegaan. Het leven zonder hem was veel interessanter. Boosheid verdween, teleurstelling kon je overwinnen, maar de verveling bleef.

Het fascineerde haar mateloos dat Simon op zijn oude dag, dat kon je gerust zeggen, tot zoiets geks in staat was. Natuurlijk deed hij dat niet om haar. Misschien, en dat zou best kunnen, was hij gewoon niet goed wijs geworden. Ze kon niet ontkennen dat ze na al die jaren voor het eerst weer wat voor hem voelde. Ze respecteerde hem in elk geval weer. Bewonderde hem bijna.

Ze haalde een vel papier uit haar map. Verena had wat onderzoek gedaan. 'De partij heet vwm, de *Volksbewegung zur Wiedereinführung der Monarchie.* Van reclame maken hebben ze kennelijk geen verstand. Er is niks te vinden op internet, geen voorlichtingsdienst. Helemaal niets. Wel hebben we via de verkiezingsautoriteit het adres van de partijvoorzitter kunnen bemachtigen.' Ze gaf het blad aan Isabella, die verantwoordelijk was voor de reportages en interviews. 'Ook hebben we het adres en telefoonnummer van die Simon König.'

Niemand vroeg waar Helene die gegevens vandaan had.

'Ik wil een groot interview met hem,' vervolgde ze. 'En een *homestory.* Bedenk ook hoe we met wat tamtam de boel publicitair een zetje kunnen geven. Uit dat materiaal wil ik artikelen halen voor al onze tijdschriften. Stuur de beste fotografen erop af. Ik wil dat die koning Simon zo goed gefotografeerd wordt dat vrouwen zijn foto's uitknippen en boven hun bed hangen. Ik wil dat hij bedolven wordt onder de liefdesbrieven, begrepen?'

Helene gaf voor zichzelf toe dat ze hem niet alleen bewonderde. Ze wilde hem inderdaad ook treiteren. De zoete wraak. Die ouwe, keurige klootzak mocht wat haar betrof peentjes zweten.

# Hoofdstuk 33

'Hé, ik heb dat verkiezingsspotje ook gezien,' zei Bernd toen hij de volgende dag belde.

Simon trok een gezicht. 'Hoe kan dat? Mij is beloofd dat dat spotje niet meer uitgezonden wordt.'

'Op internet. Iemand heeft dat filmpje op internet gezet. YouTube, geloof ik. Het staat in de top tien, zegt Juliane.'

Simon kreunde.

'Volgens Dominik is het spotje ook gisteravond nog verschillende malen op tv vertoond,' zei Bernd. 'Bij die smakeloze grapjas... Stefan Rabe, als ik me niet vergis. Hij heeft nu zijn eigen verkiezingsspotje in elkaar gezet. De opmaak is vrijwel hetzelfde. Met het verschil dat hij vindt dat Roland Kaiser tot keizer Roland I gekroond moet worden.'

'Wie is Roland Kaiser?'

'Volgens mij een schlagerzanger.'

Simon deed ontzet zijn ogen dicht.

'Ik vraag me af hoe ze uitgerekend bij jou terecht zijn gekomen,' zei Bernd aan de andere kant van de lijn ontdaan. 'Hoe ben jij in hemelsnaam in dat verkiezingsspotje verzeild geraakt? Iemand heeft je gefilmd terwijl je het schoolgebouw uit liep. Raar, vind je niet? Wat heeft dat te betekenen?'

Simon wreef over zijn slapen. 'Dat kan ik je aan de telefoon niet in een paar woorden uitleggen,' zei hij. 'Heb je vanavond tijd om....?'

'Simon, ben je daar nog...?' De stem van Bernd klonk nu schril en verwrongen.

De verbinding was verbroken. Lege batterij. Simon keek op zijn horloge en zag dat het halfelf was. Bernd had vandaag zeven lesuren. Simon zou hem vanavond thuis bellen. Hij moest dit uit de doeken doen voordat Bernd dacht dat hij gek was geworden.

'Deze kwestie moet de wereld uit worden geholpen,' zei hij ook tegen Sirona toen hij haar eindelijk aan de telefoon kreeg. 'Gewoon uitleggen wat er gebeurd is voordat ik als de sukkel van het land word bestempeld.'

Sirona had hem breedsprakig maar beslist niet verhelderend uitgelegd waarom ze in de afgelopen dagen de telefoon niet had opgenomen. Kennelijk was ze zo lang met een computergame bezig geweest dat ze een zware verkoudheid had opgelopen. 'Dat kunt u niet maken!' kreunde ze. 'Niet doen, alstublieft! Dan kunnen we het wel vergeten. Dit is een unieke mogelijkheid om van de ene dag op de andere te bewijzen hoe gevaarlijk stemcomputers zijn. Die kans krijgen we nooit meer!'

'Luister, het is niet mijn schuld. Uw vriend Rüdiger heeft dit op zijn geweten. Ik hoef daar toch niet voor te bloeden?'

'Ik denk dat hij het heel vervelend vindt wat er gebeurd is,' zei Sirona tam.

'Ten eerste kan het hem geen snars schelen. Integendeel, hij vindt het nog steeds een geweldig idee,' zei Simon. 'Ten tweede schiet ik er niks mee op. Ik wil eerherstel.'

'Maar dat krijgt u over een poosje toch?' Sirona klonk oprecht vertwijfeld. 'Het zijn nog maar een paar weken tot aan de verkiezingen.'

'Een paar weken? Bijna drie maanden zult u bedoelen,' zei Simon.

'En als alles loopt zoals gepland, wordt u de held van de democratie!' bezwoer ze hem. 'Oké, er is nu sprake van wat ophef. Dat is vervelend, helemaal mee eens. Maar op termijn ziet alles er heel anders uit, begrijpt u? Als u nu probeert uit te leggen dat er geknoeid is met de software... tjeses, de meeste mensen snappen niet eens waar u het over hebt. Maar Zantini wel. Hij zal dat programma dan niet gebruiken. Of hij laat er veranderingen in aanbrengen. Of hij schuift alles op de lange baan. En dan staat u te kijk! Dan wordt u pas echt als een fantast beschouwd.'

Hij verstarde toen ze Zantini erbij haalde. 'Maar...' Hij zweeg even. De schande die hij op die avond had moeten doormaken, had hij verdrongen maar was hij zeker niet vergeten. Hij dacht aan Lila. Met trillende stem had ze hem verteld dat Vincent levenslang boven het hoofd hing als ooit boven water kwam dat hij zich opnieuw met illegale software had beziggehouden. Bovendien was de wereld klein. Zodra Simon met zijn verhaal naar buiten kwam, zou de officier van justitie die belast was met deze zaak er ook over horen.

Simon zag zichzelf in de gangspiegel. Hij raakte bijna in paniek. Nee, dit ging te ver. Dit wilde hij niet op zijn geweten hebben.

'Voor mijn part,' zei hij. 'Ik speel dat spelletje mee. Gewoon doen of je neus bloedt. Zo noem je dat toch?'

Hij hoorde dat ze opgelucht ademde. 'Goed,' zei ze hortend. 'Prima.'

'Laten we het hopen,' zei Simon.

Hij hing op en vroeg zich af wat hem nu te wachten stond.

Vreemd dat hij plotseling een zee van tijd had. Het voelde echter anders dan tijdens de schoolvakanties. Hij had dan altijd nog proefwerken die hij moest corrigeren, hij bereidde dan lessen voor en deed tal van andere schoolkarweitjes. Nu had hij niets meer te doen wat met de school te maken had. Helemaal niets.

In elk geval had hij nu tijd genoeg om te koken. Hij hoefde zich niet meer te haasten. In de keuken deed hij de tarwe in de keukenmachine om meel voor vers volkorenbrood te maken.

Opnieuw ging de telefoon. Een man stelde zich voor als journalist en zei dat hij hem wilde interviewen.

'Graag,' zei Simon.

Simon maakte een afspraak voor overmorgen. Aangezien er ook een fotograaf bij zou zijn, ging hij snel nog even naar de kapper. Zijn beste pak had hij al klaarliggen.

Ze hielden een fotosessie in zijn bibliotheek, op het balkon en terwijl hij in zijn donkerleren oorfauteuil met hoge rugleuning – zijn leesstoel – zat, die vaag deed denken aan een troon. Ze lieten hem verschillende poses aannemen die hem het voorkomen gaven van een staatsman. Hij moest zijn kin iets laten zakken, iets verder naar links kijken, wat meer of minder uitgesproken glimlachen, de wenkbrauwen optrekken, en zo ging dat maar door. Het voelde heel merkwaardig. Maar toen hij de beelden terugzag op het kleine beeldscherm van de fotocamera moest hij toegeven dat hij er imposant op stond. Ze hadden zelfs een kopie van een rijksappel meegebracht. Weliswaar een van hout en plastic. Maar dat was op de foto's niet te zien. Alsof hij een zwaar rijksinsigne van puur goud in zijn hand hield.

'Wat heeft u ertoe bewogen om aanspraak te maken op de Duitse koningstroon?' Dat was aansluitend de eerste vraag van de verslaggever. 'Welke stamboomlijn wijst erop dat u, anders gezegd, koninklijk bloed hebt?'

Toen deze afspraak gemaakt was, had Simon Alex opgebeld om zich te laten adviseren over hoe hij deze zaak moest aanpakken.

'Dit soort banale dingen, zoals afspraken afhandelen, doet u natuurlijk niet zelf,' had Alex meteen gezegd. 'Dat is een koning onwaardig. U hebt een secretaris nodig. Ik los dat wel op.'

'Ik heb geen secretaris nodig,' had Simon toen gezegd. 'Wel iemand die mij tips geeft zodat ik niet voor schut sta.'

'Maakt u zich maar geen zorgen,' had Alex gezegd. 'Roep gewoon maar wat. Het mag best controversieel zijn. Hoe meer u zich opwindt over van alles en nog wat, hoe langer het artikel wordt. *Any publicity is good publicity*. Geloof me, dat is zo. Ik heb daar ervaring mee.'

Maar dat was niet wat Simon wilde horen. Zomaar wat roepen? Dat lag niet in zijn aard, dat kon hij niet over zijn hart verkrijgen. Alsof je je volslagen belachelijk maakte. Als hij aan dit circus meedeed, wilde hij ook iets verstandigs te vertellen hebben. Na dat telefoongesprekje was hij elke vrije minuut van de dag bezig geweest met het verzinnen van een keur aan argumenten. Het was van secundair belang dat ze niet strookten met zijn standpunten. Als het maar klonk of hij een punt had.

De vraag over zijn stamboom had hij natuurlijk aan zien komen.

'Ik denk dat we het begrip "koninklijk bloed" tegenwoordig in een wat ruimere context moeten zien,' zei hij zo bedaard mogelijk. 'Als een koning in het ziekenhuis ligt en een bloedtransfusie moet ondergaan, heeft hij geen donorbloed van een andere koning nodig. Als de bloedgroep maar klopt, nietwaar?'

De verslaggever was een magere, alerte kerel met gemêleerd haar. 'Dat is zo,' zei hij gniffelend. 'Maar we hebben het nu over de troonopvolging. De stamboom speelt dan natuurlijk een beslissende rol.'

'Die vraag is niet aan de orde,' zei Simon. De verslaggever had een apparaatje op tafel gelegd om het gesprek mee op te nemen. Een led-lampje knipperde geduldig. 'We hebben in Duitsland immers geen monarchie meer. Het gaat om de herinvoering van het koningschap.'

'Goed. Maar waarom hebt u zich kandidaat gesteld?'

Simon had die vraag verwacht en erover nagedacht. Om de een of andere reden had hij daar echter geen antwoord op kunnen verzinnen. Dus zei hij voor de vuist weg: 'Iemand moet het doen.' De verslaggever bleef hem daarna zwijgend, maar nieuwsgierig aankijken. Uiteindelijk voegde Simon eraan toe: 'Zover ik weet is er niemand bereid het koningschap op zich te nemen, behalve ik.'

'Dan bent u misschien niet goed geïnformeerd,' zei de verslaggever. 'U weet ongetwijfeld dat er verschillende vorstenhuizen zijn waaruit in het verleden Duitse koningen en keizers zijn voortgekomen. Bij een eventuele herinvoering van de monarchie zullen die families ongetwijfeld hun oude rechten doen gelden. Ze hebben met andere woorden meer recht op het koningschap dan u.'

Ook met dat argument had Simon rekening gehouden.

'Ik bestrijd dat die "oude rechten" tegenwoordig nog van belang zijn,' zei hij. 'De oude monarchie en de daarmee verbonden adel is niet zonder reden teloorgegaan. Het was hun taak om het volk en de staat vreedzaam en rechtvaardig te besturen. Daarin hebben ze gefaald. En daarmee zijn ook hun rechten komen te vervallen. Vergelijk het met een bedrijf dat faillissement aanvraagt. De eigenaar mag dan, ten behoeve van de schuldeisers, ook geen aanspraak meer maken op het resterende vermogen van de firma. Nee, wat Duitsland nodig heeft, is een nieuw begin.'

'Waarom kiest u voor de monarchie? Wat bevalt u niet aan de huidige regeringsvorm?'

Als iemand hem die vraag gesteld had voordat hij deze ellende over zich heen had gekregen – om te beginnen die ongeluksbrief van Vincent, op die maandagmorgen lang geleden – had hij geantwoord dat er op de huidige regeringsvorm van de Bondsrepubliek Duitsland weliswaar wat viel af te dingen, maar niet zo veel dat hij het nodig vond om ook maar één seconde een radicaal alternatief als de monarchie te overwegen.

Dat antwoord kon hij nu natuurlijk niet geven. Daarom had hij zitten piekeren om argumenten te vinden die voor de monarchie als staatsvorm pleitten. Als je maar goed nadacht, kon je alles verdedigen. Dat wist iedereen.

'Veel zaken in de politiek zijn symbolisch,' begon hij. 'Staatshoofden die elkaar de hand schudden: een symbool. Het lint van een krans goed leggen: een symbolische handeling. Voorbeelden te over. Iedereen die zich in de wereld van de politiek en geschiedenis beweegt, zal toegeven dat symbolen van grote, misschien wel doorslaggevende betekenis zijn.'

'Helemaal mee eens,' bevestigde de verslaggever bereidwillig.

'Welnu, van oudsher is de kroon het traditionele symbool van de nationale identiteit. Als ergens op de wereld een koning trouwt, zitten miljoenen mensen aan de buis gekluisterd. Ja, ook in dit tijdperk, waarin de ratio het kennelijk voor het zeggen heeft. Die belangstelling heeft een reden. De kroon is tot op de dag van vandaag een effectief symbool. Daarom symboliseert de monarch, aan het hoofd van de staat, waarden als stabiliteit en duurzaamheid veruit beter dan een gekozen staatsman die om de paar jaar het veld moet ruimen en bovendien doorgaans lid is van een bepaalde partij. Het laatste is in tegenspraak met de neutraliteit die geëist wordt van staatsvertegenwoordigers. De monarch staat boven de partijen en hun besognes en belichaamt daarmee een duurzaam perspectief voor het volk. En dat is precies wat we tegenwoordig nodig hebben.'

Simon vond dat nogal vaag en gezwollen klinken. Maar ach, kennelijk nam de verslaggever alles voor zoete koek aan. Sterker nog, het zette hem zo te zien aan het denken. In elk geval staarde hij even naar het schrijfblok waarop hij zijn vragen had opgeschreven, waarna hij de volgende vraag stelde.

'Meneer König...' Hij grijnsde verontschuldigend en vroeg: 'Of moet ik nu al zeggen "Uwe Majesteit"?'

Simon schudde zijn hoofd. 'Pas als ik koning ben.'

De verslaggever knikte, alsof hij opgelucht was dat hij geen misstap had begaan. 'Stel dat u koning wordt. Ik neem aan dat de Bondsrepubliek Duitsland dan een andere naam krijgt.'

'Natuurlijk. Volgens de definitie staat er geen monarch aan het hoofd van een republiek.'

'Het "Duitse Rijk"? Zoals vroeger?'

Simon schudde zijn hoofd. 'Ik zei toch dat we een nieuw begin maken? De terminologie uit de oude doos heeft definitief afgedaan. En daar hoort het begrip "rijk" ook bij.'

'Maar een koninkrijk is toch ook een rijk?'

'Gewoon "Duitsland". Dat is voldoende.'

De verslaggever knikte tevreden, sloeg een blad om van zijn schrijfblok, nam de tekst vluchtig door en stelde de volgende vraag.

'Mogen we rekenen op een algemene belastingverlaging?' vroeg hij. 'Zodra u de nieuwe koning bent, voert u misschien ook het heffen van tienden weer in. Een mooi oud gebruik, een belastingtarief waar de moderne samenleving volslagen vreemd tegenover staat...'

Simon was uit het veld geslagen. Met die vraag had hij namelijk geen rekening gehouden, waardoor hij even niet wist wat hij moest zeggen.

Opeens dacht hij aan het advies van Alex. Hij mocht gerust met iets controversieels komen. Wel, dat moment was nu aangebroken.

'Natuurlijk,' zei hij, alsof dat de gewoonste zaak van de wereld was. Hij verbaasde zich er zelf over. 'Het kan niet zo zijn dat de staat naar eigen goeddunken belasting blijft heffen. In de toekomst pakken we dat anders aan. De staat krijgt een bedrag en daar moet de staat het mee doen. Je kunt immers ook niet tegen je werkgever zeggen dat je een hoger salaris wilt omdat je anders je vaste lasten niet kunt betalen. Politici horen in dat opzicht hetzelfde behandeld te worden als de gewone burgers.'

Verbazingwekkend wat je zoal inviel als je maar wat riep, vond Simon.

Voor het eerst kreeg hij de indruk dat de verslaggever hem serieus nam. Dat verblufte hem nog het meest.

'En u denkt dat tien procent voldoende is?'

Simon haalde zijn schouders op. Het gesprek begon hem te bevallen. 'De geschiedenis leert dat vorsten met te veel geld oorlog gaan voeren of het verkwisten. Ik vind het dus beter dat de overheid de buikriem aanhaalt.'

'En de btw dan? Die is er nog niet zo lang. Gaat u die ook afschaffen?'

Simon keek hem sceptisch aan. Wilde de verslaggever dat hij zich op glad ijs begaf? Wat was er opeens aan de hand? Was die man er inmiddels van overtuigd dat hij nog dit jaar in een monarchie zou leven? Misschien was het beter om de rem erop te zetten.

'Ik denk niet dat ik nu uitspraken moet doen over de bijzonderheden van een hervormd belastingstelsel,' zei Simon. 'In elk geval is er een ingrijpende reorganisatie nodig, een nieuw begin, zeker in het belastingstelsel... Laat daar geen twijfel over bestaan.'

De verslaggever keek met een ruk op, bijna onmerkbaar, alsof hij dagdroomde. 'Ja,' zei hij. 'Goed.' Simon vroeg zich af wat hij daarmee bedoelde. Waarschijnlijk niets.

En zo ging het nog een tijdje door. De andere vragen gingen vooral over de biografische details: waar en wanneer was hij geboren, waarom was hij docent geworden en zo meer. Dit gedeelte van het interview hing er eerlijk gezegd een beetje bij. Uiteindelijk nam de journalist afscheid. Simon bleef alleen achter in zijn huis. Hij was verstild, voelde zich klein. Kon hij dit nu als afgehandeld beschouwen? Of had hij zich definitief belachelijk gemaakt? Hij wist het niet.

In de daaropvolgende week bleef het eigenaardig stil. Niemand belde hem op, niemand kwam op bezoek. In de supermarkt gedroegen de kassameisjes zich niet anders dan voorheen. Waarschijnlijk had het verkiezingsspotje inderdaad minder opzien gebaard dan hij aanvankelijk dacht. En degenen die het filmpje gezien hadden, waren het beslist alweer vergeten.

Hij dacht er zelf ook steeds minder aan. Tot op een ochtend een dikke envelop in zijn brievenbus lag. Het tijdschrift waarin het interview was verschenen. *Met vriendelijke groet.* Dat stond op een memobriefje dat op het tijdschrift was gekleefd. *U staat op bladzijde 22.* Simon dacht dat de vrouw op de cover een filmactrice was. De kop eronder was meteen raak: EEN KONING VOOR DUITSLAND?

Simon liet het tijdschrift terug in de envelop glijden en kreeg opeens hartkloppingen. Uiteindelijk liep hij de trap op naar zijn appartement, legde de envelop op de keukentafel, deed een stapje terug en keek er van een veilige afstand naar. Wat had hij met dit interview aangericht? Hij onderdrukte de neiging om de envelop en het tijdschrift in de vuilnisbak te smijten. Maar daarmee was het probleem niet uit de wereld. Tienduizenden exemplaren werden op dit moment naar de kiosken, supermarkten en boekwinkels gebracht, of ze lagen al in de rekken.

Simon ging zitten, haalde het tijdschrift uit de envelop en legde het voor zich op de tafel. In elk geval een net tijdschrift. Een vrouwenblad. Een van het betere soort.

Hij ging meteen naar bladzijde 22 en zag zichzelf zoals hij voorovergebogen in zijn leunstoel zat en de rijksappel, een vervalsing, in zijn hand hield. Op de foto zag dat er veel indrukwekkender uit dan op het kleine beeldscherm van het fototoestel. Alsof hij werkelijk een staatsman was. En achter de kop stond geen vraagteken meer.

Hij las het interview. Had hij dat allemaal gezegd? Had hij het echt zo gezegd? Of was er hier en daar creatief met zijn woorden omgegaan? Moeilijk te zeggen. In elk geval was het artikel goed geschreven.

Er waren bijna vijf bladzijden gewijd aan het interview. Foto's en tekst. In de laatste kolom van de vijfde bladzijde stonden meningen van mensen die kennelijk op straat geïnterviewd en gefotografeerd waren. Wat vonden ze ervan als Duitsland weer een koning kreeg? Ene Herbert P. (78) en een blozende Waltraud R. (22) waren voor; ene Detlef E. (39) en Klara M. (52) waren tegen. Yilmaz H. (31) zei dat hij van Turkse afkomst was en dat het hem niet kon schelen of Duitsland een koning of een president had.

Hij bladerde vluchtig door het tijdschrift. Reisverhalen, lichaamsverzorging, mode en een interview met de filmactrice die ook op de cover stond. Dat was eigenlijk maar een kort artikel. Hij las het koningsartikel, dat veel langer was, nog een keer.

Geen pijnlijk interview. Integendeel. Beslist een serieus vraaggesprek. Simon was opgelucht.

En meer dan dat. Tot zijn verbazing wilde hij graag nog een keer gebeld worden voor een interview. Als hij op deze manier weer eens de gelegenheid kreeg om wat gedachten en levensvisies te ventileren, zou hij dat zeker niet weigeren.

Hij kreeg er bijna plezier in.

Het bleef niet bij dat ene artikel. Snel achter elkaar vielen er dikke enveloppen met tijdschriften in zijn brievenbus. Het vijfde tijdschrift was weliswaar dunner, meer een blad uit de categorie 'marginale uitgaven', maar hij stond toch maar op de cover. Van het interview waren alleen nog enkele nietszeggende en uit hun verband gerukte uitspraken overgebleven. Eigenlijk niet meer dan een opsomming van persoonlijke gegevens, zoals hoe hij woonde, zijn levenswijze, maar op wonderlijke wijze zo geschreven dat de indruk ontstond dat hij een prins in ballingschap was die geduldig wachtte tot de usurpator van de troon, die hem rechtmatig toekwam, eindelijk ten val was gebracht.

Meteen na het interview had hij Alex gebeld om hem te bedanken. Opnieuw had die nijvere man erop aangedrongen dat Simon een secretariaat nodig had en niet zelf meer moest bellen. 'Dat vind ik wel erg overdreven,' had Simon gezegd. Hij werd echter steeds vaker gebeld naarmate er meer tijdschriften met artikelen over hem op de markt kwamen. Vaak – eigenlijk steeds vaker – waren het wildvreemde types die hem uithoorden. 'Bent u die gek die koning wil worden?' Daarna scholden ze hem uit voor van alles en nog wat. Kennelijk waren er in Duitsland niet veel monarchisten. Uiteindelijk gaf Simon het op en vroeg hij Alex om het nodige te regelen. Alex kwam meteen langs, liet hem een formulier ondertekenen en beloofde dat hij er zo snel mogelijk voor zou zorgen dat hij een geheim telefoonnummer kreeg. Zijn oude nummer werd doorgeschakeld naar het bedrijfssecretariaat van Alex.

Enkele dagen later, op een namiddag, viel het Simon op dat hij al een tijdje niet meer gebeld was. Nieuwsgierig toetste hij zijn eigen, huidige nummer in. Hij hoorde de telefoon twee keer overgaan, waarna een vrouw met de routine van een ervaren secretaresse zich meldde: 'Goedemiddag. U spreekt met het secretariaat van König, Simon. Waarmee kan ik u van dienst zijn?'

De effectpauze tussen zijn voor- en achternaam was zo geraffineerd kort dat je warempel zou geloven dat 'König' inmiddels zijn titel was. Zwijgend legde Simon op. Nou ja, in elk geval werd hij nu met rust gelaten.

Later realiseerde hij zich dat hij Bernd moest bellen om hem zijn nieuwe telefoonnummer door te geven.

'Fijn dat je uiteindelijk toch de politiek in gaat,' zei hij. 'Je weet dat ik je daar altijd al geschikt voor heb gevonden. Sterker nog, ik ben zelfs een beetje trots, al klinkt dat misschien raar. Snap je wat ik bedoel?'

'Nou, eh, de zaak ligt toch iets anders dan je denkt,' begon Simon. Bernd viel hem meteen in de rede. 'Laat maar, ik hoef het niet te weten. Gun me mijn illusies.' Hij lachte, maar het klonk nogal zuur.

Simon had dat misverstand graag uit de wereld geholpen. Maar niet aan de telefoon. Hij stelde voor om er de komende dagen samen over te praten.

'Ja, goed idee,' vond Bernd. 'Weet je, eerlijk gezegd verbaast deze geschiedenis me. Misschien omdat we nooit veel over politiek hebben gepraat. Als je niet beter weet, ga je er automatisch van uit dat iemand met wie je goed kunt opschieten ook jouw gedachten en meningen deelt.'

'We moeten er binnenkort echt over praten,' herhaalde Simon. Hij was ontzet over de vervreemding die tussen hen aan het ontstaan was.

'Lees je ook de reacties op dat artikel over jou?' wilde Bernd weten. 'Ik bedoel de lezersbrieven en zo.'

'Hm... nee,' gaf Simon toe. Het was niet eens in hem opgekomen.

'Eerlijk gezegd heb ik me daar evenmin in verdiept. Maar Frank, mijn broer, je kent hem inmiddels... Nou, eh, zijn vrouw is geabonneerd op het tijdschrift waarin het eerste interview met jou verschenen is. In de nummers die daarna uitkwamen, staan een heleboel lezersbrieven. Frank heeft me wat van die tijdschriften opgestuurd.' Hij grinnikte. 'Hij zit erger in zijn maag met deze kwestie dan ik. Volgens mij staat hij in tweestrijd. Hij wil jou hebben voor een interview. Op de redactie kan dat echter verkeerd uitgelegd worden. Hij denkt dat dat mogelijk negatieve gevolgen heeft. Hij belt me voortdurend. Hij wil alles weten wat ik over jou weet. Maar zo veel weet ik niet.'

Misschien was het toch niet zo'n goed idee om Bernd in te wijden, vond Simon. Niet Bernd, die elk gevoel voor geheimzinnigheid miste. Bernd, de verpersoonlijking van de transparantie.

Hij kon hem maar beter niets vertellen. In elk geval niet nu. Bernd zou het begrijpen, later, als alles hopelijk gelukt was en het geheim van de stemcomputer niet langer geheim hoefde te blijven.

Dus toen Bernd enkele dagen later 's avonds een glas wijn kwam drinken, hield Simon zijn mond en bleef het bij wat algemene informatie en dat niet alles was wat het leek, maar dat er een plan achter zat. En dat hij dat plan nog niet wilde onthullen, omdat de tijd daar nog niet rijp voor was.

'Ik begrijp het,' zei Bernd met een leep lachje. 'Eerst de aandacht trekken. Dat is voorlopig het belangrijkste, stel ik me zo voor. Heel slim, maatje. Heel gewiekst.'

Simon zweeg en schonk nog eens bij. Daarna hadden ze het over zaken die altijd ter sprake kwamen: de leerlingen, de collega's en uiteindelijk het onderwijssysteem en de ellende die daaruit voortvloeide.

De volgende ochtend pakte Simon het tijdschrift dat Bernd voor hem had meegebracht en verdiepte zich in de lezersbrieven. Het betrof voornamelijk brieven van mannen die kennelijk ook op dat tijdschrift geabonneerd waren. Ze toonden zich verontwaardigd. Iemand vroeg zich af of dit een slechte grap was. Iemand anders noemde Simon een 'clownesk figuur'. En weer iemand anders was geamuseerd en vond het verbazingwekkend dat er zo veel freaks rondliepen, die ook nog eens ruim de gelegenheid kregen om in de media hun maffe ideeën te ventileren. Een van hen was echter een rechtgeaarde monarchist die het idee om weer een koning aan het hoofd van de Duitse natie te zetten 'in principe uitstekend' vond, 'hoewel niet origineel'. Natuurlijk kwam een of andere niemendal van twijfelachtige afkomst, waarmee hij Simon bedoelde, niet in aanmerking voor dat hoge ambt. Juist het koningschap moest in het teken staan van eeuwenoude, beproefde tradities. Het ging immers in eerste instantie om niet minder dan aanhaken bij de geschiedenis van het Heilige Roomse Rijk der Duitse Natie. Daarvoor kwamen uitsluitend vertegenwoordigers van traditioneel zeer voorname families in aanmerking, met name uit het vorstenhuis Hohenzollern, dat met Wilhelm II de laatste Duitse koning geleverd had.

Simon vond de toon in die brieven kwetsend, nog afgezien van het feit dat hij zich natuurlijk realiseerde dat deze hele kwestie niets voorstelde. Bovendien vond hij het een zeer geruststellende gedachte dat er in Duitsland zo weinig animo bestond om het absolutisme weer te omarmen. In geschiedkundig opzicht had hij die monarchisten het een en ander te vertellen, als hij daartoe de kans kreeg. Het zou hun niet bevallen, maar het strookte wel met de historische feiten.

Op dat moment viel zijn oog op het colofon in de kolom naast de lezersbrieven. Bijna helemaal bovenaan stond: HOOFDREDACTRICE: HELENE BERGEN.

Simon verstarde.

Helene?

Hij sprong op, pakte de andere tijdschriften en bladerde naar de colofons. In alle bladen stond dezelfde naam.

# Hoofdstuk 34

'Je had het kunnen weten,' zei Helene aan de andere kant van de lijn. 'Ik kan er ook niets aan doen dat je altijd maar met een half oor luistert als ik wat te vertellen heb. Ik heb er nooit een geheim van gemaakt waar ik werk.'

'Verwacht je nou echt dat ik de namen van dat soort tijdschriften in mijn geheugen prent?' diende Simon haar van repliek.

Ze schoot in de lach. Het klonk eerder pijnlijk dan geamuseerd. 'Maak je geen zorgen, dat verwacht ik heus niet. Ik wil alleen even duidelijk stellen dat mij geen blaam treft, oké?'

'Ik verwijt jou ook niks. Ik wil alleen maar...'

'En ik wilde je alleen maar helpen,' viel Helene hem in de rede. 'Zoals altijd. Ik heb geen flauw idee hoe je op dat idee bent gekomen. Ik wilde gewoon een steuntje in de rug zijn.'

Onwillekeurig staarde Simon naar de muur naast de voordeur. Ooit hingen daar de kopergravures die Helene lang geleden op een kunstmarkt op de Schlossplatz had gekocht. Toen ze vertrok, had ze die kunstwerken meegenomen. Later had hij de gang opnieuw laten schilderen. Hij wilde dat je niet meer kon zien waar de kopergravures hadden gehangen. Nu leek het echter of de verbleekte contouren ervan nog steeds zichtbaar waren.

'Het staat me helemaal niet aan, Helene,' zei hij. 'Weet niemand dat we getrouwd zijn?'

'Natuurlijk weet niemand dat.'

'Je kunt nooit weten. Misschien komt iemand erachter. En dan? Dan zit jij tot over je oren in de sores.' Onwillekeurig dacht hij aan Fuhrmann, die hem bij het schoolhoofd in diskrediet had gebracht. Bernd had hem dat verteld. 'Er is altijd wel iemand die je een loer wil draaien en geen middel schuwt.'

'Hoe moet dat dan uitkomen?' vroeg Helene.

'Om te beginnen is de personeelsafdeling op de hoogte. Alleen al om belastingtechnische redenen moeten ze weten hoe het zit.'

'De personeelsafdeling weet dat ik getrouwd ben, maar niet met wie.'

'Oké. Maar daar kun je niet op vertrouwen. Als ik hoor wat je op internet allemaal kunt uitzoeken...'

'In onze tijd was er geen internet. Wat zouden ze uit die periode moeten vinden?'

Simon ging naast de telefoon – een wandapparaat – in de stoel zitten. 'Ik heb geen idee. Maar jij weet het ook niet zeker. Hoe meer gedoe jij om mijn persoon creëert, hoe meer mensen op het idee komen om wat onderzoek te doen. Daar komt het in feite op neer. En hoe meer mensen onderzoek doen, hoe groter het risico wordt dat iemand iets vindt.' Hij had altijd geruisloos geleefd. Nooit had hij zijn gedachten en ideeën wereldkundig gemaakt. En hij zou dat probleemloos de rest van zijn leven kunnen. 'Ik heb liever dat je je van nu af aan niet meer met deze zaak bemoeit.'

'Hm,' zei Helene. Een ogenblik later zei ze op een andere toon: 'Ik geef toe dat ik tamelijk... ik weet het niet. Dat je je zorgen maakt om mij, eh...'

Simon slikte. 'Het is niet helemaal zoals je denkt,' verzekerde hij haar.

'Natuurlijk, ik begrijp het,' zei Helene. 'Je doet gewoon wat jou het verstandigst lijkt. Zoals altijd. Je bent altijd zo verstandig. Zal ik je eens wat vertellen? Ik stond paf toen bleek dat jij in staat was om iets onverstandigs te doen.'

Simon raakte het gevoel niet kwijt dat dit gesprek de verkeerde kant op ging. 'Alles met mate,' zei hij tam.

'Zo ken ik je weer.' Het klonk teleurgesteld.

Dat deed pijn. Simon vond echter dat ze alle reden had om teleurgesteld te zijn. 'Bemoei je niet meer met deze zaak,' zei hij. 'Alsjeblieft.'

'Daar moet ik eerst eens goed over nadenken,' zei ze snibbig. 'De oplages liegen er niet om. Bij twijfel geef ik de voorkeur aan goede verkoopcijfers.' Op de achtergrond hoorde Simon een deur die open- en dichtging. Daar leek het althans op. 'Ik moet ophangen,' zei Helene. 'De begrotingsvergadering begint zo. Leuk je gesproken te hebben. Tot de volgende keer, dag.' Ze hing op.

Simon bleef nog een tijdje met de hoorn in zijn hand zitten. In deze stille, verlaten woning klonk de zachte bezettoon angstaanjagend verstild en hol. Hij vocht tegen het overweldigende gevoel dat hij een mislukt leven achter de rug had, een leven zonder betekenis.

Haar stem had hem in verwarring gebracht. Ze klonk nog net als vroeger. Dat wekte alle mogelijke herinneringen op. Niet in de laatste plaats herinneringen aan dat beslissende moment dat hij faalde. Als hij destijds in Philadelphia het juiste pad had bewandeld, en daarin standvastig was gebleven, zou hij nu geen onwettige zoon hebben, die dan natuurlijk ook geen dubieus computerprogramma kon hebben geschreven. De cd met die software zou nooit in zijn brievenbus zijn gevallen. Alles wat sindsdien gebeurd was, zou nooit zijn voorgevallen.

Simon zuchtte. Hij zag het web van oorzaak en gevolg opeens duidelijk voor zich. Het web waarin hij verstrikt was geraakt. Een vreemde gewaarwording.

Hij hing op. Maar toen de hoorn op de haak lag, rinkelde de telefoon weer.

Hij nam meteen op. 'Ja?'

Het was Alex, niet Helene.

'U komt op tv! Ze zijn geïnteresseerd!' zei hij, alsof dat geweldig nieuws was. 'We hebben alles al geregeld. Het tijdstip, de plaats, alles. Ik hoop alleen dat u ook tijd hebt!'

'U hoeft zich echt geen zorgen te maken,' herhaalde Alex minstens voor de derde keer. Toen Simon hem had verteld dat de zaak hem niet beviel, was Alex in de auto gestapt om hem persoonlijk over te halen. 'Ik ken de producent die dit voor zijn rekening neemt. Hij heeft al vaker heel positief verslag gedaan van onze alternate reality games.' Ook nu weer viel hij in herhaling.

Het was de *Landesschau* maar. Een korte reportage. Drie tot vijf minuten. Het programma werd op werkdagen altijd vlak voor het avondjournaal uitgezonden. Het maken van die reportage zou echter een paar uur in beslag nemen. Misschien een halve dag, maar niet langer.

'Het bevalt me niet dat de kring steeds groter wordt,' zei Simon voor de tweede keer. 'Het interview met dat tijdschrift was al niet zoals het hoorde. En nu kom ik ook nog op tv. Dat is van een heel andere orde.'

'De *Landesschau*? Ach wat! Daar kijkt niemand naar. Het is een soort publiekrechtelijke bezigheidstherapie.' Uiteindelijk kwam de aap uit de mouw. 'Ik sta bij die producer in het krijt,' zei hij.

'Kijk aan.'

'Voor mijn onlinereclame heeft hij me een keer toestemming gegeven om rond te neuzen in zijn videoarchief. Om eerlijk te zijn had ik het anders waarschijnlijk niet gered.'

'Zou het ook iets anders mogen zijn?'

Alex haalde zijn schouders op en glimlachte ontwapenend.

Simon zuchtte. 'Vooruit, voor deze keer maak ik een uitzondering.'

Twee dagen later reden ze over de snelweg. Steeds als Simon wilde weten waar ze in hemelsnaam naartoe gingen, zei Alex slechts: 'Wacht maar, u zult het prachtig vinden.'

Na de derde keer gaf Simon het op. Hij wist nu zeker dat hij het afschuwelijk zou vinden.

Ze verlieten de snelweg en namen een kronkelend landweggetje en daarna een hobbelige bosweg.

Het duurde niet lang of ze reden over een grindweg door een verweerde poort een terrein op.

Alex parkeerde voor een enorm bouwwerk.

'Een koning heeft natuurlijk een kasteel nodig,' zei Alex terwijl Simon verbijsterd het portier opende.

'Waar zijn we?'

'Op Schloss Reiserstein natuurlijk. In de oorkonden voor het eerst vermeld in 1286. In de zestiende eeuw was dit kasteel de zetel van de vorsten van Fresenhagen. Tegenwoordig staat het bouwwerk vooral bekend om de prachtig ingerichte ridderzaal.' Alex ratelde maar door. 'Sinds 1991 is het in het bezit van de industrieel Heinz Stiekel.'

Simon keek omhoog naar de ringmuur met de schietgaten en versterkte, ronde uitbouwen. Uit het jaar 1286 dus. Dat betekende dat de burcht in de periode van het vorstenhuis Hohenstaufen moest zijn gebouwd en later in barokstijl gerenoveerd.

'Nooit van gehoord,' gaf hij toe.

Alex knikte. 'Het kasteel is vrij onbekend. Jammer, want het is schitterend ingericht. Je kunt er zo in wonen.'

'Hoe bent u erachter gekomen dat het hier stond?'

'Via meneer Stiekel.'

Stiekel? Die naam deed bij Simon een belletje rinkelen. Hij zat toch in de machinebouw? Simon was zijn naam wel eens tegengekomen in het economiekatern van de krant. 'Waar kent u hem van?'

Alex haalde zijn schouders op. 'Ik heb een gigantisch adressenbestand. Ze staan er allemaal in. Ik ken iedereen die in Duitsland een kasteel of een burcht heeft. Voortdurend heb ik met die lui te maken.'

'Ah, door de spellen die u organiseert.' Simon snapte het nu.

'Precies. Ook ridders hebben kastelen nodig. Of minstens een burcht.'

Hij wees naar het hoofdgebouw. 'In dit pand vind je zelfs nog een echte kerker, met tralies en zware grendels. Grandioos!'

Toen ze het bouwwerk betraden, stelde Simon vast dat het televisieteam al aanwezig was. Naar het leek al uren. Overal liepen kabels en stonden stoelen, koelboxen met frisdrank en apparatuur met schuifregelaars en knoppen. De ridderzaal was felverlicht dankzij een stuk of wat sterke lampen. Het liet de oude muur- en plafondschilderingen op een duizelingwekkend kleurrijke manier stralen.

De dikke regisseur in zijn vettige leren jack straalde eveneens. 'Dat worden schitterende beelden, dat beloof ik u!' zei hij terwijl hij Simon de hand schudde. 'Ik verheug me er nu al op. Fijn dat u tijd vrij hebt kunnen maken voor deze reportage.'

Simon mompelde dat het genoegen geheel zijnerzijds was. Hij fluisterde het bijna, want het was gelogen. Dit zou hem definitief voor aap zetten.

Het podium was al in orde gemaakt. In de open haard brandde een houtvuur. Pal ervoor stonden twee kostbaar uitziende, antieke leunstoelen met eromheen, in een wijde boog, verschillende camera's, nog meer studiolampen, allerlei apparaten en ontelbare kabels die kriskras door het vertrek liepen.

Een lange vent met een bijna kaalgeschoren hoofd en een moderne stoppelbaard, waarvan de haartjes net zo lang waren als zijn hoofdhaar, liep naar Simon toe en gaf hem een hand. 'Ik zal u dadelijk interviewen, als u dat goedvindt,' zei hij gehaast. 'Wilt u een kop koffie of iets anders? Iets te eten? We hebben sandwiches meegebracht.'

Simon bedankte hem, maar hoefde niets.

'Oké, dan wordt het nu tijd dat mijn visagiste u onder handen neemt. Helaas is dat nodig als er een studioreportage wordt gemaakt.' Hij wenkte een potige vrouw naar zich toe die vergeleken met hem op een dwerg leek.

Nadat Simon zich een halfuurtje met poeder, haarspray en andere make-up had laten bewerken, nam hij plaats in de mooiste van de twee leunstoelen. Hij voelde zich de Zonnekoning. Het zou Lodewijk XIV niet misstaan zoals Simon geparfumeerd en opgemaakt was.

Eerlijk gezegd voelde dat best lekker.

De reus met de stoppelbaard zat in de andere leunstoel. 'Vandaag hebben we een gesprek met Simon König, lijsttrekker van de vwm, de *Volksbewegung zur Wiedereinführung der Monarchie*,' zei hij terwijl hij zich tot de camera richtte waarvan het rode lampje aan was. 'Als het aan deze partij ligt, wordt hij als Simon I koning van Duitsland.' Hij wendde zich tot Simon. 'Goedenavond, Koninklijke Hoogheid.'

Simon schudde langzaam zijn hoofd. 'Liever gewoon Simon König. Ik ben geen koning of prins, dus verdien ik die titel niet. Ik heet toevallig König, dat is alles.'

De man zweeg even, alsof hij deze informatie liet bezinken. Daarna keek hij Simon aan en begon zonder dat hij op het voorgaande reageerde aan het interview.

'De laatste Duitse monarch was Wilhelm II, keizer van Duitsland en koning van Pruisen. Hij besteeg de troon in 1888, ook wel het "driekeizerjaar" genoemd. Hij regeerde tot 1918 en trad na de Eerste Wereldoorlog af. Stel dat de monarchie in Duitsland opnieuw wordt ingevoerd. Moet dat dan niet in het verlengde van die traditie gebeuren?'

Simon trok zijn wenkbrauwen op. Het zag er intimiderend uit zoals hij dat deed, en niet alleen in het leslokaal, daar was hij zich goed van bewust. 'Hoezo? Waar staat dat geschreven?'

'Nou ja, je kunt niet om de traditionele Duitse vorstenhuizen heen, zoals de Hohenzollern, de Wittelsbacher, de Wettiner en de Welfen...'

'Inderdaad. Vroeger was dat het geval. Maar die dynastieën hebben hun tijd gehad.'

'Wil dat zeggen dat u bij het invoeren van de monarchie uit het niets een dynastie tevoorschijn tovert? Schept u een nieuwe traditie zonder dat daar een traditie aan ten grondslag ligt?'

Simon legde zijn handen over elkaar om te voorkomen dat hij als een schoolmeester zijn wijsvinger opstak. 'Natuurlijk kun je een traditie niet scheppen. Wel de voorwaarden om ervoor te zorgen dat er een traditie kan groeien. En daar gaat tijd overheen. Dat is nu eenmaal eigen aan tradities. Trouwens, wat schieten we ermee op als we aanhaken bij tradities die niet deugden?'

'Die niet probaat waren?'

'Natuurlijk waren ze dat niet. Juist keizer Wilhelm II heeft er als geen ander toe bijgedragen dat de toenmalige monarchie de steun onder de bevolking verloor. Niet dat hij van kwade wil was, zeker niet, maar hij kon gewoon niet beter. Sterker nog, achteraf moet je vaststellen dat hij de rol die hij had moeten spelen in geen enkele periode goed heeft vervuld, niet in vredestijd en al helemaal niet toen Duitsland in oorlog was.'

'Verwijt u hem nu dat door zijn toedoen Duitsland de Eerste Wereldoorlog heeft verloren?'

'Nee, dat zou onzin zijn. Maar hij heeft er wel wezenlijk toe bijgedragen dat die oorlog überhaupt uitbrak[1]. De Eerste Wereldoorlog kent een lange voorgeschiedenis, die je beslist niet kunt terugvoeren op de aanslag in Sarajevo en de bondgenootschappen die daarna bezegeld werden. De vraag is veel meer hoe deze bondgenootschappen op die wijze konden ontstaan. Gedurende tientallen jaren ontbrak het aan visie en realisme. Een teken dat er een gevaarlijk diepe kloof gaapte tussen de regerende vorsten en het volk.'

'Goed, maar stel dat u koning van Duitsland wordt. Hoe wilt u dan verhinderen dat u of uw nazaten soortgelijke fouten maken? Pleit dat niet gewoon voor de democratie?'

Simon merkte dat hij zich weer op glad ijs begaf. Natuurlijk pleitte dat voor de democratie. Dat kon je in één les over de Duitse geschiedenis afhandelen.

Maar natuurlijk alleen de versimpelde kant van die kwestie, zogezegd de hapklare versie voor gymnasiumleerlingen.

'U creëert een tegenstelling tussen monarchie en democratie die niet realistisch is,' begon Simon bedachtzaam, onzeker over waartoe deze argumentatie zou leiden. 'In feite beledigt u daarmee alle lidstaten van de Europese Unie die een monarchie hebben. Bent u het met mij eens dat ook Denemarken en België een democratisch staatsbestel hebben?'

'Natuurlijk,' zei de interviewer snel. 'Maar misschien ligt dat wat Duitsland betreft toch wat anders.'

'In zoverre anders dat de Duitse monarchen de maatschappelijke en sociale uitdagingen niet aankonden. Dat bedoel ik als ik zeg dat de periode van de vroegere vorstendynastieën voorbij is en dat het tijd wordt voor een nieuw begin. Niet de uitkomst van de Eerste Wereldoorlog, ofwel de nederlaag van Duitsland, was de doorslaggevende factor, maar het feit dat de leiders indertijd verzuimden democratische hervormingen door te voeren. Als ze ruim baan hadden gegeven aan een ontwikkeling die tot democratie leidde, zou de Duitse monarchie het waarschijnlijk overleefd hebben[2].'

'Frappante gedachte.'

'Dat herstel zou naar alle waarschijnlijkheid nog tot 1917 mogelijk zijn geweest. In plaats daarvan verdedigden de heersers hun privileges met hand en tand zonder te beseffen dat ze daardoor hun eigen lot bezegelden. Dat realiteitsverlies toont zich ook in de manier waarop in militair opzicht het land door de Eerste Wereldoorlog werd geloodst. Denk maar aan de

---

[1] http://de.wikipedia.org/wiki/Wilhelm_II._(Deutsches_Reich)#Erster_Weltkrieg

[2] Lothar Machtan: *Die Abdankung. Wie Deutschlands gekrönte Häupter aus der Geschichte fielen.* Berlijn, 2008.

bedrieglijke, onrealistische ideeën over de eigen mogelijkheden zonder dat men zich wat gelegen liet liggen aan het leed van de soldaten. Als er sprake was geweest van een realistische visie zou de oorlog misschien niet eens zijn uitgebroken, of in elk geval sneller beëindigd zijn.'

'Fascinerend,' zei de interviewer. 'Hoe zou het Duitsland dan vergaan zijn?'

'In de eerste plaats zou de Weimarrepubliek nooit bestaan hebben,' begon Simon. Hij voelde zich uitgedaagd, de studiolampen waren verblindend fel. 'Als de Duitse democratie zich langzamer ontwikkeld had... een organische overgang in plaats van een radicale... zouden ook de democratievijandige stromingen in de jaren twintig vermoedelijk geen opgang hebben gemaakt. Sterker nog, waarschijnlijk zou Hitler geen draagvlak onder de bevolking hebben gekregen.'

Simon zweeg even. Wat een verbazingwekkende gedachte. Dat hij daarop gekomen was! Zo helemaal vanzelf, terwijl hij al redenerend aan het praten was!

'Denkt u dat echt?' Ook de interviewer leek verbluft over die uitspraken.

Simon knikte stelliger dan hij zich voelde. Langzaam en bedachtzaam, omdat hij aanvankelijk slechts een zeer vaag idee had over wat daarover te zeggen viel, zei hij: 'Je kunt gerust stellen dat Hitler een baan had gekregen. Een baan die in de ogen van de bevolking vacant was: het keizerschap.' Simon vond het merkwaardig zoals dit gesprek verliep, alsof de gretige blik van de interviewer uitdagende gedachten in hem opwekte waarvan hij niet wist dat hij die had. 'Natuurlijk is het zo dat Hitler daar op perverse wijze invulling aan gaf. Toch kun je je afvragen of hij daartoe de kans zou hebben gekregen als Duitsland in 1933 een monarch had gehad. Of het dan zover gekomen was? Ik denk het niet.'

De man met de stoppelbaard keek Simon verbaasd en verbouwereerd aan. Simon dacht er bijna iets van bewondering in te herkennen.

'Hartelijk dank voor dit gesprek, Koninklijke Hoogheid,' zei hij.

De regisseur had geen flauw idee wanneer dit interview zou worden uitgezonden. Reportages over de actualiteit van de dag kregen immers voorrang. Simon zou daarover nog worden gebeld.

Dat gebeurde echter niet. In plaats daarvan belde een week later op dinsdag een uitgelaten Alex dat de reportage die avond zou worden uitgezonden! Ze waren al op weg naar hem. Met een televisie, een fles champagne en wat al niet meer. Hij hoefde zich niet ongerust te maken, zij namen alles voor hun rekening!

Simon betwijfelde of hij blij moest zijn met die overval. Maar toen 'de jeugd' plotseling binnenviel, vond hij het toch leuk, omdat dat leven in de brouwerij bracht. De stilte van de afgelopen dagen begon al aan hem te knagen.

Het was de tweede reportage van het programma, dat om kwart voor acht begon. De presentatrice deed tijdens de aankondiging nogal lollig over de partij die als doel had de monarchie, zo'n ouderwets instituut, nieuw leven in te blazen. De reportage was daarentegen indrukwekkend vormgegeven, met beelden van Duitse kastelen en filmscènes van kroningsceremonies en zo meer. Uiteindelijk kwam Simon in beeld, met zijn ernstige blik en de houding van een staatsman. Toen hij eraan terugdacht hoe hij zich op dat moment gevoeld had, moest hij toegeven dat de cameraman zijn vak verstond.

Degene die de reportage gemonteerd had, was eveneens een vakman. Toen de interviewer Simon met 'Goedenavond, Koninklijke Hoogheid' begroet had, bleek het antwoord van Simon eruit geknipt te zijn. Het was zo handig gedaan dat niemand dat merkte.

Simon voelde dat hij verbleekte. Wat pijnlijk! Nu geloofde de hele wereld dat hij zichzelf als een prins beschouwde!

'De jeugd' nam daar echter geen aanstoot aan.

'U komt geweldig over,' vond Alex. 'Wacht maar, dit is nog maar het begin.'

'Het lijkt wel iets uit een andere wereld,' zei Sirona fluisterzacht.

'Cool gedaan,' prees Root hem.

Simon probeerde uit te leggen waarom hij het zo onaangenaam vond dat zijn antwoord op de begroeting van de interviewer eruit geknipt was. Door die technische ingreep kwam hij aanmatigend over. Dat had gewoon niet mogen gebeuren.

Hoofdschuddend maakte iedereen duidelijk dat dat onzin was. 'Volgens mij maakt u zich onnodig zorgen,' meende Leo.

Daar was Simon echter niet zo zeker van. Maar gedane zaken namen geen keer. Wat had dit voor gevolgen? Hij moest er hoe dan ook mee leven.

Alex liet de kurk van de meegebrachte champagne knallen en schonk in. Toen hij een glas aan Simon gaf, werd er aangebeld.

Het was mevrouw Volkers. 'Ik heb naar de *Landesschau* gekeken.' Ze staarde Simon indringend aan.

De eerste gevolgen. 'Tja, ik kan alleen maar zeggen...' begon Simon. Ze viel hem echter streng in de rede. 'Toen ik nog niet getrouwd was, heb ik gewerkt als kleermaakster voor het toneel, en later voor de film. Tijdens de filmopnames van de *Sissi*-trilogie was ik kleermakersassistente. Ik heb kortom de meeste kostuums genaaid.' Ze vouwde haar handen. 'Ik wil u graag behulpzaam zijn bij het samenstellen van een geschikte koninklijke garderobe.'

Ze benadrukte het woord 'geschikte'. Simon kreeg daardoor het gevoel dat hij er tijdens het interview als een bedelaar bij had gezeten.

De ogen van zijn buurvrouw flonkerden zoals hij dat nog nooit bij haar gezien had. Hij wist niet wat hij moest zeggen.

Plotseling stond Alex naast hem. Hij glimlachte haar allerhartelijkst toe. 'Graag. Kom toch binnen, mevrouw...'

'Volkers,' zei ze terwijl ze haar hoofd boog, alsof hij van adel was. 'Edeltraud Volkers.'

# Hoofdstuk 35

Alex had gelijk. Niet lang daarna stond de telefoon roodgloeiend. Opeens wilde elke televisieomroep een gesprek met Simon König.

Het volgende interview vond plaats in Stuttgart, in Schloss Solitude. Aangezien het prachtig weer was, werd Simon gevraagd plaats te nemen op het omlopend balkon, met als filmisch decor de Solitudeallee, de meer dan dertien kilometer lange weg die kaarsrecht door het heuvellandschap liep.

'Hertog Karl Eugen von Württemberg heeft dit kasteel laten bouwen,' begon de interviewer, een in deze regio bekende televisiejournalist. Hij had een zachte stem en kwam innemend over. 'De bouw nam zes jaar in beslag, van 1763 tot 1769, en was, zoals we nu weten, een financiële ramp voor de hertog. En dan te bedenken dat dit kasteel slechts bedoeld was als jachtslot voor representatieve doeleinden.' Hij keek Simon aan. 'Stel dat uw partij er inderdaad voor zorgt dat Duitsland volgend jaar tot monarchie wordt uitgeroepen, met u als koning. Waar wilt u... waar moet de Duitse koning dan resideren?'

Voorheen zou Simon gezegd hebben dat dat een van de onbelangrijkste vragen was die je in dit verband kon stellen. Inmiddels was hij erachter gekomen dat er andere belangen speelden. Het ging om de kijkcijfers. Sirona en haar vrienden wilden dat – zoals Alex dat fraai formuleerde – 'iedereen u kent maar niemand op u stemt'.

'Tja, ten eerste heeft Duitsland bepaald geen gebrek aan kastelen,' begon hij.

'Maar kastelen waren en zijn duur in het onderhoud,' opperde de verslaggever met een glimlachje.

'Ten tweede,' vervolgde Simon onbewogen, 'is onlangs pas besloten het

Berliner Schloss te herbouwen. Nota bene door de huidige regering.' Hij glimlachte fijntjes. 'Dat getuigt van een wel zeer vooruitziende blik.'

Hoewel het helder weer was, waren er toch drie studiolampen opgesteld om qua belichting niets aan het toeval over te laten. Een stuk of tien mensen stonden om hen heen, reden verrijdbare camera's naar posities die met kleefband op de vloer waren gemarkeerd, of zaten – koptelefoon op – achter mengpanelen en draaiden aan knoppen. Toevallige passanten – voetgangers, wandelaars en fietsers – hadden zich achter de afzetting verzameld en keken nieuwsgierig toe.

'U bedoelt het Berliner Stadtschloss,' zei de verslaggever. 'De bedoeling is dat het op de plaats komt waar het gesloopte Palast der Republik gestaan heeft.'

Simon knikte. 'Zeer symbolisch, vindt u niet? Het Palast der Republik wordt gesloopt om de hoofdresidentie van de Pruisische koning en Duitse keizer in volle glorie te herstellen, precies op de plaats waar het paleis vroeger stond. Ook zal de residentie, zoals de bouwplannen er nu uitzien, in architectonisch opzicht vrijwel identiek zijn aan het origineel. Noem het bouwkundig anticiperen op toekomstige ontwikkelingen, althans zoals wij ons die voorstellen.'

Simon vond het brutaal van zichzelf om het zo spits te formuleren. Daar stond tegenover dat hij er heimelijk ongekend veel genoegen in schepte.

'Het nieuwe paleis wordt echter een bibliotheek en tentoonstellingsruimte,' bracht de verslaggever te berde. 'Het is niet bedoeld als toekomstige residentie voor de koning van Duitsland.'

'Dat is geen onoverkomelijk probleem.'

De verslaggever knikte welwillend, keek even naar het kaartje waarop hij trefwoorden had genoteerd en zei: 'Goed, stel dat u daar verandering in brengt en als nieuwe koning van Duitsland in het Berliner Stadtschloss gaat wonen. Hoe zal de rest van het land eruit gaan zien? Het oude keizerrijk was zeer complex, met de koninkrijken Pruisen[1], Beieren[2], Saksen[3] en Württemberg[4]. En de groothertogdommen Baden, Hessen, Mecklenburg-

---

[1] Zie de homepage van vorstenhuis Hohenzollern: www.preussen.de

[2] Zie de homepage van vorstenhuis Wittelsbach: www.haus-bayern.com

[3] Vorstenhuis Wettin bestaat nog: het huidige hoofd van de dynastie is Maria Emanuel Markgraf von Meissen Herzog zu Sachsen (http://de.wikipedia.org/wiki/Maria_Emanuel_Markgraf_von_Meissen) (http://www.prinz-albert-von-sachsen.de)

[4] Vorstenhuis Württemberg bestaat nog. De laatste koning was Wilhelm II von Württemberg. Op 30 november 1918 deed hij afstand van de troon, hoewel er van een formele troonsafstand geen sprake was. In

Schwerin, Mecklenburg-Strelitz, Sachsen-Weimar-Eisenach en Oldenburg, de hertogdommen Braunschweig en Lüneburg[5], Sachsen-Meiningen, Sachsen-Altenburg, Sachsen-Coburg, Gotha[6] en Anhalt. De vorstendommen Schwarzburg-Rudolstadt, Schwarzburg-Sondershausen, Waldeck-Pyrmont, Reuss, Schaumburg-Lippe en Lippe[7]. Gaat u alles weer in de oude glorie herstellen?'

Simon schudde zijn hoofd. 'Natuurlijk niet. We staan een nieuw begin voor, zoals ik al vaak gezegd heb. Een radicale herstart. Natuurlijk wordt het koninkrijk Duitsland opnieuw ingedeeld. In de traditionele betekenis van het woord zal ik verschillende hertogdommen stichten, waarbij ik natuurlijk nieuwe hertogen benoem.'

In tegenstelling tot de verbaasde kijklustigen zag de televisiecrew niet dat een man over de afzetting klom en naar het kasteel kuierde, alsof hij bij het personeel hoorde.

'Hoe moet ik me dat voorstellen? Zoiets als de deelstaten die we nu hebben?'

'Ja, maar het zijn er minder en de herindeling zal praktischer zijn vormgegeven. We hebben ook minder deelstaatparlementen nodig. En de Bondsraad is eveneens verleden tijd. Met deze nieuwe indeling maak je in één klap een einde aan de in de afgelopen jaren gegroeide chaos van competentiegeschillen tussen de federale regering en de deelstaten. Er is dan sprake van vereenvoudiging. Veel wetten en regelingen komen te vervallen omdat ze geen nut meer hebben.'

De verslaggever boog zich met een brutaal glimlachje naar voren en zei: 'Nieuwe hertogdommen... dat moet u de kijker uitleggen. Wat moeten we ons daarbij voorstellen? Zijn er al kandidaten voor die adellijke titels? En hoe zal...'

Op dat moment haalde de man die over de afzetting was geklommen iets uit zijn zak en schreeuwde: 'U bent niet goed wijs!' Hij gooide iets naar hem toe.

Het waren eieren. Een ei spatte met een klap uiteen tegen de schouder

theorie zou dus het huidige hoofd van vorstenhuis Württemberg, Carl Herzog von Württemberg, rechtmatig de troon kunnen bestijgen.

[5] Uit deze familie stamt Herzog Ernst August von Braunschweig und Lüneburg (de pers noemt hem vaak *Prügelprinz*), prins van Hannover, Groot-Brittannië en Ierland. Hij is geboren op 26 februari 1954 en sinds 1981 het hoofd van vorstenhuis Hannover en getrouwd (tweede huwelijk) met prinses Caroline van Monaco.

[6] Zie de homepage van het hertogelijk huis Sachsen-Coburg en Gotha: www.sachsen-coburg-gotha.de

[7] www.schloss-detmold.de

van Simon. Het andere ei miste hem net en viel op het gazon onder de balustrade.

De man holde weg voordat iemand kon reageren. Twee cameramannen renden vervolgens achter hem aan, haalden hem in en werkten hem op de grond. De man was echter sterker. Hij duwde hen van zich af en maakte weer dat hij wegkwam terwijl het halve televisieteam inmiddels de achtervolging had ingezet. De man ontkwam. Niemand wist wie het was.

Het voorval kon je onderbrengen in de rubriek 'vervelende incidenten'. Simon was blij dat hij zich thuis eindelijk kon omkleden. Daarna bekeek hij zijn peperdure kostuum. Hij had het samen met mevrouw Volkers gekocht. Een zéér deftig pak dat hem zéér voornaam stond. Hij realiseerde zich dat pas toen hij het voor het eerst aandeed en zichzelf in de spiegel bewonderde. Kleren maken de man; een oude wijsheid.

Ondanks de snelle en effectieve interventie van de visagiste waren de vlekken nog steeds zichtbaar. Hij zou mevrouw Volkers om raad vragen.

Er werd aangebeld. Simon zuchtte. De laatste tijd moesten ze hem steeds hebben. Als de telefoon niet ging, dan rinkelde de deurbel wel. Hij hing het kostuum aan de kleerhanger en deed open.

Twee lange mannen met sporttassen stonden voor hem. Het duurde even voor Simon de enorme man herkende. 'Leo?' zei hij.

Hij knikte ernstig. 'Goedenavond, Hoogheid.' Hij wees naar zijn metgezel. 'Dit is Matthias Hofmeister. Een vriend en collega van mij.'

'Goedenavond, Hoogheid,' zei de man met een hoofdknik. Het leek bijna op een buiging.

Simon begon het verbazingwekkend te vinden dat je je ging gedragen zoals dat van je verwacht werd als je steeds met 'Hoogheid' werd aangesproken. Zelfs als je in een gebreid vest en een oude broek rondliep. 'Aangenaam,' zei hij, en als vanzelf gedroeg hij zich, nou ja, majesteitelijk. 'Kom binnen.'

Daar stonden ze dan. Ze leken op elkaar. Beiden waren lang en breedgeschouderd. In dit trappenhuis en zelfs in de gang van zijn woning leken ze in een verkeerd decor te zijn beland.

'We hebben gehoord dat er een aanslag op u is gepleegd,' begon Leo.

Simon schudde zijn hoofd. 'Een aanslag? Zo dramatisch was het nou ook weer niet.'

Nu schudde Leo zijn hoofd. Het had iets onbuigzaams. 'Het had dramatisch kunnen zijn. Daarom hebben we besloten om u te beschermen.'

'Beschermen?' zei hij prompt. 'Mij?'

'Een koning heeft een lijfwacht nodig,' vond Leo.

Was dit een grap? Een slechte grap? Simon keek hen aan. Nee, ze hielden hem niet voor de gek.

'Een lijfwacht?' zei Simon. 'Dat vind ik eerlijk gezegd overdreven. Nog afgezien van de vraag hoe dat dan in zijn werk moet gaan.'

Langzaam zette Leo zijn sporttas neer. Het deed denken aan een symbolische machtsovername. 'U zult niet eens merken dat we er zijn. We blijven in de gang en doen open als er aangebeld wordt. Als u op pad wilt gaan, begeleiden we u.'

'We storen u niet,' voegde de andere man eraan toe. 'We hebben wel vaker met dit bijltje gehakt.'

'Over een paar dagen bent u eraan gewend en weet u niet beter,' beloofde Leo hem.

Simon staarde naar de zwarte leren tas die op de vloerbedekking van de smalle, donkere gang stond. 'Hoe gaat dat dan? Jullie zullen toch ook ergens moeten slapen!'

'We wisselen elkaar af.' Leo keek hem met een ernstige blik aan. 'Vrijwel alle collega's van het bedrijf waar ik werk staan aan uw kant, meneer König. Zestien in totaal. We doen dit in onze vrije tijd. En geloof me, we doen dit graag.'

Had een koning een lijfwacht nodig? Het moest niet gekker worden...

'Goed, het zij zo,' zei Simon uiteindelijk. 'Kan ik jullie wat te drinken aanbieden? Of iets te eten?'

'Bedankt, we hebben alles bij ons,' zei Matthias.

'En we zullen ons in geen geval door u laten bedienen, Hoogheid,' voegde Leo eraan toe. Aarzelend keek hij om zich heen. 'Maar een tweede stoel zouden we wel kunnen gebruiken.'

De volgende ochtend zat Simon aan het ontbijt. Alex belde en wilde weten of hij goed kon opschieten met zijn lijfwachten.

'Heel attent van u,' zei Simon. Hij stond op en deed de gangdeur dicht. 'Was dat uw idee?'

'Nee, Leo heeft dat op eigen houtje geregeld toen hij hoorde wat er gebeurd was. Ik kwam daar later pas achter.'

'Zo.' Simon sprak zachter. 'Ik vind het heel attent en goedbedoeld, maar mijn woning is simpelweg te klein voor dit gedoe. Bovendien is het niet leuk om te weten dat iemand je altijd in de gaten houdt.'

'Ze hebben beloofd dat ze zich zo onopvallend als muisjes zullen gedragen.'

'Dat doen ze ook. Ik bedoel degenen die uw broer en zijn collega vanochtend hebben afgelost. Maar ik ben dat niet gewend, begrijpt u? Het werkt me op de zenuwen dat twee kerels roerloos als standbeelden in mijn gang zitten. De hele dag door, en 's avonds en 's nachts. Ik kan me daardoor slecht concentreren. Voortdurend bekruipt me het gevoel dat ik ze iets moet aanbieden, dat ik ze de kost moet geven. Een kop koffie is wel het minste. Maar ze hebben nota bene hun eigen thermoskannen meegenomen!' Simon zuchtte. 'Blijft dat zo de komende tijd? Hebben we het nu over weken? Maanden? Het begint op een nachtmerrie te lijken!'

Alex bromde iets. 'Oké, ik snap het. Denkt u dat dat op den duur niet werkt?'

Simon dacht na. Er viel echter niets te overwegen. Hij aarzelde alleen om datgene wat er in hem omging uit te spreken. 'Inderdaad,' gaf hij toe. 'Het spijt me. Voor zoiets heb ik een grotere woning nodig.'

'Dat dacht ik al,' zei Alex. 'Dan kunt u maar beter verhuizen.'

'Verhuizen?'

'Ja, tijdelijk. Tot dit circus voorbij is.'

'Ik kan toch niet zomaar verhuizen? Waar moet ik heen?'

'Naar een kasteel, waar anders?' antwoordde Alex met een verbaasde ondertoon, alsof dat de gewoonste zaak van de wereld was.

# Hoofdstuk 36

Je raakte gewend aan de dagelijkse routine. De regelmaat en rust die je ervoer, was buiten de gevangenis nauwelijks voorstelbaar. In de nor hoefde
je geen plannen te maken, geen beslissingen te nemen en niet na te denken. Je leefde gewoon. Voor alles werd gezorgd, er gebeurden geen onverwachte dingen.

Het nadeel was echter dat hoe langer je zo leefde, hoe angstaanjagender
de meest kleine afwijkingen van die dagelijkse routine werden. Vincent
vond het dan ook schokkend dat op een ochtend bij het ontbijt een cipier
op hem af kwam en zei: 'Merrit? Je moet meteen bij de gevangenisdirecteur komen.'

Dat was niet de gebruikelijke procedure. Berichten en instructies kreeg
je doorgaans 's avonds in je cel. Uitgeprint op een vel papier. Hulpeloos
keek Vincent om zich heen. De andere gevangenen keken niet op of om,
wat sowieso zelden gebeurde. Hij kon dus maar beter meteen opstaan van
de ontbijttafel en het bevel opvolgen, hoewel hij nog flinke honger had.

Vincent was nog nooit in het kantoor van de gevangenisdirecteur geweest en beschouwde dat als een goed teken. De broodmagere man zat
achter een groot bureau en keek hem aan. Hij had een ronde bril op, met
dikke glazen. Vincent had hem in de periode dat hij in deze gevangenis zat
maar één keer gezien, kort nadat hij hier was opgesloten. Zwijgend had de
directeur toen alle cellen van de vleugel waar Vincent was ondergebracht
vluchtig geïnspecteerd.

'In uw dossier staat dat u verstand hebt van computers,' zei de man meteen. Een begroeting kon er kennelijk niet af.

Vincent merkte dat hij bijna onwillekeurig terugdeinsde. Wat moest hij
daarop zeggen? Maar de directeur keek hem vragend, bijna onderzoekend

aan, alsof hij een antwoord verwachtte. Dus knikte Vincent behoedzaam en zei: 'Ja.'

De man zat keurig in het pak en wees naar de computer die op zijn bureau stond. 'Mijn computer heeft kuren. Wat zou het kunnen zijn?'

Tjeses, wat een vraag! Vincent kuchte, probeerde de brok in zijn keel weg te slikken en zei: 'Euh, wat lukt niet?'

'Hij print niet meer.' De directeur klonk onwillig. 'En als ik op het help-icoontje klik, krijg ik alle mogelijke informatie waar ik niets aan heb. Zou het een virus kunnen zijn?' Hij keek Vincent zo strak aan dat het leek of hij hem als een verdachte beschouwde.

Vincent wist niet wat hij hiervan moest denken. In twijfelgevallen was het altijd beter om voorzichtig te blijven.

'Een virus? Dat is natuurlijk altijd mogelijk. Maar als de printer het niet doet, eh... hebt u de printerwachtrij al gecontroleerd?'

De stomverbaasde, niet-begrijpende blik van de directeur sprak boekdelen. De man had dus geen flauw benul als het om computers ging.

'Het is niet mijn taak om verstand van die dingen te hebben,' zei hij bars.

Goed, dat was zijn mening. Het was niet aan hem om de directeur tegen te spreken. Maar wat verwachtte hij van Vincent Wayne Merrit, met gedetineerdenummer 08-2017? Hij durfde niet om zich heen te kijken, omdat hij bang was dat anders de donkere, gelambriseerde muren op hem af kwamen en hem vermaalden. Hij mocht nu niets verkeerd zeggen of doen, zoveel stond vast.

'Eh, ja, ik begrijp het,' zei hij. 'U hebt toch wel iemand in dienst die verantwoordelijk is voor het onderhoud van de computersystemen?'

'Die is er vandaag niet,' bromde de directeur.

'Ah.' Vincent maakte zijn lippen nat. 'Nou ja, blijven gissen heeft geen zin. Ik vrees dat ik toch even achter uw computer moet gaan zitten.'

De directeur stond op. Kennelijk met grote tegenzin. 'Ga uw gang.'

Vincent liep om het bureau heen, ging voorzichtig in de grote, brede bureaustoel zitten, die voornaam doorveerde, maar voelde zich niet op zijn gemak aan deze kant van de schrijftafel, alsof hij zich iets aanmat waarvoor hij nou juist veroordeeld was.

Daar stond tegenover dat het lekker was om weer met een toetsenbord bezig te zijn en een beeldscherm voor je te hebben. Zo moest een afkickende kettingroker zich voelen wanneer hij onverwacht een sigaret kreeg aangeboden. Hij legde zijn hand op de muis. Het deed bijna denken aan seks.

Tjonge, wat had hij dit gemist!

Hij riep de printerwachtrij op. Precies wat hij had gedacht. Een gestopte printopdracht hield de boel op, met tien dezelfde opdrachten in file erachter. Waarschijnlijk een verkeerd ingesteld papierformaat. Die vent had echt geen flauw idee.

Vincent wilde hem lozen. Hij had geen zin om nu al teruggestuurd te worden.

Hij opende verschillende terminalvensters, startte diverse systeemanalyses op en liet het dataregister van de harde schijf op het beeldscherm verschijnen. Het maakte niet uit wat hij deed, als er maar iets indrukwekkends over het scherm gleed waar die kerel geen jota van snapte.

'Wat bent u aan het doen?' wilde de directeur weten.

'Het zou een virus kunnen zijn,' zei Vincent. Hij keek niet op. 'Om zeker te zijn, moet ik wat dingetjes nakijken.'

'Hoe lang gaat dat duren?'

Vincent maakte zijn lippen nat. Dit moest in de roos zijn. 'Niet lang. Hoogstens een paar uurtjes,' zei hij zo terloops mogelijk.

De magere man snoof. Prima. Dus ook een gevangenisdirecteur had het druk.

'Zit er een antivirusprogramma op?' vroeg Vincent. Nee, dat had hij allang gezien. Die systeembeheerder deugde niet.

'Een antivirusprogramma?' zei de directeur. 'Niet dat ik weet.'

Vincent keek hem aan en trok een gezicht. Hopelijk kwam hij bezorgd over. 'Hebt u een internetaansluiting? Ik kan dan een programmaatje voor u downloaden. Dat maakt alles een stuk gemakkelijker.'

Er speelde een sluw lachje om zijn dunne lippen. 'Ik ken uw dossier, jongeman. Natuurlijk laat ik u niet aan de gang gaan met een pc die aangesloten is op internet.' Hij knikte in de richting van de muur, waar een kleine mahoniekleurige dossierkast stond. Nu pas zag Vincent dat daarop een ethernetkabel lag, pal voor een afsluitbare aansluitdoos. Tjonge, spullen zat!

Kaarsrecht liep de directeur naar de deur, riep de cipier naar binnen en zei: 'U blijft hier en let erop dat hij niks uitvreet. Zodra hij klaar is, brengt u hem terug naar het cellencomplex. Ik ben zolang in de bibliotheek.' Hij pakte een leren map, twee ordners en een vulpen. Zwijgend liep hij weg.

De cipier ging in een stoel bij de deur zitten. Voor deze klus had hij geen slechtere positie kunnen kiezen. 'Je hebt de directeur gehoord,' zei hij op dreigende toon. 'Ik zou maar opschieten.'

Vincent legde zijn vingers op het toetsenbord. Inderdaad, hij had de directeur gehoord.

Een week later, op woensdag, zat Vincent aan zijn ontbijt en at haastig door. Zoals verwacht liep een cipier – ditmaal een andere – naar zijn tafel en zei dat hij meteen bij de directeur moest komen.

'Het is of de duivel ermee speelt,' zei de gevangenisdirecteur boos. 'De computer is vastgelopen. Wat hebt u ermee gedaan? Ik dacht dat u er verstand van had.'

Vincent boog devoot zijn hoofd en zei: 'Dat betekent dat er toch een virus in het spel is.' Dat was inderdaad zo. Er zat een virus te wringen. Een heel eenvoudig 'dingetje', dat hij de vorige keer met behulp van een debug-commando, dat daar niet voor bedoeld was, in elkaar geknutseld had; een binaire code die hij rechtstreeks in het bootgedeelte had geschreven. Vincent was erg trots dat hem dat inderdaad gelukt was.

'Ik dacht dat u dat virus zou verwijderen.'

'Het probleem van de vorige keer had verschillende oorzaken,' legde Vincent uit. 'Alles is nu in orde. Maar om een virus op te sporen heb ik een speciaal programma nodig.' Haastig voegde hij eraan toe. 'Ik zou er een van internet kunnen halen. Dat kan ook onder toezicht, als u dat wilt.'

De directeur leunde achterover en glimlachte geringschattend. 'U denkt zeker dat u mij alles kunt wijsmaken. Nee, dit pakken we anders aan. U haalt onder toezicht van een vakman dat programma van internet.' Hij pakte de telefoon en toetste een nummer in. 'Damon, met mij. Kom je even?'

Even later liep de vakman naar binnen. Een bleke twintiger die onder de jeugdpuistjes zat. In het bijzijn van de directeur leek hij te krimpen. Was dat de systeembeheerder? Vincent bleef met een uitgestreken gezicht kijken, maar moest er bijna om lachen. Waarschijnlijk hadden ze niemand anders kunnen vinden. Een baan in de gevangenis was immers niet bepaald het ideaalbeeld van een IT-carrière.

'Is alles duidelijk?' snauwde de directeur terwijl hij uit zijn stoel kwam en zich weer bewapende met de leren map. 'Kijk hem op de vingers en zorg ervoor dat hij niets uitvreet. Ik ben in de bibliotheek. Bij terugkomst wil ik een virusvrije computer op mijn bureau hebben.' Hij keek Vincent nog een keer dreigend aan, sommeerde een cipier om voor de deur te wachten en liep weg.

Vincent had hier al rekening mee gehouden. In de afgelopen dagen had hij allerlei plannen bedacht. Toen hij achter de computer van de directeur zat, ging hij een gesprekje aan met Damon – de vakman – om erachter te komen of hij iemand voor zich had van wie hij wat kon leren.

Nee dus. Hij had amper ervaring in de softwarebusiness.

Prima.

Vincent startte de computer opnieuw op, liet Damon bij het toetsenbord en zorgde ervoor dat hij kon zien welk wachtwoord de knul intikte. De brave Damon merkte het niet eens.

Het kon niet beter.

Aansluitend tikte Vincent wat in en toen verschenen er allerlei programma's uit het systeemregister in willekeurige volgorde op het scherm. 'Hm,' zei hij. Daarna opende hij de browser en tikte een internetadres in waarvan hij wist dat het niet bestond. Meteen verscheen er een foutmelding op het beeldscherm.

'Er klopt iets niet,' zei Vincent. 'Is het internetslotje wel in orde?'

'Ja hoor, het stekkertje zit erin.'

'Dat zegt niks. Het stekkercontact is kennelijk niet stabiel. Wacht, ik ping het adres even aan.' Hij opende het terminalvenster en riep met het pingprogramma[1] hetzelfde internetadres op. Natuurlijk verscheen er een tijdmeldingsfout. 'Zie je wel? Het signaal komt niet door.'

Damon stond er beteuterd bij te kijken. 'Snap ik niet. Nooit problemen mee gehad.'

'Tja, een veelvoorkomend euvel. Het stekkertje te vaak gebruikt en opeens... pats.' Hij zei het zo terloops dat het leek of hij daar tot vervelens toe mee te maken had gehad.

'Haal Google eens op het scherm,' stelde Damon voor.

Zo dom was die knul nou ook weer niet.

Nu hielp alleen intimidatie nog. 'Dat zegt toch niks, man!' riep Vincent uit. Hij keek Damon afkeurend aan. 'De startsite van Google is natuurlijk in cache.' Hij moest Damon bezighouden om te voorkomen dat hij op het idee kwam om de zoekfunctie of -resultaten van Google dan maar eens te proberen. Die waren immers niet in cache. 'Hou het stekkertje even vast. Misschien helpt dat.'

Damon knipperde geërgerd met zijn ogen en wilde kennelijk commentaar geven. Hij bedacht zich echter en deed wat er van hem gevraagd werd. Het gevolg was echter dat hij drie meter van de computer vandaan bij de muur stond en niet meer zag wat er op het beeldscherm gebeurde. En dat was nou net de bedoeling van Vincent.

---

[1] 'Pingen' is een programma waarmee gecontroleerd wordt of een computer op internet (een bepaalde host in een IP-netwerk) bereikbaar is. De term is afgeleid van de vroegere sonarapparatuur in duikboten: de klankpuls klinkt als 'ping'.

Vincent tikte snel een ander programma in. Zijn vingers vlogen over de toetsen. 'Oké,' zei hij. 'Nu lukt het wel. Blijf dat stekkertje vasthouden.'

'Oké,' zei de jonge, verwarde systeembeheerder en hij bleef stokstijf staan terwijl hij het stekkertje in de aansluitdoos drukte. Het leek of het zweet hem uitbrak.

Vincent deed drie dingen tegelijk. Ten eerste zocht hij op internet naar een antivirusprogramma. Ten tweede trof hij alle noodzakelijke maatregelen om ervoor te zorgen dat hij bij deze computer geroepen werd. Ditmaal gebruikte hij geen virus maar een onopvallend programmaatje dat elke ochtend een willekeurig bestand uit het systeemregister verwijderde. Na enige tijd zou de pc zich ongetwijfeld weer vreemd gaan gedragen. Vincent mocht er dan van uitgaan dat de directeur ook dan liever hem om advies vroeg dan dat hij te rade ging bij die naïeve systeembeheerder. De foutmelding, ongeacht welke, zou verdwijnen nadat hij de bestandjes weer geïnstalleerd had.

Ten derde...

'Hou het stekkertje goed vast,' zei Vincent. 'Het programma wordt gedownload.'

'Geen probleem,' zei Damon.

Ten derde deed hij iets waar het hem eigenlijk om te doen was. Hij wilde inzicht krijgen in het gevangenissysteem om er zijn voordeel mee te doen. Jammer dat hij zo verschrikkelijk snel te werk moest gaan.

Later kon hij er misschien rustig voor gaan zitten.

'Nog een paar seconden...' zei Vincent. Even later was hij klaar. 'Oké, je kunt het stekkertje weer loslaten.'

Het antivirusprogramma kon ermee door, ook al was het maar een demoversie. 'Zie je wel?' zei hij tegen Damon. Hij liet hem de waarschuwing zien die op het scherm verscheen. 'Een virus dat zich in de bootbestanden heeft genesteld. Een vies ding. Waarschijnlijk afkomstig van een diskette. Kennelijk gebruikt de directeur die nog. Ze zouden allang verboden moeten zijn.'

'Dat probeer ik hem al heel lang duidelijk te maken,' zei de arme systeembeheerder instemmend.

'Weg ermee.' Vincent klikte op een icoontje. Alles werd gewist. Alleen bij computers kon je je sporen zo gemakkelijk wissen.

De volgende ochtend kreeg Vincent ander werk. Hij had genoeg filters gemonteerd. Van nu af aan deed hij dienst op de verzendafdeling.

Deze overplaatsing verbaasde hem niet. Op de pc van de directeur had hij zichzelf bij die ploeg ingedeeld. De directeur had geen verstand van computers. Maar zijn pc was uitstekend georganiseerd. Moeiteloos had Vincent de informatie gevonden die hij nodig had.

In het Winston Smith Correction Center was het de gewoonte dat de gedetineerden geld verdienden met stompzinnig werk. Maar ze moesten ook vrijwel alle voorkomende werkzaamheden zelf verrichten. Ze deden de was, maakten de openbare ruimtes schoon en hielpen in de keuken. Ze mochten alleen niet komen in de zones waar ze contact konden hebben met de buitenwereld, zoals de vertrekken waar de levensmiddelen werden geleverd of waar de vuilophaaldienst kwam.

De gedetineerden hadden zelfs de levensmiddelendistributie in handen. Tot de leveringsvertrekken, en de betreffende ingangen, hadden ze natuurlijk geen toegang. Aan de deuren, die met verschillende sloten waren vergrendeld, hingen grote waarschuwingsborden waarop stond dat elke poging om met een actief enkelbandje te passeren het alarm deed afgaan en dat daar straf op volgde. Maar nergens was je dichter bij de vrijheid dan daar.

Vincent vond deze baan aantrekkelijk omdat hij dan achter een computer zijn werk kon doen, zoals het beantwoorden van e-mails en het invullen van verzendformulieren. Ongestoord kon hij zijn gang gaan, omdat de andere gevangenen het tikwerk maar al te graag aan hem overlieten.

Helaas was de toegang tot internet zeer beperkt. Slechts een handvol websites die je nodig had om je werk te doen. Hij had er niks aan. Zelfs de adressen waar hij e-mails naar verstuurde, waren aan strenge beperkingen onderhevig.

Natuurlijk had hij daaraan kunnen knutselen. Maar hij had niet de beschikking over het juiste wachtwoord. Met het wachtwoord van de gevangenisdirecteur – Damon had dat ingetikt terwijl Vincent met een schuin oog toekeek – kreeg je geen toegang tot het administratiegedeelte en zo kwam hij dus niets te weten over datgene wat het systeem zo interessant maakte.

Maar van achter deze computer kon hij het beheersysteem in alle rust bestuderen, ook al wist hij niet echt wat hij hoopte te vinden. De code om het enkelbandje los te krijgen? Dat zou interessant zijn. En dan? Een ontsnappingspoging wagen? In geen geval. Hij hoefde nog maar een kleine drie maanden te zitten. Dus kon hij het zich niet permitteren om domme dingen uit te halen.

Ach, het belangrijkste was dat hij weer achter een computer zat. Dat verhoogde de levenskwaliteit aanzienlijk. Nu hoefde hij zelfs niet meer naar dr. Cramer.

Na verloop van tijd stelde hij vast dat zijn nieuwe baan ook nadelen had.

De meeste gedetineerden uit zijn groep werkten op de verpakkingsafdeling. Dat betekende dat ze – afhankelijk van wat er op het verzendformulier stond – een bepaalde hoeveelheid filters, dozen met gesorteerde schroeven, uniformen of met de hand beschilderde houten figuren in kartonnen dozen stapelden en verzendklaar maakten. Aansluitend werden de dozen op karretjes gezet en naar een sluis vervoerd. Aan de andere kant ervan stond personeel klaar om die karren in de vrachtwagens te rijden. Vermoeiend werk. Maar voor sommigen niet vermoeiend genoeg. Francesco, een potige kerel, was te gespierd voor dit soort klusjes en kon zijn agressie niet kwijt. Om de een of andere reden had hij een hekel gekregen aan Vincent. Het begon ermee dat hij hem 'rukker' en 'klootzak' noemde. In het belang van een vreedzaam samenleven in deze gevangenis maakte Vincent zich daar verder niet druk om. Maar het werd almaar erger. Hij liet Vincent struikelen, liep tegen hem aan, duwde hem weg en als klap op de vuurpijl morste hij tijdens het eten regelmatig 'per ongeluk' soep over zijn dessert, zijn salade of op zijn overall. Toen Vincent hem confronteerde met zijn gedrag en zei dat hij moest ophouden met ruzie zoeken, boog Francesco zich dicht naar hem toe en siste: 'Wat wil je daaraan doen?'

Nou ja, helemaal weerloos voelde Vincent zich niet. En omdat hij werd uitgedaagd, mocht hij de wapens kiezen, nietwaar?

In elk geval was dit een uitstekende gelegenheid om iets uit te proberen. Onlangs had hij zich toegang verschaft tot de databank waarin de bewegingscoördinaten van alle actieve enkelbandjes waren opgeslagen. Het was een fluitje van een cent om de identificatiecode van Francesco's enkelbandje te achterhalen. Het invoeren van andere coördinaten – twee meter achter de deur die je niet mocht passeren – was evenmin een probleem.

Het experiment had indrukwekkende gevolgen. Toen hij op de entertoets drukte, ging meteen het alarm af. *Bèèèp. Bèèèp. Bèèèp.* Een oorverdovend kabaal. Tussen de alarmsignalen door hoorde hij haastige voetstappen – zware schoenen – en er werd hard geroepen aan de andere kant van de deur. Nog geen twintig seconden later zwaaide de deur open. Gewapende cipiers renden naar binnen, riepen de achternaam van Francesco en blaften hem af. 'Liggen! Plat op de grond! Armen naar voren! Niet bewegen!' Na nog eens tien seconden – Vincent had net het programmaatje afgesloten en de handen van het toetsenbord gehaald – lag de breedgeschouderde Francesco op de vloer terwijl zes geweerlopen op hem gericht waren. 'Wat is er gebeurd? Ik heb niks gedaan!' jammerde hij.

Hoezeer hij ook bezwoer dat hij niets misdaan had, ze lieten hem liggen tot een technicus de deur en het slot grondig geïnspecteerd had en concludeerde dat er niets mis mee was. 'Zal wel een probleem met de sensoren zijn,' zei hij terwijl hij een rapportageformulier invulde.

De volgende ochtend kwam Francesco niet opdagen. Met behulp van het beheerprogramma stelde Vincent vast waar die vent gebleven was: in de wasserij.

Een veel te milde straf, vond Vincent. Hij plaatste hem over naar de schoonmaakploeg die de toiletten poetste.

# Hoofdstuk 37

'*Kaiserwetter*. Zo noemen ze dat toch als het stralend weer is?' zei Alex toen Schloss Reiserstein boven het bos te zien was. De nokken van de daken glinsterden in de zon. De vogels cirkelden in kleine zwermen boven het kasteel.

Het was inderdaad prachtig weer. Het kasteel was veel mooier dan Simon zich herinnerde. Lag dat aan de zomer? Was het houtwerk onlangs geschilderd?

Het maakte de verhuizing in elk geval een stuk aangenamer. Ditmaal gingen ze niet met de Mercedes van Alex, maar met een bestelwagen waarin Simon zijn kleren, de boeken die hij per se mee wilde nemen en nog wat spullen had gestopt.

Hij stelde zich voor dat hij een verstild leven tegemoet ging. Tijdens de rit had hij zich afgevraagd hoe het zou zijn om de komende weken door te brengen in deze verlatenheid, ver weg van de wereldse drukte, met Leo en zijn collega's als enige gezelschap. Zou hij het als een soort verbanning ervaren? Speciaal voor deze gelegenheid had hij een meerdelige monografie meegenomen over het leven van Napoleon op St. Helena. Hij verwachtte dat met deze lectuur de omgeving een inspirerende uitwerking op hem had.

Maar toen ze door de hoofdpoort de binnenplaats op reden, zag hij enkele grote verhuiswagens. Een stuk of twintig jonge kerels droegen ijverig allerlei meubilair naar binnen.

'Sorry,' zei Alex. Hij parkeerde naast de vrachtwagens. 'Ik had gehoopt dat bij aankomst het kasteel al ingericht zou zijn.'

'Laat u het hele kasteel meubileren?'

'Natuurlijk.'

'Alleen voor mij?'

Alex lachte verlegen. 'Eerlijk gezegd ook voor die types daar.' Hij wees naar een auto die de binnenplaats op reed. Een roestige limousine met een onbestemde kleur. Een auto die waarschijnlijk niet door de volgende apk-keuring kwam.

De limousine stopte. De achterportieren gingen open. Stomverbaasd keek Simon toe terwijl jonge vrouwen met witte, opbollende hoepelrokken, hoog opgestoken haar en met tule afgewerkte parasols uitstapten. Ze juichten, lachten en renden rond. Alleen al hun gedrag paste niet bij dit voorname landgoed.

Twee jongemannen zaten voorin en stapten nu eveneens uit. Ze waren minder opvallend, maar eveneens in historische kostuums gestoken.

'Wie zijn dat?' vroeg Simon geërgerd.

'Dat is uw hofhouding.'

'Mijn wat?'

'Nou ja, de deelnemers,' legde Alex uit. Hij keek Simon aan. Nu pas drong het tot hem door dat Simon er niets van snapte. 'Partijleden. Deelnemers aan het spel. Mijn klanten, weet u nog?'

Langzaam begon Simon het te begrijpen. 'U bedoelt dat u deze mensen hebt overgehaald om lid te worden van onze partij...?'

'Precies. Het is als een spel bedoeld. Zo is het gebracht. Een spel dat nu begint.' Alex haalde de sleutel uit het contact. 'U ziet dat iedereen erg enthousiast is.'

Simon schudde verbijsterd zijn hoofd. 'Maar... die kostuums. Waar hebt u die vandaan?'

'Sommige kleren zijn door de deelnemers zelf gemaakt. Het grootste deel wordt echter geleverd...' Alex opende het portier, '... door bedrijven die kostuums verhuren, verenigingen, theaters... Ik ben altijd trots geweest op mijn netwerk, maar sinds we mevrouw Volkers aan boord hebben, kom ik om in de adresjes voor dit soort zaken.'

'Dat geldt natuurlijk ook voor het meubilair.' Simon begreep nu hoe het zat.

'Natuurlijk. Allemaal van theaters, antiquairs, streekmusea... alleen te leen, zoals u begrijpt. Kom!' Hij amuseerde zich kennelijk net zo goed als de gekostumeerde jongelui. Hij liep naar hen toe om te zeggen dat ze de limousine niet op de binnenplaats mochten parkeren.

De kamers voor Simon waren inmiddels ingericht. Ze hadden schitterend werk geleverd. Alleen de badkamer zag er niet echt comfortabel uit: geen douche, slechts een kleine badkuip op metalen drakenpoten.

'Die is van een latere datum,' legde Alex uit. 'De vorsten van toen hadden niet veel op met badkamers.'

'Ik red me wel, denk ik,' zei Simon.

Er werd op de deur geklopt. Een paar jonge mensen kwamen aanzetten met de dozen waarin zijn spullen zaten. Ze wilden de boel meteen gaan uitpakken, maar Simon liet dat niet toe. Het had met privacy te maken, ook al was het maar een spel.

De mobiele telefoon van Alex ging. 'Ja?' Hij luisterde. Simon draaide zich discreet om en vroeg zich af waar de boeken moesten komen. Er hadden wel wat meer boekenplanken mogen komen.

'Ik zal het hem vragen,' hoorde hij Alex zeggen.

Simon keek hem aan.

'De televisieploegen willen graag dat u even het balkon op loopt en genadig naar ze zwaait,' zei Alex met een trouwhartige oogopslag.

'Televisieploegen?'

Alex knipperde met zijn ogen, zo onschuldig als een kind. 'Volgens mij zijn er filmteams van alle belangrijke zenders aanwezig. Tot aan de verkiezingen zullen we ze om ons heen hebben, vermoed ik. De hele voorste vleugel heb ik voor ze gereserveerd.'

Simon staarde naar de grote dubbele deuren die toegang boden tot een klein, halfrond balkon. 'En staan ze nu buiten met hun camera's te wachten?'

Alex straalde. 'Andere partijen kunnen alleen maar dromen van zo veel media-aandacht.'

Simon zuchtte en rechtte zijn rug. 'Nou ja, als het de zaak dient.' Hij bekeek zichzelf even zoals hij erbij liep. Voor de rit had hij zijn oudste broek aangetrokken, en zijn overhemd rook niet fris meer. 'Ik kleed me snel om,' zei hij.

Even later liep hij het balkon op en werd hij geconfronteerd met de camera's. Hij verstarde bij de aanblik die de binnenplaats bood. De vrachtwagens waren verdwenen. Het slotplein stond in het teken van een kleurrijke, archaïsche parade van flanerende mannen en vrouwen in historische kostuums, soldaten in uniformen uit vervlogen tijden en handelaars met houten karren waarop grof gevlochten manden lagen en heftig kakelende kippen waren vastgebonden. Geiten liepen aan een touw mee. Tussen dat gekrakeel stonden talrijke televisiecamera's opgesteld die op hem gericht waren.

Een onwerkelijke situatie. Alsof magische krachten hem in een sprookjeskasteel hadden gezet.

Of was hij midden in een historische film verzeild geraakt?

'Het is de bedoeling dat u naar ze zwaait,' hoorde hij Alex achter zijn rug zachtjes zeggen.

'O, natuurlijk.' Verzonken in gepeins stak hij zijn hand op en zwaaide. De mensen in hun prachtige kostuums jubelden en zwaaiden terug. Een oorverdovend kabaal. Simon merkte dat er om zijn mondhoeken een verwonderd glimlachje verscheen. En hij bleef maar zwaaien.

Helene Bergen zat aan haar bureau en hield de afstandsbediening vast terwijl ze naar de tv staarde. Ze zag dat Simon König achter een ouderwetse balkonbalustrade opdook, zijn blik heel lang over de menigte liet glijden en uiteindelijk koninklijk-genadig zijn hand opstak...

De deur van haar kantoor ging met een ruk open. Een vrouw met stug, oranjerood haar keek naar binnen en hield een grote map omhoog. 'Helene, hier zijn de drukproeven van...'

'Niet nu.' Ze bleef naar de tv staren.

'Maar...'

'Niet nu.'

De roodharige vrouw zuchtte. 'Oké,' mompelde ze. 'Oké.'

De deur ging dicht. Helene hield de afstandsbediening omhoog en bekeek de scène misschien wel voor de tiende keer.

Ze was een nuchtere vrouw. Dat vond ze althans van zichzelf. Een kind van de twintigste eeuw dat zich wat had aangepast aan de eenentwintigste. Ze was modern, open, leergierig en geëmancipeerd. Ze hield zich staande in een business waarin je waarachtig niks geschonken werd. Gisteren had het bestuur van het concern haar tijdens een speciale vergadering de hemel in geprezen. Haar initiatief om uitvoerig te berichten over een beweging die iemand van gewone komaf op de niet-bestaande Duitse troon wilde zetten, had voor de grootste omzetstijging ooit gezorgd. Bovendien had ze aldus het hele medialandschap in beroering gebracht. De bestuursvoorzitter had op een zalvende toon gezegd dat ze in haar vaandel kon schrijven dat ze een trend geschapen had en aldus een lichtend voorbeeld was voor de bedrijfscultuur...

En zo ging dat maar door. Bla, bla, bla. Helene maakte zich geen illusies. Ze had impulsief een besluit genomen. Maar als het verkeerd was gegaan, zou ze de wind van voren hebben gekregen als ze zich beroepen had op de 'bedrijfscultuur'. Dan hadden ze haar de schuld in de schoenen geschoven en haar, afhankelijk van het omzetverlies, meer of minder genadeloos ontslagen. Dan telde niet wat ze in het verleden had gepresteerd.

Want het verleden was een afgedane zaak, letterlijk en figuurlijk, ongeacht het eerbetoon van toen.

Dus al dat gedoe kon ze heel goed relativeren. Ze was, zoals gezegd, een nuchtere vrouw.

Maar wat zich nu voordeed... Simon. Haar echtgenoot. Bijna vergeten. Dat dacht ze althans.

Ze moest even slikken toen ze de geretoucheerde foto's voor de eerste oplage te zien kreeg. Wat een knappe vent! Ze vroeg zich toen af of ze er verkeerd aan had gedaan om hem te verlaten. Ze twijfelde.

En sindsdien was hij er alleen maar knapper op geworden, en had hij status gekregen...

Koning Simon. Natuurlijk, een belachelijk idee.

Een gedachte bleef echter door haar hoofd spoken. Stel dat Simon inderdaad koning werd? Dan zou zij automatisch koningin worden. Koningin Helene I van Duitsland.

Tjonge, dat was nog eens wat anders dan hoofdredactrice!

De telefoon zoemde. Het was Isabella, de officieuze nummer twee in de redactiehiërarchie. 'Het betreft het interview met die Hollywood-dandy. Tijdens de première in Berlijn heeft hij geen tijd meer. Hij biedt aan dat interview de volgende dag in Londen te doen. Er zijn echter hoge reiskosten aan verbonden. Is het dat waard?'

Helene zuchtte diep. 'Doe maar. Ik laat het aan jou over,' zei ze.

Isabella stokte. 'Meen je dat?'

'Sterker, ik laat alles aan jou over. Ik moet er een paar dagen tussenuit.'

'O ja? Mag ik weten...?'

'Nee,' zei Helene. 'Nog niet.' Ze hing op.

Isabella had haar al vaker vervangen. Ze zou goed op de winkel passen. Helene had genoeg overuren om de verloren tijd te compenseren. Voldoende om eventueel een jaar lang weg te blijven. Ze moest nog zien wie daar een stokje voor kon steken.

Ze toetste een nummer in. 'Met Helene,' zei ze. 'Ik heb een auto nodig.'

Alex hield kantoor op de eerste verdieping van het poorthuis. Een grote kamer met rondom vier ramen, zodat hij alles goed in de gaten kon houden. Hier bespraken Simon en hij de lopende zaken, de afspraken en de interviewaanvragen.

'... dan moeten we het nog hebben over het feestbanket van vanavond,' zei Alex. 'Natuurlijk zit u aan het hoofd van de tafel, zoals het hoort.'

Simon dacht even dat hij dat niet goed verstaan had. 'Een feestbanket?'

Alex wees naar het raam dat uitzicht bood op het slotplein. Er stond een bestelwagen. Mensen met witte schorten voor droegen manden, kisten en materiaal naar binnen. 'Het cateringbedrijf.'

'Het cateringbedrijf.' Simon leunde achterover en vouwde zijn handen. 'Dit circus moet toch wel erg veel geld kosten, Alex. Hoe financier je dit?' Alex wilde opeens absoluut niet meer met 'u' worden aangesproken.

Alex grijnsde. Een brede grijns. Kennelijk amuseerde hij zich kostelijk. 'Natuurlijk is een hofhouding niet goedkoop. Dat was het vroeger ook niet, dat weet u beter dan ik...'

'Ik wist niet dat dit zou uitgroeien tot zoiets. Wie betaalt dit? Ongetwijfeld gaat het om gigantische bedragen.'

Alex vouwde de handen achter zijn hoofd. 'Nou, dit is eerst en vooral een spel, een alternate reality game. Het kost geld om mee te spelen. Hoe duur het wordt, hangt af van de rol die je speelt. Het is duurder om bijvoorbeeld gravin te spelen dan om als bediende of keukenmeid te figureren. Gelukkig krijgen we ook schenkingen binnen. Ruimhartige donaties.'

'Schenkingen? Van wie?'

'Bijvoorbeeld van meneer Stiekel, de eigenaar van het kasteel. U bent toch niet vergeten dat hij een grote fan van u is?'

Simon verbaasde zich. Hij kon zich niet voorstellen dat Stiekel zo naïef was. 'Bedoel je dat hij het voor mogelijk houdt dat ik koning word? En hoopt hij daar zijn voordeel mee te doen? Dat is belachelijk, Alex. Je moet hem uit de droom helpen. Dit spel eindigt op de avond van de parlementsverkiezingen, dat weet jij net zo goed als ik.'

Alexander Leicht draaide zijn stoel om, boog zich naar voren, legde zijn armen over elkaar op tafel en keek Simon ernstig aan. 'Ik geloof dat hij het heel serieus meent,' zei hij. 'Ik heb daar een neus voor. Ik weet wie het spel niet om het spel speelt. Meneer Stiekel is zo iemand.' Alex staarde voor zich uit. Er verscheen een dromerige blik in zijn ogen. 'Toch jammer dat de verkiezingen eraan komen,' zei hij. 'Heel jammer.'

Simon verbaasde zich terwijl hij deze robuuste kerel observeerde. Het was duidelijk dat Alex het liefst wilde dat er geen eind aan kwam.

'Handig hoor, zoals u dat gedaan hebt,' zei de verslaggever, terwijl de geluidsman nog bezig was om het microfoontje te bevestigen. 'Zoals u de publieke aandacht trekt, bedoel ik. Heel knap.'

Simon zweeg. Hij had de naam van de man die tegenover hem zat niet goed verstaan. Een man met zwart haar en een stekende blik. Simon had alleen meegekregen dat hij beroemd was. Hij herinnerde zich ook dat hij dat gezicht al eens eerder had gezien. Zijn naam wilde hem echter niet te binnen schieten.

Pijnlijk, maar zo was het nu eenmaal. Gelukkig maakte dat voor het interview niet uit.

Zo zagen zijn dagen er inmiddels uit: alleen 's ochtends lieten ze hem met rust. Hij mocht uitslapen zo lang hij wilde. En het ontbijt werd op zijn kamer geserveerd. Daarna volgden fotosessies, kranteninterviews, gesprekken en lunches met de jongelui die zijn hofhouding vormden en die zich kennelijk uitstekend amuseerden. 's Middags waren er doorgaans filmploegen aanwezig. Ze kregen er geen genoeg van zoals hij over het slotplein of door de indrukwekkende, fraai ingerichte zalen en gangen schreed en de verslaggevers antwoord gaf op alle vragen over de moderne geschiedenis.

Handig gedaan? Als hij deze mening inderdaad was toegedaan, kon Simon hem het beste in die waan laten.

Hij herinnerde zich opeens wat Alex hem verteld had. Een of andere gewezen politicus in Berlijn, indertijd een partijvoorzitter of secretaris-generaal, in elk geval iemand die het in vervlogen tijden voor het zeggen had, had in een interview de draak gestoken met 'de groep die keizer Wilhelm wil rehabiliteren'.

Dat had beslist niets met respect te maken, maar alles met waakzame belangstelling.

Na een gesprekje van niks, waarin min of meer herhaald werd wat Simon al ontelbare keren gevraagd was, wilde de verslaggever weten wat zijn belangrijkste wens was als hij inderdaad tot koning werd uitgeroepen. Hij keek hem daarbij aan op een manier die Simon deed denken aan de vele discussies die hij met Bernd had gevoerd. Ook hij had hem altijd zo aangekeken, zo... sceptisch tot op het bot.

Misschien was dit het moment om met een idee te komen waar hij al jarenlang mee rondliep.

'Mijn belangrijkste doel is een onderwijsvernieuwing die deze naam echt verdient,' zei Simon dapper.

De verslaggever boog zijn hoofd, alsof hij enigszins verbaasd was. 'Opmerkelijk,' zei hij. 'Dus niet de buitenlandse politiek? Niet het economische beleid? Dat zijn toch doorgaans de thema's die in de politiek alle aandacht krijgen.'

'Dan weet de politiek niet hoe de wereld in elkaar zit.' Simon vouwde zijn handen. 'Er kan niets belangrijkers zijn dan wat er omgaat in de hoofden van de mensen. Scholing is in dat opzicht van wezenlijk belang en wordt in grove mate miskend. Uw vraag miskent eveneens het belang van onderwijsbeleid. Onderwijs mag je niet beschouwen als een soort aanhangsel, als iets wat erbij hoort en wat je met een paar miljoen per jaar zoet kunt houden. In een hoogontwikkeld land met weinig natuurlijke hulpbronnen, zoals Duitsland, is onderwijs het fundament van de toekomst.'

Een vleugje ergernis kroop als een schaduw over het gezicht van de verslaggever omdat Simon hem persoonlijk had aangesproken. 'Ferme woorden, gemeengoed,' zei hij. Zijn ogen werden smaller, met een loerende blik. 'De vraag is natuurlijk hoe u deze stevige taal in concreet beleid wilt omzetten.'

Simon leunde achterover. Keek Bernd naar dit interview? De discussie moest hem ongetwijfeld bekend voorkomen.

'Laten we eens kijken hoe het onderwijssysteem er van oudsher uitziet. Je stuurt een kind naar school, waar het minstens een jaar lang aan een vakdocent is overgeleverd. Hij geeft les zoals hij vindt dat dat moet, en de cijfers die het kind krijgt zijn eveneens subjectief.'

'Bepaalt niet het leerplan waarover de lessen moeten gaan?'

'Het leerplan dicteert de leerinhoud van een vak- of leergebied. Niemand controleert hoe een docent dat precies doet.'

'Hoe wilt u daar verandering in brengen? Toezichthouders naar alle leslokalen sturen?'

Simon schudde zijn hoofd. 'Onzin. Dat levert niets op. Mijn hervormingen bestaan uit twee fundamentele reorganisaties. Ten eerste moeten onderricht en toets volledig van elkaar gescheiden worden, zoals dat bijvoorbeeld al heel lang gebruikelijk is als je rijles neemt. De gewone docent zal in de toekomst alleen nog maar lesgeven. Voor de toets zijn anderen verantwoordelijk. Bovendien zijn de toetsen zodanig van aard dat het verloop van de schooljaren geen rol meer speelt. Idealiter zal het zo zijn dat je om eindexamen te doen, een vastgesteld aantal proefwerken moet doen en tentamens dient af te leggen om voor een bepaald vak te slagen. Het maakt niet uit wanneer de toets wordt afgenomen. Je meldt je aan voor een proefwerk als je het gevoel hebt dat je er klaar voor bent.'

'Dan eist u wel veel van jonge mensen. Ze staan al onder hoge druk. Eigenlijk maakt u het ze nog moeilijker door ze te dwingen voortdurend zwaarwegende beslissingen te nemen.'

'Het nemen van beslissingen kun je niet vroeg genoeg leren,' opperde Simon. 'Maar afgezien daarvan, het zijn geen zwaarwegende beslissingen. Natuurlijk kun je een toets overdoen. Ik zie het probleem niet. Op die manier kunnen de bollebozen snel naar een overgangs- of eindexamen toewerken terwijl de minder begaafde leerlingen er wat langer over doen, en in hun eigen tempo. De druk wordt dan niet hoger, maar op een verstandige manier gedoseerd. Ik weet waar ik het over heb.'

De verslaggever glimlachte boosaardig. 'Hebt u het nu over uw eigen ervaringen als docent?'

'Natuurlijk. Weet u, het fundamentele probleem in het huidige onderwijssysteem is dat de helft van de leerlingen van een klas voortdurend gestrest is omdat de leerstof te snel wordt doorgenomen. Voor de andere helft van de klas gaat alles veel te langzaam, waardoor de verveling toeslaat. Geen wonder dat de meeste mensen slechte herinneringen hebben aan hun schooltijd. Maar het kan ook anders. Het gaat er toch om dat een leerling de leerstof begrijpt en dat hij iets leert? Het is toch niet belangrijk hoeveel tijd hij daarvoor nodig heeft?'

De verslaggever knikte. Het leek of hij ongeduldig werd. Kennelijk stond het onderwerp hem niet aan. 'U had het over twee fundamentele hervormingen.'

'De tweede verandering is dat de leerlingen les krijgen wanneer ze willen en bij een docent naar keuze,' zei Simon.

De verslaggever trok zijn wenkbrauwen op. 'Flexibele lesuren? Als u dat aan de leerlingen overlaat, gaan ze gewoon niet naar school, vrees ik.'

'O nee? Dat zie ik heel anders,' zei Simon. 'Als jonge mensen ergens geïnteresseerd in zijn, zoals computers, kunnen ze er vaak geen genoeg van krijgen.'

'Ik waag het te betwijfelen of ze ook zo enthousiast worden als ze Latijn moeten leren.'

'Onderschat de jeugd niet,' maande Simon hem. 'Vergeet niet dat we het hebben over kinderen en jongvolwassenen. Ze ervaren leren niet als saai of angstwekkend. Als ze weten dat ze een bepaald leervak nodig hebben, zoeken ze vanzelf naar die kennis. Bovendien speelt de leraar daarin een grote rol. Denk maar aan uw eigen schooltijd. Welke vakken vond u leuk? Had die belangstelling niet voor een deel ook te maken met de docent die dat vak gaf? Ongetwijfeld kent u de wijze uitspraak dat leren niet betekent dat je je hoofd vol kennis propt maar dat je de vlam der nieuwsgierigheid ontsteekt. In de toekomst kiezen jonge mensen docenten uit van wie ze wat kunnen leren.'

De verslaggever schudde afkeurend zijn hoofd. 'Daar bereikt u alleen mee dat de goede leraren overbelast worden, terwijl de slechte in lege klaslokalen staan.'

'Inderdaad.' Simon knikte. 'Dat is precies de bedoeling ervan.'

'De goede leraren met nóg meer werk opzadelen?'

'Nee, integendeel, ze worden beloond. Iedere leerling krijgt in de toekomst een soort tegoedbonnenboekje, waarmee hij in bepaald opzicht betaalt voor de lessen. Op die wijze zullen goede docenten meer gaan verdienen. De leraren die onvoldoende presteren, moeten door gebrek aan leerlingen uiteindelijk een andere baan zoeken.'

De verslaggever keek hem met open mond aan. 'Dat... dat is nogal radicaal,' hakkelde hij.

'Ja,' zei Simon botweg. 'In het begin is dat even wennen. Op de lange termijn creëer je echter een onderwijssysteem waarin de gemotiveerde, zelfbewuste leerling de beste docent van de school krijgt. Zodra dat het geval is, hoef je je over de rest geen zorgen meer te maken.'

Na het interview zei Alex enthousiast: 'Geweldig, meneer König! Peper het maar goed in! Geen halve maatregelen!'


De vrouw die door de gang naar hen toe liep, was slank en aantrekkelijk. Ze gedroeg zich echter of ze verdwaald was. De twee mannen keken elkaar vluchtig aan. Leo kwam uit zijn stoel en liep haar tegemoet. Dirk bleef zitten; hij had telefoondienst.

Toen hij haar naderde, zag hij dat ze niet zo jong was als haar tred deed vermoeden. 'Dag, mevrouw,' zei Leo. 'Kan ik u ergens mee van dienst zijn?'

Ze glimlachte. 'In dit kasteel verdwaal je. Overal gangen, deuren en trappen...' Ze trok haar elegante bloes recht. 'Ik ben op zoek naar meneer König. Ik heb gehoord dat hij hier woont.'

Leo knikte. Om die reden stonden Leo en Dirk hier op wacht. Ze moesten Simon König afschermen, anders zouden de journalisten hem continu belagen. 'Hebt u een afspraak?'

'Nee.' Ze lachte. 'Ik heb geen afspraak. Ik ben zijn echtgenote. Ik hoop dat dat voor u voldoende reden is om ervoor te zorgen dat ik hem op korte termijn kan spreken.'

Leo hield zijn adem in. Zijn echtgenote! Zij was dus mogelijk de toekomstige koningin!

Wat nu? Leo wist dat Simon en Helene al ongeveer twintig jaar gescheiden leefden. Ook al klopte het wat die vrouw zei, en ook al kon ze juridisch gezien de toekomstige koningin worden, dan nog moest hij loyaal blijven aan Simon.

Hij schraapte zijn keel. 'Het spijt me, mevrouw... ik bedoel Koninklijke Hoogheid...'

'Wat?' Ze keek hem verbouwereerd aan.

'In principe hebt u gelijk, maar ik zal toch even moeten vragen of ik u door mag laten,' voegde Leo er haastig aan toe.

Strikt genomen was er sprake van legitimatieplicht. Hoe moest hij anders te weten komen of zij degene was voor wie ze zich uitgaf? Maar hij wilde niet zover gaan dat hij de mogelijk toekomstige koningin van Duitsland om haar identiteitsbewijs vroeg...

Ook wist hij niet of dit bezoek voor Simon gelegen kwam. Daarom zag hij zich gedwongen eerst maar eens te gaan kijken hoe de vlag erbij stond.

'Liever niet,' zei de mogelijk toekomstige koningin. 'Het moet een verrassing zijn. Hij weet niet dat ik hier ben.'

Leo maakte een bescheiden buiging. 'Ik weet zeker dat het in alle gevallen een verrassing zal zijn.'

Ze zette grote ogen op. 'Nu snap ik het. U bent zijn lijfwacht!'

'Inderdaad,' zei Leo kort en bondig. 'Een momentje...'

'U doet maar wat u doen moet,' antwoordde ze lachend. Daarna schudde ze haar hoofd terwijl Leo wegliep en hij haar hoorde zeggen: 'Simon...! Dat had ik nooit achter je gezocht...!'

Leo liep haastig verder. Hij wilde niet alles horen.

Simon was in de bibliotheek en las een dik boek. Op de tafel naast hem lag een schrijfblok waarvan een bladzijde vol gekrabbeld was. Af en toe maakte hij een notitie.

Toen Leo binnenkwam, keek hij op en begroette hij hem met een minzaam, koninklijk lachje. 'Wat is er aan de hand, Leo? Je ziet er bezorgd uit.'

'Het spijt me dat ik u stoor, Koninklijke Hoogheid,' zei Leo haastig. 'Er is een vrouw gearriveerd die beweert dat ze uw echtgenote is...'

Simon sprong uit zijn stoel. 'Helene? Is ze hier?' Hij gooide het boek op het schrijfblok – het kon hem niet schelen dat de bladwijzer op de vloer viel – en had er zo snel de pas in dat Leo hem met moeite kon bijhouden.

Simon trok de deur van de bibliotheek open, keek door de gang en riep: 'Helene?'

'Hallo, Simon,' zei de vrouw.

Heel even viel er een stilte. Alsof de tijd stilstond. Ze staarden elkaar aan. Leo realiseerde zich dat dit een zéér intiem moment was dat hem niet aanging. Onopvallend glipte hij achter Simon de bibliotheek uit, stelde zich verdekt op en wachtte af wat er ging gebeuren.

'Maar...' zei Simon uiteindelijk. Vervolgens schudde hij zijn hoofd, opende de deur wijd en zei: 'Kom toch binnen.'

De vrouw liep Dirk en Leo voorbij alsof ze hen niet zag. Ze volgde Simon. De deur ging dicht.

Leo ademde opgelucht uit en ging terug naar Dirk, die met grote ogen zat te kijken.

'We laten niemand passeren,' zei Leo zachtjes, vastbesloten. 'En we schakelen geen telefoontjes door. Niet zolang die deur dicht is.'

De deur zou die dag niet meer opengaan.

# Hoofdstuk 38

'Ontbijt op bed,' zei Helene terwijl ze zich uitrekte. 'Wanneer heb ik dat voor het laatst gehad?'

'Ik had zo'n ontbijt volgens mij voor het laatst op onze huwelijksreis,' zei Simon. 'In dat hotel in Athene.'

Ze knikte. 'Je kon geen raam opendoen vanwege het kabaal en de uitlaatgassen. Wat dat betreft is het hier beter.' Dromerig staarde ze door de geopende balkondeuren. Ze hoorde stemmen en geluiden van gereedschap. Maar ook het kwetteren van de vogels. 'Gewoon zoals dat hoort in een kasteel.'

Vandaag zag ze er tien jaar jonger uit dan gisteren. Het zonlicht tekende brede banen in de slaapkamer. Het was heerlijk weer en ze hadden alle tijd van de wereld.

Althans tot vanmiddag. Dan begon de persconferentie.

Helene pakte het piepkleine jampotje en probeerde het etiket te lezen. 'Nu heb ik denk ik toch mijn bril nodig... Waar heb ik die gelaten?' Ze graaide naar het nachtkastje. De la ging niet open. 'Hé, wat krijgen we nou?'

Simon haalde haar bril uit zijn nachtkastje. 'Hier. Jouw la is nep. Theatermeubilair. Alleen mijn la gaat open.'

Verbaasd nam Helene de bril van hem over. 'Theatermeubilair?'

'Het kasteel is ervan vergeven. Kasten die niet opengaan, vergulde schilderijlijsten die er zwaar uitzien maar die van dun plastic zijn, kandelaars van verzilverd hout, en zo meer...'

Helene staarde naar het dienblad dat tussen hen in stond. 'Hopelijk is het eten echt.'

'Dat hoop ik ook.'

'Bizar,' zei ze.

Simon knikte. 'Dat kun je wel zeggen.'

'Bizar' was niet het juiste woord. Simon had nooit gedacht dat hij een ochtend als deze nog zou meemaken: wakker worden in een kasteel met naast zich zijn verloren gewaande vrouw...

Gisteren leek het of de avond niet voorbijging. Eindeloos lang hadden ze met elkaar gepraat, ruziegemaakt, het weer goed gemaakt en vervolgens waren ze elkaar opnieuw over bepaalde kwesties in de haren gevlogen. Urenlang, zo leek het, hadden ze heftig gediscussieerd en vaak langs elkaar heen gepraat. Daarna hadden ze elkaar verteld hoe de afgelopen twintig jaar geweest waren. Helene kon maar niet begrijpen dat hij na haar geen andere vrouw meer had gehad.

'Ik wilde niemand anders,' had Simon gezegd.

Daarop had ze hem sceptisch aangekeken en gezegd: 'Eigenlijk geloof ik er geen woord van.'

Hij had haar niet gevraagd naar de mannen die zij had gehad. Hij wilde dat niet weten. Dat was haar zaak. En na alles wat er gebeurd was ook haar recht.

Het was al laat en op zeker moment had ze gezegd: 'Het wordt tijd dat ik ga.'

'Waar ga je heen?' had hij gevraagd.

'Ik heb een hotelkamer geboekt, beneden in het dorp.' Dat had ze gezegd, waarna ze veelzeggend zweeg. Hij had het bijna niet gemerkt en stond al op het punt om beleefd afscheid van haar te nemen, hoewel het hem speet dat ze weg wilde. In een soort vertwijfeling flapte hij er toen uit: 'Waarom blijf je niet gewoon?'

Daarna hadden ze niet meer gepraat...

Simon merkte dat Helene hem over de rand van haar kopje aankeek. 'Wat is er?' vroeg hij.

'Koning Simon.' Ze zette het kopje neer. 'Ik vraag me nog steeds af hoe je op dat idee bent gekomen.'

'Het was geen idee,' zei Simon. 'Het liep gewoon zo.'

Ze gniffelde sceptisch. 'Ik hoopte eigenlijk dat je alles in scène had gezet om mij terug te lokken.'

Simon staarde naar zijn eigen kopje, pakte het lepeltje en begon te roeren, hoewel er niets te roeren viel omdat hij zijn koffie altijd zwart dronk. Zwijgen deed pijn. Net als gisteravond. Het moment om de waarheid te vertellen was zelfs twee keer aangebroken. En twee keer had hij besloten om te zwijgen over de achtergronden van deze zaak. Dus dat het maar een spel was, een schijnmanoeuvre. Dat de partij alleen maar was opgericht om verkiezingsfraude boven water te krijgen, als daar al sprake van was. Beide keren had Simon de gelegenheid voorbij laten gaan en was hij over iets anders begonnen.

Aanvankelijk had hij dat gedaan omdat hij zich zorgen maakte dat Helene, een journaliste, die kennis zou misbruiken. Misschien zette ze opnieuw een sensatiecampagne op, die ditmaal funest zou zijn voor het spel.

Zelfs nu was hij er niet helemaal zeker van of ze daarvan af zou zien. Maar als hij nu alles uit de doeken deed, zou ze zich realiseren dat hij haar gisteravond gewantrouwd had. Hij vreesde dat de prille herstart van hun relatie dan meteen gesmoord werd. Deze ene ochtend wilde hij in elk geval in onverstoorde harmonie met haar doorbrengen.

En als er een 'later' kwam, zou hij ongetwijfeld een geschikt moment vinden om haar alles te vertellen.

Zijn ochtendjas was haar wat te klein en onthulde meer dan die verhulde. Hij vond haar aantrekkelijk. Nog steeds.

Simon wist dat Helene net deed of ze niet merkte dat hij haar bekeek.

Misschien kwam er een 'later'. Een later dat in het teken stond van 'een nieuw begin'.


Hoe langer alles duurde, hoe meer Root de indruk kreeg dat wanneer Alex het kantoor binnenliep en de deur achter zich dichttrok hij een masker aflegde. Hij zag dat Alex achter dat masker verschrikkelijk moe en terneergeslagen was. Iemand die zich in een stoel liet vallen om nooit meer op te staan.

Hoewel Root wist hoe de eerste vraag luidde, wachtte hij toch tot Alex die stelde. Het was al wekenlang hetzelfde liedje. 'Nog nieuws van Sirona?'

Zoals altijd antwoordde Root dan: 'Helaas.'

Alex leek weer een stukje te krimpen.

'Maar ik heb wel ander nieuws,' zei Root vandaag.

'En?' Het was verbazingwekkend hoe iemand met één woord zijn desinteresse tot uitdrukking kon brengen.

'Een interessant getal.'

Alex zuchtte lusteloos. 'Moet ik je iets ontfutselen of zo?'

Sinds ze zich op Schloss Reiserstein gevestigd hadden, had Root als taak om alle mogelijke internetforums, weblogs en andere informatiebronnen op te sporen om erachter te komen of de berichtgeving in de media over Simon König weerklank vond in de samenleving. En zo ja, op welke wijze.

Vandaag had hij iets heel anders ontdekt. Iets sensationeels, vond hij.

'Hoeveel stemcomputers zijn er in totaal, denk je?'

'Vertel het me maar.'

'In de afgelopen twaalf maanden lijkt het of alle kiesdistricten stemcomputers willen hebben. Er is een ware run ontstaan,' zei Root. 'Zoals het er nu naar uitziet, zal bij de volgende Bondsdagverkiezingen ruim zeventig procent van de kiesgerechtigden hun stem uitbrengen op een stemcomputer.'

Alex ging rechtzitten. 'Zeventig procent?'

'Zeventig procent en nog wat.'

'Waar heb je die informatie vandaan?' Het gezicht van Alex betrok steeds meer.

'Centraal Bureau voor de Statistieken. De informatie was goed verstopt,' zei Root triomfantelijk. 'Ik weet vrijwel zeker dat verder nog niemand dat ontdekt heeft. Je leest er in elk geval niks over in de kranten. Er is zelfs geen klein artikel aan gewijd.'

'Hm,' zei Alex mismoedig. 'Dat kan een probleem worden.'

'Een probleem?' Tjonge, hij was wel erg depressief! 'Hoezo?'

'Waarom denk je dat we dit doen? Om de stemcomputers de genadeslag te geven. Stel dat alleen sommige stemcomputers met resultaten komen die afwijken van de norm? Dat zet onze argumentatie op losse schroeven.'

Root leunde achterover en vouwde de handen achter zijn hoofd. Het leek of alleen hij logisch kon nadenken. Altijd hetzelfde liedje. 'Ik zie het probleem niet als zeventig procent van de stemmen afkomstig is van stemcomputers en elke stemcomputer vijfennegentig procent van de stemmen aan ons geeft. We hebben het dan nog altijd over 66,5 procent. Dat wil zeggen dat wij de verkiezingen winnen, aan de macht komen en de stemcomputer kunnen verbieden. Klaar, uit, basta. Zo simpel als wat.'

Alex keek hem moe aan. 'Onzin, Root.'

'Niks onzin. Wiskunde.'

Alex kwam met een ruk naar voren en sloeg met zijn handen op de tafel. 'Je denkt toch niet dat Zantini duizenden stemcomputers kan manipuleren? Duizenden? Dat lukt nooit. Hij is een goochelaar, geen tovenaar.'

Root was niet onder de indruk. 'Hij kan dat, anders zou hij er niet aan beginnen. Hij weet natuurlijk ook dat hij héél veel stemcomputers naar zijn hand moet zetten.'

Alex begon zijn slapen te masseren. Altijd een slecht teken. 'Je werkt me op de zenuwen, Root,' bromde hij zonder hem aan te kijken. 'Ik zie een probleem, oké? We spelen een spel en ik zie dat er mogelijk ellende opduikt. Dus wil ik nadenken over een preventieve oplossing en wat ik moet doen als ik die oplossing niet vind. Zo simpel als wat. Een stel-dat-lijstje, oké?'

Root stak berustend zijn handen in de lucht. 'Ja, oké.' Natuurlijk was het aan dat wijf te wijten dat Alex een slecht humeur had. Sinds Sirona verdwenen was, had hij liefdesverdriet. En dan te bedenken dat het niet eens geklikt had tussen hen.

Het werd hoog tijd dat Alex zich realiseerde dat ze een spelletje met hem gespeeld had. Dat ze hem voor haar karretje had gespannen. En dat ze hem nu liet vallen als een baksteen.

Het was waarachtig een dag vol verrassingen. Helene had mevrouw Volkers gesproken en wist nu dat zij zich bekommerde om de kostuums van jong en oud! Mevrouw Volkers van de tweede verdieping! Ze had aangeboden om haar eveneens van een geschikte garderobe te voorzien. Helene moest immers gekleed gaan als een echte koningin.

Het leek wel een droom.

Simon wilde graag dat ze tot aan de verkiezingen bij hem bleef. 'Daarna is alles voorbij,' had hij gezegd.

Voorbij? Alleen al de gedachte daaraan deed pijn. Dit sprookje was veel te meeslepend. Neem nou de feestelijk gedekte tafels in de schitterende eetzalen. En de bevallige meisjes in hun hoepelrokken. In de tuin om het paleis flaneerden paartjes die haar vriendelijk begroetten. Ze beschouwden Helene immers als hun koningin. Dat hoorde bij het spel.

Je kon het een stijlbreuk noemen dat er op de binnenplaats zo nu en dan ridders en landsknechten duelleerden. Dat gold ook voor de televisieploegen die zich overal ophielden en nooit in dit decor zouden passen. Hoe lukte het ze steeds om elkaar niet voortdurend in beeld te hebben? Ze hadden haar – koningin Helene – al om een interview gevraagd. 'Alstublieft, Koninklijke Hoogheid,' zei een jonge kerel ernstig. Hij had twee mobiele telefoons in de zakken van zijn leren jack zitten. De andere verslaggevers hadden hem getroost. Later. Misschien. Ze moest er nog aan wennen. Alles kwam zo overweldigend op haar over.

Ja, ze wilde blijven. Genieten van dit sprookje, hoewel het slechts een droom was, een spel, een meeslepend theaterstuk. Koningin Helene. Ze bekeek zichzelf in de spiegelende glazen deuren en probeerde zich voor te stellen hoe een kroon haar zou staan. Een pijnlijk verlangen brak bijna haar hart. Het verlangen dat deze droom werkelijkheid zou worden en nooit zou eindigen. Natuurlijk had de kiezer het laatste woord. Maar je wist het nooit met verkiezingen. Daarom was het noodzakelijk dat er verkiezingen werden gehouden. Alles was mogelijk zodra de kiezer het stemhokje in ging.

Simon gedroeg zich zo soeverein, zo edel, zo koninklijk... Ongetwijfeld was zij niet de enige die zich bij die aanblik realiseerde dat het niet eens een slecht idee was als Duitsland een koning kreeg.

Maar om te blijven moest ze eerst wat zaken regelen. Daarom zat ze in de rode salon, de enige kamer die volledig met antieke meubels was ingericht. De eigenaar van het kasteel, een industrieel, was een vriendelijke oude heer. Helene had hem gesproken tijdens de lunch. Hij had haar een handkus gegeven. Een handkus! Jaren geleden had hij dit vertrek op deze manier ingericht om zijn gasten in stijl te ontvangen.

Ze zat gebogen over haar agenda. De mobiele telefoon lag ernaast. Veel afspraken kon ze verschuiven, afzeggen of delegeren. Een paar dingen duldden echter geen uitstel. Bepaalde zaken moest ze echt zelf afhandelen. Uitgerekend op 26 en 27 september, het weekend van de Bondsdagverkiezingen, werden alle computers van de uitgeverij geüpdatet. Daar viel niet aan te tornen, geen denken aan. Op vrijdagavond werden alle oude computers vervangen. De nieuwe kregen de modernste software en de oude gegevens moesten worden 'overgeheveld'. Zondagavond moest alles het weer doen. Een project om gek van te worden. De afdeling Systeembeheer was echter meedogenloos. Op die dagen moest ze er gewoon zijn. Punt. Alleen een hartaanval was een excuus. Anders hoefde je op maandag niet meer te komen...

Maar het duurde nog een tijdje voor het zover was. Als ze vandaag terugreed om de belangrijkste dingen te regelen, kon ze – met een paar onderbrekingen – de rest van de tijd hier doorbrengen.

Ze moest dat gewoon doen. Ze zou vertrekken zodra mevrouw Volkers de maten had opgenomen voor haar jurk. Morgenmiddag zou ze dan weer terug zijn om de jurk te passen.

'Koningin Helene,' fluisterde ze in de verstilde rode salon.

Althans voor een paar weken.

# Hoofdstuk 39

De persconferenties werden steeds groter. De ridderzaal werd stilaan te klein om de talrijke verslaggevers, cameramensen en correspondenten een plekje te bieden. Een woud van camera's en microfoons was het gevolg. Simon vroeg zich af of ook bondskanselier Merkel dat gedoe voor zich zag, terwijl daar op tv niets van te merken was. In technisch opzicht ging het er bij die persconferenties beslist niet anders aan toe.

Toen Simon plaatsnam, was hij in gedachten nog bij Helene. Bij de aanblik van de talloze donkere cameralenzen en veelal verveelde gezichten herinnerde hij zich plotseling weer wat hij ditmaal bedacht had. Van alles uitdenken hoorde inmiddels bij zijn plichten. Men verwachtte van hem dat hij telkens op de proppen kwam met originele ideeën, ongewone gezichtspunten en provocerende, uitdagende voorstellen. Als hij aan het woord was, nam men geen genoegen met de gebruikelijke uitspraken waarmee de gevestigde politici wegkwamen. Hij was de politieke hofnar. Daar had hij inmiddels vrede mee.

En hij vond het best leuk. De nar aan het hof was toch traditioneel de figuur die alles mocht zeggen, zelfs de waarheid?

Alex dook naast hem op. Hij straalde. Zoals altijd als er zoveel aan de hand was dat een gewoon mens dacht dat er elk moment een chaos kon ontstaan. 'Te gek, hè?' zei hij. 'Ik denk elke dag dat we het record gebroken hebben. Maar de toeloop wordt steeds groter.' Opeens kreeg hij een ernstige trek op zijn gezicht. 'Kan ik u even spreken voordat het circus begint?'

'Dat doe je toch al?'

'Onder vier ogen,' zei Alex. Hij knikte in de richting van een houten deur die half door een podiumdoek aan het zicht was onttrokken. 'Het is belangrijk.'

Ze liepen naar een kamertje met oneffen, witgekalkte muren. In feite een doorgang naar de keuken. Een ongebruikelijk optrekje, vond Simon. Hij was gewend geraakt aan de pracht en praal in de rest van het kasteel. Alex deed de twee deuren zachtjes dicht. 'Het gaat om uw zoon. U zei toch dat hij een week na de Bondsdagverkiezingen op vrije voeten komt?' Simon knikte. 'Dat is de laatste stand van zaken.'

'Hoe zeker is die datum?'

'Moeilijk te zeggen.' Simon vertelde in het kort wat Bruce Miller, de advocaat die lang geleden met Lila had samengewoond, tegen hem gezegd had. De ontslagdatum was afhankelijk van de strafmaat die de rechter had opgelegd. Bij zware overtredingen in de gevangenis kon die periode verlengd worden, bij goed gedrag verkort. Plaatsgebrek was tegenwoordig echter ook een reden om iemand eerder uit de gevangenis te ontslaan.

'Ik zit er flink mee in mijn maag,' zei Alex. 'U weet dat het na de verkiezingen vaak een gekkenhuis is. De ene vette krantenkop na de andere, afhankelijk van de uitslagen en de actualiteit van dat moment. Die belangstelling ebt echter ook snel weer weg. Een kwestie van dagen, begrijpt u? Voor ons project wil ik graag het optimale tijdstip uitkiezen om de knuppel in het hoenderhok te gooien. Ik vrees dat het effect verloren gaat als we te lang wachten.'

'Als uitkomt dat mijn zoon betrokken is geweest bij softwaremanipulatie...'

Alex knikte heftig. 'Ik weet er alles van. Is het überhaupt nodig om hem te vermelden?'

'Ik ben zijn vader. Dat is schriftelijk vastgelegd en er is dus een spoor.' Simon schudde zijn hoofd. 'Ik wil eerst zeker weten dat mijn zoon geen gevaar loopt. Daarna pas mag voor mijn part alles in gang worden gezet.'

De deur naar de ridderzaal ging met een ruk open. Een assistent van Alex, verkleed als fatterige hoveling, keek naar binnen. 'Ze worden ongeduldig. Ik ben gestuurd om te vragen of Zijne Koninklijke Hoogheid er klaar voor is.'

Alex knikte hem toe en maakte een wegwuivend gebaar. 'Twee minuutjes.' Hij wachtte tot de deur weer dicht was en vroeg: 'Kunt u niet bellen met iemand in Amerika? Misschien valt er iets te regelen. In elk geval is het handig om de precieze datum te weten. Bovendien moet uw zoon het land verlaten zodra hij op vrije voeten is gesteld.'

Simon beloofde dat hij navraag zou doen.

'Misschien maak ik van een mug een olifant,' zei Alex piekerend terwijl hij over zijn kin wreef. 'Die verontrustende gedachte kwam plotseling in me op. Ik maak er dan meteen werk van. Zo ben ik nu eenmaal. Ik wil alles zo goed mogelijk afhandelen, begrijpt u? Al die moeite moet immers ook iets opleveren.' Plotseling was dat stralende lachje er weer. 'Ik zou maar gaan als ik u was. Ze worden ongeduldig. Geef ze maar flink op hun smoel, dan hebben ze wat te schrijven.' Hij schoot in de lach. 'U doet het geweldig. Het zou me niets verbazen als u straks met een ruime meerderheid wordt gekozen.'

Simon gniffelde, trok zijn stropdas recht en zei: 'Ik moet opeens denken aan de jongedame die zo fantasievol gekleed gaat. Sirona. Ik heb al heel lang niets meer van haar gehoord. Jij wel?'

Alex haalde zijn schouders op, alsof hem dat absoluut niet interesseerde. 'Ze duikt voor de verkiezingen wel weer op. Dit project is per slot van rekening haar idee.'

'Vandaag wil ik het hebben over de onvrede in ons land,' begon Simon. Heimelijk had hij er plezier in dat iedereen de oren spitste. Er werden bladzijden van schrijfblokken omgeslagen, pennen in de aanslag gehouden en aan de schuifregelaars van de opnameapparatuur gefrunnikt. 'Duitsland is een van de welvarendste landen ter wereld. Toch heerst er alom onvrede. Als er een tevredenheidsranglijst zou bestaan, bungelen wij ergens onderaan. Hebt u zich wel eens afgevraagd hoe dat komt?'

Hij liet zijn blik over de hoofden glijden. Achter de verslaggevers probeerden wat grandioos gekostumeerde jongelui – zijn hofhouding – een plekje te veroveren in de stampvolle zaal. Zij zagen er in elk geval niet ontevreden uit.

Een van de journalisten in de voorste rij stak zijn hand op. 'Geld alleen maakt niet gelukkig, luidt het gezegde.'

'Wat heeft het voor zin om je uit te sloven voor een beter leven als je daardoor op een andere manier gepakt wordt en van de wal in de sloot raakt?' Simon schudde zijn hoofd. 'Ik zie dat anders. Deze algemene ontevredenheid heeft een andere oorzaak. Iets heel concreets.' Hij gunde zichzelf een effectpauze. 'Het is de alomtegenwoordige reclame in de media die de mensen ontevreden maakt.'

Er ontstond een ingetoomde onrust. Alsof iedereen tegelijk besloot om met de voeten te schuifelen, de stoel een eindje terug te schuiven en te hoesten. Velen schudden hun hoofd, alsof ze liever niet geconfronteerd werden met belachelijke ideeën.

'Denk er eerst eens over na,' riep Simon de aanwezigen op. 'Het doel van reclame is juist om u ontevreden te maken. Waarom zou u anders uw geld uitgeven aan dingen die u eigenlijk niet nodig hebt en niet als een behoefte ervaart? U dient ontevreden te zijn met wat u hebt, wat u bent en wat u beleeft. Reclame bereikt zijn doel als u zich zo gaat voelen. Reclame lijkt niet meer op wat het vroeger was. Toen diende reclame er hoofdzakelijk toe om u ervan op de hoogte te brengen dat er bepaalde producten op de markt waren. Tegenwoordig hebben we het over een gigantische, miljarden verslindende bewustzijnsbeïnvloeding die in toenemende mate ons leven bepaalt. Reclame beheerst het straatbeeld in de steden, neemt bij de meeste tijdschriften een groot deel van de ruimte in beslag en achtervolgt ons zelfs in de privésfeer. En het einde is nog lang niet in zicht. Reclame wordt steeds meer wijdverbreid en invasief. Er vindt in dat opzicht een regelrechte wapenwedloop plaats. Het is niet voldoende dat onze steden overspoeld worden met billboards, affiches en posters. U wordt ook nog eens in de metro getrakteerd op televisiespotjes. Wat volgt hierna? Zullen we 's avonds en 's nachts reclameboodschappen geprojecteerd zien tegen de donkere wolkenlucht? Dit soort ideeën duikt steeds vaker op. Als het technisch mogelijk was, zou de maan inmiddels rood zijn, met het logo van een bekende frisdrankfabrikant, denkt u ook niet?' Simon vouwde de handen voor zich op tafel en keek hooghartig op. 'Daarom zal ik, op enkele uitzonderingen na, alle reclame verbieden.' Hij had het niet meer over 'als ik de verkiezingen win' of 'als ik koning word'. Vreemd genoeg kwam de boodschap beter over als hij deed of de troonsbestijging een uitgemaakte zaak was.

Het werd onrustig in de zaal. Simon stak een hand op en gaf iemand het woord.

'Met alle respect, Koninklijke Hoogheid, maar ik ben het niet met u eens. Ik werk voor een commerciële televisiezender. Wij kunnen alleen programma's maken dankzij reclame. Uw wet zou het einde betekenen van de hele branche!'

'Dat geldt ook voor kranten en tijdschriften,' riep een vrouw met een strak pagekapsel. 'Zonder reclame zullen de prijzen flink moeten stijgen.'

Simon boog zich naar de microfoon. 'Ik ken de feiten. Ik durf de stelling aan dat reclame uiteindelijk duur is voor de burger, ook al lijkt dat niet zo. Ik zal u een voorbeeld geven. Lange reclamespotjes en dure folders om een nieuw automodel te promoten worden uiteindelijk doorberekend in de prijs die de klant voor zo'n auto moet betalen. En ga zo maar door. Er is een omslag in het denken nodig. Commerciële televisiezenders moeten programma's aanbieden waar de kijker voor wil betalen. Tijdschriften zullen duurder worden, dat is zo, maar andere producten kunnen goedkoper worden, omdat de hoge reclamekosten niet meer doorberekend hoeven te worden. Haal de reclame eruit en je bent per saldo goedkoper uit. Je houdt namelijk het bedrag over dat nodig was om posters, billboards en televisiespotjes te maken. Om maar te zwijgen van de talloze advertentiebladen die huis aan huis worden bezorgd. Let wel, billboards ontnemen ons het uitzicht op de huizen en landschappen. We ergeren ons aan de eeuwige reclamespotjes. En de advertentiebladen gooien we ongelezen in de vuilnisbak.'

Het ongenoegen in de zaal was duidelijk merkbaar. Prima.

'Op termijn zal alles zich zo ontwikkelen dat iedereen betaalt voor de dingen die hij belangrijk vindt,' vervolgde hij. 'Dat zal een gezondere economie opleveren dan nu het geval is. Tegenwoordig financiert de koper van een auto mede de televisieshows die hij misschien helemaal niet leuk vindt. En iemand die parfum koopt, betaalt ook voor een tijdschrift dat hij of zij niet eens kent.'

Een magere, in het zwart geklede man riep: 'En de reclamebranche zelf dan? Die heeft geen toekomst meer en kan wel opdoeken, hè?'

Simon staarde hem aan en was een beetje boos over de manier waarop hij zich uitte. 'Waarom moet een bedrijfstak behouden blijven die uitsluitend als doel heeft mensen ontevreden te maken? Ik zie daar de zin niet van in. De energie die men erin steekt, kan beter voor andere doeleinden worden ingezet.'

Achter in de ridderzaal klonk gejuich. Zijn pseudohofhouding – jonge vrouwen in hoepelrokken, met kaperhoeden en rococokapsels, en jongemannen in pandjesjassen, met staartpruiken en driepunthoeden – jubelde hem toe en riep: 'Bravo!' of 'Leve de koning!' Meteen zwenkten de camera's, een galgmicrofoon zwaaide in hun richting. Een bizar ratjetoe van oud en nieuw, van traditioneel en modern. Simon vroeg zich af of je het beste van al die stijlen kon combineren tot iets positiefs.

Jammer dat niets van wat hij met zoveel bravoure aankondigde ooit werkelijkheid zou worden. In elk geval had hij een keer kunnen zeggen wat er in hem omging en wat hij in de afgelopen decennia aan ideeën en gedachten had verzameld. Hij had aan de bel getrokken en opwinding veroorzaakt, ook al zou het op termijn misschien niets opleveren. Alex kon tevreden zijn. Hij had dit in het leven geroepen en Simon was hem daar sinds gisteren dankbaar voor.

Toch was hij blij dat de persconferentie eindelijk voorbij was. Voor het eerst verheugde hij zich erop dat er vanavond weer een feest werd gegeven, zoals elke avond. Ditmaal zou hij dansen. Niet dat hij goed danste, maar hij was het ondanks al die eenzame jaren niet verleerd. Hij wilde oefenen voor morgen. Dan kwam Helene terug.

En Helene kwam terug. Vluchtig gaf ze hem een kus en ze haastte zich meteen naar het naaiatelier van mevrouw Volkers. Urenlang bracht ze door in dat geheimzinnige rijk. Uiteindelijk kwam ze tevoorschijn in een hofjapon met hoepelrok en sleep. Het stond haar uitstekend.

Simon kwam ogen tekort toen hij haar in volle glorie voor zich zag. Maar goed dat hij het dansen geoefend had, want in de daaropvolgende dagen stelde hij vast dat Helene een vrouw was die geen genoeg kreeg van feestvieren en hossen! Het liefst wentelde ze zich in pracht en praal.

Voor het eerst hoopte Simon dat dit spel niet zo snel weer voorbij zou gaan. Kwam er maar geen eind aan.

Hij moest plotseling denken aan Alex die toegaf dat hij ervan droomde om voorgoed op te gaan in een spel. Voor het eerst begreep Simon wat hij bedoelde.

# Hoofdstuk 40

Het heeft iets geheimzinnigs als je wacht tot een bepaalde dag aanbreekt. Daarbij maakt het niet uit of je als een kind verlangt naar je verjaardag of dat je die dag vreest omdat je bij de tandarts een afspraak hebt voor een wortelkanaalbehandeling. Zolang die dag nog niet is aangebroken, ligt er een toekomst voor je en strekt de tijd zich uit, tot je uiteindelijk bijna gelooft dat die dag nooit zal komen.

Maar plotseling is het dan toch zover.

Zoals die dag. De dag van de verkiezingen. Het was nog vroeg. De stembureaus gingen pas over een uur open. Simon stond in de badkuip en droogde zich af terwijl hij om zich heen keek en hem het gevoel bekroop dat hij afscheid aan het nemen was. Vandaag zou alles voorbij zijn. De pracht en praal zou hij niet missen. In zijn vertrouwde stulpje zou hij zich ook snel weer op zijn gemak voelen.

Het ging om Helene.

Hij had haar in haar rol als koningin nog nooit zo gelukkig gezien als in deze dagen en weken.

Op vrijdag na de lunch had ze zich omgekleed. De plicht riep. Ze zag er vreemd uit in haar eenvoudige donkerblauwe broekpak. Ze had geen opgestoken kapsel meer. Haar lokken waren niet langer versierd met parels en haarspelden. Zoals ze daar stond, met haar autosleutels en haar leren agenda in een hand, vond ze dat zelf kennelijk ook. 'Tja, dan ga ik maar,' had ze gezegd, waarna ze hem timide een kus gaf.

Gisteren had ze gebeld. Op wat vertragingen na verliep de systeemreorganisatie door de bank genomen goed. Ze had beloofd dat ze vanavond weer terug zou zijn, afhankelijk van hoe druk het was op de weg. Misschien zou ze er vóór de verkiezingsuitslag zijn.

Ze hadden niet gesproken over hoe hun leven er vanaf morgen uit zou zien. Zou ze bij hem blijven? Ook als hij niet meer voor koning speelde? Simon wist het niet. Hij had daar ook niet naar gevraagd. Waarschijnlijk had ze hem ook geen antwoord kunnen geven.

Toen Simon na het ontbijt zoals gewoonlijk een rondje door het kasteel maakte, merkte hij hoezeer de sfeer veranderd was. Zoals altijd groette hij iedereen die hij tegenkwam. En iedereen groette hem terug. Hij was eraan gewend geraakt dat men hem aansprak met 'Hoogheid'. Vandaag viel het hem meteen op dat velen gewoon 'Goedemorgen, meneer König' tegen hem zeiden. Hij ergerde zich daar zelfs aan. De voorbereidingen op het verkiezingsfeest van vanavond waren al in volle gang. Sommigen keken echter niet blij meer. In elk geval was er sprake van een soort ontnuchtering. Iedereen realiseerde zich dat het maar een spel was.

Maar uitzonderingen bevestigden de regel. Mevrouw Volkers was nog steeds in haar element. IJverig commandeerde ze iedereen. Ze had er haar handen aan vol om de 'hofdames' voor het laatste bruisende feest op te doffen met fantastische kapsels en opbollende rokken. 'En u komt vandaag ook nog aan de beurt!' morde ze terwijl de naalden en spelden tussen haar lippen staken. Simon passeerde haar snel en zwaaide alleen even, in de hoop dat ze haar voornemen zou vergeten of dat ze er niet toe kwam omdat ze te lang met al die jonge vrouwen bezig was.

De televisieploegen waren nu overal te vinden. De hele binnenplaats stond vol met reportagewagens. In de zalen, hallen en gangen werden camera's en studiolampen opgesteld. Overal lagen bundels kabels. Enkele grimeurs hadden zich door sommigen van de hofhouding laten overhalen om zich ook te laten schminken, wat ze graag deden.

Na een tijdje keerde Simon terug naar zijn kamers en hij begon met inpakken. Veel werk was dat niet. Hem was beloofd dat iemand zich om zijn boeken zou bekommeren. En zijn gewone kleren waren zo uit de kast gehaald en in de koffer gestopt.

Laat in de ochtend belde hij naar Philadelphia. Hij wilde van Lila weten of ze al wist wanneer Vincent op vrije voeten kwam. Hij kreeg echter haar antwoordapparaat. Waarschijnlijk sliep ze nog; aan de Oostkust was het nog geen zes uur in de ochtend.

Hij liet een bericht achter en maakte zich gereed om te gaan lunchen. Voor de laatste maal allemaal samen aan de grote tafel. Nu stemde hem dat weemoedig.

Ditmaal zat meneer Stiekel bij hem. Simon had de eigenaar van het kasteel nooit lang gesproken. Een babbeltje, meer niet. Jammer, want de man met de stierennek en de flonkerende, ietwat uitpuilende ogen bleek een interessante gesprekspartner. Ze hadden het samen goed naar hun zin. Toen het voor Simon tijd werd om te gaan – de andere gasten werden al ongeduldig, maar Alex stond erop dat niemand eerder dan de koning van tafel mocht; een regel waaraan niet te tornen viel – schudde meneer Stiekel enthousiast zijn hand en zei merkbaar bewogen: 'Het was mij een eer en genoegen om u een tijdje op mijn kasteel te gast te hebben, Koninklijke Hoogheid. Ik hoop dat u de verkiezingen wint.'

Simon bedankte hem en vroeg zich beschaamd af wat deze goedmoedige, beschaafde man van hem zou denken als, zoals gepland, over een paar dagen alles aan het licht kwam en er een politiek schandaal ontstond.

Op de terugweg kwam hij Leo tegen, die kennelijk op hem gewacht had. 'Alex en ik maken nog een grote ronde om de veiligheidsmaatregelen te controleren,' zei hij. 'Maar ik vertel u nu alvast dat we vanavond in besloten kring samenkomen in de rode salon tot de stembuspeilingen en uitslagen binnen zijn. We kunnen dan ons plan trekken voordat we naar de grote feestzaal gaan.'

Simon knikte. 'Dat lijkt mij heel verstandig. Vanaf hoe laat?'

'Halfzes. O ja, ik moet u aan dat telefoontje herinneren. U weet waarover het gaat.' Leo kennelijk niet, want hij keek hem vragend aan.

Simon glimlachte. 'Vertel je broer maar dat ik ermee bezig ben. Over een paar uur weet ik denk ik meer.'

Maar zo lang duurde het niet. Nauwelijks had Simon de deur van zijn kamer achter zich dichtgetrokken of de telefoon ging. Matthias, een van zijn lijfwachten, was aan de lijn. 'Telefoon voor u, Hoogheid. Ene mevrouw Merrit uit de Verenigde Staten.'

'Bedankt,' zei Simon. 'Verbind haar maar door.'


Altijd hetzelfde liedje: Alex was ongerust en Leo maakte notities. Langzaam wandelden ze om het kasteel, liepen door poortgewelven, kamers, gangen en zalen. Alex had verbazingwekkend veel fantasie als het erom ging wat er allemaal mis kon gaan, wat kon vallen, afbreken of omkiepen, waaraan iemand zich kon verwonden, waar brand kon uitbreken en waar en waarover ruzies dreigden te ontstaan.

'... en die kabels daar bevallen me ook niet!' Hij gebaarde heftig naar drie dikke zwarte kabelbundels die gekronkeld voor een keukendeur lagen. Prompt ging zijn mobiele telefoon. 'Dat is draaistroom,' zei hij terwijl hij de telefoon uit zijn zak haalde en naar de verdeelkast wees waar de kabels uit kwamen. 'Zorg ervoor dat ze recht liggen en dat er een drempel komt. Van hout! Ja!' blafte hij in de telefoon.

Opeens klaarde zijn gezicht op. 'Sirona?'

Leo zuchtte terwijl hij noteerde: *keukendeur 2 – draaistroomkabels – drempel (hout!)*. Dit telefoongesprek duurde wel even. Hij wilde zich discreet uit de voeten maken, maar Alex hield hem in de gaten en gebaarde dat hij moest blijven.

'Ik vroeg me al af of je nog leefde,' riep hij in de telefoon. 'Weet je dat vandaag de Bondsdagverkiezingen zijn? Ik dacht dat je...' Hij luisterde met halfopen mond. Op zijn voorhoofd verscheen een rimpel die zich steeds scherper aftekende. 'Hm. Mag ik ook weten waarom?'

Leo hield zich afzijdig en deed of hij de inscripties op de houten balken boven de keukendeur erg interessant vond.

'Luister!' Dat zei Alex altijd als hij écht kwaad werd. 'Realiseer je je wel dat we dit spel hebben georganiseerd om jou tegemoet te komen? Eerlijk gezegd kon ik me destijds niet voorstellen dat je ergens middenin afhaakt en maandenlang niets van je laat horen. Dan mag ik toch wel vragen waarom...'

Hij liet zijn schouders hangen. Er kroop een schaduw over zijn gezicht terwijl hij luisterde.

'Oké,' zei hij uiteindelijk. 'Je doet maar.'

Hij haalde de telefoon van zijn oor en drukte het gesprek weg. Daarna staarde hij argwanend naar het nummer op het display. 'Wat is dat voor een land?' Hij richtte zich tot Leo. 'Het nummer begint met 0042.'

Leo schrok van die vraag. Sinds wanneer ging Alex ervan uit dat hij zoiets wist?

'Ah, wacht, ik weet het.' Alex begreep het opeens. '00421. Dat is Slowakije.'

Leo zette grote ogen op. 'Heeft ze vanuit Slowakije gebeld?'

'Daar lijkt het op.'

'Wat moet ze in Slowakije?'

Alex keek op en staarde voor zich uit. 'Ze heeft me een keer verteld dat de afdeling waar zij werkte naar Slowakije is verplaatst. Men ontsloeg haar om die reden terwijl degene met wie ze het uit had gemaakt afdelingshoofd werd.' Hij keek naar zijn telefoon en zette die uit. 'Of ze moet het allemaal verzonnen hebben.'

Met een zucht schoof Alex zijn mobiele telefoon in de borstzak van zijn overhemd, draaide zich om en keek naar het kasteel en de bedrijvigheid op de binnenplaats. 'Weet je nog dat ze bij ons aanklopte en als een gek tegen ons zeurde dat we iets moesten ondernemen vanwege die maffe cd? Een cd die we nooit gezien hebben. Onbegrijpelijk. Alle moeite die we gedaan hebben... Wat we niet op poten hebben gezet om de boel draaiende te houden! En opeens krijg je een beledigd "ik kan er nu niet over praten" naar je hoofd geslingerd. Onvoorstelbaar!'

Leo keek met een schuin oog naar hem. Nooit had hij beweerd dat hij altijd wist wat er in Alex omging. Nu leek het echter of zijn broer de kleine hoop dat het iets zou worden tussen hem en Sirona definitief begraven had.

# Deel III

De verkiezingen

# Hoofdstuk 41

Verkiezingsdag. U loopt het stembureau binnen. Misschien in de nabijgelegen basisschool of in de raadzaal van het gemeentehuis. In elk geval moet u naar een openbaar gebouw. Het adres staat op uw stemkaart.

Achter lange tafels zitten de medewerkers van het stembureau. Ze controleren uw identiteitsbewijs, zoeken uw naam op in het kiesregister en zetten er een kruisje achter.

In tegenstelling tot vroeger krijgt u geen stembiljet met envelop. In plaats daarvan ziet u in het stemhokje een stemcomputer.

Een zeer gebruiksvriendelijk apparaat dat aan duidelijkheid niets te wensen overlaat. U ziet dat er een stembriefje op bevestigd is, met naast elke kandidaat een toets. Op een sticker staat precies wat u moet doen: op de toets drukken van de kandidaat op wie u stemt. Daarna drukt u op een andere toets om uw keuze te bevestigen. Uw stem is dan geldig en geregistreerd.

Voor de verkiezingen van de Bondsdag – het nationale parlement – telt zoals bekend vooral de *zweitstimme*. De keus is nu aan u.

Als u op de CDU wilt stemmen, lees dan verder op bladzijde 306.
Als u op de SPD wilt stemmen, lees dan verder op bladzijde 307.
Als u op DIE GRÜNEN wilt stemmen, lees dan verder op bladzijde 308.
Als u op de FDP wilt stemmen, lees dan verder op bladzijde 309.
Als u op DIE LINKE wilt stemmen, lees dan verder op bladzijde 310.
Als u op de VWM wilt stemmen, lees dan verder op bladzijde 311.
Als u op een partij wilt stemmen die hier niet genoemd is, sla die bladzijden dan over en lees verder op bladzijde 315.

U wilt op de CDU stemmen. Druk op de toets naast het betreffende vak. Nadat u ook uw *erststimme* hebt uitgebracht, drukt u op de grote toets met het opschrift STEMMEN.

Nu verschijnt het volgende op het afleesvenster:

*U stemt op: CDU.*
*Druk op* AKKOORD *als u uw stem wilt bevestigen. Druk op* ANNULEREN *om opnieuw te stemmen.*

U drukt op AKKOORD. Op het afleesvenster verschijnt:

*U hebt gestemd.*
*U mag het stemhokje verlaten.*

Dat doet u. U neemt afscheid van de verkiezingsmedewerkers. Daarna gaat u naar huis in het besef dat u uw plicht als staatsburger hebt gedaan en dat u meebepaalt wie de komende jaren het land gaat regeren.

Lees verder op bladzijde 315.

U wilt op de SPD stemmen. Druk op de toets naast het betreffende vak. Nadat u ook uw *erststimme* hebt uitgebracht, drukt u op de grote toets met het opschrift STEMMEN.

Nu verschijnt het volgende op het afleesvenster:

*U stemt op: SPD.*
*Druk op AKKOORD als u uw stem wilt bevestigen. Druk op ANNULEREN om opnieuw te stemmen.*

U drukt op AKKOORD. Op het afleesvenster verschijnt:

*U hebt gestemd.*
*U mag het stemhokje verlaten.*

Dat doet u. U neemt afscheid van de verkiezingsmedewerkers. Daarna gaat u naar huis in het besef dat u uw plicht als staatsburger hebt gedaan en dat u meebepaalt wie de komende jaren het land gaat regeren.

Lees verder op bladzijde 315.

U wilt op DIE GRÜNEN stemmen. Druk op de toets naast het betreffende vak. Nadat u ook uw *erststimme* hebt uitgebracht, drukt u op de grote toets met het opschrift STEMMEN.

Nu verschijnt het volgende op het afleesvenster:

*U stemt op: DIE GRÜNEN.*
*Druk op AKKOORD als u uw stem wilt bevestigen. Druk op ANNULEREN om opnieuw te stemmen.*

U drukt op AKKOORD. Op het afleesvenster verschijnt:

*U hebt gestemd.*
*U mag het stemhokje verlaten.*

Dat doet u. U neemt afscheid van de verkiezingsmedewerkers. Daarna gaat u naar huis in het besef dat u uw plicht als staatsburger hebt gedaan en dat u meebepaalt wie de komende jaren het land gaat regeren.

Lees verder op bladzijde 315.

U wilt op de FDP stemmen. Druk op de toets naast het betreffende vak. Nadat u ook uw *erststimme* hebt uitgebracht, drukt u op de grote toets met het opschrift STEMMEN.

Nu verschijnt het volgende op het afleesvenster:

*U stemt op: FDP.*

*Druk op AKKOORD als u uw stem wilt bevestigen. Druk op ANNULEREN om opnieuw te stemmen.*

U drukt op AKKOORD. Op het afleesvenster verschijnt:

*U hebt gestemd.*
*U mag het stemhokje verlaten.*

Dat doet u. U neemt afscheid van de verkiezingsmedewerkers. Daarna gaat u naar huis in het besef dat u uw plicht als staatsburger hebt gedaan en dat u meebepaalt wie de komende jaren het land gaat regeren.

Lees verder op bladzijde 315.

U wilt op DIE LINKE stemmen. Druk op de toets naast het betreffende vak. Nadat u ook uw *erststimme* hebt uitgebracht, drukt u op de grote toets met het opschrift STEMMEN.

Nu verschijnt het volgende op het afleesvenster:

*U stemt op:* DIE LINKE.

*Druk op* AKKOORD *als u uw stem wilt bevestigen. Druk op* ANNULEREN *om opnieuw te stemmen.*

U drukt op AKKOORD. Op het afleesvenster verschijnt:

*U hebt gestemd.*

*U mag het stemhokje verlaten.*

Dat doet u. U neemt afscheid van de verkiezingsmedewerkers. Daarna gaat u naar huis in het besef dat u uw plicht als staatsburger hebt gedaan en dat u meebepaalt wie de komende jaren het land gaat regeren.

Lees verder op bladzijde 315.

U wilt op de *Volksbewegung zur Wiedereinführung der Monarchie* (VWM) stemmen. Druk op de toets naast het betreffende vak. Nadat u ook uw *erststimme* hebt uitgebracht, drukt u op de grote toets met het opschrift STEMMEN.

Nu verschijnt het volgende op het afleesvenster:

*U stemt op:* VWM.
*Druk op* AKKOORD *als u uw stem wilt bevestigen. Druk op* ANNULEREN *om opnieuw te stemmen.*

U drukt op AKKOORD. Op het afleesvenster verschijnt:

*U hebt gestemd.*
*U mag het stemhokje verlaten.*

Dat doet u. U neemt afscheid van de verkiezingsmedewerkers. Daarna gaat u naar huis in het besef dat u uw plicht als staatsburger hebt gedaan en dat u meebepaalt wie de komende jaren het land gaat regeren.

Lees verder op bladzijde 315.

# Deel IV

De koning

# Hoofdstuk 42

Gewis een anachronistische aanblik. In de opulente, barokke balzaal, met muren en plafonds die flonkerden dankzij de vergulde decoraties, bevonden zich mannen in pandjesjassen en vrouwen in weelderige, opbollende baljurken. Ze staarden naar een gigantisch plasmascherm dat zich naast de open haard bevond.

Enkele minuten na de officiële sluiting van de stembureaus kwamen de eerste uitslagen binnen.

'Ze zijn van de kleine kiesdistricten. In sommige ervan waren rond vier uur vanmiddag vrijwel alle stemmen al uitgebracht,' zei een van de presentatoren om de tijd te doden. 'Die stemmen zijn natuurlijk snel geteld en in de uitslagen opgenomen. Daarom zal zo meteen ongetwijfeld meer nieuws volgen...'

'Het opkomstpercentage bij deze verkiezingen is verbazingwekkend hoog,' zei zijn collega. 'Natuurlijk is dat ook te danken aan de verkiezingsstrijd, die tot het laatst toe zeer spannend was. Maar het weer speelt uiteraard eveneens altijd een belangrijke rol...'

'Nu komt het,' viel de eerste presentator hem in de rede.

Op het beeldscherm verschenen zwarte, rode en groene balken van een staafgrafiek.

'We zien op dit moment een nek-aan-nekrace tussen CDU/CSU en SPD. De Grünen blijven steken bij twaalf procent. Maar daar kan nog wel verandering in komen.'

Veel van de feestelijk verklede aanwezigen zuchtten teleurgesteld. Zojuist was de opwinding nog voelbaar in de balzaal. De spanning maakte nu echter plaats voor een soort kille, flauwe ontgoocheling. Nogal wat vrouwen gingen zitten in een van de talloze beklede stoelen die bij de muren stonden. Mannen haalden hun schouders op of maakten op een andere manier duidelijk dat ze wel zo schrander waren dat ze niets anders verwacht hadden.

'Er komen nu meer uitslagen,' zei een presentator.

'Dat gaat snel,' zei zijn collega.

Op het scherm maakten de twee presentatoren plaats voor een kleurrijke staafgrafiek tegen een grijze achtergrond. Zwart... rood...

En blauw.

'Is dat een foutje?' vroeg een van de presentatoren. 'Dat lijkt blauw. Moet dat niet... Ah, ik hoor net van de regie dat het geen foutje is.'

'Maar waar staat blauw voor?'

Er viel een ademloze stilte. 'Blauw staat voor de VWM.' Iemand schraapte zijn keel. 'Beste kijkers, dit is een echte verrassing. Het ziet ernaar uit dat de *Volksbewegung zur Wiedereinführung der Monarchie*, de partij die zich in de afgelopen weken mocht verheugen in zoveel media-aandacht, meer aanhang heeft gekregen dan de deskundigen voor mogelijk hielden.'

'Dan is de VWM niet langer een kleine, marginale partij.'

'Inderdaad. Het wordt een ander verhaal als je bijna 23 procent van de stemmen krijgt.'

Zijn woorden verdronken plotseling in gejuich. De feestgasten staken hun armen omhoog, schreeuwden, hosten, sloegen een hand voor de mond of vielen elkaar om de hals. Niemand was blijven zitten, iedereen stond nu. De sfeer was niet meer stuk te krijgen.

'Pst!' werd er geroepen. 'Stil!' Er kwamen weer meer uitslagen binnen. Ademloos stond iedereen te kijken naar het grote scherm, velen met gevouwen handen.

Was dit alleen maar een misser? Een flauwe grap? Een rekenfout?

Opnieuw verscheen er een staafgrafiek. Zwart. Rood.

En weer blauw. Opluchting. Het blauwe balkje werd langer, steeds langer...

'De VWM gaat gelijk op met de grote volkspartijen,' constateerde de presentator, die hoorbaar moeite had om zijn kalmte te bewaren. 'Volgens mij heeft niemand daar rekening mee gehouden. Deze prognose betekent dat een nog zeer jonge partij meteen de belangrijkste politieke factor van Duitsland is geworden.'

'Dat kan nog wat worden tijdens de onderhandelingen over de coalitievorming,' grapte zijn collega. 'We krijgen nu een heel ander plaatje voorgeschoteld.'

'De vraag werpt zich nu al op hoe het buitenland zal reageren. Ook als de VWM de doelen die ze nastreeft niet kan waarmaken, ondanks dit respectabele en stilaan ongelofelijke resultaat, en Duitsland dus geen koning krijgt, zal alleen al het woord "monarchie" oude haatgevoelens oprakelen.'

'Vooral de buurlanden zullen bij het horen ervan meteen denken aan keizer Wilhelm en de rampzalige Duitse grootheidswaan voor de Eerste Wereldoorlog, en aan kreten als "We maken geen krijgsgevangenen"...'

Enkele feestvierders waren aan het hossen geslagen. 'Simon! Simon! Simon!' scandeerden ze. Steeds meer mensen volgden hun voorbeeld. Uiteindelijk was de zaal gevuld met spreekkoren.

Weer kwamen er uitslagen binnen.

Ditmaal was de eerste balk van de staafgrafiek blauw.

En blauw bleef maar stijgen.

'Ik ben sprakeloos,' gaf de presentator toe. '50,3 procent! De VWM heeft de absolute meerderheid! Dames en heren, u ziet dat ik verbijsterd ben. Deze aardverschuiving is uniek in het Duitse politieke landschap. Is deze trend nog te keren? Ik zie dat onze statistici ook niet meer weten wat ze ervan moeten denken. Iedereen krabt zich achter de oren...'

'Dit kun je met recht een historische dag noemen.' De andere presentator schoot zijn collega te hulp. 'Zoals het er nu naar uitziet, gaat deze gloednieuwe partij dit land regeren.'

Bij de buffettafels klonk uitbundig gejuich, met daarbovenuit het gerinkel van glazen. Champagnekurken knalden. Iedereen riep door elkaar heen, er werd hard gelachen.

Het bandje, ook in rococokleding gestoken, ging het podium op. Klassieke instrumenten, zoals de viool en de klavecimbel, stonden eendrachtig naast synthesizers, een drumstel en elektrische gitaren.

'Er komen weer uitslagen binnen!' riep iemand.

'Stilte!' schreeuwde iemand anders.

De rust keerde natuurlijk niet terug. Maar de presentatoren waren in elk geval weer te verstaan.

'De einduitslag moet nu toch langzaam in zicht komen,' klonk het nogal benepen uit de luidsprekers.

De blauwe balk van de staafgrafiek werd langer... steeds langer...

De andere kleuren bleven ver achter.

'66,8 procent van de zweitstimmen is voor de VWM,' bulderde de andere presentator. 'Ongelofelijk! Als er geen verschuivingen ontstaan door *direkt-* of *überhangmandaten* betekent dit dat de VWM een tweederde meerderheid in de nieuwe Bondsdag zal krijgen.'

'En dat er sowieso wijzigingen in de grondwet kunnen worden aangebracht.'

'En dat Duitsland mogelijk weer een koning krijgt...'

Het bandje zette in, alsof er op die woorden gewacht was. Champagne-glazen werden neergezet, stelletjes begonnen te dansen. De camera's van de televisieploegen stonden opgesteld in de hoeken van de zaal en namen alles op. Op het grote plasmascherm verschenen de voorzitters van de huidige partijen in de Bondsdag. Bleek en radeloos of strijdlustig en grimmig zochten ze naar verklaringen voor wat er gebeurd was in politiek Duitsland. Maar hun commentaar kwam niet meer boven het kleurrijke feestgedruis uit.

Ze waren slechts met z'n vieren in de rode salon. Alex zat breeduit op de canapé, Leo stond bij de deur, Root hing in een oorfauteuil en Simon had plaatsgenomen in een beklede leunstoel. Alex had Sirona verwacht, maar ze was nog niet komen opdagen.

Het feestgedruis klonk vaag, ver weg, met de bas van het bandje boven alles uit. Op de tafel stonden twee zilveren dienbladen met belegde broodjes. Er was amper van gegeten.

Toen ze op het televisiescherm voor de derde maal het staafdiagram zagen – de blauwe balk werd almaar langer terwijl de zwarte, rode, groene en gele balkjes leken te krimpen – stond Root op, maakte de champagnefles open en vulde zichtbaar tevreden de glazen.

'En?' zei hij tegen Alex terwijl hij hem een glas gaf. 'Heb ik gelijk gekregen of niet?'

Alex zweeg en keek hem niet aan. Hij nam slechts een slok.

Simon staarde geschokt naar de tv. Tijdens de vele discussies, verklaringen en betogen dacht hij de omvang van het probleem begrepen te hebben. Nu pas drong het tot hem door welke dimensies dit fenomeen had en altijd had gehad. Het ging om niets minder dan dat een eenvoudig computerprogramma – een spitsvondig uitgedachte reeks tekens, in zekere zin een tekst, eigenlijk niets om je druk over te maken – in staat was de loop van de geschiedenis te veranderen. En dat die verandering dankzij virtuele tekens meer tot stand kon brengen dan een oorlog! Het was dus mogelijk om een omwenteling, een revolutie, een staatsgreep op een computer voor te bereiden, door er de geschikte software voor te maken!

Hij ging rechtzitten. 'Goed. Nu we dit weten, krijgen we te maken met een leger van verslaggevers. Nog afgezien van de televisieploegen die hier al rondlopen. Het wordt dus hoog tijd om ons plan te trekken.' Simon staarde naar zijn glas. 'Vandaag heb ik te horen gekregen dat mijn zoon morgenvroeg op vrije voeten komt. Zijn moeder heeft me beloofd dat ze er bij hem op zal aandringen dat hij meteen de Verenigde Staten verlaat. Ik ga ervan uit dat Vincent morgenavond geen gevaar meer loopt. We hebben dus vrij spel. Ik stel voor dat we vandaag aankondigen dat we overmorgen een persconferentie houden. Iedereen heeft dan tijd genoeg om alles in stelling te brengen en we hebben maximale aandacht op het moment dat het nieuws inslaat als een bom.'

Niemand zei iets. Simon keek geërgerd op. Iedereen staarde hem onbewogen aan. Merkwaardig.

'Ik denk niet dat het zo zal gaan,' zei Root gezapig terwijl hij weer naar de champagnefles reikte.

Alex keek op. Zijn onderkaak was gespannen, waardoor zijn kin er nog hoekiger uitzag. Simon moest plotseling denken aan de avond dat hij als Djengis Khan verkleed was. 'Dit is anders gelopen dan we gedacht hadden,' zei hij nuchter. 'We laten niets inslaan als een bom. We hebben de verkiezingen gewonnen. Dus gaan we ook regeren.'

# Hoofdstuk 43

Simon keek iedereen een voor een aan. Dit was een geintje, geen twijfel mogelijk. Maar de grap was niet zodanig gebracht dat hij erom kon lachen.

Hij schraapte zijn keel. 'Goed. Dit grapje zat er natuurlijk aan te komen. Maar in alle ernst...'

'We hebben gewonnen,' viel Root hem in de rede. 'Zege. Triomf. We hebben ze alle hoeken van de kamer laten zien.' Hij hief het glas. 'Op het Duitse koninkrijk.'

Simon schudde afkeurend zijn hoofd. 'Van een overwinning is geen sprake, dat weet je heel goed. Er is foute software ingezet. De uitslag is het gevolg van het feit dat er meer stemcomputers zijn gebruikt dan we verwacht hadden.'

'Dat betwijfel ik,' riep Alex. Hij sprong uit zijn stoel. 'Hoe moet dat dan gegaan zijn? Denkt u daar maar eens over na.' Hij begon te ijsberen tussen de tafel, de canapé en de open haard en gebaarde opgewonden. 'We zijn ervan uitgegaan dat Zantini aan de stemcomputers heeft gerommeld. Dat hij er dus software in heeft gedaan die uw zoon geschreven heeft. Maar hoe moet hij dat dan voor elkaar hebben gekregen? Hebt u zich dat al eens proberen voor te stellen? Een man die in zijn eentje ongemerkt aan duizenden stemcomputers knutselt. Hoe ziet u dat voor zich?' Hij haalde zijn rekenmachientje tevoorschijn. 'Dat hebben we zo uitgerekend. Zelfs als hij voor elke stemcomputer maar een minuut nodig heeft om de software erop te zetten[1], en als hij dat tempo kan volhouden, heeft hij voor duizend apparaten zestien komma zes uur nodig, en voor tienduizend stem-

---

[1] Op een video is te zien hoe een EPROM in een NEDAP-stemcomputer binnen 60 seconden vervangen kan worden. Zie http://www.youtube.com/watch?v=rtiqwAWu-DU

computers 166 uur. Dat is bijna een hele week zonder een seconde slaap, en de reistijd niet meegerekend! En hij zal flink hebben moeten reizen want de stemcomputers staan niet op een kluitje bij elkaar maar zijn over heel Duitsland verspreid. Nog afgezien van het feit dat ze normaal gesproken ergens achter gesloten deuren zijn opgeslagen en dat slechts een handvol mensen weet waar ze staan. Ook al verdient Zantini de kost met goochelen, dit is simpelweg onmogelijk.'

'Hoe verklaar je dan deze verkiezingsuitslag?' vroeg Simon.

'Heel eenvoudig!' Alex stak zijn armen uit. 'U kwam als koning overtuigend over! De mensen willen u op de troon, zo simpel is dat!'

'Dat geloof ik niet,' zei Simon.

Alex ging voor hem staan. 'Legt u mij dan maar eens uit hoe Zantini dat geflikt heeft.'

'Dat weet ik ook niet. Misschien waren er andere mogelijkheden.'

'Welke? Ik heb de nodige verbeeldingskracht, maar in dit geval pas ik. In tienduizend stemcomputers moest een chip worden vervangen door een andere.' Hij keek Root aan om hulp. 'Ga er maar aan staan, zo is het toch?'

Root knikte. 'Precies.'

'Nee, weet u wat ik denk?' zei Alex. 'Zantini heeft de verkiezingen in Hessen naar zijn hand gezet. Het ging immers om slechts een handjevol stemcomputers. Dat is te doen. Daar is het hem gelukt een van de partijen over te halen om hem bij de nationale parlementsverkiezingen ruim baan te geven. Vervolgens is hij er met het geld vandoor gegaan. Een paar miljoen zal hij wel gekregen hebben. Zijn oude dag kan niet meer stuk. Wat kan die partij doen? Hem aanklagen? Zeker niet!' Hij schoot in de lach. 'Een perfect plan! Maar ons project staat daar los van.'

Simon schudde zijn hoofd. 'Dat was niet de afspraak. Er is nooit sprake van geweest dat ik echt koning zou worden. Het was maar een spektakel waar de media mee aan de gang konden. Zelfs dat was aanvankelijk niet de bedoeling toen we het er samen, ook jij en Sirona, over hadden.'

'Sirona? Puh!' zei Alex fel. 'Wanneer hebt u haar voor het laatst gezien of gesproken? Hm? Zij is inmiddels met andere dingen bezig. Zij speelt hierin geen enkele rol meer.'

Simon legde zijn armen over elkaar en merkte dat een verlammend gevoel zich van hem meester maakte. Was het angst? Maar waarvoor dan? Voor de verantwoordelijkheid die hij als koning zou hebben?

'Het kan wel zo zijn dat ik een paar weken lang voor koning heb gespeeld. En ik kwam min of meer innemend en overtuigend over. Maar wat dan nog? Dat wil hoogstens zeggen dat ik misschien eigenlijk acteur had moeten worden. Ik ben maar...' Hij zweeg even toen hij zich ervan bewust werd wat hij wilde zeggen. Ik ben maar een gewone burger. Hoe kwam hij daarbij? Begon hij nu zelf ook over afstamming en adellijke afkomst? Nee, dat zou hij niet doen.

'Ik kan dat niet,' zei hij tam.

Het rumoer op de binnenplaats klonk door tot op de bovenverdieping. Er werd geroepen, geschreeuwd, gejuicht en gelachen.

Alex boog zich naar voren. Zijn glimlachje was innemend en welwillend. 'U bent historicus. U hebt kijk op de geschiedenis. Ik ken alleen de huidige generatie politici, maar ik wed dat er in het verleden veel slechte, domme en incompetente koningen zijn geweest. U zult het beter doen dan de rest.' Hij stak zijn hand uit. 'Kom. Het volk wacht op u. We gaan naar beneden. Het is feest.'

'Nee, zonder mij,' zei Simon. Zijn stem trilde.

Alex was niet onder de indruk. 'Het is maar een spel,' zei hij. 'Ik gaf een tijdje geleden het startsein en merk nu dat het een fantastisch spel is. Ik wil alleen maar dat er doorgespeeld wordt.'

'Dit gaat te ver. Dit is geen spel meer.'

Alex schudde zijn hoofd. Een begripvolle berisping. 'Uiteindelijk is alles maar spel, meneer König.'

Er werd beneden harder gejuicht. De eerste spreekkoren dienden zich aan. 'Simon! Simon! Simon!'

De plotselinge stilte in de kamer werd daarentegen bijna ondraaglijk. Simon wist echter niet wat hij er verder nog aan moest toevoegen. Hij ademde opgelucht uit toen de telefoon van Leo ging en de ban gebroken werd.

'Ja,' hoorde hij hem zeggen. 'Oké, breng haar maar naar boven. Rode salon. Precies.' Leo keek Simon aan en zei: 'Uw vrouw is gekomen.'

Ook dat nog. Simon stond op. Hij voelde zich hulpeloos, uitgeleverd, stokoud.

Prompt stormde Helene naar binnen en viel hem om de hals. Haar gezicht was nat van de tranen. 'O, Simon,' zei ze. 'Ik hoorde het op de autoradio, ik was bijna hier. Goeie genade, dit is ongelofelijk. Het is je gelukt, Simon. Het is je gelukt.'

Simon hield haar stevig vast. Hij voelde haar warmte, haar nabijheid, zoals ze overspoeld werd door geluk. Tegelijkertijd zag hij het flauwe glimlachje van Alex. Simon realiseerde zich, een kristalhelder besef, dat dit het moment was om hier en nu alles uit te leggen.

Maar hij kon het niet over zijn hart verkrijgen.

'Het volk wil u zien, Koninklijke Hoogheid,' zei Alex zalvend. Hij opende de balkondeuren.

Ik ben geen koning, dacht Simon.

Helene keek naar hem op. 'Ja, Simon,' zei ze fluisterzacht. 'Ga nu.'

Een koning moet karakter tonen en de waarheid vertellen.

Hij liet Helene los en stapte het balkon op, aarzelend, alsof hij door een moeras liep. Daar stond hij dan. De koele avondlucht waaide om hem heen. Gejuich. Hij zwaaide moe, nam de huldiging, het gejubel en enthousiasme in ontvangst. Het was maar een spel. Voor de jongelui met hun fakkels, op de binnenplaats, was het slechts een spel.

Toch was hij daar niet zeker van. Misschien was de grens tussen spel en realiteit inmiddels vervaagd.

Bovendien moest hij zijn mond houden over de ware achtergronden. Vincent was immers nog niet op vrije voeten en dus niet in veiligheid.

Natuurlijk hield hij zichzelf voor de gek. Dat besefte hij maar al te goed. Misschien kon hij het later als excuus gebruiken.

Op de dag voordat hij op vrije voeten werd gesteld, moest Vincent zich nog een keer melden op het kantoor van de gevangenisdirecteur.

Dat verbaasde hem niet. Hij had dat zelfs verwacht en zich daar ook op voorbereid. Hij vond het verstandig om al zijn sporen te wissen voordat hij de poort uitliep, de vrijheid tegemoet. Hij moest die venijnige applicatie verwijderen en daarna uitroepen: 'Ah! Ik heb de bug gevonden! Eindelijk!' De directeur kon dan een zucht van verlichting slaken.

Vincent had niet verwacht dat in plaats van de altijd grimmige gevangenisdirecteur twee jonge, gladgeschoren mannen aan diens bureau zaten. Ze keken hem onbewogen aan en vroegen hem de deur dicht te doen en plaats te nemen. Ze stelden zich voor als meneer Miller en meneer Smith.

'Oké, waar gaat het over?' vroeg Vincent. Hij voelde zich steeds minder op zijn gemak.

Miller vouwde zijn handen. Het had iets gekunstelds. 'Fascinerend wat u met de pc van de directeur hebt uitgehaald.'

'Niet iedereen kan met een eenvoudige debugtool uit de losse hand een virus schrijven,' voegde Smith eraan toe.

Vincent kreeg er knikkende knieën van. Ze hadden de pc zo geraffineerd in de gaten gehouden dat hij dat niet gemerkt had! Ongetwijfeld hadden ze op hardwareniveau een monitoringsysteem aangesloten, waardoor alles wat hij had ingetikt was opgeslagen.

'Neemt u toch plaats,' zei Miller. Hij wees naar de stoel die voor hem klaarstond. De man had kortgeknipt zwart haar. Smith was asblond. Maar in hun peperdure, antracietkleurige pakken zagen ze eruit als tweelingen.

'Ik wilde alleen maar, af en toe, weer achter een computer zitten... begrijpt u?' Wie waren die mannen? Welk spelletje werd hier gespeeld? 'Misschien ben ik er verslaafd aan. Dat zou best kunnen. En eerlijk, als de directeur mij niet geroepen had, was er niks gebeurd! Het was gewoon... nodig.' Onhandig geformuleerd, maar iets anders kon hij op dat moment niet verzinnen.

Smith vouwde nu eveneens zijn handen. 'De medegedetineerde die u voor de grap naar de toilettendienst hebt overgeplaatst, ondanks het feit dat hij allergisch is voor reinigingsmiddelen, ligt nu met longschade in de ziekenboeg. Was dat ook "nodig"?'

'Allergie?' Vincent verstarde. 'Dat wist ik niet.'

Ze knikten griezelig onverschillig.

'U bent van veel dingen niet op de hoogte,' zei Miller.

Vincent had de neiging om eveneens zijn handen te vouwen. Hij liet dat echter achterwege. Ze konden immers gaan denken dat hij hen voor de gek hield. Hij legde zijn handen op zijn knieën, om ze er niet meer af te halen.

'En nu?' vroeg hij.

'Morgen wordt u vrijgelaten,' zei Smith. 'We willen dat u daarna met ons samenwerkt.'

'U mag dat beschouwen als een opdracht,' lichtte Miller toe. 'Als u zich goed van uw taak kwijt, is alles vergeven en vergeten.'

'U kunt natuurlijk ook weigeren,' zei Smith. 'Of doen alsof, terwijl u er met de pet naar gooit of er helemaal niet mee bezig bent. In dat geval sporen we u op en komt u weer voor de rechter. Dan zal het vonnis niet mild zijn, dat beloof ik u nu al. U ziet de zon dan pas weer als u oud en versleten bent.'

'Als u al vrijkomt,' voegde Miller eraan toe.

Vincent staarde de twee mannen aan. De geblokkeerde pc van de directeur was dus een val geweest. Hij was erin getuind.

'Oké,' zei hij. 'Wat moet ik doen?'

'Interessant,' zei Simon terwijl hij zijn spullen weer uit de koffer haalde en in de kast legde. 'Natuurlijk kun je dat "persoonsbescherming" noemen, maar in feite zijn we gevangenen.' Hij bleef roerloos staan, keek peinzend voor zich uit, haalde zijn schouders op en ging verder met wat hij aan het doen was. 'Zo is het in wezen. Iemand die een lijfwacht heeft, mag zich geen vrij mens noemen.'

Helene zat nog steeds op het bed. Ze keek naar hem en begreep niet waar hij het over had.

Eigenlijk snapte ze überhaupt niet wat er aan de hand was. Het was zonet toch geweldig geweest op het balkon? Op de binnenplaats werd gejuicht, met fakkels gezwaaid en 'hoera!' geroepen. Precies zoals ze zich dat had voorgesteld. Maar waarom waren ze nu hier met z'n tweetjes terwijl er beneden gefeest werd? Een dienblad met broodjes hadden ze gekregen, dat was alles.

En wat bedoelde Alex eigenlijk toen hij zei dat hij de verhuizing naar Berlijn moest voorbereiden? Natuurlijk, Berlijn was de hoofdstad van Duitsland. Maar het klonk of hij daar alleen naartoe ging. Zonder Simon, die toch de toekomstige koning was. Ze begreep het niet.

Ze had een triomftocht verwacht. Een toespraak. En daarna...

Ja, en daarna? Hoe ging een kroning eigenlijk in zijn werk? In de tijd dat ze nog redactrice was, waren er slechts twee Europese koningen gekroond. Grappig genoeg heetten ze beiden Albert. De Belgische koning Albert II volgde in 1993 zijn kinderloze broer Boudewijn op. In die tijd was Helene nog typiste voor de rubrieken Tuin en Recepten. Het zou nog lang duren voordat ze zelf in de gelegenheid was om persoonlijk verslag te doen van een troonsbestijging. Maar toen in 2005 koning Albert II van Monaco aan de macht kwam, was zij allang hoofdredactrice en zelf een soort koningin – van de uitgeverij. Ze zat zo tot over haar oren in het werk dat ze iemand anders moest sturen. Ze had daar altijd spijt van gehad.

Simon zei dat die troon helemaal nog niet bestond. Die moest eerst zogezegd gecreëerd worden. Dat maakte alles natuurlijk een stuk ingewikkelder.

'De zaak is uit de hand gelopen.' Simon stopte zijn koffer weer onder in de kast. 'Het spijt me dat ik je daarbij betrokken heb.'

Helene keek naar hem met het gevoel dat ze iets gemist had. 'Waar heb je het over? Je bent gekozen tot koning! Ben je dan niet blij? Waarom gedraag je je opeens weer als de mopperpot van vroeger?'

'Daar gaat het nou net om. Ik ben niet gekozen. Het is allemaal bedrog.'

'Bedrog? Wat bedoel je?'

Simon ging naast haar zitten en zuchtte. 'Dat is een lang verhaal.'

Helene keek om zich heen en zag het dienblad met broodjes en de fles wijn. 'Volgens mij hebben we alle tijd van de wereld.'

Simon vertelde haar alles. Ze hadden inderdaad alle tijd van de wereld. Hij begon over de cd, vertelde over de diefstal, het plan dat ze hadden uitgedacht en hoe hij in dat televisiespotje terecht was gekomen. Ook de details liet hij niet achterwege, bijvoorbeeld hoe Zantini hem die cd afhandig had gemaakt.

'Had hij het echt over je ex, over mij dus?' viel Helene hem verbluft in de rede toen hij uitlegde dat Zantini zogenaamd gedachten kon lezen.

'De kunst van de magie,' zei Simon schouderophalend. 'Werken met illusies. Maar op dat moment dacht ik echt dat hij wist wat er in me omging. Pas veel later realiseerde ik me dat hij rustig rond had kunnen kijken als hij vóór mij in mijn woning was geweest. Je hoeft de la van mijn bureau, rechtsboven, maar open te trekken en je vindt alles wat er over mij te weten valt.'

Helene hing aan zijn arm. 'Je bent nu eenmaal iemand die alles netjes opruimt. Altijd al zo geweest.'

Daar kon ze wel eens gelijk in hebben. Simon probeerde haar uit te leggen waarom die geheimhouding zo belangrijk was. Het plan zou gegarandeerd zijn verijdeld als het voortijdig was uitgelekt. Bovendien had hij dan ook Vincent in gevaar gebracht.

'Levenslang?' Helene kon het niet begrijpen. 'Voor zo'n wissewasje?'

Simon haalde zijn schouders op. 'Tja, de Verenigde Staten. Wie begrijpt het rechtssysteem van de Amerikanen nog?'

Helene pakte het dienblad met de broodjes en begon te eten terwijl hij de fles wijn ontkurkte en verder vertelde. Toen hij zijn verhaal gedaan had, was het dienblad leeg en de fles iets minder dan halfvol.

'Een computerprogramma waaraan geknutseld is?' Ze snapte het niet, kon zich daar niets bij voorstellen.

'Krankzinnig, hè?'

Helene schudde haar hoofd. 'Is het überhaupt mogelijk om die software in duizenden stemcomputers te stoppen?'

'Geen idee. Maar op de een of andere manier moet het gelukt zijn. Anders zouden we gegarandeerd een andere verkiezingsuitslag hebben gehad. Het is nog nooit gebeurd dat één partij een tweederde meerderheid kreeg, waarbij we de DDR en de verkiezingsuitslag van de SED destijds even buiten beschouwing laten.' Simon zuchtte. 'Het wil er bij mij niet in dat Duitsland nog steeds ongehoord veel monarchisten telt of dat ik zo charismatisch ben.'

Hij keek naar Helene zoals ze daar zat en zijn verhaal probeerde te begrijpen. Zou ze teleurgesteld zijn en hem verlaten? Zou ze het hem vergeven dat hij haar niet van het begin af aan had verteld hoe het zat?

Uiteindelijk boog Helene zich naar voren, pakte het wijnglas dat ze op de vloer had gezet en zei vastbesloten: 'Al is de leugen nog zo snel, de waarheid achterhaalt haar wel. Als er bedrog in het spel is, zal het op een dag ook aan het licht komen.'

De volgende dag drongen alle partijen die in de Bondsdag vertegenwoordigd waren aan op een toetsingsprocedure[2].

---

[2] Uit het Wahlprüfungsgesetz (WprüfG), gepubliceerd (bewerkte versie) in het *Bundesgesetzblatt* deel III, indelingsnummer 111-2:
Artikel I, lid 1: Over de geldigheid van de verkiezingen van de Bondsdag kan een klacht worden ingediend conform artikel 41, lid 2GG van de Bondsdag.
Artikel 2, lid 1: Een controle volgt nadat er bezwaar is aangetekend. Lid 2: Iedere kiesgerechtigde (...) kan bezwaar aantekenen.

# Hoofdstuk 44

Vrijgelaten worden uit de gevangenis betekende dat precies de omgekeerde procedure werd gevolgd als bij binnenkomst. Alleen bevond zich voor de poort geen bus maar een auto, waar zijn moeder en Bruce op hem stonden te wachten.

Toen ze hem omarmde, kreeg hij de indruk dat ze kleiner was geworden. Was ze gekrompen? Hoelang al? Hij wist het niet.

Ze had de tranen in de ogen staan. 'Ik moet van je vader zeggen dat hij je zo snel mogelijk in Europa wil hebben. Het heeft met een cd te maken die je hem ooit hebt opgestuurd. Ook moet ik tegen je zeggen dat hij... wacht... hij moet openbaar maken, zo zei hij, dat jij in deze zaak verwikkeld bent en dat je je dan niet meer in de Verenigde Staten moet ophouden. Snap jij wat hij bedoelt?'

Vincent aarzelde. 'Ik vrees dat ik niet goed meer op de hoogte ben van wat er allemaal speelt.'

Bruce had *The Philadelphia Inquirer* van vandaag bij zich. Berichten uit het buitenland haalden in die krant hoogstzelden de voorpagina. Maar de kop van die dag was: DUITSLAND WORDT WEER EEN MONARCHIE.

Vluchtig las Vincent het artikel, ook het vervolg op een andere bladzijde. Toen hij las welke partij de verkiezingen had gewonnen – de VWM – realiseerde hij zich langzaam wat er aan de hand was.

'Ik snap het.' Vincent gaf hem de krant terug.

'O ja? Snap jij het wel?' vroeg Bruce. 'Geweldig. Kon ik dat ook maar zeggen. Nee, leg het me alsjeblieft niet uit,' weerde hij af. 'Ik kan maar beter van niets weten.' Hij haalde een plastic mapje met het embleem van een luchtvaartmaatschappij tevoorschijn. 'Je vader wond er geen doekjes om, dus heb ik alvast een ticket voor je gekocht. Een open ticket. Je kunt dus vertrekken wanneer je wilt. Misschien is het beter om zo snel mogelijk op het vliegtuig te stappen.'

Vincent nam het mapje van hem over en hield plotseling zijn adem in toen hij de vele bankbiljetten zag.

'Een startkapitaaltje,' zei Bruce. 'Betaal me maar terug als je de prins van Duitsland bent geworden.'

'Prins van... wat?' Misschien begreep hij deze kwestie minder goed dan hij dacht.

Bruce zette de kraag van zijn jas omhoog. Een kille wind liet het droge stof wervelen. 'Als je vader het tot koning van Duitsland schopt, zou het zomaar kunnen gebeuren dat jij kroonprins wordt. Je bent wel een onecht kind... vroeger noemde je dat een bastaard... maar wel zijn enige koter. Hij bevindt zich in de gelukkige omstandigheid dat hij de Duitse grondwet min of meer naar zijn hand kan zetten. Zover is het nog niet, maar het zit er volgens mij wel aan te komen.'

'Prins van Duitsland?' zei Vincent. Dat klonk niet slecht. Bijna als 'wereldheerser'.

'Ook in dat geval zul je naar Europa moeten.' Bruce stak op schoolmeesterachtige wijze zijn vinger op. 'Als advocaat moet ik je erop wijzen dat je als Amerikaans staatsburger niet het recht hebt om adellijke titels te dragen. In elk geval niet op Amerikaans grondgebied.'

Vincent dacht na. Hij stak het mapje in zijn binnenzak, pakte zijn tas en zei: 'Oké, misschien is het beter dat je me meteen naar de luchthaven brengt.'

Prompt barstte zijn moeder in tranen uit.

Bruce legde een arm om haar heen. 'De wereld is klein, we gaan hem opzoeken,' sprak hij op haar in, alsof ze een kind was dat troost nodig had. 'Dat wordt sowieso hoog tijd, want jij bent Pennsylvania nog nooit uit geweest.'

Ze reden hem naar de luchthaven. Zoals gewoonlijk was er ook die maandagochtend op Philadelphia International Airport geen parkeerplekje meer vrij. Ook stond er een file op de afrit naar de vertrekhal.

Vincent pakte zijn tas. 'Ik heb liever dat jullie niet meegaan naar binnen.'

Bij het afscheid werden er weer tranen weggepinkt. Dat hield pas op toen er langzaam beweging kwam in de file en Vincent uitstapte op de vluchtstrook. Hij zwaaide tot ze uit het zicht verdwenen waren, waarna hij de dichtstbijzijnde draaideur nam en naar de ticketbalie liep.

'De volgende vlucht naar Orlando, Florida.' Vincent haalde het mapje dat Bruce hem had gegeven uit de binnenzak van zijn jas. 'Ik betaal contant.'

De zitting van de toetsingscommissie was zoals voorgeschreven openbaar. Zelden was er zoveel media-aandacht geweest voor een kwestie of gebeurtenis.

Politici van alle partijen deden dus hun best om hun zegje te doen voor deze commissie. 'De verkiezingsuitslag wijkt sterk af van wat te verwachten viel,' herhaalde een partijvoorzitter. Op de verkiezingsavond had hij dat al gezegd voor elke camera die op hem gericht was. 'Er is iets niet in de haak en dat moeten we laten onderzoeken met alle middelen die we in onze rechtsstaat tot onze beschikking hebben.'

Conform de wettelijke bepalingen[1] liet de toetsingscommissie eerst de deugdelijkheid van de gebruikte stemcomputers controleren en bepalen of deze apparaten binnen de geldende normen en voorschriften functioneerden.

De resultaten waren niet geheel van dien aard dat de twijfelaars geen kritisch commentaar meer hadden. Bouwtechnisch bleken de stemcomputers volledig in overeenstemming te zijn met de *Bundeswahlgeräteverordnung*[2], dus conform het door de *Physikalisch-Technische Bundesanstalt* getoetste modelapparaat waarop de toelating was gebaseerd. Tijdens deze controle, waarvan de kosten voor rekening waren van de eigenaars van de stemcomputers[3], ofwel de gemeenten die deze stemcomputers hadden aangeschaft en gebruikt, kwam bovendien vast te staan dat de software in de EPROM's identiek was aan de versie die door de fabrikant was geleverd.

Er waren kortom geen onregelmatigheden vast te stellen.

'Dat is onmogelijk,' zei een commissielid, dat daarna wegens publieke partijdigheid vervangen moest worden.

'Laten we het anders stellen,' zei de voorzitter nadat dat probleem uit de wereld was geholpen en de rust was weergekeerd. 'We moeten ons afvragen of er sprake zou kunnen zijn van onregelmatigheden en of de geldende en toegepaste bepalingen voldoende zijn geweest om die onregelmatigheden bloot te leggen.'

Ook om deze vraag te beantwoorden werden ter zake kundige technici, ingenieurs, hoogleraren en softwareontwikkelaars gehoord.

---

[1] Uit artikel 3, lid 2 van het Wahlprüfungsgesetz (WprüfG): 'De toetsingscommissie bestaat uit negen gewone leden, negen plaatsvervangers en vaste adviserende leden van de fracties die niet door de gewone leden vertegenwoordigd zijn. De Bondsdag kan uit de fracties van de volksvertegenwoordiging in de Bondsdag, conform het huisreglement, bovendien een extra adviserend lid kiezen.'

[2] BwahlGV: Besluit over de inzet van stemcomputers bij verkiezingen van de Duitse Bondsdag en de Duitse volksvertegenwoordiging in het Europese Parlement van 3 september 1975 (BGBl. I blz. 2459), voor het laatst gewijzigd door artikel 1 van het Besluit van 20 april 1999 (BGBl. I blz. 749).

[3] Conform artikel 2, lid 4 BWahlGV.

In principe waren de richtlijnen in bijlage 1 van de Bundeswahlgeräte-verordnung niet alleen doelmatig maar ook volledig. Van manipulatie, van welke aard dan ook, was met andere woorden geen sprake. In punt 2.1 stond immers uitdrukkelijk dat een stemcomputer zodanig geconstrueerd moest zijn 'dat een verandering van de hardware en de geïnstalleerde software door onbevoegde derden niet onopgemerkt zou blijven'.

Inderdaad, een geweldig voorschrift, vond een coryfee uit de informatietechnologie. Als dat zo was, stond de betrouwbaarheid van het systeem natuurlijk buiten kijf.

'Betekent dat dat het technisch uitgesloten is dat er bij de Bondsdagverkiezingen van afgelopen zondag fraude is gepleegd?'

De deskundige keek verontwaardigd. 'Dat heb ik niet gezegd.'

'Maar u hebt zojuist verklaard...'

'... alleen dat het een mooi voorschrift is. Het is echter nog maar de vraag hoe alles in de praktijk uitpakt! In de genoemde bijlage is alles zo fraai geformuleerd dat het lijkt of een onoplosbaar probleem is opgelost. Het voorschrift heeft kort gezegd namelijk maar één doel: verhinderen dat er verkiezingsfraude wordt gepleegd met stemcomputers. Maar als je de juridische woordenkraam weglaat, wat hou je dan over? Het eenvoudige voorschrift dat een stemcomputer zodanig gebouwd moet zijn dat die niet te manipuleren is. Dat is alles. Er staat geen woord in over hoe je ervoor zorgt dat er geen fraude gepleegd kan worden! Dat is ook geen wonder, want het probleem is simpelweg onoplosbaar.' Hij wierp het document met een minachtend gebaar op de tafel. 'Weet u waar me dat aan doet denken? Aan mijn vierjarige zoontje dat een tijdje geleden een machine tekende waarmee je je wensen in vervulling kon laten gaan. Hij had dat best leuk gedaan. Je ziet precies waar de knop zit waarmee je het apparaat in- en uitschakelt, hoe je het apparaat opent, waar de stroomkabels lopen en ga zo maar door. "Aha, dat is interessant," zei ik toen ik de tekening onder ogen kreeg. "Maar hoe zorgt het apparaat ervoor dat je alles krijgt wat je wilt?" Mijn zoontje wees toen naar een constructie die zich midden in het apparaat bevond. "Dat doet dat ding daar," zei hij. "Het kristal zendt stralen uit. Dat zorgt ervoor dat alles goed komt." Dit voorschrift is min of meer van dezelfde orde, dames en heren.'

Vervolgens wilde men deze ontnuchterende beoordeling laten weerleggen door een hoogleraar in veiligheidstechniek.

'Bij dit soort apparaten kun je nooit honderd procent uitsluiten dat er fraude mee gepleegd wordt. In elk geval niet zonder begeleidende niet-technische maatregelen,' legde hij omstandig uit.

'En wat moeten we ons voorstellen bij die maatregelen?' vroeg de voorzitter. De hoogleraar was zeer omslachtig in zijn formuleringen en de commissie probeerde hem te dwingen om met een heldere uitspraak te komen.

Kennelijk zocht de deskundige naar woorden die eenvoudig genoeg waren om door de Bondsdagvertegenwoordigers begrepen te worden zonder dat hij daarmee zijn beroepsethos geweld aandeed. 'Wel, in het algemeen kun je stellen dat dat maatregelen van organisatorische aard moeten zijn. Veiligheidsprocedures waarbij altijd een getuige aanwezig is. Zo kan ik wel meer voorbeelden geven.'

De voorzitter en de commissieleden keken elkaar vragend aan.

De deskundige was dat niet ontgaan. 'Weet u, met dat soort apparaten heb je niets materieels in handen, begrijpt u?' voegde hij er snel aan toe. 'Algemeen gezegd kun je stellen dat het manipuleren van data nu eenmaal een basiskenmerk van computers is. Daarvoor zijn ze gebouwd. Het manipuleren van data is een basisfunctie die je niet kunt verwijderen. Vergelijk het met een mes, dat "scherp" moet zijn om te kunnen "snijden". Of met een auto die bedoeld is om erin te rijden. Als u een auto laat bouwen die daar niet voor bedoeld is, is het geen auto meer maar iets anders.'

De voorzitter van de commissie keek de man nadenkend aan terwijl hij die woorden op zich liet inwerken. 'Laat ik de vraag anders formuleren,' zei hij vervolgens. 'Bij verkiezingen worden stemcomputers gebruikt. Is het dan per definitie mogelijk om er verkiezingsfraude mee te plegen?'

De deskundige straalde. 'Precies!' zei hij enthousiast. 'Dat hebt u schitterend geformuleerd.'

In het westen zakte de zon naar de kim. Ditmaal had Vincent een taxi genomen en zich van de luchthaven van Orlando naar Oviedo laten brengen.

Zijn auto stond nog op de oprit geparkeerd en zou waarschijnlijk niet meer starten. Niet na twee jaar. Maar hij stond daar toch maar.

Ook voor de rest zag alles er verbazingwekkend 'ongeschonden' uit. Hij had verwacht dat het huis er vervallen uit zou zien, met ingegooide ruiten en overwoekerd door onkruid. Zelfs de planten in de tuin zagen er niet verwaarloosd uit. Alsof hij niet weg was geweest.

Alleen het gazon was een woekerend grasveld geworden. Maar dat was in de periode dat hij hier woonde niet anders.

Hij betaalde de chauffeur, stapte uit en wachtte tot de taxi uit het zicht verdwenen was. Daarna keek hij om zich heen. Niemand te zien. Prima. Hij kon dan ongemerkt het volgende probleem oplossen. Hij had namelijk geen huissleutel meer. Zantini had hem die indertijd afgenomen.

Hij liep naar het huis en zou eerst het trucje met de creditcard proberen. Hij had dat vaker gezien in films en dit was een geschikt moment om het zelf eens te proberen. Als hij de deur daar niet mee open kreeg, kon hij altijd nog proberen om zich via de smokkelaarstunnel toegang tot het pand te verschaffen. Pas als ook dat niet lukte, zou hij een ruit inslaan.

De deur was echter open. Het was dus niet nodig geweest van alles te bedenken om binnen te komen.

Vincent zuchtte. Iemand had het huis leeggeruimd, dat kon niet anders. Hij liep naar binnen en verwachtte dat hij lege kamers en besmeurde, beschadigde muren en vloeren te zien kreeg.

Maar alles was prima in orde. De meubels stonden waar hij ze had achtergelaten. Zelfs de televisie was niet weggehaald. Het rook er niet eens muf, zoals dat doorgaans het geval was als een huis lang leegstond en vochtig werd.

Verbazingwekkend. Dit had hij niet verwacht. Hij deed de keukendeur open.

'Hallo, Vincent,' zei Furry.

Na de hoorzitting kwam de toetsingscommissie achter gesloten deuren bijeen[4] om zich over de ingewonnen informatie te beraden en tot een besluit te komen.

In de schriftelijk neergelegde uitspraak stond dat aan de hand van de technische bijzonderheden van stemcomputers niet kon worden aangetoond dat er op de Bondsdagverkiezingen mee gerommeld was, maar dat door de statistisch zeer opmerkelijke uitslagen ervan uit moest worden gegaan dat dat wel gebeurd was. De toetsingscommissie adviseerde de Bondsdag[5] aldus om de verkiezingen ongeldig te verklaren.

De Bondsdag stemde met grote meerderheid in.

Uitgerekend Furry! Ze zat daar in alle rust aardappelen te schillen!

'Wat doe jij hier nog na al die tijd?' vroeg hij toen hij eindelijk bekomen was van de schrik.

Ze haalde haar behaarde schouders op. Ze had een mouwloos topje aan. Waarschijnlijk met niets eronder. 'Ik wist niet wat ik moest doen of waar ik heen kon.'

Vincent onderdrukte de neiging om prompt de benen te nemen. Had ze in zijn bed geslapen? Hij huiverde bij die gedachte.

---

[4] Conform §10 WPrüfG.

[5] Conform §11 WPrüfG.

'Kijk niet zo chagrijnig,' zei ze. 'Ik heb je huis toch keurig onderhouden? Hoe denk je dat het er hier uit zou zien als ik er niet was geweest? Ik heb de tuin gedaan, alles gepoetst, en na die storm van vorig voorjaar heb ik het afdak en het woonkamerraam gerepareerd.'

'Ja, oké,' mompelde Vincent. Onwillig voegde hij eraan toe: 'Bedankt.'

Opeens realiseerde hij zich dat er iets niet klopte. Waarom sprak ze steeds in enkelvoud?

'Waar is jouw... eh, collega?' vroeg hij. 'Hoe heet hij ook alweer? O ja, Pictures.'

Ze gooide de aardappel die ze net geschild had in de kom en begon woedend aan de volgende. 'Toen jij vertrokken was, reisde Zantini de volgende dag af naar Europa. Daarna liet hij Pictures overkomen. Alleen hem. Hij stuurde hem een vliegticket op met een berichtje waar ze elkaar zouden ontmoeten. Pictures moest hem ergens mee helpen, maar hij zei er niet bij met wat. Ik wilde het trouwens ook niet weten.'

Vincent kreeg medelijden met de aardappelen die ze schilde.

'Nou ja, en toen werd die rotvent verliefd op een ander. Ik weet niet hoe dat gebeurd is of wie dat is. Waarschijnlijk een of andere lellebel. Hij stuurde me een sms'je waarin hij het uitmaakte. Na vier jaar was ik nog geen vier regeltjes meer waard. Geen telefoontje. Niks. Niet te geloven. Mannen!'

'Hm,' zei Vincent. Geweldig. Nu zat hij met haar opgezadeld. 'Oké, ik ben weer thuis. En nu?'

Ze liet haar ogen rollen, alsof dat een onredelijke vraag was. 'Stel je niet zo aan, knul. Je hebt drie slaapkamers. Er zal toch wel een plekje over zijn voor mij?' Ze zuchtte. 'Het is niet voor eeuwig.'

Vincent keek machteloos naar haar. In het licht van de keukenlamp glom haar vacht mahoniekleurig. Het was hem van buiten niet eens opgevallen dat de lamp aan was.

'Oké,' zei hij. Hij zou sowieso niet lang blijven. Misschien was het best handig als ze bleef om de boel op orde te houden. 'Weet jij of mijn computers het nog doen?'

Furry haalde haar schouders op. 'In elk geval zijn ze er nog. Ik heb er niet aan gezeten.'

Inderdaad, ze had gelijk. Iemand had er echter aan gerommeld, zo veel was duidelijk. Waarschijnlijk Zantini toen hij tevergeefs naar het programma zocht. Maar voor de rest leek alles in orde. Ook zijn oude mobiele telefoon lag nog in de la. Natuurlijk was het accuutje leeg. Hij legde de telefoon aan de oplader en installeerde de hoofdcomputer opnieuw. Destijds had hij hem met behulp van het formatteerprogramma zelfmoord laten plegen.

Toen alles weer functioneerde zoals het hoorde, en hij aangesloten was op internet, haalde hij zijn e-mails op.

Zijn account was dus niet verwijderd. Nieuwsgierig keek hij wat er binnenkwam. Dat was heel wat, want twee jaar was een lange tijd. Het grootste deel bestond uit rommel, spam, reclame. Maar tussen die troep zag hij toch het een en ander dat wel interessant was.

Van één mailtje schrok hij zich wezenloos. Met dat bericht had hij geen rekening gehouden. Van wanneer was dat? Pas van vorige week?

Hij haalde de telefoon uit de oplader. Zijn mobieltje deed het weer; het hield echter niet over. In elk geval zat er voldoende stroom op om het telefoonnummer op te slaan dat in de mail stond. Hij zou terugbellen, gegarandeerd zeker.

Hij wist alleen nog niet wanneer.

Alexander Leicht, de voorzitter van de vwm, had rekening gehouden met deze uitspraak van de commissie. Uiteraard zou hij bezwaar aantekenen bij het Bundesverfassungsgericht[6], het federaal constitutioneel gerechtshof. Zijn advocaten waren al onderweg. 'Het is toch belachelijk dat de grote verliezers van de nationale parlementsverkiezingen aan tafel gaan zitten, de boel controleren, niets vinden en toch tot de conclusie komen dat de verkiezingen ongeldig zijn? Moet je dit eerst het etiket "complot" meegeven om je te realiseren welk spelletje hier gespeeld wordt?'

'Maar hoe verklaart u deze verkiezingsuitslag?' wilde een journalist weten.

'De bevolking is het spuugzat om geregeerd te worden door tweederangs figuren die goedgebekt maar tot niets verstandigs in staat zijn,' zei Alex. 'De mensen willen niet verzuipen in een moeras van regeltjes en voorschriften waarmee je van het kastje naar de muur wordt gestuurd. Ze balen ervan dat ze steeds met een woud aan nieuwe wetten geconfronteerd worden. Wetten waarvan niemand zich lijkt af te vragen of de concepten die eraan ten grondslag liggen in deze tijd nog wel passend en adequaat zijn. De bevolking wil dat eindelijk de bezem door die flauwekul van de afgelopen decennia wordt gehaald. Er is een grote schoonmaak nodig. Koning Simon is iemand die dat voor elkaar kan krijgen. U hebt gehoord hoe

---

[6] Uit artikel 41 van de grondwet:
lid 1: De verkiezingscontrole valt onder verantwoordelijkheid van de Bondsdag. (...)
lid 2: Tegen de beslissing van de Bondsdag kan bezwaar worden aangetekend bij het Bundesverfassungsgericht.

hij de dingen bij naam noemt en dat hij fundamentele hervormingen wil doorvoeren. Hij symboliseert het eerste geloofwaardige alternatief sinds tientallen jaren om de gevestigde politici die er niks van bakken uit het pluche te jagen. Daarom is er op hem gestemd. Dat is mijn verklaring voor deze verkiezingsuitslag.'

Het Bundesverfassungsgericht nam de klacht in behandeling. Gelet op de gespannen situatie in het land werd deze zaak met spoed behandeld. De verantwoordelijke Tweede Senaat van het Duitse Hof maakte een voorrangskwestie van de hoorzitting waarmee het besluit van de toetsingscommissie onder de loep werd genomen.

Aansluitend gingen de rechters drie dagen in beraad. Karlsruhe leek in die periode op een belegerde stad. Geleidelijk verzamelde zich hier de pers uit alle windstreken van Duitsland. In afwachting van de uitspraak hing iedereen maar wat rond in de cafés en restaurants en speculeerde erop los.

Eindelijk volgde dan het arrest. De rechters in hun scharlakenrode gewaden met witte jabots betraden de propvolle gerechtszaal. De voorzitter, tevens vicepresident, las het arrest voor, dat met vijf tegen drie stemmen was aangenomen. De voorgelegde bewijzen waren niet voldoende om de verkiezingen ongeldig te verklaren. Het kon niet zo zijn dat stemcomputers werden gebruikt – er was een wet voor aangenomen – waarvan de betrouwbaarheid in twijfel werd getrokken, en waarvan zelfs de rechtsgeldigheid betwist werd zodra de verkiezingsuitslag niet was wat sommigen ervan verwacht hadden.

'Inherent aan het houden van een verkiezing is dat men de uitslag ervan respecteert en als bindend beschouwt. Dat is een essentieel democratisch grondbeginsel,' las de vicepresident voor. Hij keek over de rand van zijn bril met zwart montuur naar de aanwezige verslaggevers en voegde eraan toe: 'Er mag dus niet zo lang gestemd worden tot de uitslag ervan tot tevredenheid stemt.'

# Hoofdstuk 45

Gaaf! De meeste spelers die nu in de rol van volksvertegenwoordiger zitting namen in de Bondsdag kenden elkaar alleen via chats, forums of andere onlinecontacten, maar ook van RL[1]. In de toegangshal van de Reichstag klonken kreten als: 'Ach, ben jij BrainTime?' of 'Hé, ik heb jou laatst onthoofd, weet je nog?' Spelers die wel eens aan een ARG[2] hadden deelgenomen, kwamen in groepjes bijeen om herinneringen op te halen.

Iedereen was het erover eens dat dit het gaafste spel was dat Alex ooit georganiseerd had. Ook had iedereen een officieel schrijven gekregen van de Bondsdagsraad. Ieder van hen had een bureau toegewezen gekregen, en de bankrekeningen waarop de salarissen van de volksvertegenwoordigers konden worden gestort, waren inmiddels bekend bij de daartoe bevoegde administratieafdeling! En hoe je hier ontvangen werd! Vol eerbied en ontzag!

Op de gevestigde politici van de zittende partijen na. Die wisselden geen woord met hen.

Losers.

'Toch snap ik het niet helemaal,' zei een dikke IT-student die macho gekleed ging. De meesten kenden hem van Pseudo SuperShrike. 'Het is nu toch meer dan alleen een spelletje, hè?'

'Geen idee,' bekende een vrachtwagenmonteur in een nogal sjofel pak. Hij was midden dertig en vader van twee kinderen. In World of Warcraft was hij een gevreesde Draenei-magiër. 'Het ziet er hier in elk geval zo uit als op tv.'

Na de rondleiding door het Rijksdaggebouw en de zaal van de Bonds-

---

[1] RL: afkorting van reallife, het leven buiten cyberspace, ofwel 'de realiteit'.

[2] arg: alternate reality game.

dag – 'Komen we hier te zitten?' 'Wauw, elk bankje heeft een microfoon!' 'Waar dienen al die knoppen voor?' 'Om te stemmen natuurlijk!' – begaven ze zich naar de fractiekamer op de bovenste verdieping. Een groot spandoek waarop een koningskroon te zien was, met ernaast het portret van Simon I, wees hun de weg naar het vertrek waar ze uiteindelijk allemaal bij elkaar kwamen.

'Fractievergadering.' Klonk gaaf. Dat vond iedereen.

Iedereen kende Alex natuurlijk. Hij zat de vergadering voor. Keurig in het pak had hij zoals altijd alles onder controle.

'Morgen is de zogenaamde *konstituierende Sitzung* van de Bondsdag,' zei hij. De microfoon piepte. Hij wachtte tot iemand van het geluid daar iets aan had gedaan, waarna hij vervolgde: 'Ik leg jullie nu alvast uit hoe dat gaat en wat jullie taak is. Het belangrijkste is dat tijdens die vergadering de bondskanselier wordt gekozen[3]. Ik heb gisteren een gesprek gehad met de bondspresident. Hij zal mij als voorzitter van de grootste partij voordragen als bondskanselier.'

Velen staken hun hand op. Alex keek vragend rond. Een van hen riep: 'Waarom jij? Het gaat toch om Simon König?'

'Nee. Aangezien hij later tot koning gekroond wordt, en dan als monarch boven de partijen staat, is het beter dat hij zich niet in de partijpolitieke dagelijkse gang van zaken mengt.'

'Waarom kiezen we hem niet meteen tot koning?'

'Zo gemakkelijk gaat dat niet. Er moeten nogal wat stappen genomen worden voordat het zover is. Ik zal jullie daar later over bijpraten. Waar het op neerkomt is dat er een grondwet moet komen die voorziet in een koning als staatshoofd. Nu is dat de bondspresident.'

Het was onrustig geworden in de fractiekamer. En dat bleef zo. Alex realiseerde zich dat zijn uitleg alleen maar meer verwarring veroorzaakte.

'Laat ik het nog een keer heel eenvoudig zeggen,' zei hij uiteindelijk in de microfoon. 'Tijdens de verkiezing van morgen moeten jullie op mij

---

[3] De bondskanselier wordt door de Bondsdag gekozen. De stemming is geheim en zonder parlementair debat. Eerst stelt de bondspresident een kandidaat voor. Juridisch gezien is dat voorstel een vrije keuze, maar in de praktijk stelt hij altijd een kanselierskandidaat voor van de grootste partij die de verkiezingen gewonnen heeft. Als de Bondsdag de betreffende persoon met meerderheid van stemmen kiest, zal de bondspresident hem tot bondskanselier benoemen. Als er geen absolute meerderheid verkregen kan worden, moet de Bondsdag binnen veertien dagen een andere kandidaat uit zijn midden kiezen die met absolute meerderheid gekozen wordt. Als de Bondsdag daar niet in slaagt, vindt na afloop van de gestelde termijn meteen een andere verkiezing plaats, waarbij degene wordt gekozen die de meeste stemmen krijgt. Als dat een absolute meerderheid is, moet de bondspresident de gekozene benoemen. Bij een relatieve meerderheid kan de bondspresident besluiten of hij de gekozene tot bondskanselier benoemt of de Bondsdag ontbindt.

stemmen. Anders komen we nooit in het volgende level van het spel, oké?' Dat was duidelijk. Die taal begrepen ze.

Tijdens die vergadering in de Bondsdag werd Alexander Leicht met 67 procent van de stemmen gekozen tot nieuwe bondskanselier van Duitsland. Dat betekende dat alle leden van de *Volksbewegung zur Wiedereinführung der Monarchie* op hem hadden gestemd en niemand van de andere zittende partijen. Zijn inaugurele rede was kort en bestond hoofdzakelijk uit de verklaring dat zijn regering een hoge prioriteit toekende aan de voorbereidingsprocedure om Simon König tot koning Simon I uit te roepen en daarmee de monarchie opnieuw in te voeren.

'Vroeger had je daar een mooie term voor... vestingstraf,' zei Simon.

Ze zaten weer in de donkere gang. Het smalle venster tekende een scherpomlijnd lichtvlak op de vloer. Inmiddels accepteerde Leo zonder tegen te spreken dat wanneer hij dienst had Simon uit zijn kamer kwam en bij hem ging zitten om wat te kletsen. Zolang Helene binnenbleef, maakte Leo zich kennelijk geen zorgen dat Simon misschien probeerde te ontsnappen.

'Toen sprak men over een *custodia honesta*, een niet-onterende straf of eerstraf,' vervolgde Simon. Aanvankelijk kwam hij alleen uit zijn kamer om te vragen of iemand al wist waar zijn zoon uithing. Sinds zijn vrijlating was hij spoorloos verdwenen. Kennelijk wist niemand waar hij was. 'Als de aangeklaagde iemand van hogere komaf was, werd hij meestal opgehangen. Vaak ook als er een politiek misdrijf in het spel was. Volgens het rijkswetboek van strafrecht van 1871 hing ook duellisten vestingstraf boven het hoofd. Duels waren echter een vergrijp dat vrijwel nooit tot vervolging leidde.'

Leo staarde bedremmeld naar de vloer. 'Ik betreur het dat u uw verblijf zo ervaart. Ik wil u alleen maar beschermen, dat moet u van me aannemen.'

'Dat neem ik ook van je aan. Maar mijn vrouw kan zich niet eeuwig ziek melden. Uiteindelijk valt het kwartje bij het bestuur. Het gevolg daarvan is dat ze dan haar baan verliest.'

Ook daar hadden ze het vaak over gehad. 'Uw vrouw is journaliste. Mogelijk gebruikt ze haar positie om zodanig over interne ontwikkelingen te berichten dat de nagestreefde doelen daar niet mee gebaat zijn,' zei Leo formeel. Tjonge, waar had die simpele ziel dat vandaan? Waarschijnlijk had Alex hem die zin uit het hoofd laten leren.

Alex was niet meer van plan om het complot rond stemcomputers aan het licht te brengen. Paradoxaal genoeg was daarmee ook het gevaar dat Vincent boven het hoofd hing geweken.

'Als een grote meerderheid in Duitsland een koning wil, maken een paar krantenartikelen ook niet meer uit, of denk jij van wel?'

'Oké, maar waarom heeft een koningin een baan nodig?'

Simon staarde naar zijn handen en liet de duimen over zijn vingertoppen glijden. Geen krijtsporen. Al heel lang niet meer.

'Je bent jezelf wat aan het wijsmaken, Leo,' zei hij. 'Je weet toch waar het echt om gaat? Die meerderheid bestaat niet. Althans hoogstwaarschijnlijk niet. Er is aan de stemcomputers gerommeld.'

'Hoe dan?' zei Leo fel. 'Hoe heeft Zantini dat dan gedaan? Het is gewoon onmogelijk!'

Simon keek hem onderzoekend aan. 'Dat wil je graag geloven, hè?'

'En wanneer heeft hij dat gedaan?' In de ogen van Leo glinsterde de vrees dat zijn hoop in de kiem gesmoord werd. 'Stel dat ik graag wil dat u koning wordt. Nou en? En stel dat ik vind dat het beter is voor ons allemaal als er een monarchie komt. Is dat dan zo erg?'

Eindelijk had Vincent succes. Nadat hij dagenlang de stamkroegen, favoriete pizzeria's en bioscopen was afgegaan om een van zijn voormalige collega's te ontmoeten, trof hij op een avond eindelijk Fernando op de parkeerplaats van de supermarkt die zich het dichtst bij sit bevond.

Hij had niets dringenders te doen dan ergens wat te eten en te praten over vroeger.

'De hel brak los toen jij plotseling niet meer kwam opdagen,' vertelde Fernando terwijl hij het koffielepeltje en het lege suikerzakje kaarsrecht naast elkaar legde. 'Eerst werd ons wekenlang niks verteld. We wisten alleen dat Zantini terug was. Consuela was in de zevende hemel. Voor het bedrijf pakte dat slechter uit. Geleidelijk stonden alle projecten op de helling, omdat niemand meer volgens duidelijke richtlijnen te werk ging en iedereen min of meer langs elkaar heen werkte...' Hij zuchtte diep. 'Plotseling was Zantini met de noorderzon vertrokken. Consuela had het niet meer. Uiteindelijk kregen we bericht dat je opgepakt was wegens autodiefstal. Niemand snapte dat.'

Vincent ontweek de nieuwsgierige blik van Fernando. 'Dat is een lang verhaal,' zei hij. 'Dat vertel ik je wel eens bij een pizza. Op dit moment is het ontzettend belangrijk dat ik weet waar Zantini uithangt.'

Plotseling schaterde Fernando het uit. Een gillend-scherpe lach, zo typisch. 'Dat vraag je aan mij? Consuela zou er alles voor geven als ze dat wist. Zantini verdween van de ene dag op de andere. Hij heeft nooit meer wat van zich laten horen.'

'Hm.' Vincent had daar al rekening mee gehouden. Hij liet zich nog een kop koffie inschenken en deed er precies de hoeveelheid suiker en melk bij die hij gewend was.

Fernando was iemand die de hele dag kon zwijgen. Als iemand hem echter aan het praten kreeg, hield hij niet meer op. Aldus kwam Vincent te weten wie van de vroegere werknemers van SIT nog in beeld waren en wie niet. Alvin en Steve hadden samen een eigen bedrijf opgericht. Ze waren nu zelfstandig ondernemers. Na een veelbelovend begin richtten ze zich op de ontwikkeling van software die een revolutie zou betekenen in de manier waarop je met computers omging.

'Ik hoor het Steve zeggen,' zei Vincent.

Fernando knikte. 'Ja, hè? Zoals het er nu naar uitziet, is hun bedrijf binnenkort failliet. Onlangs heeft Steve al geïnformeerd of hij terug kan komen. O ja, Huck is nu onze chef-programmeur!'

'Huck?' Vincent kon zich dat moeilijk voorstellen. 'De Huck zoals ik hem ken?'

'Nee, die ken je niet meer terug. Hij en Sue-Ellen hebben inmiddels twee kinderen, de derde is onderweg. Volgens mij heeft dat hem radicaal veranderd. Hij zit de vergaderingen voor en houdt de teugels strak, dat zeg ik je. Na de vergadering weet je precies wat je moet doen; een genummerd lijstje...'

Vincent boog zich naar voren en keek Fernando strak aan. 'Luister, het is best mogelijk dat Consuela jullie wat voorspiegelt, ook al is dat moeilijk te geloven. Zantini heeft moeten onderduiken. Hij wordt gezocht. Maar ik weet zeker dat die twee contact met elkaar onderhouden.'

Fernando staarde hem met open mond aan. Uiteindelijk slikte hij en zei: 'Dat kan ik me inderdaad moeilijk voorstellen.'

'Je zou me een plezier kunnen doen.'

'Hè?' Het was duidelijk dat Fernando zich daar niks bij kon voorstellen. 'Je komt er dan ook achter of ik gelijk heb,' voegde Vincent eraan toe.

Fernando kreeg een nadenkende trek op zijn gezicht. 'Oké. Wat moet ik doen?'

'Verdiep je in de opgeslagen telefoonbestanden van SIT. Ik ben heel geïnteresseerd in de Europese nummers, als ze maar niet van klanten of leveranciers zijn.'

'De telefoonbestanden? Daar kom ik niet bij.'

Vincent haalde een pen uit zijn tas en scheurde een stukje van een papieren onderzetter. 'Geen probleem. Ik geef je het administratorwachtwoord wel.'

Het buitenland volgde de ontwikkelingen in Duitsland met toenemende bezorgdheid.

Enquêtes in Groot-Brittannië brachten aan het licht dat een groot deel van de bevolking vreesde dat het 'Duitse Rijk' uit zijn graf zou opstaan. Uitgerekend de Britten, die van alle volkeren waarschijnlijk het meest verknocht waren aan de monarchie, toonden zich het minst coulant over de herinvoering van deze staatsvorm in Duitsland. Een nieuwe Duitse keizer? Nee, daar zat niemand op te wachten. In razend tempo droegen steeds meer burgers buttons op hun vrijetijdskleding. Buttons met een rode, doorgestreepte punthelm en het opschrift GERMAN KAISER... NO THANKS! Allemaal onderdanen van Hare Majesteit Elisabeth II, koningin van Groot-Brittannië en Noord-Ierland, bij de gratie Gods.

Uitgerekend in de Europese monarchieën was de onwil het heftigst. De Franse president vond het voldoende om te wijzen op de bestaande verplichtingen en verdragen, en toonde zich voor de rest alleen maar zeer bezorgd. Maar de kranten in Denemarken, België en Nederland verdiepten zich op welhaast geniepige wijze in de 'gewone' komaf van Simon König. Zijn vader was hoogleraar Latijn geweest, zijn opa van vaderskant was een lage ambtenaar, en zijn opa van moederskant leidde een apotheek. Van koninklijk bloed was geen sprake. Geen druppel vloeide door zijn aderen.

De monarchen van die landen gaven er kennelijk de voorkeur aan om zich in stilzwijgen te hullen. De voorlichtingsdiensten gaven alleen officieel te kennen dat er geen gehoor zou worden gegeven aan een eventuele uitnodiging om de kroningsfestiviteiten bij te wonen.

De pers in Duitsland had vooral kritiek op de vorming van het nieuwe kabinet, waar maar geen schot in leek te komen. Er zat om de een of andere reden geen beweging in. De ministeries zouden stuurloos zijn en de dossiers en documenten betreffende zaken waarover de niet aanwezige ministers besluiten moesten nemen, vergezeld van een handtekening, stapelden zich op. Op steeds meer ministeries gebeurde niets of er werd alleen nog naar eigen goeddunken gehandeld. Het gerucht ging dat de kanselier de grootste moeite had om geschikte mensen te vinden voor de ministersposten. Niemand had belangstelling voor Jeugd en Gezin of Landbouw, terwijl Defensie een hot item was. Uit zogenaamde 'doorgaans welingelichte bronnen' werd vernomen dat de tijdelijke minister van Economische Zaken als eerste ambtshandeling contact had opgenomen met Amerikaanse bedrijven van computerspellen met de vraag of prototypes van in ontwikkeling zijnde spellen al verkrijgbaar waren. Hij werd meteen teruggefloten.

Voor de rest waren de samenzweringstheorieën niet van de lucht. Natuurlijk werd er op internet anders gepraat over de ontwikkelingen dan op de borrelavonden van de Republikeinen, naar verluidt een uitstervend ras. Maar er werd volop gediscussieerd. Uiteindelijk kwam iedereen tot dezelfde conclusie: mogelijk was er verkiezingsfraude gepleegd.

Hier en daar kwam het tot demonstraties, waarvan slechts weinige het televisienieuws haalden. De meeste mensen gingen niet de straat op, hoe sceptisch ze ook waren. Het haalde sowieso niks uit, vonden ze. De politici deden toch wat ze wilden.

In dat opzicht maakte een bondspresident of koning geen verschil, dacht men.

Maar stiekem vond menigeen het toch wel een goed idee om weer een koning te hebben.

'Ja, het administratorwachtwoord doet het,' bevestigde Fernando aan de andere kant van de lijn.

'Zei ik toch,' zei Vincent tevreden. 'Zulke wachtwoorden worden nooit veranderd.'

Furry was niet thuis. Eigenlijk was ze best vaak op stap. Meestal kwam ze met grote boodschappentassen terug. Waar ze het geld vandaan had, was hem een raadsel. Kennelijk zat ze goed in de slappe was.

'Ik heb met allerlei tools de telefoonbestanden gecheckt, precies zoals je me gevraagd hebt,' zei Fernando. 'Alleen... nou ja, er waren telefoontjes uit Europa bij, maar geen enkele die ik niet kon plaatsen. Geen enkele.'

Vincent begon zich een beetje vertwijfeld te voelen. 'En haar mobiele telefoon dan?'

'Ik heb de betalingslijsten erop nageslagen. Met de hand,' voegde Fernando eraan toe. In zijn stem klonk iets van een verwijt door. 'Niks gevonden. Misschien lopen die gesprekken via haar privételefoon.'

Vincent dacht na. Haar privételefoon. Dat zou natuurlijk kunnen. Maar hoe moest hij daarbij komen? 'Zijn er misschien andere sporen die erop wijzen dat ze contact heeft met Zantini? Kijk eens rond. Heeft hij misschien brieven geschreven, een ansichtkaart, e-mails?'

'Dan zouden we dat weten. De secretaresses zijn in bijna niks anders geïnteresseerd.'

Vincent zuchtte. 'Bedankt in elk geval.' Hij hing op.

Achter zijn rug kuchte iemand. Vincent draaide zich met een ruk om. Furry! Ze stond in de deuropening van zijn werkkamer en had opnieuw alleen een T-shirt aan. De vacht op haar armen glom donker.

'Sorry, het was niet de bedoeling dat ik meeluisterde,' zei ze. 'Ik wilde je alleen vragen of je mee-eet als ik enchilada's maak.'

'Enchilada's?' vroeg Vincent. Hij was nog steeds in verwarring van de schrik.

Furry legde haar armen over elkaar. 'Je zoekt Zantini, hè?'

Vincent knikte slechts.

'Geen idee waar hij uithangt. Ik weet wel waar Pictures zich ophield... voordat hij mij liet zitten. Hij heeft me een keer gebeld en bevond zich toen in een klein dorp op Sicilië. Hij zei dat de mensen daar zo zwijgzaam zijn dat het lijkt of hun lippen aan elkaar zijn vastgekleefd. Ze geven niet eens antwoord als je vraagt hoe laat het is...' Ze haalde haar schouders op. 'Ik kan je precies zeggen waar dat was, als dat je interesseert.'

Vincent keek haar aan en vroeg zich plotseling af waarom hij zo'n afkeer van haar had gehad. Eigenlijk was het bewonderenswaardig dat ze zich onder de mensen begaf alsof er niks aan de hand was. Zij accepteerde zichzelf zoals ze was.

'Je bent best aardig,' zei hij.


Bondskanselier worden was niet eens zo moeilijk. Het werd een ander verhaal als je eenmaal bondskanselier was. Tijdens de eerste Bondsdagvergadering deden de spelers, die opeens de rol van volksvertegenwoordiger hadden, precies wat Alex van hen vroeg. Maar het feit dat ze spelers waren, betekende dat ze veel ervaring hadden in het achterhalen van de spelregels en hoe ze daar hun voordeel mee konden doen. Ze hadden snel door hoe dit spel in elkaar zat. Inmiddels hadden ze zich onder elkaar geallieerd om eisen te stellen aan Alex.

Een grote groep wilde in de grondwet verankerd zien dat er wapens gedragen mochten worden. Die eis was in elk geval begrijpelijk. Iedereen die een beetje enthousiasme opbracht voor middeleeuwse spelen zag zich snel geconfronteerd met het feit dat je in Duitsland uitgerust als ridder kon rondlopen, als je daar zin in had, maar dat je strafbaar was zodra je je zwaard omgordde.

Een kleinere groep wilde dat de doodstraf weer in het strafrecht werd opgenomen. Vooruit dan maar, de watjes en degenen die medelijden hadden met de misdadigers en aldus de wereld onveilig maakten, konden de pleuris krijgen!

Maar het lievelingsproject van enkele infantiele geesten was dat beha's verboden moesten worden! Tot grote ontzetting van Alex kreeg dit bezopen idee steeds meer aanhang onder de volksvertegenwoordigers van de vwm, voor het grootste deel mannen die deze positie hadden verworven dankzij het feit dat ze bovengemiddeld goed waren in computerspelletjes.

'Logischerwijs ook bikini's,' bekrachtigde een van de initiatiefnemers, een dwergachtig iemand met uitpuilende ogen en een zeer beweeglijke adamsappel zodra hij iets zei.

'We vinden dat het dragen van beha's onder het vermommingsverbod moet vallen,' vulde zijn metgezel aan. Hij had een brede, kikkerachtige grijns.

Root vond het verbazingwekkend dat iemand met zo'n grijns niet kwijlde.

Alex hoorde alles aan tot iedereen eindelijk weer vertrokken was, waarna hij uit zijn stoel sprong, de eerste de beste ordner greep en die door het enorme kanselierskantoor slingerde. 'Zijn die nog wel te redden?' brulde hij. 'Vermommingsverbod! Goeie genade! Wat een klotespel! Wat hangt dit gedoe mij verdomme de keel uit!'

Root zweeg en bleef gewoon zitten. Hij kende dit. Tijdens elk spel had Alex wel een woedeaanval.

'Ik moet er vaart achter zetten.' Alex liet zich weer in zijn kantoorstoel vallen achter zijn gigantische bureau. 'Dit moet snel gaan. Ik wil dit circus achter de rug hebben zodat we Simon tot koning kunnen kronen. Dan mag hij zich gaan vermoeien met die types.' Alex zweeg even en wreef over zijn kin. 'Het zou beter zijn als ze hun mond hielden. Misschien moeten we dat in de nieuwe grondwet verankeren.'

Root speelde met een briefopener en prikte er gaatjes mee in een schrijfblok dat het zegel had van de bondskanselier. 'Misschien was het oude systeem niet eens zo slecht. Als een volksvertegenwoordiger moeite heeft gedaan om gekozen te worden, zal hij zich gedragen als hij weet dat het volk hem ook weer uit het pluche kan jagen.'

Alex keek chagrijnig en knikte. 'In elk geval is het niet goed om het de spelers zo gemakkelijk te maken.'

De telefoon ging. Een gedempte, maar toch indringende en zeer duur klinkende beltoon. Alex nam op. 'Ja?' Hij luisterde. 'De poort? En wat willen...?' Hij luisterde weer en zette grote ogen op. 'Ja, stuur haar meteen door.'

Hij hing op en keek Root aan. 'Niet te geloven. Ene Sirona staat bij de poort.'

# Hoofdstuk 46

Sirona was maandenlang spoorloos verdwenen. Ondergedoken. Bovendien had ze niets van zich laten horen. Maar ze haalde daar slechts haar schouders over op. Ze kwam binnen, zoals altijd met een utopisch kapsel, zwaaide naar Root, drukte Alex een kus op de wang en ging zitten in de bezoekersstoel, waarna ze haar benen optrok. En terwijl ze sprak, speelde ze met de zilveren slang om haar onderarm.

Onopvallend haalde Root zijn mobiele telefoon tevoorschijn en maakte een paar foto's. Sirona, het manga-meisje, zat in het kantoor van de bondskanselier. Dit moest je gewoon vereeuwigen. Een droom in perzikkleuren en tule, versierd met dikke, glanzende parelkettingen die ongetwijfeld net zo nep waren als haar enorme wimpers.

De klap op de vuurpijl was dat Sirona dacht te weten hoe Zantini dat geflikt had.

'Heb jij hier een radio?' vroeg ze aan Alex toen hij bekende dat hij zeer geïnteresseerd was in die informatie.

'Of ik een radio heb.' Alex keek Root aan. 'Hebben wij een radio?'

Root wees naar de muur. Een inbouwapparaat. Supermodern en zo fraai vormgegeven dat hij bijna aan het oog onttrokken was.

'Ja, ik heb een radio,' zei Alex tegen Sirona.

'Zet dat ding aan.'

Bondskanselier Alexander Leicht stond gehoorzaam op, bestudeerde vervolgens de weinige draaiknopjes en toetsen en kreeg het voor elkaar om de radio aan te zetten. Klassieke, gedragen muziek. Opvallend vrij van ruis.

'FM. Prima,' zei Sirona. 'Nu naar het andere eind van het frequentiespectrum.'

Alex draaide aan de knop en 'doorkruiste' sonoor uitgesproken nieuws-berichten, hysterische telefoontjes, schlagers en rockmuziek. Uiteindelijk kwam hij bij een zender die een hoge, constante pieptoon uitzond.

'Weet je wat dat is?' vroeg Sirona.

'Dat zal in elk geval niet mijn lievelingszender worden,' zei Alex.

'Een pagersignaal,' zei Root om de vaart erin te houden.

Alex wierp hem een geërgerde blik toe. 'Hoor ik te weten wat dat is?'

'Een pager, een pieper, of in vakjargon een semafoon,' legde Sirona uit. 'Een apparaatje dat je bij je draagt en waarmee je opgeroepen kunt wor-den of waar je korte berichten op zet. In de jaren tachtig was dit high-tech. Iedereen die wat voorstelde had zo'n ding aan de riem hangen. Met het pagernummer – een bepaald telefoonnummer – kon je je laten op-piepen, om de betreffende persoon vervolgens terug te bellen.' Ze wees naar de radio die een constante pieptoon uitzond. 'Dat ging allemaal via deze frequentie.'

'Heeft iemand daar nog wat aan?' vroeg Root verwonderd.

Prompt werd de pieptoon onderbroken door een hard signaal.

'Daar ziet het wel naar uit,' zei Sirona. 'Je hebt het net gehoord. Een paar seconden geleden heeft iemand het nummer van een semafoon ge-draaid die deze signaalcode heeft.'

Ze luisterden even. Opnieuw klonk dezelfde korte melodie.

'Zo.' Alex zette de radio uit. 'Wat hebben wij aan die informatie?'

Eindelijk vertelde Sirona waar het om ging. Zoals altijd maakte ze hef-tige gebaren terwijl ze sprak. En ze ging vaak verzitten, waarbij haar kle-ren ruisten en knisperden. Bij het chipbedrijf waar ze gewerkt had op de afdeling Research, was haar ter ore gekomen dat er aan een geheim pro-ject werd gewerkt. Ze kwam dat te weten dankzij haar toenmalige vriendje – ene Friedhelm Fäustel – die in deze zaak verwikkeld was.

'Ik wist niet wat er speelde,' verzekerde ze Alex en Root. 'Hij ontmoette steeds iemand van het bestuur. Niet op kantoor, maar in een of andere kroeg, in de sauna, op de trimbaan in het bos. Ik vond dat raar. Friedhelm vertelde me daar niets over. Alleen dat dit zijn kans was op een topfunctie in het bedrijf. Eerlijk gezegd kreeg ik het vermoeden dat hij me wat op de mouw speldde en iets met een andere vrouw had.'

Op zeker moment kreeg de eerzuchtige Friedhelm het voor elkaar haar te laten koerieren. Brieven brengen of halen. Mappen met documenten in stationskluisjes stoppen. Vanuit telefooncellen bepaalde nummers bellen en een codewoord doorgeven.

'Toen ik een keer iemand aan de andere kant van de lijn hoorde lachen, dacht ik dat Friedhelm een spelletje met me speelde en me om de tuin leidde.' Sirona kneep in de zilveren slang, alsof ze het sieraad wilde breken. 'Met de volgende map vol documenten ging ik naar de kopieerwinkel. Ik kopieerde de hele boel, stopte alles in een stationskluisje en stelde Friedhelm een ultimatum. Ik wilde dat hij me alles vertelde, anders zou ik de gekopieerde documenten openbaar maken of ermee naar de politie gaan, het maakte niet uit.' Ze zuchtte diep. Het leek of ze bleek was geworden, hoewel ze zo veel make-up ophad dat dat moeilijk te zeggen was. 'Hij zei toen dat ik geen idee had met wie ik te maken had. Ik tekende mijn doodvonnis als iemand erachter kwam dat ik die documenten had ingezien. Daarna zei hij dat ik me onmogelijk gedroeg en toen maakte hij het uit.'

'Wat een klootzak,' morde Alex.

Het leek of Sirona hem niet hoorde. 'De volgende dag werd ik op staande voet ontslagen. Ze haalden alles uit de kast: ik moest onder toezicht mijn bureau uitruimen, werd door iemand van de bewaking naar de uitgang begeleid en zo meer. Nog dezelfde week hoorde ik dat de hele researchafdeling was afgeslankt en naar Slowakije werd overgeplaatst. En dat Friedhelm tot afdelingschef was gepromoveerd.'

'Kijk aan,' zei Root.

Sirona verhuisde overhaast omdat ze niets meer met die zaak te maken wilde hebben en er ook niet meer aan herinnerd wilde worden. Uiteindelijk kwam ze in Wiesbaden terecht, waar ze aan de slag kon bij een bedrijf dat zich bezighield met biometrische identificatie. Die baan had ze ook toen Alex en Root haar voor het eerst ontmoet hadden. Dat was tijdens het 'Elfendans'-weekend. Ze was toen als een bizar elfje gekleed.

'Maar die kwestie liet me niet los,' zei ze mat. 'Er ging geen dag voorbij zonder dat ik me afvroeg wat daar toentertijd speelde.'

'Wat is er met die documenten gebeurd die je gekopieerd hebt?' wilde Alex weten.

'Die heb ik nog. Ik ben er niet wijs uit geworden. Ik snapte het pas toen Biometrics failliet ging, kort nadat we de partij opgericht hadden en ik weer op zoek was naar een baan. Toen kwam ik iemand tegen die ik van vroeger kende en die min of meer op de hoogte was van wat er indertijd speelde. Met die informatie begreep ik eindelijk wat die documenten behelsden.' Sirona vouwde haar handen, alsof ze in gebed was. 'Het was de beginfase van de ontwikkeling van een bijzondere chip met de codenaam TWIN. De opdrachtgevers waren particuliere investeerders in de *haute finance*. Alles verliep onder strikte geheimhouding. Bij die vergaderingen mocht geen personeel van het bedrijf aanwezig zijn, omdat de betreffende personen niet gezien en vooral niet herkend wilden worden. Dat is mij in elk geval verteld.'

'Wat is dat voor een chip?' vroeg Alex.

'Een soort dubbeldekker. Een geheugenchip met twee identieke kernen.' Sirona keek Root aan. 'Jij moet dat weten. Het geïntegreerde schakelcircuit is heel klein; het grootste deel van de chip is bedoeld om te koelen en bevat aansluitingen naar de pootjes.'

Root knikte.

'Er is dus ruimte om twee geïntegreerde schakelcircuits in een chip te plaatsen en te switchen van het ene circuit naar het andere,' vervolgde Sirona. 'Dat is de clou ervan.'

Alex keek ontstemd. 'En waar is dat goed voor?'

'Denk na.' Sirona glimlachte duister. 'Waar zou dat goed voor kunnen zijn?'

Meer zei ze niet. Ze zat daar maar, keek Alex en Root aan en wachtte tot het kwartje viel.

'Bijvoorbeeld om te frauderen met stemcomputers.' Root deed een poging. 'Een laag van de chip bevat het originele programma en de andere laag het gemanipuleerde. Op de verkiezingsdag is het gemanipuleerde programma actief en daarna het originele, bijvoorbeeld tijdens een technische controle.'

'Hoe verloopt de omschakeling van het ene programma naar het andere?' Alex schudde zijn hoofd. 'Let wel, we hebben het over duizenden stemcomputers.'

Sirona wees naar de inbouwradio. 'Daarmee.'

Alex begreep het niet en keek Root aan om hulp.

'Reageert de chip op een semafoonsignaal?' vroeg Root voor de zekerheid.

'Overal waar dat signaal te ontvangen is.'

'Betekent dat dat je alleen maar het juiste telefoonnummer hoeft in te toetsen en dat alle stemcomputers in het land dan omschakelen?'

Sirona trok haar seringpaarse wenkbrauwen op. 'Makkelijk zat, hè?'


Het verlaten kasteel begon Leo op de zenuwen te werken. Alsof de echo van de kasteelgeluiden steeds trager door de gangen en hallen kroop, om uiteindelijk plaats te maken voor totale stilte.

Het was bovendien geen gewone stilte, maar een soort doodse geluidloosheid. Alleen in de keuken werd nog door een handjevol personeel gewerkt. Voor de rest was het enorme kasteel zo verlaten als maar zijn kon. Als je in de gang zat, kon je de verlatenheid in de zalen en andere vertrekken voelen, omdat alle geleende meubels inmiddels waren teruggebracht.

Leo vond het dus prettig dat Simon af en toe zijn kamer uit liep en naast hem in de donkere gang ging zitten om een woordje met hem te wisselen.

Nee, het was meer dan alleen prettig. Leo vond het een eer en wilde dan ook alles uit die momenten halen. Misschien zou hij het de rest van zijn leven met de herinnering moeten doen dat hij het voorrecht had gehad om in alle rust met de toekomstige koning van Duitsland te praten.

Op een dag moest Leo de vraag die op zijn lippen brandde dan ook stellen. Zou Simon weigeren om zich te laten kronen?

De vraag deprimeerde hem, omdat hij vreesde dat hij na dit gesprek een illusie armer was.

'Ik kan moeilijk geloven dat de bevolking mij echt als koning accepteert,' zei Simon. 'Ik denk nog steeds dat op de verkiezingsdag het gemanipuleerde programma in de stemcomputers actief was.'

'Maar stel dat het niet zo gegaan is?'

Simon dacht na. 'Dan zal ik de kroon accepteren,' zei hij bedachtzaam, 'en mijn best doen om er wat moois van te maken.' Opnieuw dacht hij na, ditmaal zo geconcentreerd dat Leo zich daar geen voorstelling van kon maken. 'In wezen is het een democratische gedachte dat ik me van dat principe afhankelijk maak, snap je? Vroeger werden de koningen ook min of meer gekozen, maar ze schreven hun positie toe aan de wil van God. Of het lot, zoals je dat tegenwoordig misschien zegt. Een votum als legitimatie zouden ze toen niet begrepen hebben...'

'Maar wat nu gebeurd is, kun je toch ook toeschrijven aan het lot?' Leo maakte een breed gebaar.

Simon stokte. 'Eh, ja, zo kun je dat ook zien...'

Leo keek tobbend voor zich uit en knikte langzaam. Een teken van hoop? Hij zweeg gespannen.

'We hebben wat dit aangaat met een ingrijpende culturele ontwikkeling te maken,' zei Simon uiteindelijk. 'De vanzelfsprekendheid van de macht van het individu is door de eeuwen heen fundamenteel veranderd. De koningen, de adel, hebben Europa vormgegeven en hadden in bepaalde perioden een grote invloed. Maar dat is verleden tijd, omdat de bevolking veranderd is.'

Hij keek Leo aan. 'Probeer je de jongste geschiedenis eens voor de geest te halen. Je zult dan inzien dat een monarchie niet meer terugkomt als die in een land eenmaal is afgeschaft. Als enige uitzondering denk ik nu aan

Spanje, waar koning Alfons XIII de militaire dictatuur van Miguel de Rivera installeerde, waaruit na allerlei omwegen weer een militaire dictatuur ontstond, die van Franco. Aan het eind van die periode werd opnieuw een koning gekroond. Verder zijn er volgens mij geen voorbeelden. Neem nou Afghanistan. Toen het talibanregime viel, had men Zahir Shah[1] tot koning van Afghanistan kunnen uitroepen. Dat zou heel legitiem zijn geweest. Dat is echter niet gebeurd.' Hij schudde zijn hoofd. 'Nee, de tijd van de koningen is voorbij. We willen geen alleenheersers meer, omdat we niet meer geloven in dat concept. De scheiding der machten, het systeem van checks-and-balances, het permanente debat en de compromisbesluiten: dat is het huidige model waarin we geloven. We hebben een ander mensbeeld gekregen. Trouwens ook wat de afstamming betreft. Men kwam er al vroeg achter dat pregnante eigenschappen vaak erfelijk zijn. Het lag dus voor de hand dat de zoon van een koning diens opvolger werd.'

'Maar dat is toch ook zo,' opperde Leo. 'Het geneticaonderzoek, het DNA. De kennis van tegenwoordig is veel nauwkeurig dan vroeger!'

'Ja, maar we zijn er ook achter gekomen dat alles veel ingewikkelder ligt dan we dachten. Het begrip "zuiver bloed" is flauwekul. Net als "koninklijk bloed". We weten nu dat de zoon van een domkop een genie kan zijn en de zoon van een genie een domkop.' Simon stak zijn wijsvinger op. Typisch. Dat deed hij altijd als hij in een gesprek iets wezenlijks duidelijk wilde maken. 'En nu zijn we bij het beslissende punt aanbeland: als je de toegang tot een ambt via de afstamming regelt, zal er inderdaad naar alle waarschijnlijkheid sprake zijn van een competente opvolger. Maar nog waarschijnlijker is het dat je dan iemand uitsluit die nog competenter is. Kortom, op die manier benut je de mogelijkheden niet optimaal. Daarom is het beter een andere weg te volgen. Niet op morele gronden, maar omdat je anders voor het zwakste concept kiest. En in de kwestie van het koningschap draait nu eenmaal alles om de afstamming.'

Alex hing lijkbleek in zijn stoel. Zo had Root hem nog nooit meegemaakt.

'Het zou prettig zijn geweest als we dat een paar weken eerder hadden geweten,' bracht Alex uiteindelijk hortend uit.

'Ik weet het zelf pas sinds gisteren.'

Alex ging met een ruk rechtzitten. 'Ik begrijp het nog steeds niet helemaal. Oké, dat over die chips geloof ik wel. Maar die switch. Hoe heeft

---

[1] De laatste koning van Afghanistan overleed op 23 juli 2007.
http://www.faz.net/s/RubDDBDABB9457A437BAA85A49C26FB23A0/Doc~EA3B433772FB2485
A86F4AEFA6C802D6C~ATpl~Ecommon~Scontent.html

Zantini dat precies voor elkaar gekregen zonder dat iemand dat merkte? Per slot van rekening hebben we het over tienduizend stemcomputers of nog meer.'

Sirona haalde haar schouders op. 'Zantini stamt uit een familie die traditioneel banden heeft met de Siciliaanse maffia. Vincent heeft dat indertijd in zijn mails wel eens terloops vermeld. Ik heb dat nagetrokken. En het klopt. Bij Benito Zantini ligt dat wat anders, maar zijn oom was bijvoorbeeld een huurmoordenaar tot hij zelf werd omgebracht. En zijn vader zat in de omgeving van Wiesbaden in de beschermgeldbusiness. Zijn broers heeft men nog niets ten laste kunnen leggen, maar een van hen houdt zich vaak in Nederland op. Het zou zomaar kunnen dat hij bij het bedrijf dat stemcomputers maakt iemand gechanteerd heeft om de EPROM's te vervangen door een andere chip.'

'Goed, dat weten we dan. Maar veel stemcomputers waren al geleverd,' bracht Alex te berde. 'Die stonden in de kelders van gemeentehuizen of in andere opslagruimtes. In elk geval achter gesloten deuren. Hoe heeft hij die EPROM's dan verwisseld?'

'Met een update,' zei Root. 'De klantenservice komt langs en vervangt de chip door een exemplaar waarop een nieuwe versie van het programma staat. Stelt niks voor.'

'Het grappige is dat de chips die Zantini liet vervangen waarschijnlijk niet eens originele EPROM's waren, maar inmiddels de TWIN-chips waar ik het over had. Zantini wordt gezocht als Osama bin Laden. Ongetwijfeld heeft hij iemand op een machtige positie voor de voeten gelopen.'

'Oké,' zei Alex. Hij leunde weer achterover. 'Er is dus verkiezingsfraude gepleegd.' Hij legde de handen voor zijn gezicht en wreef over zijn ogen. 'Het is jou ook nooit gegaan om het redden van de democratie. Jij wilde alleen weten wat je ex uitspookte.'

Sirona zweeg en bleef roerloos zitten, alsof ze hem niet gehoord had.

Alex liet zijn armen zakken en dacht na. 'Hoe zit dat technisch? Waaraan herken je een TWIN-chip?'

'Die herken je niet. De TWIN ziet er hetzelfde uit als een gewone chip.'

'Goed, duidelijk. Maar vanbinnen moet dat ding er toch anders uitzien?'

'Dat is zo. Maar hoe wil je dat vaststellen?'

Alex haalde zijn schouders op. 'Vraag je dat aan mij? Bijvoorbeeld door dat dingetje open te pulken?'

'Met de vorige generatie chips was dat nog mogelijk. Pakweg tot de 16-bit-technologie kon je een chip openzagen, foto's maken van de schakelingen, uitvergroten en als ontwerp gebruiken om ze na te bouwen. Met die methode is het Oostblok aan de computertechnologie gekomen. Met de latere chips lukte dat niet meer, de structuren zijn te klein geworden.' Ze schudde heftig haar hoofd. 'Je kunt de boel alleen controleren als je de code hebt. Je activeert dan de tweede laag. De chip reageert vervolgens anders omdat een ander programma actief is. Dat zou als bewijs kunnen dienen.'

Alex haalde diep adem. 'Dat klinkt of je die code niet hebt.'

Sirona trok een gezicht. 'Die dingen zijn programmeerbaar. Wellicht is Zantini de enige die de code kent.'

Het vliegticket naar Duitsland was probleemloos om te ruilen voor een ticket waarmee hij naar Italië kon. Op luchthaven Charles de Gaulle in Parijs moest Vincent vier uur wachten op zijn transitvlucht. Aangezien de luchtvaartmaatschappijen er alles aan deden om hun passagiers uit te hongeren, liep hij naar een restaurant om een hapje te eten. Aansluitend nam het veel tijd in beslag om erachter te komen waar hij moest zijn voor zijn volgende vlucht. Het gatenummer op het informatiebord correspondeerde namelijk niet met het nummer op zijn boardingpass. En bij de genoemde gate hing een briefje waarop stond dat hij bij weer een andere gate moest zijn. Het luchthavenpersoneel begreep zijn vragen, maar hij hun antwoorden niet.

Toen hij eindelijk op de juiste vertrekpier was, had hij nog twee uur over. En toen hij voor het eerst opkeek van zijn krant, zag hij op het informatiebord dat zijn vlucht naar Rome vertraging had. Toen hij voor de tweede keer opkeek, was de vertraging groter geworden. Uiteindelijk legde hij zijn krant neer, in de vage hoop dat hij op die manier de ban kon breken.

Hij pakte zijn mobiele telefoon en scrolde door de menu's omdat hij zich niet meer kon herinneren of er een spelletje op stond. Onverwachts kwam hij het telefoonnummer van Sirona tegen. Prima gelegenheid om haar eens te bellen. Hij drukte op de verbindingstoets.

Tobberig liet Alex zijn bureaustoel van links naar rechts draaien, en vice versa. De oktoberzon tekende een vlak dwars op de vloer.

'De code hoef je natuurlijk niet per se te gebruiken om alles te onthullen,' zei hij zachtjes. Hij zweeg even en keek Sirona met half dichtgeknepen ogen aan. 'Hoe moet ik me dit voorstellen? Betekent dit dat in alle stemcomputers nog steeds de chips zitten die met een telefoontje zijn om te schakelen naar het programma dat Vincent geschreven heeft? En dat

dat programma sowieso altijd vijfennegentig procent van de uitgebrachte stemmen naar de VWM sluist?'

Sirona keek hem wantrouwig aan. 'Wat ben je van plan?'

Root lachte mekkerend. 'Natuurlijk gaan we door!'

Ze ging met een ruk rechtzitten. 'Met deze zwendel? Dat meen je niet!' Het leek of ze elk moment over het enorme bureau kon springen om Alex bij de keel te grijpen.

Alex boog zich naar voren. Hij spande zijn halsspieren. 'Hé, hou jij je maar gedeisd!' snauwde hij. 'Jij hebt ons overgehaald om dit rare circus op te voeren. Vervolgens vertrek je met de noorderzon en laat je niks meer van je horen!'

'Maar ik heb je toch net verteld wat ik...'

'Ja, dat heb je! Maar je komt daar wel een paar weken te laat mee,' bitste Alex. 'En te laat is nou eenmaal gewoon te laat. De reden doet er dan niet meer toe. Deze kwestie is inmiddels een eigen leven gaan leiden. Ik heb daar minder zeggenschap over dan jij kennelijk denkt. Neem nou de Bondsdag. Ik heb daar een stelletje clowns binnengeloodst. Maar nu zitten ze er als legitieme volksvertegenwoordigers, dat is waar het om gaat, snap je? Deze santenkraam heeft een eigen dynamiek. Ik kan dit niet meer terugdraaien, zelfs niet als ik dat zou willen. Natuurlijk kan ik een trucje uithalen. Gerhard Schröder was de laatste die dat deed om de Bondsdag te ontbinden. Dat was een trucje, maar dan moeten de afgevaardigden wel meedoen, anders lukt dat niet. En onze jongens zullen niet meewerken, begrijp je? Ze vinden dit veel te leuk. Ik moet dit spelletje dus meespelen. We moeten een grondwetgevende vergadering bijeenroepen, een nieuwe grondwet uitwerken en aannemen. En tot slot moet er een referendum komen. Dat wordt een grandioos fiasco als jij gelijk hebt en er inderdaad verkiezingsfraude is gepleegd. Ik haat het als een spel de mist in gaat.'

'Wil je daarom dan ook maar de Bondsdag een loer draaien, zoals je met de parlementsverkiezingen hebt gedaan? Je bent een fraaie bondgenoot. Eigenlijk ben je van hetzelfde kaliber als Zantini, het is maar dat je het weet.'

Alex balde zijn vuisten, opende ze en zei gevaarlijk zacht: 'Ik wil alleen dit spel uitspelen. En dit spel heet monarchie. Op audiëntie bij de koning, een hofhouding, ridders, paleisintriges, toernooien, pracht en praal tot in de gloria. Alles erop en eraan.'

'Jij ziet alles als een spel, hè? Het zit in je aard.' Haar ogen glinsterden. 'Zelfs een relatie is voor jou slechts een spelletje...'

Haar telefoon kwinkeleerde. Ze diepte haar mobieltje op uit de kleren die ze aanhad, staarde naar het display, keek op en zei: 'Kan ik ergens ongestoord bellen?'

'Hiernaast,' zei Root. Hij wees naar een deur. 'De vergaderkamer.'

'Oké.' Ze stond op en liep weg.

Met een luidruchtige zucht leunde Alex achterover. 'Dit gebeurt dus echt...' mordte hij terwijl hij vol afschuw naar zijn gigantische bureau keek. 'Tjeses, wat een klotebaan. Je bent niet goed wijs als je dit vrijwillig doet.'

Toen Sirona de deur van de vergaderkamer achter zich had dichtgetrokken, stond Root op en ging achter Alex aan het tafeltje zitten waarop een flatscreen stond. 'Hou op met kankeren.' Hij schoof het toetsenbord naar zich toe en klikte een programma aan. 'We kunnen beter kijken of mijn speelgoed het doet...'

Op het scherm verscheen een venster waarin de vergaderruimte vanuit een bovenhoek te zien was. Sirona stond midden in de kamer. Ze hoorden haar telefoneren in het Engels.

'Dat moet Vincent zijn, hè?' zei Alex na een tijdje.

'Zou best kunnen,' zei Root.

Op dat moment keek ze op en riep: *'You know where he is? Really?'*

'Zantini,' giste Alex. 'Ze hebben het over hem.'

Root knikte. 'Vincent weet waar die kerel uithangt.'

*'Okay,'* zei Sirona. *'I want to come with you. I absolutely have to talk to him.'* Ze luisterde en keek op haar horloge. *'Okay. I will see what I can do. I have to. Otherwise there will be a catastrophe here.'*

'Begrijp ik dat goed?' mompelde Root. 'Maakt ze een afspraak met Vincent om Zantini te spreken te krijgen?'

Alex gebaarde naar hem, omdat Sirona op dat moment moeilijk te verstaan was.

*'Yes. I remember the picture you once sent me. No, I didn't, right. But I will recognize you. That's all we need, don't we?'* Ze draaide zich met een ruk om. *'Okay. I'll call you back in a few minutes. Bye!'*

Root schoof het muispijltje naar het icoontje om de 'uitzending' te beëindigen. Ze zagen wat er vervolgens gebeurde.

Sirona borg haar mobieltje op, deed de deur naar de gang open...

En rende weg.

'Hé,' riep Alex uit. 'Ze neemt de benen! Dat is toch niet te geloven! Denkt ze dat ze er zo gemakkelijk vanaf komt?'

Hij greep naar de hoorn, maar Root legde een hand op de zijne en zei: 'Laat haar gaan.'

Vol ongeloof schudde Alex zijn hoofd. 'Ben je gek geworden? Ze weet waar Zantini is! Ze spoort hem op en laat hem getuigen! Ze is er volgens mij helemaal voor in de mood!'

'Oké, ze weet waar Zantini is,' zei Root. 'Dat betekent dat wij haar maar hoeven te volgen. En voor de rest ligt het toch aan ons wat er daarna gebeurt?'

'Haar volgen? Wat bedoel je?'

Root liet zijn ogen rollen. 'Hé, bondskanselier, ben je nog niet helemaal wakker? Bel de BND, de geheime dienst. Jij bent de regeringsleider. Iedereen hoort naar jouw pijpen te dansen.' Hij grijnsde. 'Het moet niet moeilijk zijn een vrouw te schaduwen die zo is opgetuigd als Sirona.'

# Hoofdstuk 47

Het was een gewoonte geworden. Nadat hij de deur geopend had, bleef hij eerst even in de duisternis van zijn huis staan om de omgeving op zich te laten inwerken. Inmiddels was het landschap op zijn netvlies getekend. Hij kende alle kurkeiken, olmen en steekpalmen die zijn erf omgaven. Net als de contouren van de steenachtige, verkarste plaatsen op de hellingen van de omliggende bergen. Zelfs de wolken die langs de bergtoppen dreven.

Vandaag zou het gaan regenen. En flink ook. Hij zag dat aan de donkerviolette, loodzware en zeer chagrijnig uitziende wolken die als bloemkolen boven de Apennijnen uittorenden. Het rook naar onweer.

Benito Zantini liep naar buiten en keek nog een keer grondig om zich heen. Daarna nam hij het pad dat eeuwen geleden uit de rotsen was gehouwen en dat naar de kleine, stenen huizen aan de weg leidde. Als alles volgens plan verliep, stonden daar nu de boodschappen – levensmiddelen en zo meer – die door een discrete handlanger elke ochtend uit het dorp naar het dal werden gebracht.

Zoals elke ochtend vroeg Benito Zantini zich af hoelang dit nog doorging. Kwam hier ooit een eind aan? Zou hij ooit die angst kwijtraken?

Bliksemde het al in de wolken? Had hij dat goed gezien? Hij hield zijn pas in. Ja, hij hoorde de rollende donder in het dal. Over een poosje barstte het natuurgeweld los. Je voelde het in elke vezel van je lijf.

Hij haalde de mand met brood, groenten en andere levensmiddelen uit het schuurtje en deed de piepende planken deur weer dicht. Toen hij zich omdraaide en terug wilde lopen, zag hij plotseling iemand die uit het niets verschenen was.

'Goedemorgen, meneer Zantini,' zei de man.

In het Duits.

Zantini verstarde van schrik. Het was dus zover. Ze hadden hem gevonden.

'We hadden iets afgesproken,' vervolgde de man. Hij was in het zwart gekleed en droeg hoge, al even zwarte leren laarzen. Zijn leren jas deed denken aan een cape. Maar het meest angstaanjagende aan hem was zijn martiaal korte kapsel.

Afgezien van de genadeloze uitdrukking op zijn gezicht.

'Ik begrijp dat u boos bent,' zei Zantini ademloos toen hij enigszins van de schrik bekomen was. 'Maar geloof me, ik weet zelf niet hoe dit heeft kunnen gebeuren...'

Hij stokte. Er waren nog meer mannen. Ze kwamen van alle kanten op hem af. Allemaal in het zwart. Vrijwel kale hoofden. En ze kookten van woede.

'Dacht u echt dat u er zomaar met ons geld vandoor kon gaan?' vroeg de man. 'Met al die miljoenen? Dacht u echt dat we u niet zouden vinden?'

Zantini merkte dat de mand steeds zwaarder werd. 'Dat was niet mijn bedoeling,' verzekerde hij hem. 'Ik heb gedaan wat ik heb beloofd. Ik begrijp niet waarom het resultaat anders is dan verwacht...'

Twee mannen stonden nu achter zijn rug en grepen hem bij zijn bovenarmen vast.

'Het geld is niet belangrijk,' siste de man die voor hem stond. Zijn ogen bliksemden. 'Waar het om gaat is dat u een historische kans gesaboteerd hebt om het Duitse Rijk terecht in volle glorie te herstellen. U bent een ellendige bedrieger, een armzalige charlatan, een verrader van het Duitse volk, een schadelijk individu van het ergste soort. In de samenleving die wij op een dag gestalte zullen geven, zoals de voorzienigheid het wil en ongeacht wie ons in de weg staan of hoelang het duurt voordat het zover zal zijn, is er voor uw soort geen plaats meer.'

Hij maakte een bazige beweging met zijn kin, waarna de twee mannen Zantini terugduwden naar het huis dat zijn toevluchtsoord was geworden, maar waar hij nu de dood in de ogen zou kijken.

Ditmaal realiseerde hij zich dat geen enkel trucje zou helpen.


'*Casa del Contare,*' herhaalde Vincent.

Het gerimpelde, verweerde gezicht van de oude vrouw gaf geen blijk van herkenning. Wezenloos staarde ze hem aan.

Was ze misschien doof? Vincent wees naar het briefje, waarop de plaatsnaam genoteerd was. Hij gebaarde in een poging haar duidelijk te maken dat hij alleen maar wilde weten of hij hier links- of rechtsaf moest.

Ze schudde haar hoofd. Nog steeds keek ze hem uitdrukkingsloos aan. Achter haar ging een gordijn open. Een man die net zo oud was als zij schuifelde naar binnen en staarde hem net zo wezenloos aan.

'Bedankt,' zei Vincent. Hij liep weg. 'Hartelijk dank.'

Het was een goed idee geweest om op de luchthaven alles te kopen wat hij dacht nodig te hebben. En dat zijn huurauto met een volle tank benzine was afgeleverd. Hij had namelijk de indruk dat ze hem hier niet eens een fles mineraalwater wilden verkopen.

Hij stapte in zijn auto. Achter verschillende ramen zag hij chagrijnige blikken. Wat was dit voor een oord? Alsof iedereen meteen naar de telefoon rende om iemand te waarschuwen.

Vincent startte de auto. Weg hier.

Toen hij het dorp uit was, probeerde hij het met de beschrijving die Furry hem had gegeven. Bovendien had hij een landkaart en prints van Google Earth – satellietbeelden – omdat de kaart niet klopte.

Hij probeerde Sirona te bellen. Ze hadden lang getelefoneerd terwijl ze in Berlijn in een taxi zat die haar naar de luchthaven bracht. Haastig had hij alles verteld wat hij wist en haar aangeboden dat hij in Palermo op haar zou wachten. Daar wilde ze echter niets van weten. 'Nee, ik kom wel na,' had ze aangedrongen. 'Ik heb het gevoel dat we geen tijd mogen verliezen.'

*Degene die u probeert te bellen is op dit moment niet bereikbaar.* Waarschijnlijk zat ze in het vliegtuig.

Het ging bergop. Beboste hellingen, velden met droog gras, net hooi. Hier en daar steenverschuivingen. Alles om hem heen ademde een spookachtige weerzin uit tegen iedereen die niet minstens bij de derde generatie bewoners hoorde.

Een grote onweerswolk dijde boven hem uit. Het kon nu elk moment gaan regenen alsof de wereld verging.

Een agent van de BND en Sirona zaten in hetzelfde vliegtuig dat van Rome naar Palermo vloog. Twee andere agenten waren al eerder vertrokken. Ze hadden in alle rust twee auto's gehuurd, die inmiddels op een geschikte plaats geparkeerd stonden. Aansluitend namen ze binnen ontvangstbereik hun posities in.

Ieder van hen had een print bij zich van een foto die ze gemaild hadden gekregen. Een van de mannen bekeek die foto nog een keer en vroeg zich af waar die was genomen. De betreffende persoon zat in de beschreven kleding met opgetrokken benen in een leren stoel tegenover een gigantisch bureau.

*Volg haar onopvallend.* Dat was de opdracht.

Was dat een grap? Ze was zodanig uitgedost dat ze alle blikken naar zich toe trok. In haar bijzijn viel niemand meer op.

De agent in het vliegtuig zat schuin achter Sirona, aan de andere kant van het gangpad. Hij hield haar voortdurend in de gaten. Dat leverde echter niets op, omdat ze niets bijzonders deed. Ze zat daar maar en staarde voor zich uit. Soms schikte ze haar tulerokje, frunnikte aan de kunstparels die ze om haar nek had hangen, of aan de grote, zilveren armband.

Het was bijna belachelijk eenvoudig om haar te schaduwen.

Een opkomend onweer veroorzaakte nogal wat turbulentie, waardoor de landing voor sommigen angstaanjagend was. De vrouw die naast de agent zat, begon in het Italiaans te bidden. De persoon die hij moest schaduwen gedroeg zich echter helemaal niet bang. Bij aankomst bleef de agent een eindje achter haar lopen. Toen ze in het luchthavengebouw waren, gaf hij haar een flinke 'voorsprong'. Ze moesten immers toch eerst naar de bagageband.

Daar gebeurde nog steeds niets bijzonders. Ze ging eerst naar de toiletruimte. Samen met vrijwel alle vrouwen die in het vliegtuig hadden gezeten. De agent nam een positie in die deed voorkomen of hij op zijn bagage wachtte, die hij niet had, in plaats van dat hij de toiletten in de gaten hield. Vervolgens pakte hij zijn mobiele telefoon en belde zijn collega's, die buiten wachtten, om ze op de hoogte te brengen van de stand van zaken.

Hij realiseerde zich echter niet dat ook Sirona alleen met handbagage reisde. In de toiletruimte verdrong ze zich tussen de andere vrouwen, die haar net als iedereen geërgerd aanstaarden. Ze wachtte tot het ruime toilet voor gehandicapten vrij was.

Ze glipte de toiletcabine in. Mazzel. Deze beschikte zelfs over een wastafel.

Ze trok haar kleren uit, wreef het grootste deel van de make-up van haar gezicht, waste zich en maakte zich opnieuw op, ditmaal zoals het een keurige jongedame betaamt. Vervolgens haalde ze de haarspelden uit haar kapsel, verwijderde de pruik en kamde haar echte lokken naar achteren. Ze trok de kleren aan die ze op de luchthaven van Berlijn in allerijl gekocht had en in haar bonte schoudertas had gestopt: een donkere pantalon en een bloes die haar het voorkomen van een zakenvrouw gaven, en een dunne pullover. Tot slot pakte ze een leren tas met veel ritssluitingen. Een tas die je op geraffineerde wijze groter kon maken. Daarin stopte ze haar andere kleren, haar pruik en ook de schoudertas.

Daarna verliet ze de toiletruimte. Je kende haar niet meer terug. Zonder te weten dat een agent haar opwachtte, passeerde ze hem terwijl ze zich naar de uitgang begaf. Ook de twee mannen die daar aan het posten waren, keken slechts terloops even naar haar. Op zeker moment kreeg de agent die zich bij de bagageband ophield in de gaten dat er iets verkeerd was gegaan. Sirona reed toen al in haar huurauto over de Viale Regione Siciliana.

Zantini overleed niet zo snel als hij gedacht had. Uiteindelijk werd hij niet langer verschrikkelijk geslagen en genadeloos hard geschopt. De van haat vervulde vuistslagen – tegen zijn hoofd, in zijn buik en rug, in zijn kruis, overal waar ze hem konden raken – waren eindelijk verleden tijd. Dat wilde niet zeggen dat Zantini nu vrolijk overeind kon komen. Hij bleef liggen waar hij lag en kon geen hand bewegen. Hij had het gevoel of hij levend gevild was. Maar dood was hij niet, hoezeer hij dat ook wenste.

Iemand pakte hem bij de schouder vast en draaide hem behoedzaam op zijn rug. De aanraking was zo fundamenteel anders van aard dat Zantini zich de moeite getroostte om zijn ogen te openen. Hij deed er althans een poging toe.

Twee jongemannen in lichte, moderne pakken. Ze bogen zich over hem heen. Glimlachende, gladschoren gezichten.

'Wie zijn jullie?' vroeg Zantini. Het klonk zo moeizaam, hoewel hij zijn best deed, dat het nog maar de vraag was of ze hem verstonden. Hij wist ook niet hoeveel tanden hij nog overhad.

'Mijn naam is Müller,' zei de donkerharige man. Hij wees naar zijn blonde collega. 'En dat is meneer Schmitt.'

'En de...'

'De nazi's? Die zijn weg.'

Zantini ontspande zich. Opluchting; hij zweefde op het randje van bewusteloosheid. 'Bedankt. Ze hadden me bijna vermoord.'

'Daar ziet het wel naar uit,' zei Müller bijna opgewekt.

Het lukte Zantini om zijn hand te bewegen en hier en daar zijn lichaam te betasten. 'Volgens mij heb ik wat gebroken.' In elk geval had hij een ijzersmaak in zijn mond en het gevoel dat hij uit al zijn lichaamsopeningen bloedde en wat al niet meer. 'Zou u een ziekenwagen voor me willen bellen?'

Glimlachend schudde Müller zijn hoofd. Net als Schmitt. 'Ik vrees dat dat niet mogelijk is,' zei Schmitt.

Het klonk merkwaardig genoeg zowel medelijdend als definitief. Alsof datgene wat hier gebeurd was hen niet aanging. Alsof ze hier toevallig waren.

Moeizaam hief Zantini het hoofd, keek rond en probeerde tussen de puinhopen in zijn woning – stukgeslagen meubilair en servies dat in scherven op de vloer lag – te herkennen waar hij zich bevond. 'Daar,' zei hij moeizaam. 'Daar is de... telefoon.'

'O ja?' Müller volgde diens wijsvinger, stond op en liep met een verende tred naar het wandapparaat.

Daarna trok hij de telefoon moeiteloos van de muur en rukte de kabel los.

Hij liep terug naar Zantini, boog zich naar hem toe, tot vlak bij diens gezicht, en zei kil en zonder die eeuwige glimlach: 'Wij zijn gekomen in opdracht van mensen in wier vaarwater u bent gekomen met uw belachelijke plannen. Personen die uw activiteiten niet kunnen waarderen.'

'Iemand die zich zo goed kan verbergen als u vormt een groot gevaar,' voegde Schmitt eraan toe. 'We hadden u bijna niet gevonden. Ongelofelijk, hè? Daar zijn we niet van gediend.'

Zantini keek hen aan. Opeens wist hij zeker, geen twijfel mogelijk, dat ze de nazi's op hem hadden afgestuurd. Toen deze twee mannen hem uiteindelijk toch hadden opgespoord, lieten ze de knokploeg het smerige werk opknappen.

Eigen schuld, dikke bult. Dan had hij zich maar niet met hen moeten inlaten. Stom. Een foutje dat hem duur was komen te staan.

'Nu gaat u me zeker vermoorden, hè?' zei hij.

Müller trok een gezicht alsof hij zich zeer verwonderde over die vraag. 'O, ik denk niet dat dat nog nodig is.' Hij keek zijn collega aan. 'Of wel?'

Druk verkeer in de bergen. Eerst kwam Vincent een bestelbusje tegen waarin allerlei sinistere figuren zaten. Daarna een Jeep waarvan de ramen zodanig geblindeerd waren dat je niet zag of er iemand achter het stuur zat.

Maar hij ging goed zo. De locatie van het huis was precies zoals Pictures – althans volgens Furry – dat beschreven had.

Hij kon niet tot aan de poort rijden, omdat de weg gedeeltelijk was opgebroken of weggespoeld en nooit gerepareerd. Oké, met een Jeep lukte dat wel. Maar niet met de kleine Fiat die Vincent had gehuurd.

Hij parkeerde in de berm en stapte uit. Hij had jeuk aan zijn hoofd. Vlak boven hem hingen violetzwarte wolken. Je kon ze bijna aanraken.

Hij liep bergopwaarts verder en begon te transpireren. De poort stond open. Geen bel. Alsof hier eeuwenlang niets veranderd was.

Doffe donderslagen in de bergen. Vincent volgde het platgetreden pad door het schaarse gras. De deur was gemaakt van dikke planken die als spoorbielzen niet zouden misstaan.

'Hallo!' riep Vincent. 'Is daar iemand?'

Geen antwoord.

Hij duwde tegen de deur, die geruisloos openging. Binnen was het donker. Hij hoorde iets. Zachte, eigenaardige geluiden.

Hij liep naar binnen – meer omdat het was gaan regenen – en zocht een lichtknop. Had dit huis wel elektriciteit? Hij voelde een ouderwetse draaischakelaar. Een gloeilamp ging aan.

Opnieuw hoorde hij dat geluid. Iemand kreunde.

Vincent liep ernaartoe. In de kamer deed hij het licht aan. Hij zag iemand met gescheurde kleren op de vloer liggen. De man rochelde, kreunde alsof hij veel pijn had, en hij schraapte telkens moeizaam, hopeloos, met een vinger over de vloer.

Een bliksemflits verlichtte heel even de kamer, meteen gevolgd door een donderklap die de ramen liet trillen. Het onweer was losgebarsten. Van het ene moment op het andere kletterde en striemde de regen tegen het huis.

Vincent boog zich over de man heen. Eigenlijk was hij niet eens verbaasd toen hij Zantini herkende. Iemand had hem verschrikkelijk toegetakeld. Hij had verschillende bloedende hoofdwonden, en hij lag in iets wat afschuwelijk stonk.

'Zantini?' zei hij. 'Wie heeft dit op zijn geweten?'

De oogleden waren opgezwollen, meer zwart dan blauw. Moeizaam deed hij zijn bloeddoorlopen ogen open. 'Vincent? Ben jij dat?'

Vincent haalde de mobiele telefoon uit zijn zak. 'Ik bel de dokter.'

'De dokter? Die kan niets meer voor me doen.'

Vincent zette de telefoon aan. Wat was het noodnummer in dit land? Plotseling herinnerde hij zich dat voor alle gsm-netwerken 112 het noodnummer was.

Het antenne-icoontje knipperde hulpeloos.

'Ik krijg geen verbinding,' zei Vincent.

'Er komt sowieso niemand.' Zantini hapte naar adem.

Vincent keek door de ramen naar buiten. Hij zag de regen die met bakken uit de hemel kwam, alsof het huis onder een waterval stond. 'Volgens mij ligt er een verbanddoos in de auto.'

Een hand klauwde in zijn mouw. 'Te laat. Ik ben er geweest.'

'Wie heeft dat gedaan?'

De broodmagere man met het verminkte gezicht kreunde. 'Jouw schuld, Vincent. Als jij me niet om de tuin had geleid, was dit niet gebeurd.'

'Ik?'

'VWM! Ik heb te laat begrepen dat het jouw initialen waren en welke rol die konden spelen...' Hij deed zijn ogen dicht. Moeizaam bewoog hij zijn lippen, waartussen een afgebroken tand met rood, schuimend bloed en speeksel verscheen.

Vincent slikte. Was dit echt zijn schuld? Hij begreep nog steeds niet wat er precies was gebeurd.

Wel schoot hem plotseling te binnen waarom hij gekomen was.

Opnieuw een bliksemflits, gevolgd door een oorverdovende, knetterende donderklap.

'Ik wil u iets vragen, Zantini,' zei hij indringend.

De oude, magere man reageerde niet.

'Als u me geen antwoord geeft, slaan ze mij ook in elkaar,' drong Vincent aan. Hij beroerde Zantini, bewoog hem zachtjes. Je kon het nauwelijks schudden noemen. De man kreunde echter toch. 'Zantini... waar hebt u de chips vandaan die in de stemcomputers zijn gezet? Ik heb het nu over de TWIN-chips.'

*Hij moet TWIN-chips hebben gebruikt. Maar meer dan er gefabriceerd zijn! Waar heeft hij die vandaan gehaald?* Dat had Miller hem ingeprent. *Iemand is op de hoogte van ons project en bouwt onze chips na! Het is absoluut noodzakelijk dat we erachter komen wie dat is!*

'Hoe bent u in het bezit gekomen van die chips?' Vincent bleef aandringen. 'Alstublieft, ik moet weten waar het lek zit, anders kan ik het ook wel schudden!'

Zantini deed zijn ogen open en keek hem verbaasd aan. 'Wat voor chips?'

'De EPROM's in de stemcomputers. U hebt die toch vervangen door speciale chips waarop mijn software staat?'

Zantini maakte een rochelend geluid, alsof hij moest lachen. 'Inderdaad, dat heb ik jou verteld. Maar zo is het niet gegaan. Het trucje werkte heel anders.'

Vincent staarde de oude illusionist verbijsterd aan. 'Hoe dan?'

Hij merkte dat de oude man crepeerde. De dood sloop de kamer binnen, waardoor Vincent angstig werd en sterke vluchtneigingen kreeg.

Zantini probeerde nog een keer half overeind te komen. Het lukte hem zijn hoofd op te tillen; een beweging die ondanks alles toch nog iets waardigs uitstraalde. 'Hoe vaak moet ik je dat nog vertellen, jongen? Een illusionist verraadt zijn trucs nooit. Niet de goeie. Die neemt hij mee in zijn graf en die maken hem onsterfelijk.'

Zijn hoofd viel terug en opzij. Zantini ademde niet meer.

# Hoofdstuk 48

Met een schreeuw krabbelde Vincent een eindje terug. Hij vluchtte voor het lijk. Voor het lichaam dat daar roerloos lag, griezelig stil, en een huiveringwekkende aanblik bood.

Voor het eerst in zijn leven zag Vincent een dode. Hij ademde gejaagd terwijl hij naar het lijk staarde. Een dood lichaam, meer was er niet overgebleven van de Benito Zantini die hij gekend had. De man was verdwenen. Alsof hij zichzelf met een ongelofelijke truc had weggetoverd, weggestraald, en er een wassen beeld voor in de plaats had gelegd dat er alleen uitzag als hij.

Gedurende een afschuwelijk moment van vertwijfeling hoopte hij dat het inderdaad maar een trucje was. Een illusie, een magisch spel. En dat Zantini dadelijk gewoon door de deur naar binnen zou lopen en in de lach schoot omdat Vincent zo onthutst keek.

Maar het was geen trucje. Deze keer niet. Dit was echt. De genadeloze, onverbiddelijke werkelijkheid. Plotseling hoorde Vincent iemand snikken. Hij keek om zich heen en begreep pas na enkele minuten dat hij het was die huilde, in het besef dat ook hij op een dag zou sterven en er zo bij zou liggen, als een afgedankte bundel kleren.

Alleen was Zantini geen natuurlijke dood gestorven.

Iemand had hem vermoord.

Vincent schrok. Haastig krabbelde hij overeind. Moord. Stel dat ze hem dat in de schoenen schoven. Dan was hij verloren.

Paniekerig keek hij om zich heen. Wat had hij aangeraakt? Had hij ergens zijn vingerafdrukken achtergelaten? Zijn gedachten buitelden over elkaar heen terwijl hij zich probeerde te herinneren wat hij de afgelopen minuten precies had gedaan. Hij had de deur opengeduwd en het licht aangedaan, de vloer bij het lijk aangeraakt. Hij haalde zijn zakdoek te-voorschijn en begon er de planken vloer mee te vegen, rondom de poel van prut waarin het lijk lag en waarvan hij liever niet wist wat dat was. Plotseling bewoog het hoofd van Zantini nog wat verder opzij, wat ge-paard ging met een huiveringwekkende zucht waar geen eind aan leek te komen.

Het joeg Vincent de stuipen op het lijf. Schreeuwend sprong hij op en hij vluchtte het huis uit, alsof duizend duivels achter hem aan zaten.

Hij moest maken dat hij wegkwam! Gewoon de benen nemen en ver-geten wat hier was gebeurd. De striemende regen maakte hem doornat, ook vanbinnen, zo leek het, waardoor zijn gejammer op wonderbaarlijke wijze wegspoelde, en de stank werd verbannen die tot diep in zijn lichaam was doorgedrongen. Ook al werd hij kletsnat, wat dan nog? Hij stak een hand in zijn natte broekzak en haalde de autosleutels eruit. Geweldig.

Het regende dat het goot. Onvoorstelbaar. Vincent strompelde door de zilverachtige regengordijnen en zag praktisch niks omdat het water in zijn ogen liep. Plotseling verstarde hij toen hij iemand zag die over het ge-kloofde asfalt van de overstroomde weg naar hem toe liep.

Het was een vrouw, gekleed in een donkere broek en een doornatte bloes die aan haar huid plakte. Ze hield haar pas in en zei: 'Vincent?'

'Sirona!' Hij herkende haar stem. De mascara besmeurde haar wangen. Haar lokken hingen in kletsnatte strengen langs haar gezicht, wat haar er niet aantrekkelijker op maakte. En het leek of de kraag van haar bloes zich volgezogen had met een soort witte verf.

'Is hij hier? Heb je hem gevonden?' Ze wreef over haar voorhoofd, alsof ze vervelende haarstrengen die voor haar gezicht hingen wilde wegvegen. Het drong maar niet tot haar door dat het de regen was die in stroompjes in haar ogen liep. 'Ik bedoel Zantini.'

'Ja,' zei Vincent hortend.

'En?'

'Hij is dood.'

Ze gilde van ontzetting. 'Dat meen je niet!'

Haastig vertelde hij wat er gebeurd was. Het kwam er als wartaal uit, maar Sirona begreep de kern van zijn verhaal. Iemand had de illusionist doodgeslagen. De truc die hij in Duitsland had uitgevoerd, was met hem mee zijn graf in gegaan.

'Hoe ben je achter het bestaan van die TWIN-chips gekomen?' vroeg Sirona.

'Iemand heeft me opdracht gegeven om Zantini ernaar te vragen. Meer weet ik er niet van.'

Ze keek hem ontzet aan. 'Iemand? Wie?'

'Geen idee. Eerst dacht ik dat een van de vele Amerikaanse geheime diensten mij in de picture had. Inmiddels ben ik daar niet meer van overtuigd.' Tjeses, hij had geen verstand van mode, maar hij zag het wel als een pak vierduizend dollar had gekost. Miller en Smith hadden er simpelweg te rijk uitgezien voor staatsambtenaren. 'Hoezo? Wat heeft dit te betekenen? Wat zijn TWIN-chips?'

Ze legde het hem gehaast uit. Het was niet allemaal even begrijpelijk wat ze zei, maar datgene wat hij ervan begreep benam hem de adem. Nog steeds stonden ze in de stromende regen die om hen heen zand en stenen wegspoelde, alsof de wereld verging.

'Hoe hebben ze Zantini gevonden? Wat denk jij?' vroeg Sirona uiteindelijk.

'Geen idee.'

'Wekenlang was hij spoorloos verdwenen. En plotseling vinden ze hem. Uitgerekend vandaag, een paar uur nadat wij aan de telefoon met elkaar gesproken hebben.'

Vincent staarde haar aan. Hij besefte dat ze waren afgeluisterd, ondanks het feit dat mobiele telefoons beveiligd hoorden te zijn tegen afluisterpraktijken. Tegelijk realiseerde hij zich dat Sirona eruitzag of ze meedeed aan een *wet-T-shirt-contest*. Hij vond het raar dat hij daar in deze situatie aan moest denken.

'Iemand wil koste wat het kost voorkomen dat de waarheid over deze chips in de openbaarheid komt,' schreeuwde ze toen de kletterende regen haar dreigde te overstemmen.

'Daar ziet het naar uit.'

'Maar dat betekent dat ze nu achter ons aan zitten!'

Vincent snakte opeens naar adem, alsof iemand hem een stomp in zijn maag had verkocht. Vertwijfeld zocht hij naar een reden waarom het niet kon kloppen wat Sirona zei en ze dus flink aan het overdrijven was. Hij kon echter niets bedenken. 'Shit! En nu?'

'Onderduiken!' Sirona keek om zich heen, zag opeens hoe ze erbij liep en schoot in de lach. 'Eigenlijk zien we er al best "ondergedoken" uit, hè? Kom! Ga je mee?'

'Waarheen?'

'Weet ik niet!' riep ze. 'Ergens waar ze ons niet vinden.'

'Waar dan?'

'Dat weet je toch nooit zo snel?' Ze stak een hand naar hem uit. 'In *Underworld*? Middenaarde? Maakt toch niet uit? Kom!'

Op dat moment kwam Sirona over als iemand die niet van deze wereld was. Veel meer een fabelwezen dan een vrouw. Heel even zou je inderdaad denken dat zij haar weg vond in landen die niet op landkaarten stonden, waar niemand ooit een voet had gezet en waar Google Earth geen beelden van had.

Vincent schudde zijn hoofd. 'Je zwamt. Je kunt toch niet zomaar op de bonnefooi... ergens heen gaan...?'

'Waarom niet? Heel eenvoudig. Je zet de ene voet voor de andere. Op zeker moment neem je een afslag naar onbekende verten.'

Ze was niet goed wijs. Dat stond nu wel vast.

Toch had ze gelijk. Ze liepen wel degelijk gevaar. Miller en Smith hadden gedreigd dat de gevolgen ernstig zouden zijn als hij zijn opdracht niet vervulde.

'Ik ga naar Duitsland,' zei Vincent. Hij was immers de kroonprins. Dat bood in elk geval een bepaalde mate van veiligheid.

Ze liet haar hand zakken. De manier waarop ze dat deed, brak zijn hart. 'Oké, dag,' zei ze.

'Dag,' zei Vincent.

Met een raadselachtig glimlachje draaide ze zich om en ze liep door de striemende regen weg, alsof ze door een gordijn stapte. Een moment later volgde Vincent haar over de steile weg naar beneden, maar ze was al weggereden in haar auto.

Doornat stapte hij in zijn Fiat en reed terug naar Palermo. Toen het onderweg niet meer regende, nam hij de afslag naar een klein bos om droge kleren aan te trekken. Hij offerde een van zijn T-shirts op om de bestuurdersstoel droog te wrijven, wat niet echt lukte. Daarna opende hij alle portieren, wachtte een tijdje, ging uiteindelijk op een van zijn sweatshirts zitten en reed verder.

Zijn mobiele telefoon kon hij maar beter niet meer gebruiken. Hij wiste alle gegevens en stopte de telefoon in een vuilnisbak die langs de weg stond.

Toen hij terugliep naar de auto merkte hij dat zijn handen trilden.

Aan de rand van de stad nam hij een kamer in een klein pension. De eigenaresse vroeg hem niks. Heel lang stond hij onder de hete douche. Zijn huid werd er vuurrood van en deed pijn. Maar zijn handen trilden in elk geval veel minder. Vervolgens hing hij zijn natte kleren te drogen, probeerde niet meer aan Zantini te denken – aan het lijk dat hij had gezien – en dacht na over hoe het nu verder moest.

Het was beter om voorlopig niet het vliegtuig te nemen. Misschien kon hij met de veerboot terug naar het vasteland en met de trein verder reizen, ook al was hij dan veel meer tijd kwijt. Hoofdzaak was dat hij zijn paspoort niet hoefde te laten zien en dat hij nergens zijn naam achterliet.

Kort voordat hij die avond in slaap viel, dacht hij weer aan het moment dat Sirona haar hand naar hem uitstak en hem uitnodigde om met haar mee te gaan. Ooit had hij ernaar verlangd om voor die keuze te staan: zo doorgaan of het onbekende tegemoet treden, het avontuur omarmen.

Had hij iets verprutst? Moeilijk te zeggen.

Kennelijk was hij toch niet zo avontuurlijk als hij altijd gedacht had.

Alex boog zich naar voren om goed te kunnen zien wat er zich onder de doorzichtige, maar wat beslagen afdekking plaatsvond. Op een metalen blokje lag een chip. Net een hoekige, zwarte kever die met zilverkleurige klemmetjes, net pootjes, was vastgezet terwijl een gonzend, roterend apparaatje telkens over de chip gleed en er een paar flinterdunne, donkere splinters af schaafde.

'Is dat de zevende?' vroeg hij voor de zekerheid.

'Inderdaad, meneer,' bevestigde de man van de Physikalisch-Technische Bundesanstalt[1]. 'We nemen twaalf steekproeven. Elke EPROM is afkomstig uit een andere stemcomputer, die in een ander deel van de bondsrepubliek is gebruikt. En elk apparaat was correct verzegeld.'

'Dat hebt u al een keer gezegd,' zei Alex. 'Nog steeds niets abnormaals gevonden? Geen dubbele kern, of hoe je dat ook noemt?'

De deskundige was chef van een afdeling die zich met halfgeleiderstechnieken bezighield. Heel stellig schudde hij zijn hoofd. 'Helemaal niets. Tot nu toe alleen heel gewone EPROM's met een geheugen van 128 kilobyte. Niets wat duidt op een dubbele opslagcapaciteit.' Op zijn bleke gezicht verscheen een nogal minzaam glimlachje. De ogen achter zijn bril flonkerden strijdlustig. 'En wat dat semafoonsignaal betreft om de switch te bewerkstelligen... Ik weet niet wie u dat verteld heeft, meneer. Maar volgens mij werkt dat beslist niet.'

'O,' zei Alex. 'Waarom niet?'

De man maakte een beweging met zijn handen alsof hij iets onzichtbaars vasthield wat zweefde in de lucht. 'Een stemcomputer heeft een gesloten, metalen behuizing. Dat wil zeggen dat de EPROM's zich in een kooi van Faraday bevinden die alle magnetische velden afzwakt. Ik betwijfel of een signaal met de sterkte van een normale radiozender tot de chip kan

---

[1] In Braunschweig, zie http://www.ptb.de

doordringen en dat... eh, omschakelingssignaal ontvangt. Daarvoor heb je een antenne nodig. Een stemcomputer heeft die niet.'

Op weg naar de luchthaven van Braunschweig-Wolfsburg, waar het speciale vliegtuig klaarstond om hen terug te brengen naar Berlijn, zei Alex tegen Root: 'Volgens mij is het klinkklare nonsens wat Sirona ons verteld heeft. Het is zoals ik altijd al gezegd heb: er is geen verkiezingsfraude gepleegd. We hebben gewoon gewonnen. Noem het een vergissing, maar we hebben wel gewonnen.'

Root liet die informatie bezinken. 'Oké, en wat betekent dat?'

'Dat we doorgaan tot we aan het gaatje zijn.' Alex staarde naar de voorbijflitsende bomen langs de kaarsrechte weg. De auto maakte een zoevend geluid. 'Die nieuwe grondwet hoeft er wat mij betreft niet te komen. Mij te ingewikkeld. Wie weet wat er nog allemaal tussen komt. Ik heb onlangs een jurist aan de lijn gehad die zich bezighoudt met constitutioneel recht. Hij zegt dat we ook met een verandering van de grondwet een heel eind kunnen komen. Een paar dingen krijgen we er echter niet door, zoals de deelstatenkwestie. Maar het moet mogelijk zijn dat een koning de president gaat vervangen.'

'Zeg toch gewoon dat je een kroningsfeest wilt,' zei Root.

'Precies.' Alex grijnsde sinister. 'Een kroningsfeest, de rest zal me worst zijn.'

Het was nog vroeg toen Leo een fax bracht. Een uitnodiging voor Simon en Helene om naar Berlijn te komen. Op het briefpapier van het bondskanselierskantoor stond als toevoeging geschreven, in het handschrift van Alex: *Ik heb een verrassing voor u beiden.*

De volgende dag stapten ze onder begeleiding van Leo en twee van zijn collega's in een vliegtuig van de luchtmacht. De soldaten in piekfijne uniformen groetten hen stram en gedroegen zich uitgesproken respectvol, maar ook merkbaar afstandelijk.

'Ze weten niet wat ze met je aan moeten,' zei Helene toen het toestel was opgestegen en ze zeker wist dat niemand van de bemanning kon meeluisteren.

Simon trok zijn wenkbrauwen op. 'Waarom zouden ze zich iets gelegen laten liggen aan mij?'

'Omdat u over niet al te lange tijd hun opperbevelhebber bent,' zei Leo.

'Niets maakt me daarvoor geschikt.'

Leo haalde zijn schouders op. 'Het is dan ook meer een symbolische functie.'

Het vliegtuig maakte een sonoor geluid. Simon keek uit het raampje. Hier en daar zag hij een wolk. Een herfstig landschap in de zon. Na een tijdje zei Helene dat dit toestel minder lawaai maakte dan een regulier lijnvliegtuig. Simon kon dat niet beoordelen. Het was jaren geleden dat hij voor het laatst gevlogen had. 'In elk geval comfortabeler,' zei hij.

Hij dacht nog steeds na over het woord 'opperbevelhebberschap'. Het klonk zo militaristisch. En dat was het ook. Maar als je dat buiten beschouwing liet, en het geheel in een historische context plaatste, was een koning natuurlijk ook de opperbevelhebber van de strijdmachten.

'Heb je er wel eens over nagedacht wat "leiden" eigenlijk betekent? Dus wat de rol is van de aanvoerder van een groep?' vroeg hij aan Leo.

Leo trok vragend zijn wenkbrauwen op. 'Hij is degene die de groep aanvoert, leidt, die zegt wat er moet gebeuren en wat iedereen moet doen. En iedereen gehoorzaamt hem.'

'En wat maakt hem geschikt voor die job?'

'Misschien is hij slimmer dan de rest. Of heeft hij een vooruitziende blik. En is hij goedgebekt, overtuigend.' Leo glimlachte geslepen. 'Allemaal eigenschappen waarvan u ooit hebt gezegd dat een koning die moet hebben, herinnert u zich dat nog?'

Inderdaad, die avond bij Alex in de keuken. Simon knikte en moest erom glimlachen. Als ze toen geweten hadden waartoe dit alles zou leiden!

'Ja, dat weet ik nog,' zei Simon. 'Koningsheil. Het spijt me, als leraar heb ik de gewoonte alles te herhalen. Goed, dat maakt de leider geschikt. Maar wat geeft hem de bevoegdheid om leider te zijn?'

Leo knipperde met zijn ogen en dacht na. 'Ik weet niet wat u bedoelt.'

'Hij gooit in de groep dat iets op een bepaalde manier moet gebeuren. Waarom laten de anderen dat toe en doen ze wat hij zegt?'

'Nou ja, uiteindelijk doen ze er hun voordeel mee, nietwaar?'

'Nu komen we bij de kern van de zaak.' Daar was die schoolmeesterachtige wijsvinger weer. Simon realiseerde zich dat hij weer helemaal de docent was. Helene keek hem verwonderd aan. 'Gemeenschappelijke inspanningen, op initiatief van de aanvoerder, komen de groep ten goede. Dat is waar het om draait. Zijn leiderschap moet de hele groep voordeel brengen. Het is niet van belang of hij er baat bij heeft. Het gaat om de groep als geheel. De anderen volgen hun leider omdat ze ervan overtuigd zijn dat ze er op termijn beter van worden.'

'Precies.' Leo knikte.

'Het gaat dus in wezen niet om macht. Of dat iemand aanspraak kan maken op iets, bijvoorbeeld op de troon. Het welzijn van de gemeenschap staat voorop. De koning moet het volk beschermen. Dat is zijn fundamentele taak. Daarom heeft men hem gekozen, daarom gehoorzaamt men hem en daarom dwingt hij respect af. Bescherming, dat is wat het volk van hem verwacht. En terecht. Hij is geen koning als hij die taak niet kan vervullen.'

Het toestel kwam in een luchtzak terecht, schudde even en stabiliseerde zich vervolgens.

'Dan verlang je wel veel van iemand,' zei Leo op een nadenkende toon. Simon glimlachte en knikte. 'Ja, hè?'

Het kostte Vincent drie dagen om in Rome te komen. De Italianen spraken namelijk amper Engels, waardoor hij tig keer in de verkeerde trein was gestapt. Elke nacht droomde hij over Zantini die op een podium stond en met EPROM's jongleerde. Op zeker moment had de illusionist talloze chips in zijn handen, en het volgende moment geen een meer. Hoe had die goochelaar dat voor elkaar gekregen? Welk trucje had hij meegenomen in zijn graf?

Vincent kwam krap bij kas te zitten en besloot om in Rome het vliegtuig te nemen.

In de map met de tickets en het geld dat Bruce hem had gegeven, zat ook een briefje met een Duits telefoonnummer dat zijn vader destijds telefonisch aan zijn moeder had doorgegeven. Hij belde vanuit een telefooncel op de luchthaven. Een vrouw nam op. Ze sprak goed Engels, wist wie hij was, vroeg naar zijn vluchtnummer en zei dat hij in Berlijn afgehaald zou worden.

Dat gebeurde ook. Twee opvallend onopvallende kleerkasten, die minder goed Engels spraken, stonden hem op te wachten op luchthaven Tegel. Ze noemden hem *'Royal Highness'* en begeleidden hem naar een limousine die hen naar de stad bracht. Hij zou in hotel Adlon verblijven, zeiden ze. Net als zijn vader, de koning, die in de loop van de dag zou komen.

Hier zat hij dan. In een suite met zo veel kamers, hoekjes en gangen dat je er makkelijk kon verdwalen. En met uitzicht op de Brandenburger Tor, die kleiner was dan hij zich had voorgesteld.

Wat deed hij hier eigenlijk?

*'You will meet the king.'* Dat was hem verteld.

Hij was benieuwd.

Alex haalde hen af van de luchthaven. Met twee limousines. In een van die auto's wilde hij Simon onder vier ogen spreken. De pracht en praal werd binnen de perken gehouden: slechts één motorescorte reed voor het konvooi uit. De Berlijners waren gewend aan dat soort spektakel. Ze keken er nauwelijks van op.

Simon deed zijn best om wijs te worden uit de diagrammen, foto's en expertiserapporten die Alex hem overhandigde, en hij probeerde te begrijpen wat die TWIN-chips behelsden. Sirona was met die informatie op de proppen gekomen. Niemand wist precies hoe. 'Inmiddels zijn we er definitief achter dat het niet zo gegaan kan zijn,' zei Alex. Er kwam geen eind aan zijn woordenvloed. 'Toen we onderzoek deden en dat bedrijf in Slowakije onder de loep namen, stelden we vast dat er van die chips maar pakweg tweehonderd stuks zijn gemaakt. En daarvan liggen er nota bene nog honderdveertig in de kast. De technologie functioneert namelijk niet.'

Simon keek beurtelings naar Alex, die triomfantelijk keek, en de foto van een opengezaagde computerchip. 'Nee?'

'Die dingetjes werken alleen als ze frisse lucht krijgen,' zei Alex grijnzend. 'Niet als ze in een metalen behuizing zitten, die ze afschermt van elektromagnetische straling. Het radiosignaal kan er niet bij komen!'

'O,' zei Simon. Hij wist niet of hij nu blij of teleurgesteld moest zijn. Het gedoe rond deze speciale chip klonk namelijk als een overtuigende verklaring voor alles wat er was voorgevallen.

'Gelooft u nu dat u echt gekozen bent?' vroeg Alex.

Simon haalde zijn schouders op. 'Het zal wel.' Hij gaf hem de papieren terug. 'Was dit de verrassing?'

Alex glimlachte. 'Nee. Die wacht in het hotel op u.'


Dat was dus zijn vader.

Toen Vincent tegenover hem stond in een suite die nog groter en pompeuzer was dan die van hem, en die waarachtig aan een kasteel deed denken, dacht hij aan hem te merken dat hij zich in deze pracht en praal net zo ongemakkelijk en vervreemd voelde als hijzelf even geleden. Dat hadden ze in elk geval gemeen.

Eerlijk gezegd had hij zich voorgesteld dat dit een bijzonder ogenblik zou zijn. Dit was dus de man die hij lang geleden in de dagboeken van zijn moeder was tegengekomen, en die zijn brieven had beantwoord. En met wie hij af en toe gebeld had zonder dat hij zich een voorstelling van hem kon maken. Nu stond hij daar.

Was dit een bijzonder ogenblik? Ja en nee. Bepaalde gezichtskenmerken waren onmiskenbaar en vielen meteen op. Dat was zoals hij verwacht had.

Het irriteerde Vincent echter dat hij bij hem geen gevoel van verwantschap ervoer.

Het viel hem moeilijk om deze man met *dad* aan te spreken. Hij merkte dat hij dat zelfs probeerde te vermijden. *Dad?* Bruce had toch ook niet het recht dat Vincent hem zo noemde? Terwijl hij toch met Bruce lange wandeltochten had gemaakt. Hij had hem geleerd hoe je een tent moest opzetten. Niet dat Vincent ooit veel met die kennis had gedaan. Maar Bruce mocht hem in elk geval.

Zijn vader had hem alleen verwekt.

Ze spraken lang met elkaar. Eerst onder vier ogen, daarna kwam de vrouw van Simon erbij zitten. Vincent had het gevoel dat ze hem kritisch opnam. Dat kon hij goed begrijpen.

Vincent kwam erachter wat de brief met die cd had aangericht. En hoe ze op het idee waren gekomen om een partij op te richten. En wat dat weer tot gevolg had gehad. Uiteindelijk legde zijn vader in grammaticaal correct Engels, maar met een duidelijk accent, uit dat het zo gegaan was omdat hij in het belang van Vincent de achtergronden van deze zaak niet eerder mocht ophelderen.

'Kortom, omdat jij die auto gestolen hebt, moet ik koning worden.'

Onwillekeurig moest Vincent erom grinniken.

Tjonge, hij was dus niet alleen iemand die presidenten maakte. Hij had ook de macht om ervoor te zorgen dat iemand koning werd.

Hier zat hij goed.


Dat was dus zijn zoon.

Het leed geen twijfel dat hij het was. De lichamelijke gelijkenis was bij de volwassen Vincent Merrit nog duidelijker te zien dan op de foto's van het kind dat hem indertijd die brief geschreven had.

Simon was zijn hele leven met kinderen omgegaan. Hij had hun ontwikkeling meegemaakt en hun sterke en zwakke kanten leren kennen. Sinds hij wist dat hij een zoon had, vroeg hij zich af of hij bij een ontmoeting het gevoel zou krijgen dat het zijn eigen vlees en bloed was.

Nu wist hij het: nee.

De jongen kon daar natuurlijk ook niets aan doen. Ze hadden geen gemeenschappelijk leven gehad. Er was geen sprake geweest van gedeelde belevenissen die een band smeedden, noch van de ruzies en blijdschap die je samen deelde, of van de scherpe kantjes die je er in de loop der jaren zogezegd bij elkaar af sleet, wat jouzelf en de ander vormde. Hij had verstek laten gaan toen deze jongeman nog een kind was. Dat kon je niet meer inhalen.

Simon besefte dat hij dat had kunnen weten. Hij had vaak genoeg met ouders van geadopteerde kinderen gesproken. Ze hadden precies hetzelfde verhaal.

Het avontuur dat begon toen hij in het bezit kwam van de cd was het enige wat ze gemeen hadden. Wat zich daaruit nog zou ontwikkelen kon alleen nu een aanvang nemen. Of er gebeurde niets. De periode ervoor was in elk geval verloren gegaan, en dus ook wat zich daaruit had kunnen ontwikkelen.

Deze jongeman dankte zijn bestaan aan een toeval, een onbelangrijke ontmoeting tussen een man en een vrouw. Toevallig was hij, Simon, die man geweest. Maar dat veranderde niets aan de willekeur van die samenkomst.

Je kon in elk geval spreken van een gemeenschappelijk lot. Dat klonk minder hard. En iedereen kende de uitdrukking dat het bloed kruipt waar het niet gaan kan.

Was dat de zoon van Simon? Leo schrok toen hij hen samen uit de Adlon Royal Suite zag komen. In elk geval was het een ontnuchterende ervaring.

Ze leken op elkaar. Daarover kon geen twijfel bestaan. Vader en zoon.

Maar zoals de vader waardigheid, toegenegenheid en belangstelling uitstraalde, zoals je dat, nou ja, van een koning verwachtte, zo was de zoon gewoon een gozer zoals er zo veel van waren. Een computerfreak. Iemand als Root, met het verschil dat Root een vetzak was en Vincent zo mager als een lat.

Moest hij de prins van Duitsland worden?

Iemand die geen woord Duits sprak? Iemand die niet eens de moeite nam om je te groeten?

In de daaropvolgende dagen dacht Leo diep na. Vervolgens gebeurde er iets merkwaardigs. Juist toen hij een besluit had genomen, vroeg Simon of hij hem een dienst wilde bewijzen. Een grote dienst.

Een koninklijke dienst.

# Hoofdstuk 49

Ik had het kunnen weten, dacht Simon. Alex was niet iemand die 'zomaar' iets vroeg. Weken geleden, tijdens een van de vele feestelijke diners op Schloss Reiserstein, wilde Alex weten waar vroeger de Duitse vorsten gekroond werden. Simon dacht dat Alex 'zomaar' om een babbeltje verlegen zat en vertelde toen dat sinds de heerschappij van Karel de Grote Aken altijd de traditionele kroningsstad van de Rooms-Duitse koningen was geweest.

En nu had Alex geregeld dat de kroningsceremonie zou plaatsvinden in de kathedraal van Aken.

Het was prachtig weer, alsof het besteld was. In de afgelopen dagen had het veel geregend, en de weerberichten voorspelden niet veel goeds. Toch was het precies op tijd opgehouden met regenen. Die ochtend scheen de zon, geen wolkje aan de lucht. De feestelijke processie naar de kathedraal trok door de binnenstad van Aken terwijl het inderdaad Kaiserwetter was.

Simon was in vol ornaat en zat in een koets waar twaalf paarden voor gespannen waren. Zes potige kerels hielden een baldakijn boven hem. Overal klonk fanfaremuziek. Bereden trompettisten en hoornisten vormden immers een wezenlijk element van deze koninklijke processie. Langs de straten en achter versperringen, bewaakt door politieagenten, stonden de kijklustigen – de toeschouwers, in zekere zin het volk – in dichte drommen. Sommigen keken slechts toe, zelfs nogal onvriendelijk. Maar velen juichten, wuifden en zwaaiden met vlaggetjes. Er was van tevoren aangekondigd dat spandoeken, ongeacht met welke tekst, verboden waren. De politie hield daar streng toezicht op. Simon vond dat als de toestroom zo groot was, hij een bijdrage moest leveren om ervoor te zorgen dat de mensen niet ontevreden weer naar huis gingen. Dus zwaaide hij terug en glimlachte hij de kinderen toe, die kennelijk het grootste plezier hadden.

Simon had vernomen dat er voor de kathedraal een grote protestdemonstratie werd gehouden. Maar toen de processie bij het kerkportaal arriveerde, was daar niets meer van te merken.

Ze hadden de kerkceremonie verschillende keren geoefend. Toch bleek alles totaal anders nu hij in vol ornaat naar het altaar schreed terwijl het koor gedragen en aangrijpend zong. Simon bleef het gevoel houden dat hij droomde. De kerkbanken zaten vol! Van de Europese koningshuizen was inderdaad niemand komen opdagen. Ook de buitenlandse regeringsleiders hadden opvallend verstek laten gaan – velen om ongeloofwaardige redenen – en hadden hun ministers van Buitenlandse Zaken gestuurd. Van andere hoogwaardigheidsbekleders wist men dat ze uit protest waren weggebleven. Maar wat dan nog? In dichte drommen waren de mensen gekomen, duizenden ogen waren op hem gericht. En er heerste een feestelijke sfeer die Simon niet had kunnen bevroeden tijdens de repetities.

De aartsbisschop van Keulen wachtte op hem bij het altaar onder de imposante kernbouw – de octogoon – van de dom. In de achtste eeuw had Karel de Grote opdracht gegeven tot de bouw van dit gedeelte van de kathedraal, naar Byzantijns voorbeeld. Gedurende tweehonderd jaar was de zogenaamde paltskapel vaak nagebouwd, maar ten noorden van de Alpen onovertroffen gebleven in hoogte en gewelfbreedte. Niet alleen Karel de Grote was hier bijgezet. Ook andere Duitse koningen, onder wie Otto III.

Simon bereikte de plaats waar tijdens de repetities een kruis van plakband was aangebracht. Het plakband was natuurlijk verwijderd, en was ook niet meer nodig. Iemand kwam met een rijk gedecoreerde stoel, waarin hij ging zitten. Daarna nam iedereen plaats in de bankjes. Het klonk alsof de donder rolde.

Op grote fluwelen kussens werden de rijksinsignes gebracht. Natuurlijk eerst de kroon, vervolgens de rijksappel en de scepter. Het waren slechts replica's van de originele kroonjuwelen die zich in Wenen bevonden, in de schatkamer van de Wiener Hofburg. Oostenrijk had geweigerd om de historische voorwerpen ter beschikking te stellen voor deze kroningsceremonie.

Simon keek naar de westelijke galerijtravee. Op de bovenverdieping, tegenover het koor, stond de koningstroon van Aken. Een eenvoudige zetel van marmer, archaïsch van vorm en de hoogste zitplaats in de kerk. Dit was de troon die Karel de Grote had laten maken en waar tussen 936 en 1531 dertig Duitse koningen na hun inzegening en kroning hadden plaatsgenomen.

Ook Simon zou vandaag op die troon gaan zitten.

Hij staarde naar de gigantische kroonluchter in de koepel erboven. De kroonluchter van Barbarossa, zoals die werd genoemd, geschonken door keizer Frederik I, die de bijnaam Barbarossa had en die volgens een middeleeuws volksgeloof niet gestorven was maar sliep in een schuilplaats in Kyffhäuser, Trifels of Untersberg, daarover bleven de meningen verdeeld. Wanneer hij wakker werd en terugkwam, zou het Duitse Rijk in groot gevaar verkeren.

Ongetwijfeld konden de mensen die lang geleden in deze legende geloofden zich geen voorstelling maken van de verschrikkelijke dingen die nog zouden plaatsvinden, ook zonder dat de keizer zich genoodzaakt zag terug te keren.

Het koor verstomde. Er viel een verwachtingsvolle, stilte die in deze kathedraal zo intens was dat je er kippenvel van kreeg.

Het moment van de eedaflegging was aangebroken.

De aartsbisschop liep naar de microfoon en keek Simon aan. 'Simon,' riep de ervaren geestelijke op een gedragen, psalmodiërende toon. 'Zweert u dat u het Duitse volk met al uw vermogen zult dienen en beschermen, en dat u de welvaart van het land bevordert?'

Simon bracht zijn rechterhand omhoog. 'Dat zweer ik.'

'Zweert u dat u als koning de wet zult handhaven en beschermen?'

'Dat zweer ik.'

Na ingrijpende wijzigingen in de grondwet sinds het bestaan van de Bondsrepubliek Duitsland – wijzigingen die gerenommeerde rechtsgeleerden als 'verminkingen', 'barbaarse misvormingen' en zelfs 'massacres' hadden betiteld – had men de eed die tot dan toe alleen de bondspresident bij ambtsaanvaarding moest afleggen[1] in dit vraag-en-antwoordspel anders geformuleerd.

'Zweert u dat u als koning uw plichten naar eer en geweten zult vervullen en dat u gerechtigheid voor iedereen nastreeft?'

'Dat zweer ik.' Een jonge misdienaar van een jaar of veertien, en zichtbaar nerveus, ging naast Simon staan en hield een enorme bijbel voor hem open. Simon legde zijn linkerhand op het boek en vervolgde: 'Dat zweer ik, zo waarlijk helpe mij God Almachtig.'

Het was verbazingwekkend hoe onopvallend de televisieploegen zich ge-

---

[1] De eed is in §56 van de grondwet gedefinieerd en luidt: 'Ik zweer dat ik het Duitse volk met al mijn vermogen zal dienen en beschermen, en de welvaart van het land bevorder, dat ik de grondwet en de wetten van de Bondsrepubliek Duitsland zal handhaven en verdedigen, mijn plichten naar eer en geweten zal vervullen en gerechtigheid voor iedereen zal nastreven, zo waarlijk helpe mij God Almachtig.' De religieuze uiting als afsluiting van de eed mag weggelaten worden.

droegen. Nu pas zag Simon een van de camera's die overal in de kerk stonden opgesteld. In miljoenen huiskamers was deze plechtigheid rechtstreeks te volgen. Kennelijk deelden de buitenlandse zenders het voorbehoud niet dat hun regeringen maakten tegen de geldigheid van de laatste Bondsdagverkiezingen. In talloze landen was deze uitzending te zien, voor een deel rechtstreeks.

Enkele hulpen deden zijn bovengewaad uit. Daaronder droeg Simon een soort hemd met korte mouwen. Een hemd dat op de borst en rug diep was uitgesneden. Hij vroeg zich af hoeveel mensen wisten dat dit gedeelte van de ceremonie, een ritueel, aansloot bij de kroningsceremonies uit het Heilige Roomse Rijk der Duitse Natie, zoals dat vanaf de middeleeuwen tot in de moderne tijd gebruikelijk was.

De zalving. Tijdens de kroning van de Britse koningin Elisabeth II, de eerste kroning die wereldwijd rechtstreeks op tv werd uitgezonden[2], beschouwde men de zalving als iets heiligs. Zo heilig dat de camera's even uitgingen.

Maar in de eenentwintigste eeuw had men dat soort bedenkingen kennelijk niet meer. Integendeel, de camera's zoomden nu pas goed in terwijl Simon opstond, een stap naar voren deed en neerknielde op het kussen dat voor het altaar lag.

Er volgden plechtige rituelen. Mannen in sacrale gewaden kwamen naar voren. Een van hen hield een gouden lepel vast. Een andere geestelijke haalde de kurk van een flesje en goot wat olie op de lepel. De aartsbisschop, de *coronator*[3], doopte twee vingers in de olie en zalfde Simon: op de kruin, de borst, de nek, tussen de schouderbladen, op de rechterarm, de rechterelleboog en tot slot op de palm van de rechterhand. Hij deed dat met de woorden: 'Ik zalf je tot koning in de naam van de Vader, de Zoon en de Heilige Geest.'

Heel even had Simon het gevoel of hij uit zijn lichaam trad en toekeek. Hij verwonderde zich over de ernst waarmee de grijze bisschop dit ritueel uitvoerde en die woorden uitsprak. Het kwam natuurlijk niet vaak voor dat een bisschop een koning kroonde, maar geloofde hij echt in wat hij deed?

Moeilijk te zeggen. Simon wist zelf niet wat hij hiervan moest denken. Het koor ontstak in jubelzang die de kerk vulde als een belofte.

Simon kreeg het kroningsornaat om: een rijkversierd overgewaad; een

---

[2] Op 2 juni 1953.

[3] Degene die de koning kroont.

soort priesterstola in de kleuren rood, zwart en goud; en tot slot de schitterende koningsmantel in fel purper.

De kroningsceremonie. Op feestelijke wijze werden de rijksappel en de scepter aan Simon overhandigd. Hij hoefde ze maar te pakken. Aansluitend was het de bedoeling dat de aartsbisschop de kroon op het hoofd van de koning zette.

Simon nam de kroningsinsignes echter niet aan. In plaats daarvan kwam hij omhoog van het kussen waarop hij geknield zat en draaide zich om naar de mensenmassa die zich in de kathedraal verzameld had.

Wat een aanblik! Simon kreeg er knikkende knieën van, mogelijk ook omdat hij zo lang op zijn knieën op het kussen had gezeten.

Hij liep naar de microfoon van de aartsbisschop en hoopte dat hij de kracht had om te doen wat hij doen moest.

Hij zag steeds meer verbaasde blikken. Achter zijn rug werd pijnlijk gekucht. Cameramensen namen ijlings nieuwe posities in.

Nu moest hij wachten tot het koor uitgezongen was.

Alex zat in een gedeelte van het zijschip waar hij alles goed kon overzien. Toen hij in de gaten kreeg dat Simon de ceremonie die ze geoefend hadden om de een of andere reden aan zijn laars lapte, wilde hij opstaan en steeg zijn adrenalinespiegel prompt. Hij had van tevoren veel maatregelen genomen om opgewassen te zijn tegen onvoorziene situaties. Dit had hij echter nooit verwacht. Maar wat dan nog? Hij was een organisator van alternate reality games. Hij kende het klappen van de zweep en kon improviseren als de beste. Hij zou wel iets verzinnen...

Leo, die naast hem zat, hield hem tegen en greep hem vast bij zijn onderarm. 'Niet doen.'

'Hè?' Alex staarde zijn broer verbijsterd aan.

'Laat hem begaan.'

'Hé, ben je gek geworden?' Tevergeefs probeerde hij uit de ijzeren greep van Leo te komen terwijl hij een gebaar maakte naar een van zijn assistenten om de microfoon van Simon uit te zetten. 'Ik kan toch niet toelaten dat hij...'

De ijzeren greep van Leo verslapte niet. En hij bleef zachtjes praten. 'Hou je mond en blijf rustig zitten, Alex. Wacht gewoon af wat er gebeurt.'

Alex keek hem sprakeloos aan. Dit was afgesproken! Dit was doorgestoken kaart!

Nou ja, wat dan nog? Hij zag dat zijn assistent, die hij een onmiskenbaar teken had gegeven – naar de microfoon wijzen en daarna een beweging maken of je je keel doorsneed – ernstig in zijn walkietalkie praatte. Oké, hij zou dit probleem wel oplossen.

De geluidsman zat op het oksaal aan het grote mengpaneel en zag dat het lichtje van zijn walkietalkie knipperde. 'Ja?'

Hij luisterde. Daarna stond hij op en keek hij over de leuning naar beneden waar de koning, die nog gekroond moest worden, voor de microfoon stond.

'Geen probleem,' zei hij.

Hij reikte al naar een knop op het mengpaneel. Op hetzelfde moment stapte een breedgeschouderde kerel uit de schaduw die zijn hand tegenhield.

'Hé,' zei de geluidsman, een magere vent met een ongezond bleek gezicht. 'Wat moet dat? Wie ben jij?'

'Iemand die ervoor zorgt dat de koning het volk kan toespreken als hij dat wenst,' zei lijfwacht Matthias Hofmeister.

Het koor verstomde. Weer viel er een verwachtingsvolle stilte. Ditmaal was de sfeer echter voelbaar gespannen. De meeste mensen realiseerden zich inmiddels dat er iets gebeurde wat niet voorzien was.

Simon had de formeel correcte begroetingsformule zorgvuldig vanbuiten geleerd; eindeloos lange zinnen waarin de woorden 'excellentie', 'geachte afgevaardigden' en 'consuls' vaak voorkwamen. Die zinnen waren hem nu echter ontschoten. Hij besloot het heel eenvoudig te houden en begon met: 'Geachte aanwezigen en kijkers thuis voor de buis.'

Niet te snel. Gewoon doorademen.

'De afgelopen verkiezingen zijn zeer controversieel geweest,' zei Simon. 'De controverse duurt voort omdat er nog steeds twijfels bestaan of de stemcomputers naar behoren gefunctioneerd hebben. Twijfels die nog steeds niet zijn weggenomen. Men kan rustig zeggen dat er een algemeen gevoel van onzekerheid heerst. Het gevoel dat niet alles verlopen is zoals het hoort. Dat is echter geen goede basis voor een nieuwe orde die zo fundamenteel van aard is als deze.'

Ging alles zoals afgesproken? Kon iedereen hem horen? In elk geval wel in de kerk. Een hoopvol teken.

'Ik ben niet in de positie om iets te eisen, ergens aanspraak op te maken en al helemaal niet om iets te verordenen,' vervolgde Simon. 'Maar ik kan wel iets in gang zetten en een voorstel doen. Hierbij stel ik dan ook serieus voor om aan die onzekerheid eens en voor altijd een eind te maken door de Duitse bevolking zo snel mogelijk te laten kiezen of ze een koning wil of niet. Een eenvoudige vraag die met ja of nee beantwoord kan worden. Zo'n referendum behoeft bovendien geen grote voorbereiding. En van een verkiezingsstrijd is geen sprake. En bovenal: geen stemcomputers,' voegde Simon eraan toe. 'Juist omdat de stemcomputer in een kwaad daglicht staat, stel ik voor dat apparaat bij dit referendum niet te gebruiken. De traditionele methode, het rode potlood, zal beslist voldoen.'

De onrust werd hoorbaar. Instemmende geluiden, maar ook gemopper, gefluit en boegeroep.

Simon stak zijn armen omhoog en wees naar het altaar. De mannen met de rijksappel en de scepter stonden daar nog steeds. En op het roodfluwelen kussen lag nog altijd de kroon. 'Zolang niet onomstotelijk vaststaat dat de meerderheid van de bevolking zich uitspreekt vóór de monarchie zal ik die kroon niet opzetten. Daarom stoppen we met de ceremonie. Ik dank u voor uw aandacht.'

# Hoofdstuk 50

Er vonden veel discussies plaats, maar uiteindelijk verklaarde de zittende regering zich bereid om tegemoet te komen aan de wens van de gedoodverfde koning en een referendum te houden.

Er werden stembiljetten gedrukt, er werd een datum geprikt en alle kiesgerechtigden kregen een stemkaart toegestuurd. Ditmaal kwamen er verkiezingswaarnemers uit de hele wereld, zelfs uit de Afrikaanse, jonge democratieën. Menigeen beschouwde het referendum als een belediging. Daar stond echter tegenover, zo gaf men toe, dat men dat eigenlijk aan zichzelf te wijten had.

De animo van de kiesgerechtigden om het referendum waaraan ze deelnamen goed te laten verlopen was ditmaal groter dan ooit. In vrijwel alle steden werden groepen en comités gevormd, en initiatieven ontplooid met als doel het referendum in goede banen te leiden en te bewaken. Al bij de opening van de stembureaus stonden er mensen te kijken of de stembussen wel in orde waren, bijvoorbeeld of men ze correct verzegeld had. Velen brachten de hele dag door in het stembureau, maakten reportages met de camera van hun mobiele telefoons en zaten achter hun laptops om via blogs en forums over het verloop van het referendum te berichten. Ze mailden en verstuurden sms'jes, en ze deelden koffie en broodjes met gelijkgezinden.

'Eindelijk leven in de tent!' zei een van de medewerkers van een stembureau blij. Ze ervoer haar taak niet meer als een verplichting.

De overhandiging van de stembiljetten werd met argusogen in de gaten gehouden. Niet zelden keken wel tien mensen toe als een lid van het stembureau een kruisje zette op de kiezerslijst, waarna de betreffende kiesgerechtigde met zijn stembiljet en envelop achter het gordijn van het stemhokje verdween.

Wat een opluchting om even alleen te zijn! Alleen met een stukje papier en een potlood dat aan een touwtje hing. Na alle discussies, waarin van alles beweerd, geëist en bestreden werd, soms wellicht alleen om gelijk te krijgen of om iemand te pesten, was dit het uur van de waarheid. Dit was het moment waarop je alleen maar hoefde te denken aan wat je echt dacht.

Wat een opluchting om te weten dat niemand meekreeg wat je stemde, op geen enkele manier. Geen gevaar voor gezichtsverlies, of om uitgelachen of uitgescholden te worden, of mogelijk andere negatieve gevolgen te moeten vrezen. Wist je met de stemcomputer zeker dat Big Brother niet over je schouder meekeek?

Wat een opluchting om te weten dat een kruisje dat je op papier zette voor altijd daar zou blijven, op precies dezelfde plaats waar je het gezet had.

Een besluit nemen, een kruisje zetten, het stembiljet dubbelvouwen en in de envelop stoppen – klaar. Daarna liep je het stemhokje uit, de buitenwereld in, waar je je ditmaal vrijer voelde dan ooit. Het maakte niet uit dat je geheim in een envelop zat die je in de stembus had gestopt. Zodra het schuifje openging en je envelop in de bus viel, werd je anonimiteit definitief.

Eindelijk werd het avond. Een blik op de klok. De grote wijzer at zich langzaam door de minuten. De leider van het stembureau kondigde de sluiting van het stembureau aan. Zes uur in de avond. Om deze tijd lag in heel Duitsland geen stembureau er verlaten bij. De belangstelling – waarnemers, kijklustigen en ander publiek – was zo groot dat voor het tellen van de stemmen in sommige plaatsen zelfs uitgeweken moest worden naar gymzalen of raadkamers.

Toen eindelijk iedereen die dat wilde met eigen ogen zag dat de stembussen correct verzegeld waren, werden de tonnen omgekeerd en schoven de enveloppen over de tafel, waar ze in stapels werden gelegd. Daarna werden ze een voor een geopend en werden de stembiljetten eruit gehaald, waarna ze getoond en voorgelezen werden: 'Een stem voor JA' of 'Een stem voor NEE'. Daarna zette iemand een streepje op de daarvoor bestemde lijst. Het stembiljet kwam vervolgens op een aparte stapel terecht.

De meeste waarnemers keken slechts toe of er daadwerkelijk een kruisje werd gezet achter JA of NEE nadat een medewerker dat geroepen had. Sommigen waren echter zo fanatiek dat ze zelf zeer geconcentreerd de 'score' bijhielden. Aan het einde van de telling waren er afwijkingen, die zich echter gemakkelijk lieten corrigeren door alles nog eens na te tellen. Doorgaans ging het om kleine foutjes; in sommige gevallen was er een horizontale streep gehaald door vijf verticale streepjes in plaats van vier. De laatste twijfelgevallen konden echter alleen uit de wereld worden geholpen door de keurig opgestapelde stembiljetten zorgvuldig te hertellen.

Toen de leider van het stembureau aan het eind van alle discussies de definitieve uitslag op een formulier noteerde, en er zijn handtekening onder zette, hadden alle participanten en medewerkers het gevoel dat ze hard gewerkt hadden.

In de verkiezingsprogramma's kwamen geen prognoses aan de orde. In plaats daarvan waren er cameraploegen op pad gegaan naar de talloze stembureaus, waar mensen uit alle lagen van de bevolking werden geïnterviewd. De hele dag door kwamen ze met informatieve reportages, zoals waar een verkiezing of referendum reglementair-grondwettelijk aan moest voldoen[1]. Ook op de stembureaus was meer informatie te vinden dan gebruikelijk: alle kieswetten en -voorschriften lagen voor het grijpen.

Dus duurde het tot maandagmiddag voordat de uitslag bekend werd gemaakt, maar wel onder voorbehoud omdat de uitslagen telefonisch waren doorgegeven en de officiële uitslag pas definitief was als de originele formulieren aan de verkiezingsautoriteit waren overlegd.

De voorlopige uitslag, waaraan ook later niets meer veranderd werd, zag er als volgt uit: op de vraag 'Moet er in Duitsland weer een monarchie worden ingevoerd?' stemde 12,3 procent van de kiesgerechtigden met JA en 87,6 procent met NEE. 0,1 procent van de stemmen was ongeldig verklaard.

Bondskanselier Alexander Leicht verklaarde kalm dat hij de uitslag accepteerde en daaruit de passende consequenties zou trekken.

Aangezien de Bondsdag als gevolg van de jongste wijzigingen in de grondwet het recht had om zichzelf op te heffen, als daar een meerderheid voor was, hoefde hij niet lang na te denken om tot dat besluit te komen. Er werden nieuwe verkiezingen uitgeschreven. Ook in dit geval zou er geen gebruik worden gemaakt van stemcomputers. De VWM deed niet meer mee aan de verkiezingen, die gewonnen werden door de gebruikelijke

---

[1] Een verkiezing moet aan de volgende voorwaarden voldoen.
1. Kiesgerechtigd. Alleen personen die stemgerechtigd zijn, mogen stemmen.
2. Gelijkgerechtigd. Iedere kiezer mag tijdens een verkiezing één keer stemmen.
3. Persoonlijk. Niemand mag weten wat de kiezer gestemd heeft.
4. Fraudebestendig. Geldige stemmen mogen niet veranderd (vervalst) of vernietigd worden; ongeldige of niet afgegeven stemmen mogen niet bijgevoegd worden.
5. Controle. Iedere kiesgerechtigde moet de mogelijkheid krijgen om onafhankelijk het correcte verloop van de verkiezingen, met inbegrip van de genoemde punten, te toetsen.

partijen, die het gebruikelijke aantal stemmen kregen. En zoals gebruikelijk ging het om tienden van procenten wie van de partijen de regering mocht vormen. Ditmaal kwam er een grote coalitie.

Een politicus die in de race was om minister van Binnenlandse Zaken of minister van Justitie te worden, verklaarde dat er een commissie in het leven zou worden geroepen die in alle rust alle voorvallen grondig zou onderzoeken en met een advies zou komen welke consequenties er getrokken moesten worden uit de voorbije turbulente periode in de politieke geschiedenis van de Bondsrepubliek Duitsland. Een mogelijkheid was om 'stemmen met het potlood' in de grondwet te laten opnemen. De aankomende minister hield dat persoonlijk voor de beste en meest praktische optie.

# Hoofdstuk 51

Sirona was spoorloos verdwenen.

'Ik heb wat ontdekt,' zei Root.

Alex was het bureau van de bondskanselier aan het opruimen. Hij keek onwillig op. 'Wat dan?'

'Wist je dat Sirona de naam van een Keltische godin is?'

'Nou en?' Hij had een gedeeltelijk volgeschreven schrijfblok in de hand en vroeg zich af of hij het hele schrijfblok mee moest nemen of alleen de beschreven vellen.

Root klapte zijn laptop open en las de informatie voor die hij had verzameld. 'De naam staat in Noord-Gallië op sommige inschriften vermeld. De schrijfwijze "Sirona" is vooral in de streek rond Wiesbaden bekend....'

'Wiesbaden?' viel Alex hem in de rede. 'Dat ligt toch ver van Noord-Gallië?'

'Als je alleen *Asterix* leest, krijg je misschien een verkeerd beeld van dat gebied. De nederzetting die tegenwoordig Wiesbaden heet, was in de tijd van de Romeinen bekend en geliefd om de warmwaterbronnen.' Root scrolde door de gegevens. 'Hier. Wiesbaden was de hoofdstad van het Romeinse bestuursdistrict *Civitas Mattiacorum* in de provincie *Germania Superior*.'

Alex gooide het schrijfblok in de kartonnen doos die naast hem stond. 'Sinds wanneer interesseer jij je voor geschiedenis? Ik dacht altijd dat dat een zwakke kant van jou was.'

Root stak uit protest zijn handen omhoog. 'Ik heb alleen wat gegoogeld en gelezen dat Sirona – ook Serona, Sarona en Dirona genoemd – een sterrengodin was die in de meeste gevallen wordt afgebeeld met, nu komt het, een slang om de onderarm.'

Alex zette grote ogen op. 'Zoals dat sieraad dat zij droeg?'

'Precies. Dat is volgens mij geen toeval.'

'Wat bedoel je? Denk je dat haar dat tot een godin maakt die zich af en toe in de wereld laat zien en daarna weer verdwijnt?'

'Stel dat het zo is?' hield Root vol. 'Dat verklaart in elk geval hoe het kan dat ze spoorloos verdwenen is.'

Alex schudde zijn hoofd. 'We hebben haar aanmeldgegevens voor de onlinespellen. Ik weet toevallig dat ze Silke Roswitha Nahle heet...'

Root glimlachte vals. 'Ja, heel toevallig.'

'... de overschrijvingen van haar rekening klopten altijd.' Hij maakte een afwijzend gebaar. 'Je fantaseert, man! Waarschijnlijk heeft ze dat pseudoniem gewoon uit haar echte naam gehaald, daarna wat gegoogeld en dezelfde informatie gevonden als jij. Dat bracht haar op het idee om zo'n sieraad te laten maken. Zo zal het gegaan zijn.'

'En is ze ook alleen om die reden naar Wiesbaden gegaan?'

'Toeval. Wel eens van gehoord?'

'Natuurlijk. Toevallig staat daar niemand met die naam geregistreerd bij de burgerlijke stand.'

Alex keek op. Root zat te kijken als een glimlachende boeddha.

'Hoe ben jij te weten gekomen...?' begon Alex. Vervolgens maakte hij een gebaar. 'Maakt niet uit. Ik wil het niet weten.'

Root stak zijn handen omhoog. Het toonbeeld van de vermoorde onschuld. 'Ik heb tijdens het verloop van dit spel een gozer van de BND leren kennen...'

'En die baan dan bij die chipfabriek waar ze haar eruit gegooid hebben?'

'Tja, nu we het toch over toeval hebben,' zei Root. 'Er heeft nooit een mevrouw Nahle op de afdeling Research gewerkt.'

'Werkten er wel vrouwen?'

'Verschillende zelfs. Ze nemen het liefst vrouwen aan, zogenaamd omdat ze zorgvuldiger werken...' Root was duidelijk beledigd omdat hij het daar niet mee eens was. 'Die vrouwen werken daar nog allemaal. Maar niet Sirona.'

Alex liet zich nog een keer in de leren bureaustoel van de bondskanselier vallen. 'Oké, ze is er dus een die altijd geheimzinnig doet. Nou en? Ze zal daar wel haar redenen voor hebben.'

'Ik zeg het alleen maar,' zei Root. Hij klapte zijn laptop dicht.

Alex hoorde niet wat hij zei. Met een broedende blik keek hij voor zich uit. Dat betekende dat hij in andere sferen was. 'Ze zal daar wel haar redenen voor hebben,' herhaalde hij mompelend.

Het contact met die 'gozer' van de BND had Root geen windeieren gelegd. Toen alles voorbij was, leverde hem dat een spannende baan op in Pullach bij de nieuwsdienst, afdeling Technische Voorlichting.

Het werd het leukste spel dat Root ooit gespeeld had.

Leo en zijn collega's, die samen met hem als lijfwachten voor Simon gewerkt hadden, richtten een eigen beveiligingsbedrijf op voor zowel personen als goederen. Een van zijn eerste klanten was een Frankische graaf die omvangrijke landerijen bezat en problemen had met houtdieven die zijn bossen op het oog hadden. Op de terugweg van een klus kreeg hij op een eenzame plek autopech. Bovendien was de batterij van zijn mobiele telefoon leeg. Na twee uur kwam er eindelijk iemand voorbij. Een jonge vrouw die hem meenam naar de dichtstbijzijnde garage. Nog tijdens dat ritje werd Leo verliefd op haar. En zij op hem. Ze verzweeg echter een hele tijd dat zij de op een na oudste dochter van de graaf was, zijn opdrachtgever.

'Ik dacht dat dat alleen in films gebeurt,' zei hij terwijl ze na de huwelijksinzegening de kerk uit liepen.

Alex kreeg precies op het juiste moment toestemming van de Mongoolse regering om op de uitgestrekte steppen van Azië zijn grote droom van een eindeloos spel te verwezenlijken. Met hulp van een Mongoolse partner organiseerde hij een alternate reality game die iedereen die daar zin in had – en die dat kon betalen (!) – de mogelijkheid bood te ervaren hoe het was om te leven in een nomadenstam. De deelnemers zouden slapen in tenten van dierenhuiden, onder dekens van huiden, en rondom een voortdurend smeulend kampvuur van gedroogde mest. Ook zouden ze vee gaan drijven op de gigantisch uitgestrekte grasvlakten. En natuurlijk paardrijden en met pijl en boog op wolven jagen.

En ze zouden op zoek gaan naar het 'ware zwarte vaandel van Djengis Khan'. Natuurlijk was haast geboden. Het vaandel zouden ze bijna, maar nooit echt vinden.

Uiteraard was dat het avontuurlijke gedeelte van het spel. Het fantastische element ervan, dat elk spel nodig had.

De inschrijvingslijst was lang. Veel deelnemers die door Mongolië reisden, meldden zich na terugkeer opnieuw aan. Meestal binnen twee weken.

Alex keerde echter niet meer terug. Hij was het stamhoofd. Hij bleef in Mongolië en stond erop dat men hem Aleksis Khan noemde.

Aldus volgde hij het voorbeeld van Sirona en verdween – in een spel. Daar had hij altijd al van gedroomd.

Vincent wist niet goed wat hij nog in Duitsland te zoeken had. Nu alles achter de rug was, ervoer hij dat als een kruispunt van wegen die hij kon inslaan. Kiezen was moeilijk. Hij beschouwde het dan ook als een opluchting – hoewel hij er aanvankelijk van schrok – toen zijn mobiele telefoon ging en er geen nummer op het display verscheen. Hij nam het gesprek aan. Iemand die hij zich maar al te goed herinnerde zei: 'Miller.'

De man in het donkere pak. Een pak dat ongetwijfeld vierduizend dollar had gekost. Vincent kreeg er de rillingen van. 'Hoe hebt u mijn nummer gevonden?'

'Vincent toch,' zei Miller op afkeurende toon. 'Je stelt me teleur. Denk je nou echt dat we je ook maar één moment uit het oog hebben verloren?'

Vincent slikte. 'Luister, ik heb mijn best gedaan, maar ik kwam gewoon te laat. Iemand heeft Zantini in elkaar geslagen. De goochelaar overleed voordat hij antwoord kon geven op mijn vragen. Hij stierf praktisch in mijn armen. Wat had ik dan moeten doen?'

Miller klonk onbezorgd. 'Geeft niks. Daarom bel ik ook. Om te zeggen dat alles oké is. Je hebt je wat ons betreft goed van je taak gekweten.'

'Maar u wilde toch weten of die chip...?'

'We wilden vooral weten waar Zantini zich ophield,' viel Miller hem in de rede. 'We zijn er namelijk niet van gediend dat iemand zich voor ons weet te verbergen. Dat zijn we niet gewend.'

Vincent keek uit het raam naar de televisietoren op de Alexanderplatz. De bol op de punt weerkaatste het licht van de ondergaande zon in alle richtingen, alsof Berlijn het decor was van een grote show.

'Hij was een illusionist,' zei hij.

'Dat moet het geweest zijn,' zei Miller.

Hij overlegde nog een keer met Bruce, die geen bedenkingen meer had. Dus keerde Vincent uiteindelijk terug naar Florida.

Ditmaal trof hij zijn huis aan Lake Charm verlaten aan. Binnen rook het muf. Op het terras lag een dode pelikaan en in de keuken een afscheidsbrief van Furry. *Hou je taai, jongen,* had ze geschreven. Geen woord over waar ze nu was of waarom ze zo opeens was vertrokken.

Hij miste haar. Heel merkwaardig.

Het was stil in huis. Zo verlaten. Het liefst had hij de hele boel verkocht. Maar de makelaar bij wie hij aanklopte om advies stak zijn handen wanhopig in de lucht en vroeg of hij zich wel realiseerde dat het crisis was. Economische crisis. Vastgoedcrisis. Miljoenen te dure huizen stonden te koop. Een uitzichtloze situatie. Tenzij hij een belachelijk lage prijs vroeg. Maar dan nog moest hij maar afwachten of hij het pand kwijtraakte.

'Daar kan ook president Obama niets aan veranderen,' zei de makelaar. Het klonk alsof hij 'koning Obama' had gezegd, vond Vincent.

Dus hield hij het huis aan en ging hij op zoek naar een baan. Dat was niet gemakkelijk.

SIT was verkocht aan een groot concern. De meeste collega's die hij van vroeger kende, waren inmiddels ontslagen. Consuela was stil gaan leven. Ze bleek te 'resideren' in een luxe wooncomplex in de buurt van Clearwater. Ze leek blij hem weer te zien.

'Al met al was het toch een mooie tijd, hè?' zei ze verschillende keren. Het zwembad had olympische afmetingen. In de bar ernaast kon je vierentwintig uur per dag elk gewenst drankje krijgen.

'Het verbaast me dat je het bedrijf verkocht hebt,' bekende Vincent.

Er kroop een schaduw over haar gezicht. 'Tja,' zei ze met een zucht. 'Het leven loopt soms anders dan je je had voorgesteld.'

Vincent deed er het zwijgen toe. Wat moest hij ook zeggen, gelet op wat er was voorgevallen?

In elk geval klonk het of ze haar bedrijf niet helemaal vrijwillig van de hand had gedaan.

'Zoek je werk...?' vroeg Consuela. Vervolgens zweeg ze en wachtte ze af.

'Ja,' zei Vincent.

Ze gaf hem het visitekaartje van ene Jim River, senior assistent bij Power Technology, Inc., ergens in een gat in Wyoming. 'Bel hem maar.'

Op de achterkant van het kaartje stond in kleine lettertjes: JOHN D. NAROSI GROUP. De eigenaar van het bedrijf.

Hij moest twee keer overstappen. Telkens in een kleiner toestel. Uiteindelijk stond een helikopter te wachten. Een sneeuwwit opgeverfd toestel zonder logo. Maar toen hij instapte, zag hij het logo vaag onder de verf doorschemeren. Het kwam hem bekend voor. En in de veiligheidsgordel was het opschrift GREENSTONE NAROSI INVESTMENT ingeweven.

Ze gingen niemandsland in en vlogen over verlaten berghellingen. Geen wegen. Geen dorpen. Een streek waar geen levende ziel te bekennen was. Twintig minuten later landde de helikopter voor een klein en tamelijk nieuw gebouw met een plat dak. Eromheen stonden her en der kleine villa's. Een paradijsje, omsloten door een hoog hekwerk.

De twee mannen die op Vincent stonden te wachten, konden de tweelingbroers van Miller en Smith zijn. Ze stelden zich voor als Jim River en

'Bob Valley, aangenaam'. Ze gingen hem voor naar een vergaderkamer die onpersoonlijk aandeed, maar waar alles te vinden was wat je nodig had – computer, flatscreen, wat al niet meer. De koffie stond klaar. En koekjes. Zelfs sandwiches.

Ze legden hem een geheimhoudingsverklaring voor. De tekst was kort en onverbloemd geformuleerd: als hij ooit iemand zou vertellen wat hij hier te weten kwam, zou hij een schadeclaim van miljarden dollars aan zijn broek krijgen en de rest van zijn leven in de gevangenis doorbrengen.

Steeds hetzelfde verhaal. Op den duur wende je eraan. Vincent zette meteen zijn handtekening onder het document.

Aansluitend vertelden ze hem dat de firma zich bezighield met de ontwikkeling van geheugenchips die niet te onderscheiden waren van de gebruikelijke modellen, maar zodanig gemaakt dat je elk moment en naar believen met radiotelegrafie nieuwe gegevens kon invoeren. Op die manier zouden computergestuurde apparaten op afstand bediend kunnen worden, ongeacht waar je je bevond. Je had alleen de identificatiecode van de betreffende chips nodig.

'Radiotelegrafisch?' zei Vincent verbaasd. 'Kan dat überhaupt?'

Ze toonden hem enkele beelden op de flatscreen. Foto's van enorme antennes in uitgestrekte, arctische wouden. En van satellieten en schematekeningen.

'Het grote probleem met TWIN, het mislukte voorloperproject, is dat de computerchips in het algemeen binnen een grotendeels gesloten metalen behuizing zitten. De behuizing werkt als een kooi van Faraday, die beschermt tegen de negatieve invloed van magnetische of elektromagnetische velden,' zei River.

'Maar zeer hoge frequenties trekken zich daar niets van aan,' vulde Valley aan. 'Op basis van die kennis, en enkele geheime uitvindingen, beschikken we tegenwoordig over een systeem dat elke chip waar ook ter wereld kan bereiken.'

Vincent knikte. Hij was zeer onder de indruk, maar toch sceptisch. 'En wat is daar de bedoeling van?' vroeg hij.

River trok zijn wenkbrauwen op. 'O, om computers waar ook ter wereld te kunnen aansturen,' zei hij alsof hij zich buitengewoon verbaasde over die vraag. 'Ik zie veel toepassingsmogelijkheden.'

'We hebben vernomen dat u ervaring hebt met stemcomputers,' zei Valley.

'Een beetje,' gaf Vincent toe. Natuurlijk, hij had kunnen weten waar dit om ging.

'Stemcomputers. Research. Dat is wat we u aanbieden,' legde Bob Valley uit. 'Het zijn moeilijke tijden en de toekomst ziet er wat dat betreft somber uit. We mogen niet meer het risico lopen dat verkiezingsuitslagen tegen onze belangen indruisen.'

'Onze belangen?' zei Vincent. 'Wiens belangen? Wie zijn "wij"?'

Valley glimlachte slechts. Op zijn gezicht verscheen een nogal sinistere uitdrukking.

'Is dit een nepbedrijf? Werk ik in feite voor de geheime dienst?' voegde hij eraan toe. Verdomme, als ze hem een geheimhoudingsverklaring lieten tekenen, konden ze hem toch wel vertellen wat voor spelletje hier gespeeld werd?

'Onze grote baas, meneer Narosi, is geen goede huisvader,' zei Valley. 'Hij heeft één dochter, ongeveer van uw leeftijd, die wegliep toen ze ongeveer achttien was. Hij is ook geen goede echtgenoot; zijn vrouw liet zich van hem scheiden. Maar hij heeft wel een fantastische neus voor zakendoen. Hij heeft de wereldwijde financiële crisis lang geleden al zien aankomen. Die was er niet van de ene dag op de andere, begrijpt u? Jaren geleden waren de voortekenen er al, je hoorde het zogezegd kraken, terwijl iedereen nog feestvierde en potverteerde. En nu? Dat vroeg hij zich af. Hij en enkele vrienden die net als hij inmiddels tot over hun oren in deze zeer speculatieve business zaten, wisten dat er geen gemakkelijke uitweg was.' Hij legde een hand op de geheimhoudingsverklaring die Vincent ondertekend had. 'Ze besloten ervoor te zorgen dat op het moment dat de financiële ellende begon politici aan de macht waren die hun verliezen met belastinggeld terugbetaalden en in staat waren de bevolking voor te spiegelen dat deze transacties absoluut nodig waren om het financiële stelsel overeind te houden. In feite ging het er alleen om dat ze hun banken, jachten, villa's, vliegtuigen en hun fraaie vermogen konden behouden. Heel begrijpelijk, nietwaar? Het is onze taak ervoor te zorgen dat alles bij het oude blijft.' Hij pakte het door Vincent ondertekende document en stopte het in een map die hij naast zich had liggen. 'Kortom, als u zich aan onze zijde schaart, bevindt u zich in het gezelschap van de winnaars.'

Vincent leunde verbijsterd achterover. Hij had duidelijk het gevoel dat ze een antwoord of een vraag van hem verwachtten. Hij wist echter niet wat hij moest zeggen.

Een bijna pijnlijke stilte was het gevolg.

Uiteindelijk boog Jim River zich naar voren en keek hem aan. 'U moet zich dat als volgt voorstellen,' zei hij zachtjes, ontspannen. 'U ziet een enorme landkaart voor u op het beeldscherm. Een landkaart waarop elke afzonderlijke chip nauwkeurig gelokaliseerd is. U klikt een van die punten aan en kunt de inhoud van de chip uitlezen, veranderen of wissen. Ook kunt u waarnemen wat er gebeurt... of de gebeurtenissen bepalen, sturen. Gewoon met een simpele muisklik. Dat is het doel ervan.' Hij glimlachte. 'Of beschouw dit als het tofste computerspel dat u ooit gespeeld hebt.'

Vincent probeerde zich dat voor te stellen en had bijna gevraagd of hij een witte kat mocht meenemen. In plaats daarvan vroeg hij om bedenktijd, hoewel hij eigenlijk al wist dat hij de verleiding niet kon weerstaan.

Twee weken later keerde hij terug. Ditmaal in een – eveneens sneeuwwitte – vrachtwagen waarin zijn spullen zaten. Hij kreeg een klein huis toegewezen en een kaart overhandigd waarop alle faciliteiten van deze 'nederzetting' waren aangeduid, zoals de supermarkt, kapsalon, dvd-verhuur en zo meer. Daarna lieten ze hem alleen zodat hij in alle rust zijn spullen naar binnen kon dragen.

De volgende ochtend stond hij punctueel op de afgesproken tijd bij de poort van het hoofdgebouw. Een jongeman in een witte overall verwachtte hem al.

'Ik moet u naar uw werkplek begeleiden en u aan uw baas voorstellen,' zei hij.

'Ik dacht dat River en Valley mijn...?'

'Die zijn van de personeelsafdeling,' zei de jongeman.

Ze liepen door een lange, smalle gang. Aan de witte muren hingen extreem uitvergrote, ingelijste satellietfoto's waarop buitengewone dingen te zien waren, zoals een Russische militaire basis waar iemand in zijn blote kont achter een schuurtje gehurkt zat; een Arabisch aandoende stad waar een vrouw op een dakterras naakt aan het zonnen was; een neukend stelletje op een open plek in het bos.

Eindelijk opende de man in de witte overall een van de talloze deuren. 'Meneer,' zei hij afgemeten, 'hier is...'

'Is al goed, we kennen elkaar,' zei Frank Hill. Hij kwam achter zijn bureau vandaan om Vincent de hand te schudden.

# Hoofdstuk 52

Veel burgers van Stuttgart noemden dat pand 'het kasteel', hoewel het slechts om een ruim, representatief en luxueus gelegen herenhuis ging dat vanaf de Uhlandshöhe een spectaculaire aanblik bood op het stadscentrum.

Dat was de grote verrassing toen Simon en Helene in Stuttgart arriveerden. Ze hadden de trein genomen en zich geamuseerd over het feit dat ze door sommige reizigers herkend en zelfs aangesproken werden. De gesprekjes die ze toen hadden, waren stuk voor stuk zeer aangenaam.

'Zul je dat niet missen?' had Helene gevraagd vlak voordat ze in Stuttgart aankwamen. Simon had zijn koffer al gepakt. Hij had toen zijn schouders opgehaald en gezegd: 'Ik ben ook heel benieuwd.'

Een schitterende ontvangst! Op het station was een volksfeest gaande. De trein kwam tot stilstand en er werd muziek gespeeld, met vlaggetjes gezwaaid, en ze zagen overal flitslicht van mensen die foto's namen. De burgemeester hield een korte toespraak en zei trots te zijn dat 'een koningspaar is teruggekeerd'. Brave meisjes overhandigden hun boeketten, toeschouwers wuifden en riepen. Uiteindelijk ging Heinz Stiekel voor hen staan, de industrieel die een echt kasteel bezat, en nog veel meer. Hij overhandigde Simon een map waarin zich een oorkonde bevond waarin stond dat ze voor de rest van hun leven in een Stuttgart-villa mochten wonen, zoals het hoorde. Aan deze schenking hing ook een fonds vast waarmee de salarissen werden betaald van enkele bedienden die het pand zouden gaan onderhouden.

'Dat kan ik niet aannemen,' zei Simon geschokt.

De industrieel maakte een buiging en verzekerde hem met doffe stem dat hij het als een grote eer beschouwde als Simon deze schenking accepteerde. 'U doet mij daar een buitengewoon groot genoegen mee, Koninklijke Hoogheid,' voegde hij eraan toe.

Dus woonden Simon en Helene voortaan in dat schitterende herenhuis dat in de schaduw lag van eeuwenoude bomen en uitzicht bood op het hart van de deelstaathoofdstad. 'Ook hoeft u het werk dat u vroeger deed niet meer op te pakken,' had Stiekel uitgelegd. Er was met de sociale instanties overeengekomen dat Simon en zijn vrouw een uitkering ontvingen die zodanig was dat ze nooit meer hoefden te werken.

Simon had de gewoonte om elke dag lange stadswandelingen te maken, ook als het regende of stormde. Niet zelden werd hij herkend en velen groetten hem eerbiedig met 'Goedendag, Majesteit.'

Vaak werden ze uitgenodigd voor openingsfeesten, staatsrecepties, prijsuitreikingen, vernissages, het uitreiken van oorkonden of om een korte rede te houden.

Ook kreeg Simon regelmatig het verzoek om voor een schoolklas te spreken. Helene was vaak te vinden in bejaardenhuizen, vrouwencentra en ziekenhuizen. Als het iets charitatiefs was, ging ze graag in op alle uitnodigingen voor zover haar overvolle agenda dat toeliet. In de daaropvolgende jaren stonden foto's van Simon of Helene, of van beiden, steevast in de Stuttgarter kranten, in de rubriek met het plaatselijke nieuws. Ze waren dan op bezoek geweest in kleuterscholen en ziekenhuizen of aanwezig geweest bij sportfestiviteiten, waarbij ze op de foto gingen met de winnaars.

Ze ontvingen zelf ook regelmatig gasten. Uitnodigingen van 'de koning' om met hem te dineren waren al snel zeer in trek. Het werden sociale gebeurtenissen waar iedereen voor in de rij stond. Wel moest een bankdirecteur er rekening mee houden dat hij aan tafel tussen een verkoopster en iemand van de dierenbescherming kwam te zitten. En een prima ballerina moest zich erop voorbereiden dat ze in gesprek raakte met iemand van het Rode Kruis, een vrijwillige voetbalscheidsrechter of een leraar die Frans, Engels en in noodgevallen ook Duits gaf. Want 'koningen' hielden geen rekening met de gebruikelijke sociale hiërarchie.

Telkens gebeurde het dat Simon op straat of bij bepaalde gelegenheden aangesproken werd. De mensen wilden met hem praten over de problemen die hen bezighielden. Wie dat deed, liep het risico dat hij flink de wacht kreeg aangezegd als Simon de indruk had dat hij of zij die problemen zelf veroorzaakt had. De persoon in kwestie kreeg dan een analyse van het probleem en uitvoerige raadgevingen hoe een bepaalde misstand uit de weg kon worden geruimd.

Soms ging Simon na zo'n ontmoeting echter op bezoek bij de burgemeester, die hem juridisch correct met 'meneer König' aansprak, maar hem altijd ontving en telkens een luisterend oor had.

En soms, heel soms leverde dat wat op.

Voor Simon en Helene bleef er in hun nieuwe leven dus weinig vrije tijd over. Meestal zaten ze, heel burgerlijk, samen voor de televisie. Op aandringen van Helene hadden ze er weer een in huis gehaald. In de jaren dat ze gescheiden van elkaar geleefd hadden, had Helene namelijk een uitgesproken voorkeur ontwikkeld voor de kijkbuis. Simon paste zich min of meer aan, maar het duurde niet lang of hij was verslaafd aan de dagelijkse *Tagesschau*, net als vroeger.

Op een avond keken ze hoe de minister van Binnenlandse Zaken tijdens een persconferentie een lijvig onderzoeksrapport kreeg overhandigd waarin de gebeurtenissen, voorvallen en twijfels omtrent het 'koningsdrama' uitvoerig uit de doeken werden gedaan. Zo werd het althans gebracht. Aansluitend verklaarde de minister dat binnenkort een nieuwe, fundamenteel verbeterde stemcomputer op de markt kwam waarmee absoluut geen fraude kon worden gepleegd.

Nog tijdens de uitzending stond Simon op en pakte hij de telefoon en zijn adresboekje.

'Wat ga je doen?' vroeg Helene verbaasd.

'Kennelijk moeten koningen tegenwoordig de democratie verdedigen,' zei Simon terwijl hij het nummer intoetste. 'Anders doet niemand het.'

# Nawoord

Toen ik dit boek schreef, hoorde ik dat het Bundesverfassungsgericht een klacht tegen het gebruik van stemcomputers ontvankelijk had verklaard.

Jarenlang hadden tegenstanders van die apparaten tevergeefs ernaar gestreefd, vooral de Chaos Computer Club[1], het speerpunt van het gezond verstand als het gaat om de digitale maakbaarheidswaan. Niet in de laatste plaats om die reden had ik besloten deze roman te schrijven.

En nu dit. Gedurende enkele dagen overwoog ik de roman niet af te schrijven. In het verleden had het Bundesverfassungsgericht altijd zo veel gezond verstand getoond dat je er rekening mee kon houden dat een verbod op stemcomputers eraan zat te komen. Had het dan nog zin om een roman te schrijven die zich tegen die apparaten keerde?

Uiteindelijk realiseerde ik me dat een verbod door het hoogste gerechtshof geen zoden aan de dijk zet als het gaat om het oplossen van het fundamentele probleem. De kwestie is namelijk niet dat deze apparaten bij verkiezingen gebruikt worden, maar dat de meerderheid van de bevolking – en die speelt in een democratie zoals bekend een belangrijke rol – niet zal begrijpen waarom ze niet gebruikt mogen worden.

Tegenwoordig leven we in een digitale waan. We zijn als samenleving zo gefascineerd door ons nieuwste speeltje, de computer, dat we dat ding voor van alles en nog wat willen gebruiken. We telefoneren ermee (ook een mobieltje is niets anders dan een computer), we fotograferen, communiceren en doen er spelletjes mee, en we zetten dingen op internet die wereldwijd verspreid worden. Maar programmeren kan vrijwel niemand, ook al heeft praktisch elk huishouden een computer. Met alle respect,

---

[1] http://wahlcomputer.ccc.de/?language=de

maar wie niet kan programmeren, begrijpt geen snars van computers. Een computer snappen wil niet zeggen dat je alles van Windows Vista weet en er alles uit kunt halen wat dat besturingsprogramma te bieden heeft. Ook niet dat je weet in welk submenu je waar een vinkje moet zetten om het computerspelletje nog leuker te maken. Nee, dat is niet waar het om gaat. Je waant je ook geen automonteur als je weet hoe je moet tanken en op welke brandstof de auto rijdt en hoeveel soorten benzine er zijn.

De tegenstanders van stemcomputers zijn voor het grootste deel mensen uit de IT-branche. Mensen die software kunnen programmeren en een computer door en door kennen. Opvallend veel van hen verdienen zelfs de kost met computerbeveiliging. Moet alleen al dat feit niet te denken geven? Uitgerekend mensen die precies weten wat een stemcomputer kan, keren zich tegen dat apparaat. Mensen die om reden van hun beroep niet in het verdachtenbankje horen te zitten omdat ze zich vijandig tonen tegen de computertechniek. Moeten we niet minstens vragen waarom zij vinden dat een stemcomputer niet thuishoort in de verkiezingen?

Op 3 maart 2009 kwam het Bundesverfassungsgericht[2] met een uitspraak die zodanig geformuleerd was dat ik bevestigd werd in mijn overtuiging dat het gevaar nog niet geweken is. De huidige beschikbare stemcomputers werden om verstandige redenen uit de roulatie gehaald. Maar met dat arrest werd ook de deur naar 'betere' stemcomputers wagenwijd opengezet, misschien vanwege de angst beticht te worden van computervijandigheid[3].

Ik ben van mening dat we die deur moeten sluiten, voor altijd. Stemcomputers zijn een gevaar voor de democratie en dus voor de vrijheid en de vrede. Bovendien zijn ze volkomen overbodig. De gebruikelijke methode – potlood en papier – is beproefd, van oudsher gekend en onovertroffen betrouwbaar.

---

[2] http://www.bundesverfassungsgericht.de/entscheidungen/cs20090303_2bvc000307.html

[3] Persbericht: http://www.bundesverfassungsgericht.de/pressemitteilungen/bvg09-019.html